ROBERT DUGONI

# Das Gift der Macht

*Buch*

Im Gerichtssaal ist David Sloane der unumstrittene Meister: Mit seinen Plädoyers hat er das Gericht vollkommen in seiner Hand, er kann die Jury dazu bringen, selbst das Unwahrscheinlichste zu glauben, und gewinnt die aussichtslosesten Fälle.
Als er unverhofft einen Anruf von einem ihm unbekannten Mann bekommt, gerät sein Leben völlig aus der Bahn. Der Anrufer, Joe Branick, ein Vertrauter des amerikanischen Präsidenten, wird kurz darauf tot aufgefunden. Zuvor aber hatte er ein Päckchen an Sloane abgeschickt, dessen Inhalt auf eine große politische Verschwörung hindeutet und Sloane gleichzeitig Hinweise auf seine eigene Vergangenheit liefert. Elektrisiert von der Chance, endlich die Lücken seiner Erinnerung auffüllen zu können, stürzt Sloane sich in die Nachforschungen. Dabei muss er sich auf zwei Männer verlassen, die er noch nie zuvor getroffen hat: Tom Molia, den Detective, der den Tod von Joe Branick untersucht, und Charles Jenkins, einen früheren CIA-Agenten, der unter denselben Angstträumen wie Sloane zu leiden hat. Gemeinsam versuchen sie, eine dreißig Jahre währende Verschwörung aufzudecken, die bis in die höchsten politischen Kreise reicht …

*Autor*

Robert Dugoni hat neunzehn Jahre lang als Anwalt in San Francisco und in Seattle gearbeitet. Seit 1999 konzentriert er sich ganz aufs Schreiben. Sein erstes Buch »The Cyanide Canary« war ein erfolgreiches Sachbuch und wurde 2004 von der Washington Post zu einem der »Best Books of the Year« gewählt. Robert Dugoni lebt mit seiner Frau und zwei Kindern in Seattle, Washington.

Robert Dugoni

# Das Gift der Macht

Roman

Aus dem Amerikanischen
von Friedrich Mader

GOLDMANN

Die Originalausgabe erschien 2006
unter dem Titel »The Jury Master«
bei Warner Books, New York

Zert.-Nr. SGS-COC-1940
www.fsc.org


Verlagsgruppe Random House FSC-DEU-0100
Das FSC-zertifizierte Papier *München Super* für Taschenbücher
aus dem Goldmann Verlag liefert Mochenwangen Papier

1. Auflage
Deutsche Erstausgabe Mai 2007

This edition published by arrangement
with Warner Books, Inc., New York, New York, USA.
Dieses Werk wurde vermittelt durch die Literarische Agentur
Thomas Schlück GmbH, 30827 Garbsen.
Umschlaggestaltung: Design Team München
Umschlagfoto: buchcover.com/doublepoint pictures/Visum
Redaktion: Vera Thielenhaus
KS · Herstellung Str.
Satz: Buch-Werkstatt GmbH, Bad Aibling
Druck und Bindung: GGP Media GmbH, Pößneck
Printed in Germany
ISBN: 978-3-442-46219-3

www.goldmann-verlag.de

*Für*
*meinen Vater Bill, den besten Mann, den ich kenne;*
*meine Mutter Patty, die mich inspiriert hat;*
*und meinen lieben Freund Ed Venditti,*
*der viel zu früh von uns gegangen ist.*

*I once was lost, but now am found.*
*Was blind, but now I see.*

»Amazing Grace«
John Newton, 1779

# 1

*San Francisco*

Wie zwölf Obdachlose der Stadt San Francisco schlurften sie in den Saal, die Schultern eingezogen und den Kopf nach unten geneigt, als würden sie auf dem Gehsteig nach Kleingeld suchen. David Sloane saß mit aufgestützten Ellbogen an dem wuchtigen Eichentisch, und seine Hände bildeten eine kleine Pyramide, deren Spitze an den Lippen endete. Ein Bild völliger Versunkenheit, und doch entging ihm in Wirklichkeit keine Bewegung der Geschworenen. Die sieben Männer und fünf Frauen kehrten an ihre Plätze auf der erhöhten Geschworenenbank aus Mahagoni zurück. Sie beugten sich vor, um ihre Notizblöcke von den gepolsterten Stühlen zu nehmen, und ließen sich nieder, das Kinn an die Brust gedrückt. Als sie den Kopf hoben, glitt ihr Blick vorbei an Sloane zu dem distinguierten Herrn am benachbarten Tisch der Gegenpartei: Kevin Steiner. Schon fehlender Blickkontakt mit den Geschworenen konnte für einen Anwalt und seinen Mandanten ein schlechtes Zeichen sein. Wenn sie jedoch dem Vertreter der Gegenseite direkt in die Augen sahen, war das wie das Läuten der Totenglocke.

Nach jedem seiner vierzehn aufeinanderfolgenden Prozesserfolge war Sloanes Berühmtheit gewachsen, und die Kanzleien der Kläger hatten ihm immer bessere Anwälte gegenübergestellt. Noch keiner war so gut gewesen wie Kevin Steiner. Der Mann mit dem schütteren Silberhaar war einer der kompetentesten Anwälte, die je in einem Gerichtssaal San Franciscos aufgetreten waren. Sein Lächeln brachte Butter zum Schmelzen, und seine rhetorischen Fähigkeiten hatte er sich als Shakespeare-Darsteller am College angeeignet. Sein Abschlussplädoyer war einfach brillant gewesen.

Obwohl Sloane seinen Mandanten vorher ermahnt hatte, beim Eintreten der Geschworenen keine Reaktion zu zeigen, spürte er, wie sich Paul Abbott in seine Richtung lehnte, bis sein sündhaft teurer Hickey-Freeman-Anzug Sloanes Konfektionssakko streifte. Dann verschlimmerte er seinen Fehler noch, indem er einen Styroporbecher mit Wasser hochnahm, um dahinter seine Lippen zu verbergen.

»Wir sind erledigt«, flüsterte Abbott, als hätte er Sloanes Gedanken gelesen. »Sie schauen uns nicht an. Keiner von ihnen.«

Sloane blieb reglos wie ein Standbild, ein Mann, der offensichtlich im Einklang stand mit seiner Umgebung und sich nicht die geringsten Sorgen machte. Doch Abbott war noch nicht fertig. Er gab jeden Versuch der Verstellung auf und ließ den Becher sinken.

»Ich zahle Ihnen und Ihrer Kanzlei nicht vierhundert Dollar die Stunde, um zu verlieren, Mr. Sloane.« Abbotts Atem roch nach dem billigen Glas Rotwein, das er zum Mittagessen getrunken hatte. Die Ader an seinem Hals – die, die immer anschwoll, wenn er wütend wurde – trat über dem gestärkten weißen Hemdkragen hervor wie ein Fluss bei Hochwasser. »Ich hab Sie nur deswegen genommen, weil Bob Foster zu meinem Großvater gesagt hat, dass Sie nie verlieren. Ich hoffe für Sie, dass Sie noch einen Trumpf im Ärmel haben, um den Scheißer in die Pfanne zu hauen.« Nachdem er seine Drohung an den

Mann gebracht hatte, trank Abbott seinen Becher leer. Er lehnte sich zurück und strich seine Seidenkrawatte glatt.

Wieder reagierte Sloane nicht. Er hatte Visionen, wie er Abbott mit einem gut bemessenen Ellbogenstoß über seine Stuhllehne erledigte und dann seelenruhig den Gerichtssaal verließ. Aber so weit würde es nicht kommen. Dem Enkel von Frank Abbott – einem persönlichen Freund und jeden Samstagvormittag Golfpartner von Bob Foster, dem Geschäftsführer von Foster & Bane – verpasste man nicht einfach eine blutige Nase, um sich dann aus dem Staub zu machen. Stammbaum und Umstände hatten Paul Abbott zum neunundzwanzigjährigen Erben der millionenschweren Abbott Security Company und zur schlimmsten Sorte von Mandanten für Sloane gemacht.

Abbott war großzügig darüber hinweggegangen, dass er in diesem Gerichtssaal saß, weil er es in der kurzen Zeit als Leiter von Abbott Security dank seiner Unfähigkeit geschafft hatte, einen Großteil dessen zunichtezumachen, was sein Großvater in vierzig Jahren aufgebaut hatte. Ein Wachmann der Firma, dessen drei Vorstrafen wegen Trunkenheit am Steuer anhand einer simplen Routineüberprüfung entdeckt worden wären, hatte betrunken im Eingangsbereich eines San Franciscoer Hochhauses gesessen. Der vor sich hin dösende Mann ließ den bereits zweimal verurteilten Sexualstraftäter Carl Sandal spät nachts ohne Ausweiskontrolle zu den Aufzügen des Gebäudes durch. Sandal schlich in den Korridoren herum, bis er Emily Scott allein in ihrem Anwaltsbüro antraf. Dort schlug, vergewaltigte und erwürgte er sie auf brutale Weise. Auf den Tag genau ein Jahr nach der Tragödie hatten Emily Scotts Mann und ihr sechsjähriger Sohn Klage gegen Abbott Security wegen fahrlässiger Tötung eingereicht und Schadenersatz in Höhe von sechs Millionen Dollar gefordert. Sloane hatte Abbott zu einem Vergleich gedrängt, vor allem nachdem sich im Zuge der Vorermittlungen gezeigt hatte, dass auch bei anderen Wachleuten die Leumundsprüfung unterblieben war. Doch Abbott weigerte sich mit der Begründung, Brian Scott sei ein »opportunistischer Arsch«.

Aus dem Augenwinkel beobachtete Sloane, dass Steiner den Blick der Geschworenen mit einem unmerklichen Kopfnicken quittierte. Als echter Profi verkniff sich Steiner natürlich ein Lächeln; er schloss nur sacht seine Mappe und ließ sie in die Aktentasche gleiten, die die Falten und Kerben einer dreißigjährigen Karriere aufwies. Steiners Arbeit war erledigt, das wusste er genauso gut wie Sloane. Abbott Security hatte sowohl im Hinblick auf die Beweis- als auch auf die Gesetzeslage verloren. Und im Grunde nur deshalb, weil der Leiter des Unternehmens ein arroganter Trottel war, der alle Ratschläge Sloanes in den Wind geschlagen hatte. Unter anderem hatte er die Empfehlung ignoriert, nicht mit einem zweitausend Dollar teuren maßgeschneiderten Anzug in einen drückend heißen Gerichtssaal voller proletarischer Geschworener zu marschieren, die nur nach einem Grund suchten, das Geld seines Großvaters zu verschenken.

An ihrem Platz unter dem großen Siegel des Staates Kalifornien legte Superior-Court-Richterin Sandra Brown einen Stapel Blätter beiseite und wischte sich mit einem im Ärmel ihrer schwarzen Robe verborgenen Taschentuch die Stirn ab. Das ausgeklügelte Klimasystem in dem kürzlich fertiggestellten und mit dem neuesten Stand der Technik versehenen Gerichtsgebäude war unter dem Druck einer wochenlangen Hitzewelle zusammengebrochen, die die Stadt fest im Griff hatte. Durch alle Gänge hasteten Wartungsleute mit leuchtend orangefarbenen Verlängerungskabeln und tragbaren Ventilatoren. Aus schierer Barmherzigkeit hatte Richterin Brown nach Steiners Ausführungen eine zehnminütige Unterbrechung angeordnet. Sloane kam die Pause vor wie eine kleine Galgenfrist. Doch diese Galgenfrist war jetzt abgelaufen.

»Mr. Sloane, darf ich Sie um Ihr Schlussplädoyer bitten.«

Sloane sah Richterin Brown an und warf noch einen letzten Blick auf das blaue Tintengekritzel auf seinem Notizblock.

Alles nur Show.

Sein Schlussplädoyer stand nicht auf dem Zettel. Nach Steiners Ausführungen hatte er seine eigene Argumentation in die Brieftasche zurückgeschoben. Er hatte nichts, was er Steiners eindringlichem Appell hätte entgegensetzen, nichts, was dessen Beschreibung der schrecklichen letzten Momente im Leben von Emily Scott und die sträfliche Nachlässigkeit des Wachmanns hätte entkräften können. Er hatte nichts, »um den Scheißer in die Pfanne zu hauen«.

In seinem Kopf herrschte Leere.

Die Zuschauer auf der Galerie saßen hinter einem weißen Schleier aus hin- und herschwingendem Papier, mit dem sie sich ununterbrochen Luft zufächelten wie die sommerliche Gemeinde auf den Bänken einer südlichen Baptistenkirche. Das anhaltende Surren der Ventilatoren klang wie ein Schwarm unsichtbarer Insekten.

Sloane schob seinen Stuhl zurück und erhob sich.

Das Licht blitzte auf – ein grell gleißender Schmerz, der wie ein Dolch von der Schädelbasis bis zu einem nadelspitzen Punkt zwischen seinen Augen zuckte. Er umklammerte die Tischkante, als das inzwischen schon vertraute Bild heranbrandete und wieder verschwand: der zerschlagene, auf der Erde liegende Körper einer Frau in einer riesigen Blutlache, von der aus sich karmesinfarbene Rinnsale verzweigten. Sloane unterdrückte eine Grimasse und stieß das Bild zurück in die Dunkelheit.

Die Richterin schaukelte mit einem rhythmischen Knarzen auf ihrem Stuhl, als würde sie die Sekunden herunterzählen. Steiner wirkte völlig unbewegt. In der ersten Reihe der Galerie saß Emily Scotts Mutter, Patricia Hansen, Hand in Hand mit ihren beiden anderen Töchtern, wie eine Demonstrantin an der Spitze einer Streikpostenkette. Im Moment ignorierten ihre stahlblauen Augen Sloane, weil sie Blickkontakt zu den Geschworenen suchten.

Mit einer gewaltigen Willensanstrengung zwang sich Sloane zu einer geraden Haltung. Er war eins achtundachtzig groß und durchtrainierte vierundachtzig Kilo schwer – vier Kilo leichter als bei seinem Eröffnungsplädoyer. Doch seine Kleidung verriet nichts von dem geistigen und körperlichen Verschleiß, der nach fünf Wochen Fastfood, Schlafmangel und pausenlosem Stress unvermeidlich war. In seinem Wandschrank hingen Dutzende von Anzügen in verschiedenen Größen, um diese Gewichtsschwankungen auszugleichen. Den Geschworenen war bestimmt nichts aufgefallen. Er knöpfte sein Jackett zu und trat auf sie zu, doch sie nahmen ihn nicht einmal zur Kenntnis, ließen ihn vor dem Geländer stehen wie einen unliebsamen Verwandten, der vielleicht einfach verschwand, wenn man ihn lange genug ignorierte.

Sloane wartete. Um ihn herum tickte und knarrte es im Gerichtssaal, und in der Luft hingen schwer die verschiedenen Körperausdünstungen.

Der vierte Geschworene, ein Buchhalter aus Noe Valley, der sich während des gesamten Verfahrens fleißig Notizen gemacht hatte, war der erste. Die fünfte Geschworene, die blonde Nahverkehrsangestellte, folgte. Als nächster hob der neunte Geschworene, der afroamerikanische Bauarbeiter, den Blick, wenngleich seine Arme trotzig vor der Brust verschränkt blieben. Dann waren die Geschworenen Nummer zehn, drei und sieben an der Reihe. Wie Dominosteine fielen sie um und nahmen, von Neugier getrieben, nacheinander das Kinn von der Brust, bis schließlich alle den Kopf gehoben hatten. Langsam breitete Sloane die Hände zur Seite aus wie ein Priester, der seine Gemeinde begrüßt. Die im ersten Augenblick so merkwürdige Geste ergab schnell einen Sinn: Er stand mit leeren Händen vor ihnen, ohne Requisiten und Hilfsmittel.

Sein Mund öffnete sich, und er vertraute darauf, dass Worte herauskommen würden, so wie immer, dass sie sich nahtlos aneinanderreihen würden wie die Perlen einer Halskette.

»Das ist unser aller Alptraum.« Er faltete die Hände vor dem Bauch. »Sie sind zu Hause beim Abspülen in der Küche, Sie baden gerade Ihr Kind oder sitzen im Wohnzimmer und schauen sich ein Baseballspiel im Fernsehen an – alltägliche Dinge.« Er ging nach links. Ihre Köpfe folgten ihm.

»Auf einmal klopft es an der Tür.« Er hielt inne. »Sie trocknen sich die Hände ab, sagen Ihrem Sohn, er soll den Heißwasserhahn in Ruhe lassen, gehen zur Tür, ohne den Blick vom Fernseher zu nehmen.«

Er machte ein paar Schritte nach rechts, blieb stehen und sah der siebten Geschworenen in die Augen, der Schullehrerin aus dem Sunset District, die sich mit Sicherheit als heftigste Kritikerin seines Mandanten erweisen würde.

»Sie öffnen die Tür.«

Sie schluckte.

»Auf Ihrer Schwelle stehen zwei Männer in unscheinbaren grauen Anzügen, hinter ihnen ein uniformierter Polizeibeamte. Die Männer fragen nach Ihrem vollen Namen. Sie haben es schon so oft im Fernsehen gesehen, dass Sie sofort Bescheid wissen.«

Sie nickte fast unmerklich.

Er schritt die Reihe ab. Der Stift des Buchhalters verharrte reglos auf dem Block. Der Bauarbeiter ließ die Arme sinken.

»Sie denken sich, es hat einen Unfall gegeben, vielleicht mit dem Auto. Sie wollen hören, dass es ihr gutgeht, Sie flehen die Leute an, aber der Ausdruck auf ihren Gesichtern und die Tatsache, dass sie vor Ihrer Tür stehen, das alles sagt Ihnen, dass Sie sich etwas vormachen.«

Der weiße Papierschleier kam zum Stillstand. Steiner setzte sich aufrecht hin und lehnte sich mit leicht verblüffter Miene nach vorn. Patricia Hansen löste sich aus der Umarmung ihrer Töchter und legte eine Hand aufs Geländer wie jemand, der während einer Trauungszeremonie Einspruch einlegen will.

»Ohne lange Umschweife kommen die Beamten zur Sache. ›Ihre Frau wurde ermordet.‹ Ihr Schrecken schlägt in ungläubige Verwirrung um. Einen Augenblick fühlen Sie sich seltsam erleichtert. Es ist ein Irrtum. Die Polizei hat die Adresse verwechselt.

›Das muss ein Irrtum sein‹, erklären Sie.

Die Beamten senken den Blick. ›Tut uns leid. Es ist kein Irrtum.‹

Sie treten vor die Tür. ›Nein, nicht meine Frau. Sehen

Sie sich mein Haus an. Sehen Sie sich mein Auto in der Auffahrt an.‹ Sie deuten in beide Richtungen des Blocks in Ihrem Wohnviertel. ›Hier werden keine Leute ermordet. Deswegen leben wir doch hier. Weil es sicher ist. Unsere Kinder fahren mit dem Rad auf der Straße. Wir schlafen bei offenem Fenster. Nein‹, rufen Sie, ›das muss ein Irrtum sein!‹«

Ihm Saal knisterte es. Er spürte es jetzt, sah es in ihren hohlen Augen. Sie beschworen ihn weiterzureden, sie sehnten sich nach dem süßen Trost seiner Stimme und nahmen seine Worte auf wie Drogen aus einer Spritze.

»Doch es liegt kein Irrtum vor. Es hat keinen Unfall gegeben. Nein, es war die vorsätzliche, geplante Tat eines kranken und abnormen Soziopathen, der ausgerechnet in dieser Nacht in blutrünstiger Laune war. Und nichts und niemand auf der Welt hätte ihn von seiner Tat abhalten können.«

Er breitete wieder die Arme aus, um ihnen in ihrem Schmerz Trost zu spenden und ihnen zugleich Verständnis für die schwere Aufgabe zu signalisieren, die ihnen bevorstand.

»Es wäre viel leichter für Sie, wenn es um die Frage ginge, ob Emily Scotts Tod ein schreckliches, sinnloses Verbrechen war.« Das war eine subtile Anspielung auf Steiners Schlussworte. »Darin sind wir uns mit Sicherheit einig.«

Köpfe nickten.

»Es wäre viel leichter für Sie, wenn es um die Frage ginge, ob ihr Mann und ihr Sohn durch Carl Sandals gemeine Tat gelitten haben und noch weiter leiden werden.« Sein Blick suchte die Gesichter ab. »Mehr als wir alle es uns vorstellen können.« Seine Worte verschmolzen mit dem Brummen der Ventilatoren zu einem hypnotischen

Singsang. »Doch das sind nicht die Fragen, auf die Sie eine Antwort finden müssen, zu deren Beantwortung Sie sich mit einem Eid verpflichtet haben. Und das wissen Sie auch alle tief in Ihrem Innersten. Deswegen ist diese Entscheidung so schwer. Deswegen quälen Sie sich so. Die Frage, die man Ihnen stellt, lässt sich nicht mit Emotionen beantworten. Sie müssen sie mit Vernunft beantworten, und das in einem Fall, der sich jeder Vernunft verschließt. Für Carl Sandals Tat gibt es keine vernünftige Erklärung, und es wird auch nie eine geben.«

Der blonden Nahverkehrsangestellten flossen die Tränen ungehindert übers Gesicht.

Sloanes Blick traf den fünften Geschworenen, den Automechaniker aus dem Stadtteil Richmond, und irgendwie wusste er plötzlich, dass die Geschworenen diesen Mann zu ihrem Sprecher wählen würden.

»Auch ich würde mir bei Gott wünschen, dass man die sinnlosen Gewalttaten solcher Sexualverbrecher irgendwie verhindern könnte. Ich würde mir bei Gott wünschen, gemeinsam mit Ihnen hier verhindern zu können, dass jemals wieder jemand die Haustür öffnen und eine Nachricht bekommen muss, wie sie Brian Scott bekommen hat. Ich würde mir bei Gott wünschen, dass wir Carl Sandal an seiner Tat hätten hindern können.« Nun fühlte er, dass auch der Teil in ihnen nachgab, der sich bisher noch gegen seine Worte gesträubt hatte. »Aber wir können es nicht. Wenn wir nicht in ständiger Angst leben, unsere Türen und Fenster verriegeln und wie die Tiere in Käfigen hausen wollen … dann können wir es nicht.«

Er senkte den Blick und gab sie frei. Sie hatten ihre Türen geöffnet und ihn bei sich willkommen geheißen. Und genau in diesem Moment war sich Sloane seiner Sache sicher. Er musste kein weiteres Wort mehr sagen. Abbott Security hatte nicht verloren.

Obwohl er sich bei Gott gewünscht hätte, auch das verhindern zu können.

## 2

*Bloomberry, West Virginia*

In seinem Streifenwagen, der im Schatten einer Espe parkte, fummelte Police Officer Bert Cooperman aus Charles Town, West Virginia, mit Daumen und Zeigefinger am Einstellknopf seines Funkgeräts herum wie ein Angler, der spürt, dass ein Fisch am Köder frisst. Aber so sehr er sich auch anstrengte, er konnte den Haken nicht festziehen, und er fürchtete schon, wieder verloren zu haben, was da am anderen Ende der Schnur hing.

Es war sicher nicht die Zentrale. Dort hatte Kay Dienst, und kein reinrassiger Amerikaner ohne Gehörschaden konnte Kays gedehntes West-Virginia-Genöle mit der Stimme des Mannes verwechseln, die Coopermans Funkgerät mit Unterbrechungen immer wieder aufschnappte. Es konnte die Park Police sein. Die Serpentinenstraße durch die Ausläufer der Blue Ridge Mountains führte am Rand des Black Bear National Park entlang, für den die Park Police zuständig war. Aber die Einstellung auf der Skala war weit entfernt von der Frequenz der Park Police. Sie stand um Haaresbreite rechts von 37,280 MHz, also verdammt nah bei der Frequenz von Charles Town. Und genau das wunderte ihn.

Cooperman beugte sich ganz nah zum Funkgerät hin und drehte weiter an der Einstellung herum, ein winziges Stück nach rechts, nach links, wieder zurück.

»Komm schon, lass was hören.« Mann, inzwischen wäre er mit allem zufrieden gewesen, was ihn ein wenig abgelenkt hätte. Nach zehn Stunden seiner Zwölfstundenschicht hatte er schon die sechste Tasse schwarzen Kaffees in Arbeit, und trotzdem fühlten sich seine Augenlider an wie Garagentüren, die nach unten rollen wollten. Der verdammte Vollmond hatte ihm falsche Hoffnungen gemacht. Ob es nun ein blöder Aberglaube war oder nicht, bei Vollmond kamen normalerweise die Spinner raus. Und wenn die Spinner unterwegs waren, vergingen zwölf Stunden so schnell wie zwölf Minuten.

Doch heute Nacht war Fehlanzeige.

Heute kam ihm seine Schicht eher wie zwölf Tage vor. Wenigstens hatte er das Wochenende frei, und weil seine Frau und sein neugeborener Sohn gerade bei ihren Eltern in South Carolina zu Besuch waren, würde er endlich die Gelegenheit zu ungestörtem Schlaf und zu einem sowieso längst überfälligen Jagdausflug finden. Dieser Gedanke war – abgesehen von der ungreifbaren Stimme aus dem Funkgerät – das Einzige, was ihn noch wachhielt. Die Stimme war wie aus dem Nichts gekommen, als Cooperman am Straßenrand geparkt hatte, um ein Eiersalatsandwich zu essen, das jetzt die Luft im Wagen verpestete.

»… Fire Roa… dreizehn Kilom… ganz in der Nähe … uss.«

Da war es wieder – ganz schwach, brüchig, trotzdem hörbar. Verdammt, er durfte es auf keinen Fall wieder verlieren.

»… unter einem Busch … Bösch… üb… Hüften.«

Bestimmt ein Mann. Es klang, als hätte er was im Gebüsch gefunden. Cooperman lauschte angestrengt.

»… absolut sicher … tot.«

»Verdammt.« Cooperman lehnte sich zurück und schlug klatschend aufs Lenkrad. »Bestimmt die verdammte Tierpolizei.« Wahrscheinlich meldeten sie gerade irgendein totgefahrenes Vieh. So ein Pech, das war wieder mal typisch für ihn. Er startete den Chevy und fuhr aus der bekiesten Parkbucht.

Aus dem Funkgerät drang ein Knistern.

»Er ist tot …«

Cooperman stieg auf die Bremse. Kaffee schwappte über den Rand des Bechers und verbrühte ihn am Bein. Er stemmte sich aus dem Sitz hoch, um sich Servietten und eine Zeitung unter den Hintern zu stopfen. Dann griff er sofort wieder nach dem Einstellknopf.

Links, rechts – nichts.

»Nein … nein … nein. Komm zurück! Komm zurück!«

Er kippte den Rest Kaffee aus dem Fenster und lehnte sich zurück, während der Mond hoch über ihm sich über ihn lustig zu machen schien. Der Gedanke traf ihn wie früher die Hand seines Vaters am Hinterkopf, wenn er was ausgefressen hatte.

*Und wenn der Typ nicht tot ist, Coop? Wenn er noch lebt?*

Adrenalin und Koffein pulsierten durch seine Adern. Er setzte sich auf. »Scheiße.«

*Wenn er irgendwo da draußen im Sterben liegt?*

Er trat aufs Gas, doch eine andere Erkenntnis ließ ihn gleich wieder die Bremse reinhauen. »Verdammt, der kann doch überall da draußen sein.« Der Versuch, einen Mann mit einer lebensgefährlichen Schusswunde aufzustöbern, war wie die Suche nach der sprichwörtlichen Nadel im Heuhaufen.

*Streng dich an, Mann.*

»Mach ich doch schon, verdammt.«

*Was hat der Typ noch mal gesagt? Denk nach! Was haben deine tauben Schlappohren gehört, Coop?*

»Ich denk ja schon nach.« Aber er dachte nicht nach. Er konnte nicht. Er war mit all den Sachen beschäftigt, die er falsch gemacht hatte, und mit dem unvermeidlichen Rüffel, den er sich von J. Rayburn Franklin einhandeln würde, dem Polizeichef von Charles Town. Bestimmt musste er jetzt ewig Nachtschicht schieben, immer nur im Dunklen unterwegs wie ein verdammter Vampir.

*Fire Road.*

Cooperman fuhr hoch. »Fire Road. Genau. Er hat auf jeden Fall ›Fire Road‹ gesagt.«

*Das heißt, es kann so ziemlich überall in den Bergen sein, du Schwachkopf.*

Er rieb sich den Nacken. »Was noch? Was noch!«

*Dreizehn Kilometer.*

»Stimmt, er hat gesagt ›dreizehn Kilometer‹.« Langsam erinnerte er sich wieder.

*Wo die Flüsse aufeinandertreffen.*

»Wo die Flüsse aufeinandertreffen.«

*Der Shenandoah und der Potomac.*

Cooperman packte den Schalthebel und ließ ihn wieder los.

*Nein, nicht der Shenandoah und der Potomac. Zu weit weg.*

»Muss näher sein. Was ist näher?«

*Evitt's Run.*

Der Gedanke zerplatzte wie ein zu stark aufgeblasener Ballon.

»Der Fire Trail. Scheiße, er ist auf dem Fire Trail. Das muss es sein. Bingo.«

Er warf den Rest seines Sandwichs aus dem Fenster

und drückte auf den Schalter, der blau und weiß pulsierendes Licht über die Stämme und Äste der Bäume schickte. Dann wendete er vom Seitenstreifen auf den Asphalt und beschleunigte.

Vier Minuten später steuerte Cooperman mit einer Hand am Lenkrad über die Serpentinen und hängte das Sprechteil wieder ein. Er hatte seine Position mit Country Road 27 Richtung Norden angegeben. Laut Vorschrift musste er Verstärkung anfordern, wusste aber, dass es dauern konnte, bis die Zentrale die Park Police verständigte, und noch länger, bis diese einen Beamten losschickte.

Das hier war sein Einsatz – möglicherweise sein erster Toter.

Die Spinnweben vor den brennenden Augen waren von einem Energieausbruch zerfetzt worden, als hätte er gerade eine Zehnereinheit beim Bankdrücken hingelegt. Verdammt, er mochte dieses rauschhafte Gefühl! Johlend blickte er zum Himmel auf.

»Vollmond, Baby!«

Er drückte noch etwas stärker aufs Gas, um sich so richtig in eine Kehre zu legen. Er hatte keine Angst, über den Straßenrand hinauszuschießen, weil er den Fire Trail kannte wie seine Westentasche. Der Evitt's Run verlief in einer relativ geraden Linie, bis er in den Shenandoah mündete. Im Februar und Oktober, wenn zahlreiche Forellen und Barsche im Fluss ausgesetzt wurden, wurde der Fire Trail zu einer vielbefahrenen Straße. Den Rest des Jahres war er bis auf seltene Wanderer oder Jäger, die in die Blue Ridge Mountains wollten, völlig verlassen. Jedes Jahr schoss sich einer von denen einen Zeh ab oder traf einen Kumpel mit einer Ladung Schrot in den

Rücken. Auch das hier war wahrscheinlich einer von diesen Fällen, obwohl es ernster geklungen hatte. Cooperman vermutete, dass da jemand 911 angerufen und dass sein Funkgerät den Notruf aufgefangen hatte. Es war genau, wie Tom Molia gesagt hatte. Der Detective aus Charles Town hatte das ganze Revier in Aufruhr versetzt mit der Story über sein Funkgerät, das einen Mann und eine Frau aufgeschnappt hatte, die sich beim Telefonsex gegenseitig zu den verrücktesten Dingen aufforderten. Das Ganze hörte sich wie der übliche Quatsch von Mole an – Mole sorgte gern für ein wenig Aufruhr –, bis dieser doch wirklich einen Artikel aus der *Post* anschleppte, in dem von einem Fehler in der Funktechnologie berichtet wurde, der dazu führte, dass Polizeifunkgeräte Telefonanrufe aufschnappten wie Antennen Funksignale.

Cooperman grinste. »Das waren zwar nicht zwei Leute beim Bumsen, Mole, aber meine Geschichte wird den Jungs bestimmt auch gefallen.«

Vielleicht konnte er sogar jemandem das Leben retten und zum Helden werden. J. Rayburn Franklin würde ihn für »verdammt gute Polizeiarbeit« und eine Aufmerksamkeit loben, wie er sie von einem jungen Officer erwartete. Wahrscheinlich würden sie sogar im *Spirit of Jefferson,* der lokalen Wochenzeitung, etwas über Cooperman schreiben. Mann, womöglich kam sogar in der *Post* was über ihn.

Die Hinterräder des Wagens scharrten über losen Kies am Straßenrand, und Cooperman schlitterte gefährlich nah an die Böschung. Er beschleunigte und bremste gleich darauf, um das Auto wieder unter Kontrolle zu bringen. »So wie du's an der Polizeischule gelernt hast, Coop.« Er bog in eine weitere Serpentine, sah das bekannte dreieckige Schild, das sich in den Scheinwerfern gelb spiegelte, bremste vor einer Rechtskurve scharf ab und korrigierte mit dem Steuer, um das Ausbrechen des Wagens zu verhindern. Das Auto hüpfte und schaukelte auf der unbefestigten Straße, und der Kies prasselte auf den Boden. Auf der Kammhöhe verloren die Reifen kurz die Bodenhaftung, bis der Wagen mit einem dumpfen Schlag wieder landete. Die Scheinwerfer tauchten Eschen und Ahornbäume in weißes Licht. Cooperman steuerte nach rechts und stoppte, als die Scheinwerfer einen bärtigen Mann mit rotem Haar erfassten, der neben einem ramponierten weißen Pick-up stand.

Wie ein hypnotisiertes Kaninchen starrte er ins Licht. »Genau, Redhead. Die Kavallerie ist da.«

Er stellte auf Parken und sprang aus dem Auto, nachdem er sich mit zwei schnellen, einstudierten Bewegungen den Knüppel in den Gürtel geschoben und die Taschenlampe vom Haken genommen hatte. Das Adrenalin trieb ihn vorwärts, nur irgendwo in den Tiefen seines Gehirns brüllten seine Ausbilder: immer schön langsam, erst überlegen. Seine Füße gehorchten nicht.

Im Näherkommen sprach er den Mann an. »War der Anruf von Ihnen?« Der Mann hob eine Hand, um sich vor dem Licht zu schützen. Cooperman senkte den Strahl. »Haben Sie wegen eines Toten angerufen?«

Der Rothaarige wandte sich dem Pick-up zu. Cooperman folgte seinem Blick mit der Taschenlampe, die einen Hinterkopf vor einem Gestell mit zwei großkalibrigen Gewehren erfasste. Die kurzen Haare in Coops Nacken sträubten sich, und er löste instinktiv den Halfter seiner Smith & Wesson, widerstand aber dem Drang, sie zu ziehen.

*Genau nachdenken. Immer den Kopf benutzen.*

Der Rothaarige hatte Jeans, Stiefel und eine Denimjacke an – normale Jagdkleidung also. Gut. Ohne Gewehre brauchten die beiden wohl kaum zur Jagd zu gehen. Zwei Männer. Zwei Gewehre. Gut. Das Kennzeichen des Pick-ups zeigte die sanften Hügel von West Virginia in der Abenddämmerung unter den bekannten Worten: »Wild, Wonderful«. Noch mal gut. Einfach nur zwei Jungs, die in den Bergen ein bisschen auf die Jagd gehen wollten.

Die Beifahrertür des Pick-ups öffnete sich, und ein stämmiger, dunkelhaariger Mann stieg aus. Cooperman richtete den Strahl der Taschenlampe auf ihn.

»Ich bin Bert Cooperman von der Polizei in Charles Town. Haben Sie den Notdienst gerufen wegen eines Toten?«

Der Mann nickte und kam mit einem Handy in der Hand näher. Es war genau, wie Mole es beschrieben hatte.

»Ja, Officer. Ich habe telefoniert. Mann, Sie haben uns vielleicht erschreckt. Dass Sie auch so schnell hier waren und alles. Wirklich erstaunlich.« Der Mann sprach mit einem deutlichen West-Virginia-Akzent, und er klang ziemlich außer Atem.

»Mein Funkgerät hat den Anruf reinbekommen. Ich war gerade in der Nähe auf Streife.«

Der Mann deutete auf ein Ginstergestrüpp, das aussah, als hätte es einen Lexus halb verschluckt. »Ist mir komisch vorgekommen, wie der Wagen geparkt ist und alles.« Er ging auf das Auto zu. »Ist vielleicht weggerollt, dachte ich mir. Niemand drin. Nur eine Anzugjacke. Das ist uns auch seltsam vorgekommen, also haben wir uns umgeschaut, nur so aus Neugier, verstehen Sie?« Jetzt zeigte er zum Rand der Böschung und wechselte die Richtung. »Die Leiche ist gleich unten am Hang. Wir haben nichts gehört. Sieht aber so aus, wie wenn er es einfach gemacht hätte.«

Cooperman folgte mit schnellen Schritten. »Einfach gemacht?«

Der Mann blieb an der steil abfallenden Kammseite stehen. Am Grund floss der Shenandoah dahin, so dunkel wie eine nächtliche Teerstraße. »Hat sich in den Kopf geschossen. Schaut zumindest so aus.«

»Tot?«, fragte Cooperman.

»War noch warm. Ich meine, wir sind ja keine Ärzte und alles ...«

Cooperman blickte über den Rand. »Meinen Sie, er könnte noch leben?«

Der Mann streckte den Arm aus. »Da können Sie die Beine sehen, gleich links von dem Busch da – ungefähr zwanzig Meter von hier. Können Sie's erkennen?«

Cooperman ließ den Lichtstrahl über dichtes Unterholz und rote Rosskastanien gleiten; dann riss er ihn schnell zurück, um ihn auf etwas grotesk Unpassendes zu richten: ein Hosenbein, das aus den Büschen ragte. Eine Leiche. Gottverdammt, es war wirklich und wahrhaftig eine Leiche. Natürlich hatte er das erwartet, aber sie mit eigenen Augen zu sehen ... seine erste ...

Plötzlich ging wieder alles drunter und drüber in seinem Kopf. Die Gedanken stürmten auf ihn ein wie die Gegenstände in einem Videospiel für Kinder. Cooperman machte ein paar Schritte den Hang hinunter, blieb aber sofort stehen.

*Die Zentrale anrufen. Er könnte noch leben. Der Körper war noch warm.*

Erneut startete er und stoppte ab.

*Selbst wenn er lebt, kannst du ihm allein nicht helfen. Ruf einen Rettungswagen.*

Er kletterte wieder nach oben und steuerte auf sein Auto zu. Dann wandte er sich den beiden Männern zu, um ihnen mitzuteilen, was er vorhatte. »Ich rufe jetzt die …«

Cooperman ließ die Taschenlampe fallen, und der Strahl rollte über den Boden, bis er starr auf die schwarze Spitze eines Jagdstiefels zielte. Nach den Erzählungen der Veteranen war das Ding so groß wie ein Kanalisationsrohr und etwas, was man besser nie zu Gesicht bekam.

»Die Verstärkung wird jeden Augenblick hier sein«, sagte Cooperman.

Der Dunkelhaarige lächelte. »Danke für diese wichtige Information, Officer.« Der Akzent war verschwunden. Das Handy ebenso. In seiner Hand hielt der Mann einen großkalibrigen Revolver.

Und Cooperman starrte direkt in seinen Lauf.

## 3

*Yosemite National Park, Kalifornien*

Der Schrei hallte von den Granitwänden wider wie das Wimmern von Geistern. Eng eingewickelt in seinen Schlafsack hatte Sloane Mühe, sich aufzusetzen. Er löste eine Hand aus dem verknäuelten Stoff, tastete den Boden blindlings nach dem Griff des Messers ab und riss die gezackte Stahlklinge aus der Scheide, während er gleichzeitig den Schlafsack wegstrampelte und mit weit aufgerissenen Augen in die Hocke sprang. Sein Puls donnerte in den Ohren. Keuchend rang er nach Atem.

Das Echo verhallte über den Sierras, bis nur noch die nächtlichen Berggeräusche zu hören waren: das Zirpen der Grillen, eine Sinfonie von Insekten und das gedämpfte Tosen eines fernen Wasserfalls. Ein Eishauch ließ ihn erschauern, und mit der Gänsehaut kam das Gefühl für die harte Wirklichkeit zurück.

Er war allein. Den hallenden Schrei hatte er selbst ausgestoßen.

Sloane ließ das Messer fallen und fuhr sich mit den Fingern durchs Haar. Als sich seine Augen an die Dunkelheit gewöhnt hatten, wurden die bedrohlichen Schatten wieder zu den Bäumen und Felsen, neben denen er sein Lager aufgeschlagen hatte.

Nach dem Urteil der Geschworenen hatte er beschlossen, sich möglichst weit vom Gerichtsgebäude zu entfernen. Er wollte vergessen und in den Bergen den Trost suchen, den er bisher dort immer gefunden hatte. Er hatte alles liegen- und stehenlassen: Paul Abbott im Gericht und sein Handy zusammen mit dem Notebook und der Aktentasche im Apartment. Mit offenen Fenstern war er zum Dröhnen von Springsteens »Born to Run« durchs Joaquin Valley gebraust, während die vierzig Grad heiße Luft den Zwiebel- und Kuhfladengestank von den Wiesen durch sein Auto peitschte. Mit jedem Kilometer, den er zwischen sich und Emily Scott legte, war seine Zuversicht gewachsen, dass er sich vorwärtsbewegte und den Alptraum dabei hinter sich ließ.

Doch er hatte sich getäuscht. Der Alptraum war ihm gefolgt.

Er hätte es wissen müssen. Sein Optimismus war nicht auf Tatsachen oder der Vernunft gegründet gewesen, sondern allein seiner Verzweiflung entsprungen. So stark war sein Bedürfnis zu vergessen, dass er es vorgezogen hatte, die Mängel in seiner Argumentation zu ignorieren und Fakten zu erfinden, die nicht existierten – ein gefährlicher Fehler für einen Rechtsanwalt. Jetzt war sein Optimismus erloschen wie die Asche seines Lagerfeuers, und ihm war nichts geblieben außer unüberwindbarer Niedergeschlagenheit.

Wie ein jähes Fieber brach der Schmerz aus und legte sich wie ein Spinnennetz über seine Stirn und Kopfhaut. Die Migräne folgte dem Alptraum so sicher wie der Donner dem Blitz. Sloane packte seine Stirnleuchte und stolperte über die Kiefernnadeln und Kieselsteine, die sich in seine Fußsohlen bohrten. Sein Rucksack hing an einem hohen Ast, außerhalb der Reichweite von Tieren. Die Schmerzlinien umklammerten ihn wie Tentakel; schwarzweiß zuckendes Diskolicht trübte seine Sicht. Als er sich nach unten beugte, um den Stock aufzuheben, mit dem er den Rucksack nach oben gehoben hatte, spürte er, wie sich sein Magen zusammenzog. Er sackte in die Knie und würgte unter heftigen Krämpfen sein gefriergetrocknetes Abendessen heraus. Er wusste, dass die Migräne noch schlimmer werden und ihm sogar zeitweise die Sehfähigkeit rauben würde. Dieser Gedanke brachte ihn dazu, sich aufzurappeln. Er angelte den Rucksack herunter, zog die kleine Plastikdose aus der Vordertasche und spülte zwei der hellblauen Tabletten mit einem Schluck Wasser hinunter. Das Fiorinal würde seinen Schmerz betäuben, nicht aber seine Verzweiflung.

»Jetzt reicht's.« Er hob den Blick zum Vollmond am sternenübersäten Himmel. »Verdammt noch mal, es reicht.«

Im Lichtkreis des neu entfachten Feuers ging Sloane in die Hocke, um in den Flammen zu stochern und trockene Zweige hineinzuwerfen. Kiefernnadeln knisterten mit gelben Funken. Er hatte das Lager abgebrochen, und in seinem Kopf tobte ein heftiger Kampf zwischen dem Drang zu verschwinden und der Stimme der Vernunft, die ihn mahnte, bis zum Tagesanbruch zu warten. Im Moment war er nicht in der Lage, auf diese Stimme zu hören. Obwohl die Entfernung zu den Bausünden, die das San Gabriel Valley in Südkalifornien mit einem Netz von schablonenhaften Häusern überzogen hatten, nicht weit war, hatte Sloane in der Sierra Nevada eine unerwartete Zuflucht vor der Arbeit und vor quälenden Problemen gefunden.

Damit war es jetzt vorbei.

Was immer ihn auch im Schlaf heimsuchte, es ließ sich nicht verhüllen wie Möbel in einer verlassenen Wohnung. Es existierte unabhängig von dem Emily-Scott-Prozess, höchst lebendig, unberechenbar. Er blickte hinaus in das Dunkel und spürte es: etwas, eine Gegenwart. Was es auch war, es ging nicht von allein weg, und er konnte sich nicht davor verstecken. Es macht Jagd auf ihn, entschlossen und gnadenlos.

Er stand auf und schaufelte Erde aufs Feuer, um es zu löschen.

Höchste Zeit zum Aufbruch.

## 4

*Black Bear National Park, West Virginia*

Detective Tom Molia zog das Gestrüpp zurück und kämpfte gegen den aufwallenden Ekel an, in dem jeder normale Mensch mit einem normalen Job die italienische Wurst wieder von sich gegeben hätte, die er zwischen zwei Scheiben Brot gesteckt und als Frühstück bezeichnet hatte, während er zum Auto stürmte. Der Tote lag auf der Seite, wahrscheinlich so, wie er hingefallen war – ein kräftig gebauter Mann, dessen weißes Hemd und Krawatte mit burgunderroter und grauer Gehirnmasse bespritzt waren. Neben der entspannt daliegenden rechten Hand ragte der Lauf eines Colt Python .357 aus dem hohen Gras und dem Ginstergestrüpp.

Heftige Geschichte.

Molia kauerte sich hin, um sich das Ganze aus der Nähe anzusehen. Die Kugel, eine .357er Magnum oder eine 38er Special hatte die Schläfe des Mannes durchschlagen wie ein Güterzug mit Bremsschaden und dabei ein ziemliches Stück vom oberen Schädel weggerissen.

»Daran gewöhne ich mich hoffentlich nie.«

Mit dem Handrücken verscheuchte er eine Fliege. Angesichts der rasch steigenden Temperaturen hatten die Insekten nicht lange gebraucht, um die Leiche zu finden. Molia zog eine Waldzwiebel aus dem Boden, schob sich die Wurzel in den Mund und blies Erdkrümel von der Zungenspitze. Der scharfe Geschmack dämpfte den Geruch des Todes. Trotzdem würde er noch stundenlang in seiner Nase und Kleidung hängen.

»Colt Python. Wahrscheinlich eine Dreisiebenundfünfziger. Ziemlicher Brummer. Der wollte es wirklich wissen.«

Er hätte genauso gut mit dem Toten reden können. Park Police Officer John Thorpe stand über dem Detective im schräg abfallenden Gelände und prügelte mit der Taschenlampe auf das hohe Gras ein. Er hatte die Sensibilität eines Laternenpfahls.

Molia erhob sich aus der Hocke und schaute sich um. »Das Gras hier macht die Sache nicht unbedingt leichter. Bei einer Austrittswunde von dieser Größe kann die Kugel so gut wie überall sein. Die werden wir wohl kaum finden. Aber …« Er verstummte, und falls Thorpe je die Kunst der Konversation erlernt hatte, verpasste er nun eine weitere günstige Gelegenheit, mit seinem einschlägigen Wissen zu glänzen.

Molia wischte sich mit einem Taschentuch die Stirn ab und ließ den Blick über den Hang hinaufgleiten. Er konnte sie zwar nicht sehen, wusste aber, dass sich eine ganze Horde von Park-Police-Ermittlern und FBI-Agenten über den Lexus hergemacht hatte wie Ameisen über ein Stück Zucker – und dicht dahinter stand schon die Presse an. Thorpe hatte es versäumt, das Kennzeichen des Autos zu verdecken, und die Identität des Opfers hatte sich über die Nachrichtenkanäle in Windeseile herumgesprochen. Als Molia den Fire Trail heraufgefahren war, hatten zwei uniformierte Sheriffs bereits ein Seil über die Straße gespannt, um die Reporter in Schach zu halten.

Molia schlüpfte aus seinem Sakko und hängte es sich über die Schulter, während er weiter seine Stirn abtupfte. Vielleicht war es nur die anstrengende Kletterei am Hang, jedenfalls hatte er das Gefühl, dass die Morgensonne, die bereits wie ein Leuchtfeuer am wolkenlosen blauen Himmel stand, heute besonders erbarmungslos auf ihn herunterknallte. Angesichts der vorhergesagten dreiunddreißig Grad bei neunzig Prozent Luftfeuchtigkeit stellte er sich schon mal darauf ein, den Rest des Tages zu triefen.

»Es ist nicht die Hitze, die einen fertigmacht, sondern die Feuchtigkeit.« Das war eine Sache an West Virginia, an die sich der im vergleichsweise milden Klima Nordkaliforniens geborene und aufgewachsene Detective nie gewöhnen würde. »Der Schlaumeier, der das gesagt hat, hat nie bei dreiunddreißig Grad in der prallen Sonne gestanden, was meinen Sie, John? Heiß ist heiß, ob feucht oder nicht.«

Thorpe starrte den Hang hinunter, als hätte er Giftgas eingeatmet. Mit zwanzig solchen Gestalten hätte Molia einen Gemüsegarten anlegen können.

Er löste seine Krawatte und zog sie nach unten bis zum dritten Knopf; sein Hemd war bereits zerknittert. Wenn ihn Maggie frisch gebügelt zur Tür rausschickte, sagte sie immer, dass er schon am Ende der Auffahrt wieder aussehe wie ein zerwühltes Bett. Das hing mit seiner schieren Körpermasse zusammen. Gertenschlank war er mit seinen eins dreiundachtzig nie gewesen; allerdings hatte er in jüngeren Jahren die Statur eines Athleten gehabt, und das Gewicht hatte sich auf Schultern, Arme und Brust verteilt. Nun, mit vierzig, hatte sich die Schwerkraft durchgesetzt und alles immer mehr zur Körpermitte und zum Hintern rutschen lassen, Extrapfunde, die Maggie liebevoll als »Liebesspeck« bezeichnete. Von wegen Liebe. Das waren Schwimmreifen, die zudem immer stärker anschwollen. Aber Diäthalten kam für ihn nicht in Frage – dazu liebte er Essen einfach zu sehr, es war bei ihm, wie bei jedem Italiener, ein fester Bestandteil der Lebensfreude. Und wenn Joggen bei Tagesanbruch die Alternative war, dann blieb er lieber dick. Als er am Morgen splitternackt auf die Waage geklettert war, hatte er mit seinen dreiundvierzig Jahren satte hundertdrei Kilo gewogen.

Er stopfte das Taschentuch in die Hintertasche seiner Kakihose und fand dort einen der winzigen Konföderiertensoldaten aus dem Gettysburg Museum, die er für seinen Sohn T.J. gekauft hatte. »Die müssen sich an die Schmauchspuren halten.« Molia ging davon aus, dass sie keine Kugel für eine ballistische Auswertung finden würden. »Sind Sie sicher, dass Sie keinen von unseren Jungs gesehen haben?«

Thorpe zuckte die Achseln. »Schauen Sie sich um.«

Molia hatte sich umgesehen. Nach Angaben der Einsatzzentrale hatte Bert Cooperman kurz nach halb vier

Uhr morgens mitgeteilt, dass ein Toter gemeldet worden sei und dass er der Sache nachginge. Das war Coopermans letzter Funkspruch gewesen. Die Zentrale verständigte die Park Police, und Kay holte Molia mit diesem südlichen Näseln aus der Falle, bei dem er immer so ein Kribbeln verspürte – ein Kribbeln, für das sich ein verheirateter Mann Prügel einfangen konnte. Aber Kay rief ihn nicht aus Liebe an. Molia hatte Bereitschaftsdienst. Dann lief alles routinemäßig, bis auf die Tatsache, dass Molia bei seinem Eintreffen nicht auf Coop stieß, sondern auf Thorpe, der behauptete, die Meldung aufgenommen zu haben, und herumstolzierte wie Alexander Haig im Weißen Haus. Thorpe führte Molia zu dem schwarzen Lexus. Dort hatte der Officer die blau und weiß beschichtete Karte gefunden, die den ganzen Aufruhr ausgelöst und dafür gesorgt hatte, dass jetzt überall auf dem Gelände Bundesagenten in dunkelblauen Windjacken mit leuchtend gelber Aufschrift herumschwirrten wie Hummeln aus einem aufgescheuchten Schwarm. Der Tote war Joe Branick, ein persönlicher Freund und enger Vertrauter des US-Präsidenten Robert M. Peak.

Thorpe zuckte erneut die Schultern. »Außerdem war er sowieso nicht zuständig. Der Park hier ist Bundesgebiet, Detective.«

Molia biss sich auf die Zunge. Er hasste diesen Kompetenzhickhack zwischen Exekutivorganen. J. Rayburn Franklin, der Polizeichef von Charles Town, hatte ihn mehr als einmal ermahnt, sich gut mit den anderen Jungs zu stellen: Schließlich seien sie alle im selben Team und der ganze andere offizielle Quatsch. Aber Molia war nicht der Typ, der sich nur auf die Zunge biss. Im Augenblick hatte er dieses bestimmte Brennen im Bauch, das nichts mit der italienischen Wurst und dafür viel mit zwanzig Jahren Berufserfahrung zu tun hatte. Irgendetwas war da faul.

»Klar, John, bloß haben wir hier auch einen möglichen Mord.«

»Mord?« Thorpe feixte. »Für mich sieht das nicht nach Mord aus, Detective, sondern mehr nach einem altmodischen Selbstmord.«

Thorpes Mienenspiel war keine gute Idee. Zusammen mit seiner Liebe zum Essen hatte Molia ein italienisches Temperament geerbt, das sich wie Quecksilber in einem Thermometer verhielt: Wenn es anstieg, war es nur noch schwer aufzuhalten. Molia verstand das Feixen als persönliche Kränkung des Landeis durch irgendwelche Wichtigtuer aus der Stadt.

»Kann sein, John, aber das konnte Cooperman erst wissen, als er angekommen ist, oder?«

»Schon ...«

»Und wenn Mordverdacht besteht, sind sowohl Park Police als auch die örtlichen Behörden zuständig, und in diesem Fall haben die örtlichen Leute Vorrang vor euch.«

»Vorrang?«

»Cooperman hat die Meldung aufgenommen und ist der zuständige Officer.«

Thorpe drosch weiter desinteressiert auf das Gras ein, doch Molia konnte einen gewissen Ausdruck in seinen Augen ausmachen. Thorpe war nicht deswegen noch mal den Hang runtergeklettert und hatte sich in die Sonne gestellt, weil er mit dem Detective Freundschaft schließen wollte. Er machte sich Sorgen um seinen Fang und wachte darüber wie ein stolzer Jäger.

»Ich weiß nicht, welche Meldung er aufgenommen hat, aber er ist nicht hier, Detective. *Wir* sind hier.« Thorpe sprach natürlich von der Park Police. »Seien Sie doch froh, so haben Sie wenigstens den Rest des Vormittags frei.« Er rieb sich mit der Handfläche über den Kopf. »So ein Glück. Da müssen Sie hier nicht rumstehen und sich das Gehirn weichbrutzeln lassen.«

Molia schlug das Friedensangebot aus. »Das sehe ich anders.« Er stand kurz davor, seine Bombe platzen zu lassen, und würde sich damit ziemlich unbeliebt machen, vor allem bei den Hummeln oben am Hügel. Wäre nicht das erste Mal, und Molia war das auch völlig egal. Nicht egal war ihm dagegen sein Magen, den er bestimmt auch nicht mit den Tabletten in seinem Handschuhfach beruhigen konnte.

»Ich muss die Zuständigkeit für die Leiche übernehmen.«

Thorpe unterbrach endlich seine Prügelorgie. »Was müssen Sie?«

»Die Zuständigkeit für die Leiche übernehmen. Der Officer, der die Meldung aufnimmt, ist auch zuständig, John.«

»Ich bin der Officer, der die Meldung aufgenommen hat.«

»Nein. Bert Cooperman von der Polizei in Charles Town hat die Meldung aufgenommen. Das heißt, der County Coroner bekommt den Toten.«

Thorpes Gesicht zeigte einen stumpfen Ausdruck. »Cooperman ist nicht hier. Der zuständige Officer steht vor Ihnen, Detective.«

»Wer hat Sie gerufen, John?«

»Wer?«

»Die Park-Police-Zentrale, oder?«

»Ja …«

»Und woher hatte die Park-Police-Zentrale die Information?« Er ließ die Frage einsickern.

»Also …« Thorpe stotterte. Anscheinend sah er seine Felle davonschwimmen.

»Also bekommt der County Coroner den Toten. So ist die Vorschrift.«

»Vorschrift?« Grinsend deutete Thorpe hinauf zum Hügel. »Wollen Sie das *denen* erklären?«

»Nein.« Molia schüttelte den Kopf.

»Das hätte mich auch gewundert.« Thorpe wandte sich ab.

»Sie machen das.«

Thorpe fuhr herum. »Was?«

»Sie erklären es ihnen.«

»Von wegen!«

»Von wegen von wegen. Sie haben den Anruf von der Zentrale bekommen. Die Zentrale hatte die Meldung von einem Polizisten aus Charles Town. Der Tote wird zum County Coroner gebracht. Die Bundesbeamten können gern über den Instanzenweg die Freigabe beantragen. Doch erst einmal halten wir uns an die Vorschriften. Und Sie sind verpflichtet, diese Vorschriften durchzusetzen. Das ist Ihr Tatort. Sie haben ihn gesichert.« Molia lächelte.

»Meinen Sie das ernst?«

»So ernst wie einen Herzinfarkt.«

Thorpe hatte die Angewohnheit, die Augen zu schließen, wie ein Kind, das darauf hofft, dass dann alles Schlechte verschwindet. Und wenn er sie schloss, flatterten seine Lider. Im Moment sahen sie aus wie zwei große Monarchfalter.

»Kommen Sie, John. Das ist doch nicht so schwer. Bei so einer großen Sache dürfen Sie keinen Fehler machen. Die Presse wird das Ganze zerpflücken wie meine Brüder den Truthahn an Thanksgiving. Und erzählen Sie mir nichts von den FBI-Leuten. Wenn Sie gegen die Vorschrift verstoßen, wollen die natürlich wissen, warum. Die werden Ihnen zig Fragen um die Ohren hauen und Sie mit so einem Haufen Papierkram zuschütten, dass Sie sich erst am Dienstag wieder freischaufeln können.«

Thorpe verzog den Mund, als hätte er hundert verschiedene Einwände verschluckt. Ohne ein Wort wandte er sich ab und kletterte den Hang hinauf. Molia folgte ihm. Bei seiner Rückkehr würde er Bert Cooperman vielleicht im Fitnessraum beim Gewichtheben antreffen. Das machte der junge Officer nach der Schicht gern. Vielleicht erzählte ihm Coop auch, dass er abgehauen war, weil er Angst hatte, nicht zuständig zu sein – ein typischer Anfängerfehler. Und die Autopsie ergab möglicherweise, dass der Präsidentenberater Joe Branick tatsächlich beschlossen hatte, sich selbst mit einer Waffe den halben Schädel wegzublasen. Aber im Augenblick hatte Molia so ein merkwürdiges Gefühl, dass beide Szenarien für ihn weniger realistisch erschienen ließ als die Möglichkeit, seine Mutter könnte die Fehlbarkeit des Papstes zugeben.

Oben angelangt hob er außer Atem den Blick, um auf die Sonne zu fluchen. Und bemerkte den schwachen Umriss am blassen Morgenhimmel.

Vollmond.

## 5

*Pacifica, Kalifornien*

Ohne jede Rücksicht auf die Jahreszeit war vom Pazifik ein feuchter Nebel hereingezogen und hing über der Küstenstadt wie ein feuchtes Handtuch, das das Licht der

Straßenlampen zu einem dumpfen Orange dämpfte. Das war die einzige Farbe in einer ansonsten metallgrauen Welt, die sich bis zum Horizont erstreckte und keine Rückschlüsse auf die Tageszeit erlaubte. Wenn der kälteste Winter, den Mark Twain je erlebt hatte, ein Sommer in San Francisco war, dann nur, weil der Schriftsteller nicht den Mut gehabt hatte, sich an der Küste entlang fünfzig Kilometer nach Süden bis zum Ort Pacifica zu wagen. Dort konnte der Nebel im Sommer alles so stark abkühlen, dass man ein Ziehen in den Knochen spürte.

Die Scheibenwischer surrten in gleichmäßigem Takt über das Glas. Dicke und dünne Nebelschwaden hüllten das zweigeschossige Apartmenthaus ein wie in einem Horrorfilm. Wie die meisten Dinge in Sloanes Leben war das Gebäude heruntergekommen und reparaturbedürftig. Die gnadenlose Feuchtigkeit und die salzhaltige Luft überzogen die Schindeln mit einem weißen Belag. Die Aluminiumfenster waren von Rost zerfressen und mussten dringend erneuert werden. Der Außenanstrich blätterte ab, und unter der Stellplatzüberdachung waren Schimmelspuren zu sehen. Vor acht Jahren hatte Sloane auf den Rat eines Immobilienmaklers hin sein wachsendes Vermögen genutzt, um dieses Haus mit acht Wohneinheiten und das angrenzende leere Grundstück zu kaufen. Damals zahlten Erschließungsgesellschaften satte Preise, um Mietapartments entlang der Küste in Eigentumswohnungen umzuwandeln. Doch mit der abstürzenden Konjunktur fielen auch die Zinssätze in den Keller, und Sloane stand mit einer wertlosen Immobilie da. Als eine Wohnung frei wurde, zog er ein, um Geld zu sparen. Für sich selbst erwartete er nichts von diesem Schritt. Doch mit den Jahren hatte er das Haus liebgewonnen wie einen räudigen alten Köter, den er um keinen Preis der Welt hergeben mochte. Zum Schlafen ließ er die Glasschiebetür zu seinem Balkon offen, um beim Geräusch der brechenden Wellen wegzudämmern. Er fand Trost in dem rhythmischen Rauschen und schäumenden Schlagen dieser ewigen Uhr, die ihn an das Verstreichen der Zeit erinnerte.

Sloane schaltete die Zündung aus und lehnte sich zurück. Er war wie gerädert.

*»Das ist wirklich eine Gabe, die Sie da haben … was Sie mit den Geschworenen gemacht haben.«*

Patricia Hansens Worte im Gerichtssaal ließen ihn nicht mehr los. Durch Übung hatte er hohe Perfektion darin entwickelt, nach dem Urteil einer Geschworenenbank Zeit zu gewinnen. Systematisch verpackte er seine Notizbücher und Beweisstücke, fest entschlossen, den Gerichtssaal als Letzter zu verlassen. Händeschütteln und Rückenklopfen kamen für ihn nicht in Frage. Für die Angehörigen eines Verstorbenen war ein Urteil zugunsten der beklagten Partei, als müssten sie den Tod des geliebten Familienmitglieds noch einmal durchleben. Und ob nun zu Recht oder zu Unrecht, Sloane wurde dadurch zu einer Art Sensenmann. Er zog es vor, allein und in aller Stille zu verschwinden. Doch Emily Scotts Mutter wollte ihn nicht so leicht davonkommen lassen.

Als er sich zum Gehen umwandte, saß Patricia Hansen noch immer auf der Galerie, eine Zeitung an die Brust gedrückt. Und kurz bevor er die Schwingtür erreichte, stand sie auf und trat auf den Gang.

»Mrs. Hansen …«

Sie hob eine Hand. »Nein. Wagen Sie es nicht, mir Ihr Beileid auszusprechen.« Ihre Stimme war kaum mehr als ein Flüstern, eher müde als streitbar. »Sie wissen meinen Verlust nicht zu würdigen. Wenn es so wäre, hätten Sie das nie über sich gebracht.« Sie hielt inne, war jedoch offenbar noch nicht fertig mit ihm. »Was dieser Carl Sandal getan hat, das kann ich fast …« Sie schluckte Tränen hinunter, um Sloane nicht die Tiefe ihres Schmerzes zu zeigen. »Was er getan hat, kann ich fast verstehen. Ein Soziopath. Krank und abnorm. So haben Sie ihn doch geschildert. Aber was er getan hat, verblasst im Vergleich zu dem, was Sie meiner Emily in diesem Gerichtssaal zugefügt haben … und unserer Familie und dem Wort Gerechtigkeit. Sie wussten es besser, Mr. Sloane. Sie *wissen* es besser.«

»Ich habe nur meine Arbeit getan, Mrs. Hansen.«

Patricia Hansen stürzte sich auf seine Äußerung wie ein Schauspieler auf ein perfektes Stichwort. »Ihre Arbeit?« Voller Verachtung wanderte ihr Blick durch den Gerichtssaal, bevor ihn ihre stahlblauen Augen wieder erfassten. »Reden Sie sich das nur ein, Mr. Sloane. Wenn Sie es oft genug wiederholen, glauben Sie vielleicht wirklich irgendwann, dass das eine angemessene Rechtfertigung ist.« Sie faltete die Zeitung auseinander und verglich den Mann, der vor ihr stand, mit dem Foto. »Das ist wirklich eine Gabe, die Sie da haben, Mr. Sloane … was Sie mit den Geschworenen gemacht haben. Ich weiß nicht, wie Sie es geschafft haben, wie Sie sie überzeugt haben. Sie wollten Ihnen nicht glauben. Ich habe sie gesehen, als sie nach der Pause zurückgekommen sind. Sie waren fest entschlossen.« Eine Träne rollte ihr über die Wange; sie beachtete sie nicht. »Aber ich sage Ihnen jetzt etwas, Mr. Sloane. Meine Emily ist tot, und mein Enkel hat seine Mutter für immer verloren. Daran können Sie auch mit Ihren Worten nichts ändern.«

Sie klatschte ihm die Zeitung gegen die Brust. Da Sloane in beiden Händen Dokumententaschen hielt, fiel sie auf den Boden, und von den Fliesen aus starrte ihm sein Bild entgegen.

Im Verlauf seiner Erfolgsserie als Verteidiger in Zivilprozessen, bei denen es um fahrlässige Tötung ging, hatte sich die schlichte Vorahnung, dass die Geschworenen zugunsten seines Mandanten entscheiden würden, mittlerweile zu einer unumstößlichen Gewissheit verfestigt. Dabei war Sloane vor dem Schlussplädoyer absolut sicher gewesen, dass er verloren hatte. Er wusste, dass die Geschworenen Abbott Security für schuldig hielten. In ihren Augen hatte der Wachmann fahrlässig gehandelt. Wie jedem gutem Rechtsanwalt war ihm klar, dass man nicht mit dem Schlussplädoyer gewann – das war nur ein dramatischer Effekt in Justizfilmen. Eigentlich hätte ihm nichts einfallen dürfen, um sie umzustimmen.

Und doch war es ihm gelungen.

Nach einer Beratungszeit von weniger als zwei Stunden hatten sie Abbott Security für nicht schuldig befunden. Er hatte sie alle, jeden einzelnen Geschworenen, von etwas überzeugt, woran er selbst nicht glaubte. Noch beunruhigender war, dass er beim Aufstehen vor dem Plädoyer keine Ahnung gehabt hatte, was er sagen würde, um sie zu überzeugen, und doch hatte er genau die Worte gefunden, die sie hören mussten, um ihre Zweifel zu beruhigen und ihre Bedenken auszuräumen. Nur dass es nicht seine Worte waren. Es war seine Stimme, ja, aber es war, als hätte jemand anderer durch ihn gesprochen.

Da er sich nicht näher mit diesem Gedanken beschäftigen wollte, schob er die Tür auf und wurde von einem starken Wind begrüßt, der ein fernes, pfeifendes Wimmern und das salzige Aroma des Meeres mit sich trug. Als er aus dem Jeep stieg, spürte er einen stechenden Schmerz im rechten Fußgelenk. Bei seinem Abstieg im

Dunkeln war er auf dem Bergpfad umgeknickt. Auf der Fahrt nach Hause war der Knöchel angeschwollen und steif geworden. Er hängte sich den Rucksack über die Schulter und humpelte zum Haus. Das vertraute Licht in der Erdgeschosswohnung ganz rechts schien wie ein Leuchtfeuer, das ein Schiff willkommen hieß, aber Meldas Kopf konnte er nicht erspähen. Melda stand jeden Tag um halb fünf auf, eine Gewohnheit, die sie von der Arbeit auf den Feldern in der Ukraine mitgebracht hatte. Bestimmt machte sie sich Sorgen, wenn sie in der Wohnung über ihr jemanden hörte. Sloane hatte vorgehabt, erst in zwei Tagen nach Hause zu kommen. Am besten war es, er stellte den Rucksack in seiner Wohnung ab und schaute bei ihr auf eine Tasse Tee vorbei. Teetrinken mit Melda war, als nähme man ein beruhigendes Vollbad, und so etwas konnte er im Augenblick gut gebrauchen.

Er fummelte mit einem Schlüsselbund herum, bei dem sogar ein Highschool-Hausmeister vor Schreck erblasst wäre, fand den Briefkastenschlüssel und wollte aufschließen. Doch wo bisher ein Schloss gewesen war, war jetzt ein kleines Loch. Er schob den Schlüssel in das Loch, zog die Metalltür auf und entdeckte das Schloss auf dem Kastenboden. Die Schlösser an den anderen sieben Postkästen waren unversehrt. Sloane nahm das Schloss in die Hand und begutachtete es. Wahrscheinlich hatte es sich irgendwie gelöst und war runtergefallen, als Melda seine Post holte – noch ein Punkt auf seiner wachsenden To-do-Liste für das Haus.

Er steckte das Schloss in die Tasche und machte sich auf den Weg nach oben. Beim Treppensteigen stützte er sich auf das Geländer. Als er über den Absatz hinkte, fiel ihm ein Lichtkeil auf dem Betonboden auf. Die Tür zu seiner Wohnung war nur angelehnt. Melda hatte einen

Schlüssel, und es war durchaus möglich, dass sie schon so früh drinnen war; doch sie hätte die Tür zugemacht, um die Wärme nicht rauszulassen. Möglich war auch, dass sie beim Weggehen die Tür nicht richtig geschlossen hatte, so dass ein Windstoß sie aufgedrückt hatte. Möglich, aber nicht wahrscheinlich. Melda war sehr gewissenhaft. Normalerweise kontrollierte sie den Griff noch einmal.

Sloane ließ den Rucksack von der Schulter gleiten und wollte die Tür aufschieben. Ein lautes Klirren aus der Wohnung ließ ihn die Hand zurückreißen. Er unterdrückte den Impuls hineinzustürmen und lauschte erst einen Moment, bevor er sacht aufmachte. Die Angeln knirschten wie schlechte Knie. Er trat über die Schwelle und streckte den Kopf vor.

Es sah aus, als wäre sein Wohnzimmer von einem Hurrikan durchpflügt worden.

Der Teppichboden war ein einziges Trümmerfeld: Taschenbücher, CDs, Papiere, Kleider, umgestürzte Möbel. Die Sofapolster waren zerfetzt, das Füllmaterial war im ganzen Raum verstreut wie große Baumwollbälle. Das demolierte Innenleben der Stereoanlage und des Fernsehers hatte sich auf den Boden ergossen wie die Eingeweide eines Fischs.

In der Küche ging ein Glas zu Bruch.

Sloane stieg über den umgeworfenen Tisch im Gang und drückte sich mit dem Rücken an die Wand, die parallel zur Küche verlief. Lautlos schob er sich voran. Am Ende der Wand sammelte er sich kurz und wirbelte um die Ecke. Zu seinen Füßen klirrten Scherben. Ein Schatten huschte über die Küchentheke und verschwand im Dunkel des Wohnzimmers.

Bud, seine Katze.

Sloane blickte auf den zerbrochenen Teller am Boden, der gerade noch zu einem schiefen Stapel zwischen dem im Zimmer verstreuten Inhalt seines Küchenschranks gehört hatte. Bud hatte anscheinend auf dem Stapel gestanden und an einer Siruppfütze geleckt, die sich auf der Theke ausgebreitet hatte. Das erklärte die Scherben. Aber nicht die Verwüstung in der Wohnung. Noch als er dies dachte, drang ein Geräusch an sein Ohr.

Leise Schritte hinter ihm.

Und bevor er sich umdrehen konnte, spürte Sloane, wie etwas Hartes auf seinen Hinterkopf krachte.

## 6

*Westflügel des Weißen Hauses, Washington, D.C.*

Parker Madsen begutachtete den Glanz eines schwarzen Wingtip-Schuhs in seiner Hand. Drei andere Paare warteten auf ihren Originalschachteln, die vor der Wandtäfelung aufgereiht waren wie Soldaten bei der Inspektion. Das fünfte Paar hatte Madsen gerade an: für jeden Wochentag ein anderes Paar. Robuste Schuhe, bei denen die Haltbarkeit mehr zählte als das Aussehen. Nach Aussage des Militärarztes waren Madsens Füße beim Gehen leicht nach innen gedreht. Ihm kam der Gedanke, dass er durch den Verschleiß an den Gummiabsätzen eigentlich erkennen können müsste, welcher Wochentag für ihn der anstrengendste war. Bisher hatte er noch keine eindeutigen Ergebnisse.

Am zweiten und vierten Donnerstag jedes Monats trug ein Stabsassistent die Schuhe zum Stand eines Vietnamveteranen an der New York Avenue, der etwas davon verstand, wie man Schuhe mit Spucke auf Hochglanz brachte. Madsens Assistent brachte die Schuhe dann am Freitagmorgen zusammen mit den anderen gereinigten Sachen zurück: weiße Hemden und marineblaue Anzüge. Die akkreditierten Journalisten in Washington sprachen gern davon, dass der pensionierte Dreisternegeneral das Olivgrün gegen Marineblau eingetauscht hatte, doch Madsen fasste den sarkastisch gemeinten Seitenhieb als Kompliment auf. Für Dinge wie Kleidung und äußere Erscheinung hatte er wenig übrig. Uniformen sparten Zeit, die man dann mit nützlicheren Dingen ausfüllen konnte. Das Militär verstand das. Und auch Einstein hatte es gewusst.

Madsen stellte den Schuh wieder zurück neben sein Gegenstück auf die Schachtel, nahm den 45er aus dem Halfter unter seiner Anzugjacke und deponierte ihn im obersten Fach, bevor er die Tür zum Wandschrank schloss. Er wich seinem rotbraunen Dobermann Exeter aus, der zusammengerollt auf seinem filzbezogenen Kissen lag. Am Schreibtisch warteten sorgfältig angeordnet acht Zeitungen auf ihn. Seine Mitarbeiter nahmen die Teile heraus, die nur dazu dienten, die Zeitungen aufzublähen – Sport, Unterhaltung, kulinarische Tipps und Werbung – und unterstrichen besonders interessante Artikel. Dann legte seine Sekretärin die Blätter in der von ihm bevorzugten Reihenfolge aus: die *Washington Post* natürlich zuerst, dann die *Washington Times,* das *Wall Street Journal,* die *New York Times* (in seinen Augen ein liberales Schmierblatt), die *Los Angeles Times* (um einen Eindruck von der Westküste zu gewinnen), die *Chicago Tribune,* die *Dallas Morning News* und den *Boston Globe.* Normalerweise hatte Madsen die Artikel vor neun Uhr überflogen. Aber heute war kein normaler Tag.

Er schaltete die Sprechanlage seines Telefons ein. »Ms.

Beck, schicken Sie jetzt bitte den stellvertretenden Bundesstaatsanwalt herein.« Madsen lehnte sich zurück und zupfte einen Fussel vom Ärmel. Er schwebte im hellen Licht, das durch die Sprossenscheiben der Glastüren hinter ihm fiel. Madsen saß mit dem Rücken zur Aussicht auf den South Lawn, obwohl er hart für dieses Büro gekämpft hatte. Allerdings hatte das auch nichts mit der Aussicht zu tun gehabt. Herkömmlicherweise hatte der Stabschef des Weißen Hauses sein Büro auf der anderen Straßenseite im Old Executive Office Building, das vom Westflügel zwar nur fünfzig Meter entfernt war – doch was Prestige und Macht betraf, waren diese fünfzig Meter gleichbedeutend mit Lichtjahren. Im Westflügel arbeiteten die, die etwas zu sagen hatten. Madsen bekam ein Büro zwei Türen neben dem Oval Office.

Als sich die Tür öffnete, hob Exeter den Kopf. Madsen schnippte mit den Fingern, bevor der Hund bellen konnte; und so begnügte sich das Tier damit, den stellvertretenden Bundesstaatsanwalt, der über den Teppichboden schritt, nicht aus den Augen zu lassen. Rivers Jones hatte den Gang eines Zirkusdarstellers auf Stelzen: ein roboterhaftes Staksen aus eckigen Ellbogen und kantigen Knien, das seine eins dreiundachtzig große Gestalt um fünf oder sechs Zentimeter größer erscheinen ließ. Der schlichte graue Anzug, das weiße Hemd und die burgunderfarbene Paisleykrawatte passten zu Jones' gesamter Erscheinung: uninteressant, farblos, leblos.

Madsen erhob sich beim Eintreten seines Besuchers. »Danke für Ihr pünktliches Erscheinen, Rivers. Bitte nehmen Sie Platz.«

»General.« Jones streckte den Arm zum Händeschütteln aus, bevor er sein Jackett aufknöpfte und sich auf den Stuhl vor dem Schreibtisch sinken ließ. Er sah aus wie ein Schuljunge vor dem Rektor. Madsen hatte die Beine seines Besucherstuhls um fünf Zentimeter kürzen lassen. Im Büro des Stabschefs saß niemand höher als er selbst.

Madsen kam sofort zur Sache. »Sie haben meine Pressekonferenz gesehen?«

Jones nickte. Er war noch damit beschäftigt, eine bequeme Position zu finden. »Heute Morgen beim Anziehen hab ich es mir angeschaut.«

»Da haben sich bestimmt einige Zeitungsherausgeber die Hände gerieben. Schließlich bekommt man nicht jeden Tag statt einer langweiligen Meldung aus der Wirtschaft einen Toten im Weißen Haus. Joe Branick steigert garantiert die Auflagen.«

Jones schüttelte den Kopf. Mit seiner scharf geschnittenen Nase und dem feinen Haar, dessen Strähnen wie elektrisch aufgeladen abstanden, sah er aus wie eine Vogelscheuche aus dem mittleren Westen. »Eine feige Tat.«

Madsen blickte auf ihn herab. »Haben Sie schon mal eine Waffe abgefeuert, Rivers?«

Jones zögerte, die Frage hatte ihn unvorbereitet getroffen. »Nein ...«

»Nun, ich schon. Und es ist meine persönliche Meinung, dass verdammt viel Mumm dazu gehört, sich eine geladene Waffe an den Kopf zu halten und abzudrücken.« Madsen rieb sich mit dem Finger über die Oberlippe, und seine Stimme wurde weicher. »Warum machen die Leute das, was sie machen, Rivers? Wenn ich das wüsste, dann hätte ich hier drin eine Couch und ein Diplom an der Wand.«

In Wirklichkeit waren Madsens Wände kahl. Sie zeigten keine Gemälde, Familienfotos oder Urkunden, obwohl er schon in dritter Generation Absolvent der Militärakademie West Point war. Es gab keinen Glaskasten, um die beeindruckende Zahl von Orden vorzuzeigen, die er in den vielen Schlachten von Vietnam bis Wüstensturm erhalten hatte. Nichts, was die Aufmerksamkeit von den anstehenden Aufgaben hätte ablenken können. Besitztümer waren nur eine Belastung.

»Leider habe ich keine Zeit für solche Überlegungen. Wie Sie wissen, ist hier seit heute Morgen die Hölle los, und der Zeitpunkt ist denkbar ungünstig. Ich kann im Moment keine Einzelheiten nennen, aber das hier ist ein weiterer Riss im Damm. Ich habe meine Finger schon in acht Löchern stecken, und allmählich gehen mir die Finger aus, Rivers.«

»Sie können auf mich zählen, General.«

Madsen trat nach vorn und lehnte sich an die Schreibtischkante. Er verschränkte die Arme, und der Anzugstoff spannte sich straff über seinen Rücken. Mit Augen, die die Farbe von dunklen Holzspänen hatten, betrachtete er Jones aus seinem wettergegerbten, zerfurchten Gesicht.

»Diese Sache muss kompetent und effizient gehandhabt werden. So schwer es ihm auch fallen mag, der Präsident muss darüber hinwegkommen und die Arbeit machen, für die ihn die Menschen in diesem Land gewählt haben. Und je eher, desto besser. Die Presse liebt diese Art von Müll, das brauche ich Ihnen ja nicht zu sagen. Irgendein Spinner wird bestimmt Gerüchte in die Welt setzen, die sich schneller ausbreiten als ein Feuer auf einer ausgetrockneten Wiese im Sommer. Und bevor wir uns umschauen, haben wir einen neuen Fall ›Vincent Foster‹ am Hals. Ich brauche jemanden, dem das klar ist.«

»Das wird bestimmt kein Problem, General.«

Madsen zog eine Augenbraue hoch. »Wenn ein Berater des Präsidenten Selbstmord begeht, dann ist das sehr wohl ein Problem, Rivers. Und wenn dieser Berater noch dazu ein Freund des Präsidenten ist, dann ist es ein verdammtes *Scheiß*problem.« Normalerweise hatte Madsen nichts übrig für eine unflätige Ausdrucksweise, die für ihn nur der Hinweis auf einen beschränkten Wortschatz war. Doch hier und jetzt kam es ihm vor allem auf Klarheit an. »Kann ich ganz offen zu Ihnen sein?«

»Unbedingt.«

»Je mehr Leute an einer Untersuchung beteiligt sind, desto wahrscheinlicher sind Irrtümer, und in diesem Fall würde jeder Irrtum potenziert. Sind Sie vertraut mit militärischen Vorgehensweisen, Rivers?«

»Pardon?«

»Das Militär operiert in Dreiergruppen. Und wissen Sie, warum? Weil es wissenschaftlich erwiesen ist, dass die Zahl drei für maximale Durchschlagskraft am günstigsten ist. Bei mehr als drei verschwimmen die Zuständigkeiten. Bei weniger als drei sind die Ressourcen nicht ausreichend. Ich will ein Team aus drei Leuten, Rivers. Ich habe Sie als Dritten ausgesucht, und ich musste meine Verbindungen spielen lassen, um Sie zu kriegen.«

Jones setzte sich auf. »Ich werde Sie nicht enttäuschen, General.«

Es klang weder gezwungen noch einstudiert, obwohl es natürlich beides war. Dennoch war Madsen sicher, dass Rivers Jones der richtige Mann für diese Aufgabe war – er wusste schließlich alles über ihn, was es zu wissen gab, bis hin zu der Tatsache, dass er lieber kurze Unterhosen als Boxershorts trug. Der neununddreißigjährige, verheiratete, kinderlose Jones betrog seine Frau regelmäßig mit einer teuren Hostess. Obwohl er als Katholik aufgewachsen war, war er aus politischen Gründen zum Protestantismus übergetreten: Er wollte nicht immer Mitarbeiter des Justizministeriums bleiben. Wie alle anderen in Washington hatte Jones politische Ambitionen. Er wollte eine Karriere im Senat oder im Repräsentantenhaus einschlagen, um als Volksvertreter und Begünstigter finanzstarker Lobbyisten für den Rest seines Lebens ausgesorgt zu haben. Mit sicherem Instinkt für die Bedeutung politischer Bündnisse in einer Stadt voller Politiker hatte Jones die Tochter von Michael Carpenter geheiratet, dem Sprecher des Repräsentantenhauses. Sicher keine Liebesheirat. Kurz und krass ausgedrückt, war Jones ein Arschkriecher, der genau wusste, wem er in den Arsch kriechen musste.

Madsen richtete sich auf und ging wieder zu seinem Stuhl. »Haben Sie schon mit der Park Police gesprochen?«

Das Sicherheitsbüro des Weißen Hauses hatte den Anruf um 5.45 Uhr erhalten. Madsen wurde sofort zu Hause verständigt. Zu diesem Zeitpunkt stand er bereits seit exakt zweiundvierzig Minuten auf dem Laufband. Nachdem er aufgelegt hatte, setzte sich Madsen mit dem Bundesstaatsanwalt in Verbindung und forderte Jones an. Wenig später weckte er Jones in seiner Wohnung mit der Nachricht, dass er die Untersuchung des Justizministeriums zum Tod von Joe Branick leiten würde. Weil Branick dem Stab des Weißen Hauses angehört hatte und Bundesangestellter gewesen war und weil seine Leiche in einem Nationalpark gefunden worden war, lag die Zuständigkeit für alle Ermittlungen beim Bund und damit beim Justizministerium. Es war Jones' Aufgabe, die Park Police auf diese Tatsache hinzuweisen. Und sie dazu zu bringen, dass sie die Ermittlungen abgab.

»Ich habe gleich nach unserem Telefonat mit ihnen gesprochen«, versicherte Jones.

»Und? Haben sie sich bereit erklärt, die Akten zu überstellen?«

»Sie waren schon bereit, aber die Zuständigkeit liegt gar nicht bei ihnen, General.«

Madsen strich mit der Handfläche einen Haarwirbel glatt. Beim Militär war die widerspenstige Locke abrasiert worden, doch sie war zurückgekehrt, nachdem ihm sein Publicityberater für den Fortgang seiner politischen Karriere empfohlen hatte, sein Haar wieder länger wachsen zu lassen. »Was soll das heißen, die Zuständigkeit liegt nicht bei ihnen?«

»Wie es aussieht, war ein Officer aus Charles Town als Erster am Tatort, und ein dortiger Detective hat den Fall übernommen. Hat anscheinend nicht lockergelassen.« Jones zog einen kleinen Block aus seiner Anzugtasche und warf einen Blick auf seine Notizen. »Ein Detective Molia. Er hat den Toten zum County Coroner bringen lassen.« Jones blickte auf. »Dem Buchstaben nach entspricht das der Vorschrift.«

Madsen bemühte sich nicht, seinen Unmut über diese unvorhergesehene Wendung zu verbergen. »Nehmen Sie Verbindung zu dem Leichenbeschauer auf und sagen Sie ihm, dass er uns den Toten ohne Untersuchung überstellen soll.«

»Ohne Untersuchung?«

»Die Autopsie wird vom Justizministerium durchgeführt.«

Jones blickte ihn fragend an. »Sir?«

Madsen sah so lange auf Jones Notizblock und Stift, bis Jones den Block schloss, den Kugelschreiber klicken ließ und beides in seiner Jacke verstaute. »Ich möchte nicht den Ruf eines Toten beflecken, Rivers.« Madsen stand auf und öffnete eine Schreibtischschublade. »Aber wie gesagt, es darf auch keine Geheimnisse zwischen uns geben.« Er reichte Jones einen Umschlag und sprach weiter, während dieser den Umschlag öffnete und den Inhalt herausnahm. »Ich bin davon ausgegangen, dass Sie im Rahmen der Untersuchung Mr. Branicks Telefonaufzeichnungen durch gerichtliche Verfügung anfordern werden, und habe mir die Freiheit genommen, Ihnen zuvorzukommen. Dort finden Sie einen Anruf im Weißen Haus um 21.13 Uhr. Joe Branick hat den Präsidenten vorgestern Abend angerufen. Der Präsident hat mir berichtet, dass Mr. Branick sehr verstört klang und dass er getrunken hatte. Es gibt Gerüchte, die auf Alkoholmissbrauch deuten, aber der Präsident will nicht, dass solche Gerüchte in die Zeitungen kommen, solange es keinen konkreten Beweis gibt. Besorgt um das Wohlergehen seines Freundes hat ihm der Präsident angeboten, sich privat mit ihm treffen. Joe Branick kam um zwölf nach zehn im Weißen Haus an. Seine Ankunfts- und Aufbruchszeit finden Sie ebenfalls in den Aufzeichnungen.«

Madsen wartete, bis Jones die Papiere durchgeblättert hatte. »Aussagen von zwei Sicherheitsbeamten am West Gate bestätigen Mr. Branicks aufgewühlte Verfassung. Der Präsident hat ihn allein in der Privatwohnung der First Family empfangen. Danach hat er mir erzählt, dass Joe Branick keinen guten Eindruck auf ihn gemacht hat. Er war in äußerst gereizter Stimmung.«

»Hat er gesagt, warum Branick so aufgeregt war?«

Madsen, der durch das einfallende Licht und die sonnenbestrahlten Staubflocken schritt, sah aus wie ein Mann in einem alten Schwarzweißfilm. »Die Geschäfte im Weißen Haus werden bei spätabendlichen Dinners und mit einem Händedruck bei Cocktailempfängen abgewickelt, das wissen Sie ja selbst, Rivers. Mir persönlich wäre es anders lieber, aber wenn man in Rom ist, muss man es halten wie die Römer.« Er zuckte die Achseln. »Meine Olivia hätte das vielleicht auch nicht verstanden, wenn sie noch leben würde.«

»Nicht verstanden, Sir?«

Madsen blieb stehen und wandte sich dem stellvertretenden Bundesstaatsanwalt zu. »Joe Branicks Frau hat diese offiziellen Anlässe gehasst, Rivers. Sie ist nur selten mitgegangen. Sie hat lieber auf dem Land gewohnt. Wie mir der Präsident mitgeteilt hat, hat es deswegen in der Ehe der Branicks gekriselt, und Mr. Branick war unglücklich. Deprimiert.« Madsen nahm ein einzelnes Blatt Papier vom Schreibtisch und reichte es Jones. »Vor vier Wochen hat Joe Branick den Antrag gestellt, eine Schusswaffe tragen zu dürfen. Auch die entsprechende Bewilligung habe ich Ihnen als Kopie beigelegt.«

Jones studierte den Antrag.

»Kurz gesagt, Rivers, das sind Privatangelegenheiten. Der Präsident will nicht, dass der Ruf seines Freundes von den Zeitungen in den Schmutz gezogen wird. Und ich bin seiner Meinung, wenn auch aus anderen Gründen.« Madsen trat wieder vor den Schreibtisch und blickte auf Jones hinab. »Wenn ein schlechtes Licht auf Joe Branick fällt, fällt auch auf den Präsidenten ein schlechtes Licht, Rivers, und damit auf die gesamte Regierung. Und das werde ich nicht zulassen, auch wenn das für manche vielleicht gefühllos klingt. Als Joe Branicks Freund wird der Präsident natürlich große Schuldgefühle haben. Er wird sich fragen, ob er das Unglück hätte verhindern können. Aber mit Schuldgefühlen kann ich mich nicht aufhalten. Ich habe unter meinem Kommando viele gute Männer verloren. Wir ehren sie und machen weiter, aber nicht, weil wir sie vergessen haben, sondern weil wir sie *nicht* vergessen haben. Wir müssen unsere Aufgabe erfüllen. Der Präsident muss seine Aufgabe erfüllen, Rivers. Und damit, dass er diese Aufgabe erfüllt und sie gut erfüllt, ehrt er das Andenken seines Freundes am besten. Ich werde dafür sorgen, dass er das tut – hoffentlich noch sechs Jahre lang.«

Jones erhob sich. »Ich verstehe.«

»Gut.« Madsen wandte sich seinem Stuhl zu und sprach über die Schulter. »Ich schlage vor, Sie beginnen Ihre Ermittlungen in Mr. Branicks Büro. Ich habe es versiegeln lassen.«

»Versiegeln lassen? Darf ich fragen, warum?«

Madsen drehte sich wieder um. »Weil ich nicht weiß, ob sich dort nicht irgendwelche brisanten Informationen befinden, die diese Regierung oder sogar die nationale Sicherheit betreffen. Mr. Branick war ein Berater des Weißen Hauses, Rivers.« Madsen legte eine Pause ein. »Aber von jetzt an ist das Ihre Untersuchung, das verspreche ich Ihnen.«

## 7

Die Dunkelheit wich trübem Licht. Über ihm wanden sich pulsierende Bilder. Sloane lag auf dem Rücken und starrte hinauf zu den Neonleuchten an seiner Küchendecke. Instinktiv wollte er sich aufsetzen, doch eine Welle der Übelkeit ließ das Zimmer jäh zur Seite kippen wie bei einer Achterbahnfahrt, und er sackte zurück auf den Boden. Er spürte eine Hand auf der Brust. Das Gesicht, das sich über ihm drehte, kam zum Stehen.

Melda.

»Mr. David?« Sie gab ihm abwechselnd leichte Klapse

auf die Wangen und wischte ihm die Stirn mit einem feuchten Tuch ab, während sie wildes Zeug vor sich hin stammelte. »Tut mir so leid, Mr. David. Ich hatte so Angst. Ich höre Geräusche und denke, Sie dürfen nicht zu Hause sein. Sie haben gesagt: ›Melda, wir sehen uns Sonntagabend!‹« Sie hielt die Hand vor den Mund und kämpfte mit den Tränen.

Sloane setzte sich auf und fuhr sich über eine schmerzende Stelle am Hinterkopf. Neben Meldas Knien lag eine gusseiserne Pfanne auf dem Boden. Den Rest konnte er sich leicht zusammenreimen. Auch wenn sie süßen Apfelkuchen backte, Melda war eine zähe alte Schachtel, die ihre Herkunft vom Land nie vergessen hatte. Sie nahm die Aufgabe, das Haus zu bewachen, sehr ernst. Als er in der Dunkelheit mit dem Rücken zu ihr stand, hatte sie zuerst mal zugeschlagen und die Fragen später gestellt. Zum Glück war Melda schon über sechzig und nur knapp über eins fünfzig groß, so dass der Kraft, die sie hatte aufbieten können, natürliche Grenzen gesetzt waren. Durch den Hieb war er aus dem Gleichgewicht geraten, und der Boden hatte das Übrige besorgt. Er erinnerte sich, dass er noch die Hände hochgerissen hatte, als er ausrutschte, und sich im Fallen den Kopf an der Küchentheke angeschlagen hatte.

Er drückte ihr die Hand. »Schon gut, Melda. Sie haben Recht, ich bin viel zu früh gekommen. Tut mir leid, dass ich Sie so erschreckt habe.«

Die kinderlose Witwe Melda hatte Sloane praktisch adoptiert. Sie kümmerte sich um ihn, wenn er daheim war, und um das Haus, wenn er beruflich verreist war. Sie sammelte seine Post ein, fütterte Bud, die streunende Katze, die er auf der Suche nach etwas zu fressen in der Mülltonne hinter dem Haus erwischt hatte, und versorgte die Fische im Aquarium. Im Lauf der Zeit gewöhnte sie sich auch an, seine Wäsche zu machen, die Wohnung sauber zu halten und ihm Essen in Plastikdosen in den Kühlschrank zu stellen. Sloane wollte ihr Geld dafür geben, doch das hatte sie erbost zurückgewiesen. Also hatte er in acht Jahren ganz einfach kein einziges Mal ihre Miete erhöht. Das, was sie bezahlte, überwies er auf ein Tagesgeldkonto, und jedes Jahr an Weihnachten präsentierte er ihr einen Scheck, den er als Dividende einer für sie gekauften Computeraktie ausgab.

Sein Blick ging zu den offenen Schranktüren und leeren Regalen. Ihr Inhalt war überall verstreut, Lebensmittel vermischt mit Tellern, Tassen und Besteck. Der scharfe Geruch von Balsamicoessig hing im Raum. »Was ist denn hier passiert?«

Noch immer tupfte ihm Melda mit dem Waschlappen über die Stirn. »Sie sind geraubt worden.« Sie riss die Augen auf. »Furchtbare Schweinerei, Mr. David.«

Er packte die Kante der gefliesten Theke und zog sich mühsam hoch. Seine Schuhe rutschten auf dem Boden.

Auch Melda stand auf. »Ich rufe Doktor für Sie.«

»Nein, ich bin in Ordnung. Ich brauche nur noch ein paar Sekunden, dann bin ich wieder klar im Kopf.«

Sie trocknete sich die Hände am Geschirrtuch ab. »Große Schweinerei, Mr. David. Überall.«

Sich vorsichtig abstützend trat er hinüber ins Wohnzimmer und schaltete das Licht ein. Melda hatte nicht übertrieben. Es war wirklich eine einzige Schweinerei. Der Teppichboden war mit Scherben übersät. Die Bildröhre des Fernsehers war regelrecht explodiert. Im Aquarium schwamm ein Taschenbuch. Sogar die Heizkörperverkleidung war aus der Verankerung gerissen worden. Hinter ihm schluchzte Melda.

Sloane wandte sich um, um sie in die Arme zu nehmen, und spürte ihre schmächtige Gestalt erbeben. »Schon gut, Melda. Das wird alles wieder gut.« Er sprach leise auf sie ein, bis sie aufhörte zu zittern. »Sie könnten uns doch eine Kanne Tee machen, wie wär's?«

»Ich mache Tee für Sie.« Sie sagte es, als wäre sie selbst auf die Idee gekommen, und ging in die Küche, um den Kessel zu suchen.

Sloane wanderte durch die Wohnung und wusste nicht, wo er anfangen sollte.

»Haben Sie etwas gehört, Melda? Oder vielleicht jemanden gesehen?« Angesichts der Verwüstungen konnte sich Sloane nicht recht vorstellen, dass sie nichts von alldem mitbekommen haben sollte.

Sie füllte die Kanne aus dem Hahn. »Ich höre nichts, aber ich bin weg am Donnerstag ... mein Tanzabend.« Sie war Mitglied einer Seniorengruppe, die von der örtlichen katholischen Kirche ins Leben gerufen worden war. »Heute Morgen ich komme, um sauberzumachen, und ich sehe das. Dann ich gehe wieder runter und rufe Polizei. Und jetzt ich komme zurück, und Sie sind in der Küche, aber es ist dunkel, und meine Augen ... Ach, Mr. David, es tut mir so leid.«

Sloane stand mitten im Zimmer und betrachtete seine Sachen. Im Geist versetzte er sie an den Ort zurück, wo er sie zuletzt gesehen hatte. Neugierig ging er hinüber ins Schlafzimmer, um auch dort das Licht einzuschalten. Die Matratze war genauso zerfetzt wie das Sofa, der Kleiderschrank leer geräumt. Doch das beunruhigte ihn im Moment weniger. Viel mehr beunruhigte ihn der Anblick eines Gegenstandes auf dem Nachttisch, bei dem es sich um das Geschenk eines dankbaren Mandanten handelte.

Seine Rolexuhr.

# 8

*Justizministerium, Washington, D.C.*

Rhythmisch schaukelnd lehnte Rivers Jones sich in den cremefarbenen Ledersessel zurück und verbog eine Büroklammer zwischen Daumen und Zeigefinger, während er auf seine Verbindung wartete. Zusammen mit einem abgestandenen Becher Kaffee warf er die braune Papiertüte mit dem Mittagessen, das ihm seine Frau zubereitet hatte, in den Mülleimer, und griff nach einem halb gegessenen Muffin. Er richtete den Blick auf die Wände seines tristen Büros. Die schmuckvoll umrahmten Zeugnisse daran trugen alle den Namen S. RIVERS JONES IV.

Das »S«, von dem nur die wenigsten wussten, dass es für Sherman stand, hatte er genauso fallenlassen wie die römische Zahl, die gleichbedeutend mit »Angeber« war, wenn man sich nicht gerade im tiefsten Süden befand. Und er war schließlich nicht mehr mit den alten Jungs zusammen, die in Jeeps mit Schmutzfängern herumdüsten und Kautabak durch die Lücke zwischen den mittleren Schneidezähnen spuckten. Das war vorbei. Für immer. Im Gegenteil – er sehnte sich nach dem Tag, an dem er nicht mehr auf diese beiden überdimensionalen Urkunden starren musste, die ihn an die von seinem Vater diktierte Berufswahl erinnerten. Wenn der Mistkerl nicht an einem Herzinfarkt krepiert wäre, würde Jones seine Diplome jetzt wahrscheinlich in einem Büro mit Blick auf die Innenstadt von Baton Rouge in Louisiana bewundern.

Jones brach noch ein Stück von seinem Muffin ab und bog den Kopf zurück, um keine Krümel auf seinen Anzug fallen zu lassen. Parker Madsens Anruf hatte ihn aus dem Tiefschlaf gerissen. Im Gegensatz zum General war er nicht der Typ für morgendliche Freiübungen und Weckrufe. Er hatte gerade noch duschen und sich rasieren können – das Scheißen musste heute eben warten –, dann war er los, um rechtzeitig im Westflügel einzutreffen. Madsen bestand auf Pünktlichkeit. Der Typ war eine ziemliche Nervensäge mit seinem ständigen »Ja, Sir«, »Nein, Sir« und dem ganzen Quatsch, aber Insider in Washington erzählten hinter vorgehaltener Hand, dass die Republikaner Madsen als Robert Peaks nächsten Vizepräsidenten aufstellen wollten. Das machte Madsen zu einem aussichtsreichen zukünftigen Kandidaten für die Präsidentschaft. Kein Wunder, dass er bei dieser Geschichte mit Joe Branick derart mauerte. Die Wirtschaft ging unaufhaltsam den Bach runter, die Arbeitslosen- und die Inflationsquote erlebten einen ungeahnten Höhenflug, und der gegen US-Interessen gewandte Terrorismus eskalierte immer stärker. In so einer Ausgangssituation war der völlig unerwartete Selbstmord eines Mannes, der angeblich der engste Vertraute des Präsidenten war, nicht unbedingt hilfreich. Der General wollte zur Nummer eins werden, und Jones hatte nichts dagegen. Ihm war egal, an wen er sich dranzuhängen hatte, Hauptsache, er wurde mitgenommen.

Jones hatte gerade ein Gespräch mit dem Leichenbeschauer von Jefferson County beendet. Dr. Peter Ho hatte keinen Widerstand geleistet. Was auch keine Überraschung war. Die meisten kommunalen Angestellten waren faul. Wahrscheinlich war Ho erleichtert, dass er übers Wochenende keine Autopsie machen musste. Jetzt musste Jones nur noch diesem Detective aus Charles Town klarmachen, wo es langging. Sicher war der Mann genauso erleichtert wie sein Coroner, wenn eine Akte weniger auf seinem Schreibtisch lag. Damit war die Sache so gut wie erledigt, und Jones konnte sich über einen weiteren mächtigen Verbündeten freuen.

Jones fuhr aus seinen Tagträumen hoch, als ihm seine Sekretärin mitteilte, dass sie durchgekommen war. Er beugte sich vor und überlegte, wie der Titel »Kongressabgeordneter« oder »Senator« auf einem eingerahmten Blatt Papier aussehen würde.

Ungeduldig rutschte Clay Baldwin auf seinem Hocker über den Linoleumboden. Nach jedem Klingelzeichen trommelte er ein wenig schneller auf den Schalter. Die Sekretärin des stellvertretenden Bundesstaatsanwalts hatte keinen Zweifel daran gelassen, dass sie keine Voicemail-Nachricht hinterlassen wollte. Baldwin drehte sich nach hinten, um die weiße Tafel ins Visier zu bekommen, auf der die Namen aller Mitarbeiter des Reviers standen. Normalerweise bedeutete ein orangefarbener Magnet unter dem Wort »anwesend«, dass der betreffende Beamte an sein verdammtes Telefon gehen müsste, aber wenn der Name an der Tafel Molia war, dann bedeutete es einen Dreck. Tom Molia übersah die Tafel beim Kommen und Gehen immer wieder, und Baldwin hatte allmählich das Gefühl, dass diese Aussetzer Absicht waren.

Baldwin stand auf, obwohl er genau wusste, dass ihm gleich der Schmerz durchs Bein bis hinunter in seinen eingeschlafenen rechten Fuß fahren würde. Mit einer Grimasse zog er das Telefonkabel lang, um durch die Jalousie vor dem Maschendrahtfenster zu spähen. Tatsächlich stand Molia mitten im Raum und unterhielt Marty Banto und zwei uniformierte Polizisten mit einer Mimik und Gestik, die ausdrucksstärker war als die einer Teenagerin.

Baldwin brüllte durch das Glas. »Hey, Mole!«

Tom Molia blickte auf und winkte Baldwin zu.

Baldwin deutete auf das Telefon. »Ich … habe … einen … Anruf … für … dich.«

Molia hielt die Hände vors Herz und bildete mit den Lippen die Worte: »Ich … dich … auch … Clay.«

Banto und die anderen brachen in Gelächter aus.

*Scheißkerl.* »Geh endlich ans Telefon, Mole, verdammt noch mal!« Baldwin beobachtete, wie Molia zu seinem Schreibtisch ging und abnahm. »Verflucht, Mole, was sollen diese blöden Spielchen. Geh an dein Telefon, wenn es läutet.«

»Mir war nicht klar, was du da treibst, Clay. Ich dachte, du willst so ein irisches Tänzchen hinlegen, weil du immer so mit dem Fuß stampfst.«

Baldwin hörte auf zu stampfen. »Mein Fuß ist eingeschlafen … Und ich bin kein Ire, sondern Engländer. Was glaubst du eigentlich, was ich hier mache? Ich hab einen Anruf für dich.«

»Einen Anruf. Meine Herren, Baldy, wer ist es denn – die Queen persönlich?«

Baldwin stieß ein leises Zischen aus. Er wusste, dass Cops gern Nachnamen abkürzten, aber der Spitzname, den ihm Tom Molia verpasst hatte, beschrieb rein zufällig genau den Zustand seines rapide schwindenden Haupthaars.

»Ein Bundesstaatsanwalt aus dem Justizministerium.«

»Verdammt, Baldy, warum sagst du das denn nicht gleich? Genug geplaudert. Lass den armen Mann nicht warten. Stell ihn durch.«

»Ich hab dir …«

»Keine Zeit verschwenden, Clay.«

Baldwin fiel ein, wie ungeduldig die Sekretärin des

Bundesstaatsanwalts geklungen hatte, und rannte nach hinten zu seiner Telefonanlage, um das Gespräch weiterzuleiten.

Tom Molia machte Clay Baldwin ein Zeichen mit dem Daumen, als er zum Hörer griff. »Detective Tom Molia am Apparat.«

Eine Frauenstimme antwortete. »Detective Molia, haben Sie gerade Zeit, um einen Anruf des stellvertretenden Bundesstaatsanwalts Rivers Jones entgegenzunehmen?«

Einer dieser merkwürdigen Namen aus dem Süden – das war vielleicht auch der Grund für dieses offizielle Gehampel. Molia stand schon kurz davor zu sagen: »Klar, lassen Sie ihn anrufen« und dann aufzulegen, überlegte es sich aber anders: »Stellen Sie ihn durch.« Er setzte sich an einen Schreibtisch, der aussah, als wäre er schon seit Jahren nicht mehr aufgeräumt worden.

»Detective Molia?«

»Wie geht's euch im Justizministerium denn so an diesem Morgen, Rivers? Habt ihr's schön kühl oder läuft euch der Schweiß kübelweise runter wie uns hier?« Molia lehnte sich in seinen Stuhl zurück. Als er die Füße auf eine Ecke des Schreibtischs legte, stürzte eine Lawine aus verschiedenen Papieren und Mappen auf den abgetretenen Linoleumboden. Auf einem antiquierten Metallaktenschrank drehte sich ein kleiner Ventilator. In das Büro, das Platz für zwei Schreibtische bot, waren drei gequetscht worden. Papierstapel verdeckten eingerahmte Bilder von Frauen und Kindern, und an den Wänden hing ein Sammelsurium von Steckbriefen, internen Mitteilungen und anderen Merkwürdigkeiten. An einer der Wände stand eine schwarze Pappfigur vom Schießstand mit einem Einschussloch mitten in der Stirn und zahlreichen Dartlöchern. Zwei Dartpfeile steckten noch drin, ein dritter lag neben dem Schreibtisch des Detectives auf dem Boden.

»Uns geht es gut, Detective. Mein Büro verfügt über eine Klimaanlage.«

»Na, da können Sie aber dankbar sein. Es soll nämlich heute wieder ganz schön heiß werden.«

»Arbeiten Sie an dieser Joe-Branick-Sache, Detective?«

»Sie meinen den Selbstmörder?«

»Ja, Detective, ich meine den Selbstmörder.« Jones sprach in einem bewusst einschläfernden Singsang.

»Noch kein offizieller Bericht, aber ja, das ist mein Fall. Mal wieder typisch, dass das ausgerechnet bei mir landet. Letzte Woche hab ich mehr geackert als ein rammelndes Karnickel. Ich meine gearbeitet, verstehen Sie?« Molia nahm die Beine vom Tisch, klaubte den Dartpfeil auf und warf ihn aufs Ziel. Er traf die Figur in der Schulter. Dann wühlte er in den Papieren auf seinem Schreibtisch herum. »Wenigstens schaut es nach einer klaren Sache aus. Der Mann wurde ungefähr zweihundert Meter von seinem Auto entfernt gefunden. Eine Schusswunde in der Schläfe. Kanone in der Hand. Ausgeworfene Hülse. Aus großer Nähe abgefeuert. Die Kugel werden wir in dem Gelände wahrscheinlich nicht finden. Schmauchspuren an rechter Hand und Schläfe ... Und so weiter und so weiter. Ich habe eine ballistische Untersuchung angeordnet. Aber der Fall ist eigentlich ganz einfach.«

Einfach, bis auf die Tatsache, dass bis jetzt noch niemand von Bert Cooperman gehört hatte. Coop hatte sich zwar angeblich übers Wochenende frei genommen, trotzdem war es merkwürdig, dass bei ihm zu Hause niemand ans Telefon ging und dass auch der Streifenwagen nicht vor seiner Tür geparkt war. Und jetzt mischte bei einem klaren Selbstmord plötzlich noch das Justizministerium mit. Das Ziehen in Molias Bauch war zu einem heftigen Schmerz geworden, der sich auch mit zwei Schlucken aus dem Fläschchen Peptobismol in seiner Schreibtischschublade nicht besänftigen ließ.

»Woher nehmen Sie die Befugnis zu einer ballistischen Untersuchung, Detective?«

Molia lachte. »Die Befugnis? Machen Sie Witze, Rivers? Ich habe hier einen Toten. Ich habe eine Waffe. Ich habe einen Toten mit einer Waffe in der Hand. Da ordne ich eben eine ballistische Untersuchung an. Dafür brauche ich keine Befugnis.« Er hörte Jones durchatmen. »Haben Sie Asthma, Rivers? Um diese Jahreszeit habe ich auch immer einen Anflug von Heuschnupfen.«

»Ich bin sicher, dass Sie sich ganz an die Vorschriften gehalten haben, Detective Molia …«

»Mole.«

»Pardon?« Jones klang leicht gereizt.

»Nennen Sie mich einfach Mole. ›Detective Molia‹ habe ich schon seit Jahren nicht mehr gehört. Wenn Sie mich weiter Detective Molia nennen, fange ich noch an, mich hier im Zimmer nach meinem Vater umzusehen. Ich würde ihn zwar gern sehen, bekäme aber auch einen Mordsschrecken – er ist nämlich schon seit über sechs Jahren tot.«

»Ja, Detective Molia. Wie gesagt, ich bin sicher, die ballistische Untersuchung ist reine Routine, aber sein Tod … Dieser Mann … war ein Mitarbeiter des Weißen Hauses und ein persönlicher Freund des Präsidenten.«

»Ja, ich glaube, das habe ich irgendwo gelesen.«

»Genau.«

»Schön, dann sagen Sie dem Präsidenten, er braucht

sich da gar keine Sorgen machen, Rivers. Ich kümmere mich persönlich darum.«

Stille am anderen Ende der Leitung. »Ich bin sicher, Sie würden die Angelegenheit kompetent behandeln.«

Molia hörte ein »Aber« kommen, und zwar ein großes. Der Bundesstaatsanwalt enttäuschte ihn nicht.

»Aber diesmal nicht. Das Justizministerium wird die Sache übernehmen. Sie werden die Arbeit an diesem Fall beenden und mir die Akten überstellen.«

»Bei allem Respekt gegenüber Ihnen und dem Präsidenten, Riv, aber die Leiche …«

»Detective Molia, haben Sie mich gerade Riv genannt? Ich möchte etwas klarstellen. Ich habe keinen Spitznamen, sondern einen Titel. Ich bin ein stellvertretender Bundesstaatsanwalt. Das heißt, ich arbeite für das Justizministerium. Und genau dorthin schicken Sie die Akte. Habe ich mich verständlich ausgedrückt?«

Molia war eigentlich bereit gewesen, im Zweifelsfall zugunsten von Jones anzunehmen, dass er, wie die meisten Leute vom Staat, überarbeitet und gestresst war und bloß kurzzeitig seine Manieren vergessen hatte, aber er hasste es einfach, wenn ihm jemand autoritär kam. Sein Vater hatte immer gesagt, dass Titel wie Arschlöcher waren – jeder hatte einen. Und in Washington hatten manche Typen sogar zwei Titel und waren deshalb meistens auch doppelt so große Arschlöcher.

»Also, Sie nehmen den Mund aber ganz schön voll«, sagte er. »Sind Sie sicher, dass Ihr Büro klimatisiert ist, Rivers? Für mich klingen Sie heute Morgen, als würden Sie gleich anfangen zu kochen.«

»Wie gesagt …«

»Eigentlich habe ich gerade geredet, Rivers. Sie haben mich unterbrochen. Und auch nicht zum ersten Mal, wenn ich das hinzufügen darf. Was ich sagen wollte, ist, bei allem Respekt für Sie und den Präsidenten, aber die Leiche wurde in West Virginia von einem Polizisten aus Charles Town entdeckt. Also ist es ein Problem der örtlichen Polizei oder genauer gesagt – da ich der arme Kerl war, der bei Tagesanbruch aus dem Bett gescheucht wurde – mein Problem.«

»Nicht mehr«, zischte Jones. »Die Zuständigkeit des Justizministeriums hat Vorrang vor Ihrer Zuständigkeit, und das Weiße Haus hat unser Ministerium ausdrücklich gebeten, die Untersuchung zu übernehmen. Jeder Einmischungsversuch von Ihrer Seite wird unnachsichtig bestraft. Habe ich mich verständlich ausgedrückt, Detective?«

»Was für eine Untersuchung?«

Es folgte das, was manche Leute als »bedeutungsschweres Schweigen« bezeichneten. Für Molia war es nur Zeitschinderei. Der stellvertretende Bundesstaatsanwalt Rivers Jones hielt seine Zunge zum Kühlen in den Wind, um sich eine passende Ausrede einfallen zu lassen.

»Pardon?«

»Sie haben von einer *Untersuchung* geredet. Was soll das für eine *Untersuchung* sein?«

»Wenn ich ›Untersuchung‹ gesagt habe, war das ein Versprecher. Macht der Gewohnheit. Ich wollte ›Angelegenheit‹ sagen. Wir werden uns um diese Angelegenheit kümmern.«

Von wegen. »Sie haben sich nicht versprochen. Sie haben klar und deutlich gesagt, das Weiße Haus hat Sie gebeten, eine *Untersuchung* durchzuführen.«

Wieder entstand eine Pause. Jones wurde wohl allmählich ärgerlich, was auch vorauszusehen gewesen war. Wenn man jemanden, der keine guten Antworten hatte, in die Enge trieb, brach er entweder zusammen oder wurde sauer. Wieder enttäuschte ihn der stellvertretende Bundesstaatsanwalt nicht.

»Detective Molia, wollen Sie mich verarschen? Falls ja, möchte ich Sie darauf aufmerksam machen, dass ich das überhaupt nicht lustig finde. Für so etwas habe ich keine Zeit. Meine Anweisungen kommen direkt vom Präsidenten der Vereinigten Scheißstaaten. Und wenn diese Anweisungen gut genug für mich sind, dann sollten sie verdammt noch mal auch gut genug für Sie sein.«

Molia nahm den Bleistift hinter seinem Ohr und spießte damit einen angebissenen Hamburger auf einem ölverschmierten gelben Wachspapier auf. Wie beabsichtigt hatte er bei Jones einen Schalter umgelegt, und der Mann hatte nicht genügend Hirn oder Geduld, um sich herauszureden. Leute, die was zu verheimlichen hatten, wichen entweder aus oder wurden aggressiv. Jones schaffte beides. Dabei waren ihm mindestens zwei Fehler unterlaufen: Molia hatte von ihm erfahren, dass es ein Untersuchung gab und dass das Weiße Haus daran beteiligt war. Sein Magen täuschte sich nie.

»Na schön, Herr stellvertretender Bundesstaatsanwalt Rivers Jones, ich bin nur ein Police Detective und mache, wozu ich mich vor zwanzig Jahren mit einem Eid verpflichtet habe. Also werde ich, solange ich keine Anweisungen von *meinen* Vorgesetzten bekomme, *meine* Untersuchung weiterführen – im Interesse der Menschen in Jefferson … Scheißcounty.«

»Wer ist Ihr Vorgesetzter, Detective Molia?«

»Polizeichef J. Rayburn Franklin … der Dritte.« Molia hörte, wie Rivers Jones aufhängte.

# 9

*Anwaltskanzlei Foster & Bane, San Francisco*

Sloane trat aus dem Aufzug und eilte durch einen Empfangsbereich mit italienischem Marmor, persischen Läufern, Ledersitzmöbeln und Kunstwerken an den Wänden. In allen fünf Stockwerken der Kanzlei Foster & Bane wurden die Mandanten von ähnlich eingerichteten Eingangshallen mit ähnlich kostspieligem Dekor begrüßt – wie es sich gehörte für ein Unternehmen, das in seinen Filialen in den USA, Europa und Hongkong fast tausend Anwälte beschäftigte und einen Jahresumsatz von 330 Millionen Dollar erzielte.

Sloane war spät dran. Die Polizei hatte sich Zeit gelassen. Als die Beamten endlich eingetroffen waren, schienen sie wenig interessiert. Sie stellten nur ein paar obligatorische Fragen, und damit war die Untersuchung wohl schon abgeschlossen. Sloane hatte keine Ahnung, wer seine Wohnung verwüstet hatte und welches Motiv dahinterstecken könnte. Da nichts Wertvolles gestohlen worden war – nicht einmal die Rolex –, war auch von einer Überprüfung von Leihhäusern wenig zu erhoffen. Er ließ die ganze Prozedur über sich ergehen, weil er genau wusste, dass sich seine Versicherung zuerst erkundigen würde, ob er Anzeige bei der Polizei erstattet hatte. Nachdem das erledigt war, musste er nur noch einen Antrag auf Schadensregulierung stellen. Deshalb war er auch ins Büro gefahren, wo er seine Versicherungsunterlagen aufbewahrte.

Um kurz vor elf herrschte in der Kanzlei Hochbetrieb. Das hieß, er musste mit Fragen danach rechnen, was einen Mann, der zum ersten Mal seit fünf Jahren Urlaub genommen hatte, ins Büro trieb. Er hatte sich eine möglichst einfache Antwort zurechtgelegt: Bevor er die Stadt verlasse, wolle er nur noch schnell eine kleine Sache abschließen.

Er schritt an der Rezeptionistin im achtzehnten Stock vorbei, hinter deren Schreibtisch sich ein Panoramablick auf die San Francisco Bay von Angel Island bis zur Bay Bridge eröffnete, und warf einen vorsichtigen Blick um die Ecke. Der Korridor war leer, allerdings hörte er Stimmen aus den Büros: Mitarbeiter, die sich abrackerten, um »abrechnungsfähige Arbeitsstunden« anzuhäufen. Diese Arbeitsstunden waren überaus wertvoll und für die großen Anwaltskanzleien nicht nur das Mittel, um die Produktivität und die Leistungsbereitschaft ihrer Mitarbeiter zu messen, sondern auch die Grundlage, auf der sie ihren Mandanten Rechnungen für ihre Dienste stellten.

Tina Scoccolo fuhr zusammen, als er an ihrem Arbeitsplatz vorüberschritt. An ihr kam man nicht unbemerkt vorbei.

»Was machst du denn hier, verdammt?« Sie klang eher aufgebracht als neugierig.

Ohne sein Tempo zu verlangsamen, legte Sloane einen Finger an die Lippen. Er hatte den Blick nur noch auf die Ziellinie am Ende des Gangs gerichtet: die Tür zu seinem Büro an der Nordwestecke. »Ich bin nicht hier. Du siehst mich nicht.«

Sie kam heraus, als er an ihr vorbeirauschte. »Dann reden wir wohl auch gerade nicht miteinander?« Ihre Frage folgte ihm durch den Korridor.

»Genau. Keine Anrufe.«

»Du hinkst.«

Er drückte die Bürotür auf und blieb nach einem halben Schritt abrupt stehen wie ein Tourist vor einem roten Seil in einem Museum. Sein Blick huschte zu dem Namensschild an der Wand. DAVID SLOANE.

Sein Büro war nicht wiederzuerkennen. Das Chaos von fast vierzehn Jahren Arbeit war wie durch ein Wunder verschwunden. Die Stapel aus Verteidigungsschriften, gelben Notizblöcken und Beweisunterlagen, die sich schon seit Jahren in den Ecken aufgetürmt hatten, waren durch zwei Ficusbäume ersetzt worden. Zum ersten Mal fiel ihm auf, dass der kastanienbraune Teppichboden ein blaugraues Diamantmuster hatte. Neben seiner – leeren – Eingangsablage auf dem Schreibtisch befand sich ein kleiner, säuberlich geordneter Stapel Post. Das letzte Mal, dass er den Grund der Ablage erblickt hatte, war an seinem ersten Arbeitstag in der Kanzlei gewesen. Er fühlte sich zugleich überrumpelt und erleichtert. Wie für die meisten Anwälte hatten ausufernde Aktenberge etwas Beruhigendes für Sloane, und er wärmte sich damit wie mit einer Decke. Doch jetzt wusste er auf einmal nicht mehr, warum all diese Papiere so wichtig für ihn gewesen waren, und er hatte das Gefühl, von einer großen Last befreit worden zu sein.

Er rief hinaus in den Gang: »Tina?«

»Tut mir leid«, kam es zurück, »kann dich nicht hören. Du bist nicht da.«

Lächelnd trat er über die Schwelle und fuhr mit dem Finger über den Schreibtisch, der mit einer leicht nach Zitrone riechenden Möbelpolitur behandelt worden war. Sogar das abstrakte Gemälde über seiner Kommode hatte sie zurechtgerückt. Gleich daneben entdeckte er es. Sie hatten den Artikel einrahmen lassen und ihn zwischen die Zeugnisse an die Wand gehängt. Die Schlagzeile strotzte nur so vor Arroganz: SAN FRANCISCOS STARANWALT.

Das Bild darunter war das gleiche, das ihm Patricia Hansen gegen die Brust geklatscht hatte, und es war sogar noch schlimmer als die Schlagzeile, falls das überhaupt möglich war. Der Fotograf hatte Sloane vor den Tisch im Konferenzraum gestellt und ihn in Schieflage aufgenommen, schräg wie der Turm von Pisa. Nach einem frischen Haarschnitt waren einzelne unbezähmbare Strähnen abgestanden wie die Borsten eines Stachelschweins, und die reichliche Dosis Gel, die er sich in seiner Not draufgeklatscht hatte, hatte sein dunkelbraunes Haar zu Schuhcremeschwarz verfärbt und es zu einer Art Plastikhelm geformt. Das Licht durch die getönten Scheiben warf Schatten wie Wagenfurchen über das vorstehende Kinn und die Wangenknochen und machte ihn um zehn Jahre älter. Auf dem Bild sah er wirklich aus wie siebenundvierzig. Die dunkle Gesichtshaut, die dichten Augenbrauen und die vollen Lippen ließen seine Züge normalerweise weicher erscheinen, doch mit den unheimlichen Schatten und dem maskenhaften Haar sah er aus wie ein selbstgefälliger Schurke aus einem Comicalbum.

Passend zu Überschrift und Foto erwies sich der Artikel als aufgeblasenes Gewäsch über den »besten Spezialisten der Stadt« für Zivilprozesse, die sich um Haftungsansprüche bei fahrlässiger Tötung drehten. Bob Foster hatte darauf bestanden, dass Sloane mit dem Reporter sprach – wozu er sich nur widerwillig bereitgefunden hatte – und das Ganze noch mit Zitaten garniert, mit denen vor allem neue Mandanten für die Kanzlei gewonnen werden sollten. Dass dabei auch noch Sloanes letzter Anschein von Bescheidenheit auf der Strecke blieb, spielte keine Rolle. Seit der Veröffentlichung des Artikels fühlte sich Sloane wie ein Mann mit einer Zielscheibe auf dem Rücken. Die Zahl seiner aktiven Fälle hatte sich verdoppelt, und jede Hoffnung, auch nur einen von ihnen mit einem Vergleich abzuschließen, war mit dem

Artikel verflogen. Seine Mandanten rechneten sich auf einmal bessere Siegeschancen aus, und der gegnerische Anwalt sah es als Herausforderung an, Sloane von seinem hohen Ross zu holen.

Sloane nahm den Rahmen von der Wand und wandte sich um, um ihn in der Schreibtischschublade zu verstauen, als plötzlich die Bürotür aufsprang und hinter Tina ein Aufmarsch von Anwälten, Anwaltsgehilfen und Mitarbeitern hereinplatzte. Alle schrien »Überraschung!« und warfen Konfetti. Irgendjemand blies ihm mit einer Partytröte ins Ohr. Tina trug einen halb verspeisten Kuchen mit zwei Kerzen drauf, die eine »1« und eine »5« bildeten – allerdings zeigte sich bei näherer Betrachtung, dass die »1« grob aus einer »3« geformt worden war. Die sechs Mitarbeiter, die für Sloane tätig waren, rangelten um die besten Plätze wie Kinder in einer Schulaufführung, und all jene, die noch in Sloanes »Prozessmaschinerie« unterkommen wollten – so der interne Sprachgebrauch –, waren darauf bedacht, ihm zumindest die Hand zu schütteln.

Tina hielt ihm den Kuchen hin. Nachdem Sloane den eingerahmten Artikel auf den Schreibtisch gelegt hatte, wischte er sich blaugoldene Sterne von den Schultern und zupfte sich Luftschlangen aus dem Haar. Die Zuckergussbuchstaben sahen aus wie ein unvollendetes Kreuzworträtsel.

*TE ZUM*
*TSTAG*

»Für wen soll denn der Geburtstagskuchen sein?«

Tina ignorierte die Frage. »Blas die Kerzen aus.« Sie stellte den Kuchen auf den Schreibtisch und fing an, Stücke abzuschneiden. »Eigentlich wollte ich die Siegesfeier am Montag machen, weil du gesagt hast, du kommst erst nach dem Wochenende wieder. Tut mir leid, aber besser hab ich es in der kurzen Zeit nicht hingekriegt.« Sie reichte ihm einen Pappteller mit einem Stück Schokoladenkuchen.

»Was ist denn das für ein furchtbarer Lärm?«

Bob Foster, der jeden Tag zwei Schachteln Zigaretten qualmte, klang wie ein müder Motor an einem kalten Morgen. In einem maßgeschneiderten blauen Hemd mit weißem Kragen, Onyxmanschettenknöpfen und einer handbemalten Krawatte betrat er Sloanes Büro: ein beharrlicher Kämpfer gegen die Mode zwangloser Kleidung, die von den Hightechfirmen nach San Francisco eingeschleppt und widerstrebend von den Anwaltskanzleien übernommen worden war. Die Menge teilte sich vor ihm wie das Rote Mehr vor Moses.

Foster ging auf Sloane zu. »Zwei Stunden? Die Geschworenen haben zwei Stunden für ihre Beratung gebraucht, Sloane? Haben Sie nichts gelernt bei mir?« Seine gespielte Entrüstung brachte die anderen zum Lachen. Er nahm Sloanes Hand. »Gute Arbeit. Hätte nicht gedacht, dass Sie da noch den Kopf aus der Schlinge ziehen. Frank Abbott hat mich heute schon ganz früh angerufen. Er ist überglücklich. Vielleicht lässt er mich am Wochenende sogar beim Golf gewinnen.«

Sloane rang sich ein Lächeln ab. »Super.«

Foster beugte sich verschwörerisch vor. »Ich weiß, der kleine Scheißer kann einem ganz schön auf den Geist gehen. Das wissen alle, aber er ist sein Enkel. Außerdem wird Abbott Security mit Paul Abbott am Ruder noch öfter verklagt werden, und das ist gut für uns. Er hat alle anderen Anwälte rausgeworfen. Er schickt uns die Akten zu sieben aktiven Fällen.«

Sloane wurde übel.

»Wollen wir hoffen, dass sich die Arbeitsweise des Unternehmens nach dieser Scott-Geschichte nicht *zu* sehr verändert.« Foster neigte den Oberkörper zurück und gab Sloanes Hand frei. Er beäugte Sloanes Windjacke, Bluejeans und die Baseballmütze mit dem Schriftzug der San Francisco Giants, als würden sie ihm erst jetzt auffallen. »Was machen Sie überhaupt hier? Sie haben keinen Urlaub mehr genommen, seit meine Haare noch braun waren. Ich dachte, sie klettern irgendwo auf Felsen rum.«

»Bin nur kurz reingekommen, um noch ein paar Kleinigkeiten zu erledigen.«

Foster zog eine Augenbraue hoch. »Erzählen Sie einem alten Hasen keinen Quatsch, Sloane. Ein oder zwei Kleinigkeiten an einem Freitag werden schnell zum halben Tag, dann beschließen Sie, dass Sie den Tag noch zu Ende arbeiten, damit das Wochenende frei bleibt, kommen aber nicht mal zum ersten Punkt auf Ihrer kurzen Liste mit Kleinigkeiten, weil andauernd das Telefon klingelt, und Ihre Mitarbeiter sich mehr in Ihrem Büro rumtreiben als anderswo. Sie haben nicht mal mehr Zeit für eine Pinkelpause, und auf einmal merken Sie, es ist Sonntagabend, Ihre Frau ist am Apparat und erzählt Ihnen, dass sie die Scheidung und die Hälfte Ihres Einkommens will. Ich weiß doch Bescheid.«

Alle lachten, obwohl Fosters Darbietung allzu viel Wahrheit enthielt. Die Hälfte der Teilhaber von Foster & Bane waren einmal geschieden, Foster selbst sogar zweimal. Er sah auf die Uhr. »Fünfzehn Minuten. Dann prügle ich Sie persönlich aus dem Büro.« Damit wandte er sich den anderen zu. »In Ordnung, Leute, esst euren Kuchen auf und geht dann wieder an die Arbeit, damit der Mann endlich in Urlaub fahren kann.« Er schob sich ein großes Stück auf einen Teller, leckte sich die Finger ab und verschwand um die Ecke. Kurz darauf hörte man, wie er ein paar Türen weiter ein schrillendes Telefon anbellte. »Ich komm ja schon, Herrgott noch mal.«

Mit Handschlag und gehobenem Daumen löste sich die Gruppe allmählich auf, bis nur noch Tina übrig blieb.

»Ich dachte, du wolltest dir heute freinehmen, um in die Berge zu fahren«, bemerkte sie.

Sloane trat hinter seinen Schreibtisch und griff nach dem Brief ganz oben auf dem Stapel. »Ich wollte nur noch meinen Schreibtisch aufräumen, damit ich mir darüber keine Sorgen mehr machen muss. War wohl überflüssig. Danke fürs Saubermachen hier.«

»Ich war mit zwei Bulldozern zugange.«

Er nickte in Richtung der Ficusbäume. »Die Pflanzen sind eine nette Idee.«

»Hab mir gedacht, ein bisschen Sauerstoff kann dir nicht schaden.«

»Hier drin oder überhaupt?«

»Ich verweigere die Aussage.«

»Was ist das für ein Geruch?«

»Frische Luft.«

Sie wandte sich um und schloss die Tür. Mit dreiunddreißig war Tina Scoccolo vier Jahre jünger als Sloane, aber bisweilen behandelte sie ihn wie eine Mutter, vielleicht weil sie auch im wirklichen Leben eine war. Sie hatte einen neunjährigen Sohn, Jake, einziges Überbleibsel einer gescheiterten Ehe, nach der sie im reifen Alter von vierundzwanzig Jahren als Alleinerziehende dagestanden hatte. Diese Erfahrung hatte sie anscheinend abgehärtet. Sloane hatte nie mitbekommen, dass sie Männerbekanntschaften hatte, obwohl es ihr bestimmt nicht an Gelegenheiten dazu fehlte. Bei den Partys der

Kanzlei, wenn Anwälte und Mitarbeiter einen über den Durst tranken und sich ein wenig gehen ließen, war sie immer der Blickfang. Mit ihren eins dreiundsiebzig hatte sie die Figur einer Läuferin: schlanke Beine und starke Schultern, die sich zu einer schmalen Taille verjüngten. Und obwohl sie nach landläufigen Vorstellungen nicht unbedingt schön war, besaß sie eine natürliche Anziehungskraft. Schulterlanges rotbraunes Haar umrahmte helle Haut, und eine Spur von Sommersprossen auf dem Nasenrücken verlieh ihr etwas Jugendliches. Ihre blauen Augen funkelten, wenn sie lachte, und nahmen einen steinkalten Grauton an, wenn sie unglücklich war. Bei den Partys pflegte sie unerwünschte Annäherungsversuche zu ignorieren, wies den betreffenden Anwalt mit einer schlagfertigen Bemerkung zurecht oder verschwand, bevor der Alkohol die Zungen gelöst hatte.

»Alles in Ordnung mit dir?« Sie verschränkte die Arme wie eine Schullehrerin, die eine ehrliche Antwort erwartete.

»Mir geht's gut.«

»Du siehst müde aus.«

»Ich bin auch müde. Von so einem Prozessmarathon wird man eben müde.«

»Aber du bist nicht krank?«

»Damit kann ich leider nicht dienen.«

Sie trat näher und betrachtete sein Gesicht. »Was hast du denn da für eine Beule an der Stirn?«

Er zog die Kappe tiefer nach unten. »Nur eine Beule. Hab mir den Kopf angehauen.«

»Beim Klettern?« Ein vorwurfsvoller Ton lag in ihrer Stimme.

»Beim Klettern war ich noch nicht.«

Er streifte die Windjacke ab und sank in seinen Ledersessel, aber Tina ließ sich nicht beirren. Nach so vielen Jahren zusammen kannte sie seine Ausflüchte, und sie hatte weiß Gott nie ein Blatt vor den Mund genommen, wenn es darum ging, ihn darauf anzusprechen.

Er lehnte sich zurück. »Na schön. Jemand ist in meine Wohnung eingebrochen und hat sie ziemlich zu Klump geschlagen. Ich war fast den ganzen Vormittag damit beschäftigt, das zu regeln.«

»Das ist ja furchtbar. Hast du …«

»Die Polizei gerufen? Ja. Und sie sind gekommen und haben einen Bericht verfasst. Mehr wird dabei nicht rauskommen, weil sie keine Verdächtigen haben und anscheinend auch nichts Wertvolles gestohlen wurde.«

»Willst du …«

»Den Schaden bei der Versicherung melden? Ja. Das ist einer der Gründe, warum ich hergekommen bin.«

»Hast du …«

»Eine Ahnung, wer es war? Nein, nur die üblichen Verdächtigen, die mich hassen.«

Sie bedachte ihn mit einem Stirnrunzeln. »Na schön, dann redest du eben nicht mit mir.« Sie wandte sich ab.

Sloane legte den Poststapel weg. »Tina?«

Sie drehte sich wieder um.

»Tut mir leid. Ich bin nur ein bisschen müde und frustriert. Ich wollte es nicht an dir auslassen.«

»Entschuldigung angenommen. Kann ich was für dich tun?«

»Suchst du gern Möbel in Katalogen aus?«

»Sie haben deine Möbel kaputtgemacht?«

»Ich brauche ein Sofa und einen dazu passenden Sessel. Naturfarben. Hauptsache, man kann darauf sitzen. Außerdem brauche ich einen Fernseher, eine Stereoanlage und eine neue Matratze.«

»Sie haben die Matratze gestohlen?«

»Bloß aufgeschlitzt.«

»Warum nur?«

Er zuckte die Achseln. »Das ist die Frage. Finde irgendjemanden, der schnell liefert. Bezahl mit meiner Kreditkarte.«

»Habe ich Carte blanche?«

»Mein Konto sollst du nicht abräumen. Ach, und könntest du mir die Versicherungsakte von meinem Haus bringen?«

Er wartete, bis sie die Tür hinter sich zugemacht hatte. Dann drehte er den Stuhl, bis er den wolkenlosen, endlos scheinenden Himmel über dem schiefergrauen Wasser der San Francisco Bay vor sich hatte. Ein Flugzeug hatte einen dünnen weißen Streifen darauf hinterlassen, wie ein fahriger Pinselstrich auf blauer Leinwand.

Fünf Minuten später kam Tina zurück. »David, was gibt's denn da zu sehen?«

Er wandte sich wieder vom Fenster ab. »Ich wollte nur einen Augenblick die Aussicht genießen.«

Sie trat zum Fenster. »Warum?«

»Was soll die Frage? Warum denn nicht?«

»Weil ich in den zehn Jahren, die ich jetzt hier bin, noch nie gesehen habe, dass du zum Fenster hinausschaust.« Sie reichte ihm drei rosa Notizformulare und vier Briefe zum Unterschreiben. »Die anderen Nachrichten habe ich an die Voicemail weitergeleitet.«

Im Zug seines wachsenden Erfolges hatte sie angefangen seine Anrufe und E-Mails zu filtern. Die ersten zwei Nachrichten konnte er sofort als nicht dringend einordnen. Den dritten Namen kannte er nicht.

»Wer ist Joe Branick?«

## 10

*Charles Town, West Virginia*

»Mole!«

J. Rayburn Franklins Stimme rollte durch den Gang wie eine Lawine. Kaffeetassen liefen über und Papiere fielen von den Tischen. Marty Banto zuckte in seinem Stuhl zusammen und schlug sich das Knie an einer Schublade an. Er fluchte. »Verdammt, jetzt geht das schon wieder los.«

Franklins Erscheinung war wie immer eine Enttäuschung. Er war der einzige Mann, den Tom Molia kannte, der seiner eigenen Stimme nicht gewachsen war. Die Stimme hätte zu einem übergewichtigen, Zigarre rauchenden Politiker oder zu einem Footballtrainer gepasst. In Wirklichkeit sah Franklin mit der runden Nickelbrille vor dem ständig angespannten Gesicht aus wie ein an Verstopfung leidender Buchhalter bei einer Steuerprüfung. Die tiefe Baritonstimme musste ein Geschenk Gottes gewesen sein, einzige Waffe in einem ansonsten leeren Arsenal.

Der stellvertretende Bundesstaatsanwalt Rivers Jones hatte keine Zeit verloren.

Franklin zerrte sich die Brille von der Nase. Ein Bügel verhakte sich hinter dem Ohr und wurde verbogen, als er ihn losreißen wollte, was seine Wut nur noch steigerte. Er war außer Atem, obwohl sein Büro vielleicht gerade einmal zwanzig Meter entfernt lag.

»Kannst du mir vielleicht erklären, wie du es in einem fünfminütigen Telefongespräch geschafft hast, einen stellvertretenden Bundesstaatsanwalt zu vergrätzen *und* den Präsidenten der Vereinigten Staaten zu beleidigen?«

»Verdammt, Rayburn, ich hab doch nur gesagt …«

Franklin hob die Hand. »Was du gesagt hast oder zu sagen hast, interessiert mich nicht. Mich interessiert nur, was er über dich gesagt hat. Bereitet es dir irgendeine Art perverser Freude, mir das Leben schwerzumachen?«

»Rayburn …«

»Hast du keine anderen Hobbys, mit denen du dich beschäftigen kannst?«

»Chief …«

»Wenn das nämlich so ist, dann möchte ich dir dringend raten, dir was Passendes zu suchen.« Franklin hielt Zeigefinger und Daumen ungefähr einen Zentimeter auseinander und beugte sich ganz nah zu Molia hinunter. »Ich stehe so kurz vor der Zwangspensionierung, aber wenn ich gehe, dann nehme ich dich mit, das garantier ich dir.«

»Der Typ ist doch ein Schwachkopf, Ray. Mann, ich wollte dir doch nur helfen.«

Franklin lächelte, aber es sah mehr nach einer Grimasse aus. »Du wolltest mir nur helfen, was?« Er trat einen Schritt zurück und fuchtelte wild mit den Armen. »Ja, warum hast du das denn nicht gleich gesagt? Da hab ich wohl einen Fehler gemacht. Wahrscheinlich müsste ich mich bei dir bedanken.«

»Höre ich da einen gewissen Sarkasmus raus?«

»Nein, Mole, wie kommst du denn auf die Idee? Es ist ja nicht so, dass du gerade einen Bundesstaatsanwalt hast auflaufen lassen, der im Namen des Präsidenten der Vereinigten Staaten angerufen hat …«

»… der Vereinigten Scheißstaaten.«

»Was?«

»Er hat ›Vereinigte *Scheiß*staaten‹ gesagt.«

»Ist mir völlig schnurz, was er gesagt hat. Ich hab gerade so einen Tritt in den Arsch gekriegt, dass ich wahrscheinlich eine Woche lang nicht mehr sitzen kann in meinem *Scheißbüro*.« Den letzten Satz spuckte Franklin nur eine Handbreit von Molias Gesicht entfernt aus. Einzelne Strähnen seines schütteren Haars, das er in der Mitte gescheitelt und gerade nach hinten gekämmt trug, fielen ihm vor die Augen.

»Das war jetzt aber eindeutig Sarkasmus.«

Franklin richtete sich wieder auf. »Komm schon, Mole. Hör endlich auf mit dem Quatsch.«

Molia sprach leise, so wie er die Kinder zu beruhigen versuchte. »Er hat von einer *Untersuchung* geredet, Ray. Wieso redet der bei einem stinknormalen Selbstmord auf einmal von einer Untersuchung?«

Franklin blinzelte im Zeitlupentempo. Vielleicht ein ungläubiges Blinzeln, um auszudrücken, dass er nicht fassen konnte, was er gerade gehört hatte. Oder einfach der Versuch, die Beherrschung wiederzugewinnen. Aber Molia hatte den Verdacht, dass es keins von beiden gewesen war. Wahrscheinlich war es einfach nur ein Blinzeln der Verzweiflung, in das sich ein Hauch von Neugier gemischt hatte. Denn so sehr Molia J. Rayburn Franklin auch immer wieder zur Verzweiflung trieb – er war trotzdem sein bester Detective, dessen Instinkt nur selten trog.

»Ist mir egal, wovon er geredet hat«, sagte Franklin. »Von mir aus kann er vom letzten Abendmahl reden. Auf jeden Fall möchte ich meinen Job behalten. Und das gilt doch wohl auch für dich, oder bist du in letzter Zeit reich geworden, ohne dass ich was davon erfahren habe?«

»Die Sache gefällt mir nicht, Ray. In meinem Magen zwickt es.«

»Kann ich mir gut vorstellen bei deinen Essgewohnheiten. Das Zeug, das du frisst, würde doch nicht mal ein Ziegenbock anrühren.« Er setzte die Brille wieder auf, schob sich die Haare aus dem Gesicht und strich sie nach hinten, um sich zu beruhigen. Nach einer Weile fragte er: »Na schön, was macht dir Sorgen?«

»Wir haben noch immer nichts von Coop gehört.«

»Coop hat das Wochenende frei. Hat er sich schon vor zwei Wochen genehmigen lassen.«

»Aber bei ihm zu Hause …«

»Geht niemand ans Telefon. Seine Frau ist nämlich in South Carolina, um ihren Eltern das Baby zu zeigen, und Coop nutzt die Gelegenheit zum Fischen und Jagen. Sie hat das Auto genommen, also hat er gefragt, ob er übers Wochenende den Steifenwagen haben kann. Ich habe zugestimmt. Er wollte gleich nach der Schicht los. Würden wir beide gleich nach einer zwölfstündigen Nachtschicht losdüsen? Nein, aber wir sind auch nicht mehr fünfundzwanzig, Mole.«

»Was ist mit dem Park? Wieso sollte er einfach vom Tatort abhauen, Ray?«

»Coop ist ein Anfänger, Mole. Anfänger machen blöde Sachen, das weißt du doch. Wahrscheinlich hat er kalte Füße gekriegt, als er gemerkt hat, dass dort eigentlich die Park Police zuständig ist. Und hatte dann keine Lust, sich hier zusammenstauchen zu lassen und seine Freizeit mit dem Ausfüllen von Formularen zu verplempern. Du bist doch derjenige, der sich immer an den Leitspruch hält: ›Besser um Verzeihung bitten als um Erlaubnis.‹ Mann, wenn ich es mir genau überlege, dann glaube ich, dass du den Spruch sogar erfunden hast. Coop wird am Montag angekrochen kommen und um Verzeihung bitten. Und ich werde ihn zusammenstauchen. Und was diese Branick-Sache angeht: Ich schätze, das Justizministerium hat genügend Leute, um sich darum zu kümmern. Okay? Und damit keine Missverständnisse aufkommen, möchte ich was klarstellen. Ganz langsam zum Mitschreiben: Schließ … die … Akte. Wenn schon irgendwas angelaufen ist, blas es ab.«

»Und was soll ich dann mit der Akte machen?« Molia ließ Franklin gern das letzte Wort. Das beruhigte das Ego des Polizeichefs.

Franklin ließ sich nicht lange bitten. »Nimm sie, leg sie auf deinen Stuhl und … setz … dich … drauf.« Franklin stakste davon, doch in der Tür wandte er sich noch einmal um. »Ich meine es ernst, Mole. Ich will nicht mal Gerüchte darüber hören, dass du noch an diesem Fall arbeitest.«

Molia hob die Hände wie vor einer geladenen Waffe. »Kein Problem. Ich hab genügend andere Sachen am Hals.«

»Manchmal bin ich mir da nicht so sicher.« Franklins Schuhsohlen klatschten auf das Linoleum, während er durch den Gang marschierte. Als er um die Ecke bog, blickte er durch das Drahtfenster zurück. Molia stand auf, schloss die Mappe, legte sie sorgfältig auf den Stuhl und ließ sich darauf nieder.

## 11

Tina pflückte Sloane das Notizformular aus der Hand und musterte ihn, als traue sie ihrer eigenen Handschrift nicht. Dann reichte sie es zurück. »Keine Ahnung, wer das ist.«

Sloane lachte. »Dann hat er wohl keine Nachricht hinterlassen?«

Sie schnappte sich den Zettel wieder und überflog ihn noch einmal. »Steht da vielleicht drauf, dass er eine Nachricht hinterlassen hat?«

»Aber wer ist das?«

»Woher soll ich das wissen? Wahrscheinlich der neueste dreiundzwanzigjährige Überflieger mit dem heißesten Anlagetipp des Jahres. Inzwischen kriegst du davon pro Woche ungefähr fünf Stück.«

Er lächelte. »Vielleicht könnten wir was Genaueres über ihn rausfinden?«

»Ruf doch einfach an.«

Er zog die Augenbrauen hoch.

»Aha, verstehe. ›Wir‹ heißt ›ich‹.« Mit rollenden Augen schnappte sie sich den Zettel und verließ leise vor sich hin murmelnd das Zimmer.

Eine Minute später war sie wieder zurück.

»Das war schnell.«

»Vielleicht nicht schnell genug. Dianne hat gerade angerufen. Seine Hoheit will mit dir über dein Treffen mit der Transamerican-Versicherung am Montag reden. Soll ich dir die nächsten drei Stunden für diesen Schwätzer frei halten?«

Sloane hatte wenig Lust auf eine ausführliche Besprechung mit Bob Foster. »Was hast du ihr gesagt?«

»Ich hab sie erst mal hingehalten und ihr erzählt, dass du gerade auf der Toilette bist. Wenn sie wieder anruft, erzähl ich ihr, dass du rausgeschlichen bist, bevor ich dir die Nachricht ausrichten konnte.« Sie setzte ein zufriedenes Lächeln auf.

Eilig angelte er sich die Jacke vom Stuhl. »Du bist ein Genie.«

»Reden kostet nichts. Ich will eine Gehaltserhöhung.«

»Ich würde sofort rübergehen und das für dich beantragen, aber dann würdest du vor Dianne als Lügnerin dastehen. Schönes Wochenende.«

Mit der Geste einer Schülerlotsin hielt sie ihn auf und

legte ihm die Hand auf die Brust. Dann reichte sie ihm die Mappe mit den Versicherungsunterlagen und hielt ihm drei Briefe samt Stift unter die Nase. »Moment noch, Herr Staranwalt. Ich brauche ein paar Autogramme.«

Er kritzelte seinen Namen hin und gab ihr die Briefe zurück. »Was habe ich da eigentlich unterschrieben?«

»Nichts Wichtiges. Gehaltserhöhung für Tina. Bezahlter Urlaub für Tina. Meine Jahresbeurteilung. Hab mir erlaubt, sie gleich auszufüllen.«

Er reichte ihr den Stift. »Und wie waren deine Leistungen im letzten Jahr?«

»Hervorragend wie immer.«

»Schön für dich.« Er schob das gefaltete rosa Notizformular in die Tasche und rückte das Bild an der Wand schief. Dann verschwand er mit einem Augenzwinkern hinaus in den Gang.

## 12

Tom Molia wartete bis zum späten Nachmittag, um keinen Verdacht zu erregen. Clay Baldwin sollte denken, dass er nur etwas früher ins Wochenende gestartet war. Sogar den verdammten Magneten schob er von der Anwesend- zur Abwesend-Spalte, obwohl ihm diese Kontrolle gewaltig auf den Senkel ging. Er hatte den Verdacht, dass diese Tafel eigentlich auf dem Mist von Franklin gewachsen war, Baldwins Schwager. Franklin hatte gern ein Auge auf seine Beamten, vor allem auf Molia. Nachdem er zwanzig Jahre lang gekommen und gegangen war, wie es ihm passte, behagte es Molia überhaupt nicht, dass jemand Buch über ihn führte. So etwas stand allenfalls seiner Frau zu, die ihn seit zweiundzwanzig Jahren Ehe ertragen musste. Und so hatte er der Magnettafel den Krieg erklärt.

In seinem smaragdgrünen Chevrolet Baujahr 1969 ließ er noch mal die Unterhaltung mit dem stellvertretenden Bundesstaatsanwalt Rivers Jones Revue passieren. Er hatte Jones ganz bewusst ein wenig angebohrt, um ihm vielleicht das eine oder andere zu entlocken. Und der hatte ihm tatsächlich den Gefallen getan. Das Wort »Untersuchung« war kein Versprecher gewesen. Das Justizministerium untersuchte einen stinknormalen Fall von Selbstmord, und noch dazu auf Bitten des Weißen Hauses. Warum? Die einzige logische Erklärung dafür war, dass jemand nicht an Selbstmord glaubte. Das hieß, es handelte sich möglicherweise um Mord und damit um eine Sache, die Tom Molia etwas anging.

Er bog nach rechts in die Sixth Avenue und parkte in der Seitenstraße hinter einem zweigeschossigen Backsteinbau mit dunkel getönten Fensterscheiben. Geisterhaft schimmernd stiegen Hitzewellen vom Asphalt des Parkplatzes auf. Noch bevor er die unverschlossene Sicherheitstür erreichte und die Hintertreppe hinaufstieg, schwitzte er aus allen Poren. Um diese Zeit waren alle Mitarbeiter schon nach Hause gegangen. Oben angelangt schob er die Tür zu einer Reihe klimatisierter Büros auf. Drinnen empfing ihn der stampfende Rhythmus von U2. Nachdem er den Empfangsbereich und einen engen Gang durchquert hatte, stieg ihm ein leberartiger Geruch in die Nase, untrügliches Zeichen dafür, dass eine Autopsie im Gange war.

Dr. Peter Ho saß auf einem Rollhocker und war über einen Körper gebeugt, der noch teilweise in einem dunkelgrünen Leichensack steckte. Im Mund hielt der Coroner das Ende einer starken Laserlampe. So hatte er beide

Hände frei, um mit Klammern und Pinzetten Hautpartien festhalten zu können. Ho wirkte tief konzentriert und klopfte dabei geistesabwesend alle paar Sekunden im Takt seiner Lieblingsband mit seinen Stahlinstrumenten auf eine Pfanne.

Molia schlich leise näher und legte Ho die Hand auf die Schulter.

Der Leichenbeschauer sprang auf, als wäre er hochkatapultiert worden, und der Hocker schoss meterweit nach hinten über den Linoleumboden. Ho spuckte die Laserlampe in den offenen Brustkorb, der Reflektor an seiner Stirn verrutschte, und seine Brille glitt von der Nase, um baumelnd an einer Kette hängen zu bleiben.

Keuchend und mit rotem Gesicht rang der Arzt nach Luft. »Verdammt, Mole. Ich hab dir doch gesagt, du sollst das nicht machen.«

Lachend holte Molia den Hocker. »Hast du etwa geglaubt, dass sich einer von deinen Patienten heimlich angeschlichen hat, Peter?« Das Spielchen hätte schon längst keinen Reiz mehr für ihn gehabt, wenn Peter Ho nicht immer so lebhaft reagiert hätte. Der Coroner von Jefferson County war ein stämmiger Asiate mit fleischigem Gesicht. Und auch wenn Ho es nie zugegeben hätte, war Molia doch überzeugt davon, dass er Angst vor den Toten hatte. Es war, als hätte ein Mechaniker Angst vor Autos.

»Wenn du das noch öfter machst, dann bist du bald selbst ein Patient von mir.« Ho atmete wieder aus. »Mir wäre fast das Herz stehengeblieben.«

»Darf man nicht mal mehr vorbeischauen und Hallo sagen?«

»Wenn du vorbeischauen willst, dann benutz den Vordereingang wie ein normaler Mensch, damit ich die verdammte Klingel höre.« Ho rückte den Stirnreflektor wieder gerade.

Molia hob die Hand, um sich vor dem grellen Lichtstrahl zu schützen. »Die Hintertür ist näher am Parkplatz. Bei dem Krach hier hättest du die Klingel sowieso nicht gehört, und außerdem wissen wir beide, dass ich nicht normal bin.«

»U2 ist kein Krach, aber ansonsten gebe ich dir recht: Du bist nicht normal.«

Molia setzte sich auf den Hocker und ließ sich neben den bedeckten Kopf der Leiche gleiten. »Du solltest die Hintertür wirklich abschließen, Peter, sonst bekommst du irgendwann mal ernsthaft Probleme. Da kann doch jeder reinschleichen.« Er griff nach einem Instrument mit zwei scharfen Spitzen und richtete es zur Veranschaulichung auf Ho.

Ho nahm ihm die Pinzette ab. »Sehr lustig. Danke, das war sterilisiert.« Er warf das Gerät auf ein Metalltablett. »Von heute an werde ich persönlich dafür sorgen, dass Betty diese Scheißtür absperrt, wenn sie nach Hause geht.«

»Das macht sie bestimmt«, sagte Molia, überzeugt vom genauen Gegenteil. Er hob das Tuch vom Kopf des Toten. »Der schaut aber nicht gut aus, Pete. Ich glaube, den kriegst du nicht mehr hin.«

Ho zog das Tuch zurück. »Kein Respekt vor den Toten. Du würdest auch nicht so toll ausschauen, wenn dich jemand mit einer Schrotflinte umgenietet hätte.«

»Jagdunfall?«

»Küchenunfall. Sagt zumindest seine Frau, und bisher ist sie bei ihrer Geschichte geblieben. Anscheinend ist es nur Zufall, dass ihr das Missgeschick ausgerechnet an dem Tag passiert ist, an dem sie erfahren hat, dass er sich heimlich mit der Verkäuferin vom Supermarkt traf.«

Molia legte den Kopf schief und schnalzte mit der Zunge. »Ah, eine Verkäuferin bespringen. Wär mal was anderes.«

Ho machte einen Trommelwirbel auf einer Metallpfanne. »Babadamdam. Den Beruf solltest du dafür nicht an den Nagel hängen, sonst verhungerst du noch. Der Sheriff meint, sie ist ins Haus rein und hat ihn einfach über den Haufen geknallt.« Ho deutete auf das Hemd des Mannes. »Er war gerade beim Essen. Hatte noch immer Mayo am Hemd, als sie ihn gebracht haben.« Er streifte die Latexhandschuhe ab und wischte sich die Hände an der Kunststoffschürze ab. »Danke für die Leiche heute Morgen, Kumpel. Vielleicht kann ich mich irgendwann revanchieren – mit einer Hepatitisinjektion zum Beispiel.«

Als Molia am Morgen Joe Branicks Leiche abgeliefert hatte, war Ho noch nicht zur Arbeit erschienen. »Ist was damit?«

Ho äffte ihn nach. »Ist was damit? … Wie gesagt, du könntest verhungern.« Er trat an ein weißes Porzellanbecken, um sich die Hände zu waschen. »Alle möglichen Leute sind mir auf den Pelz gerückt, das ist damit. Und erzähl mir jetzt bloß nicht, dass du nichts davon weißt.«

»Das Justizministerium?«

»Unter anderem. Dazu noch Angehörige und Reporter.« Er trocknete sich mit einem Papiertuch die Hände und warf es in den Mülleimer. Dann band er sich die Schürze ab und hängte sie an einen Haken neben der Tür, bevor er in seinem Büro verschwand. Kurz darauf verstummte die Musik, und Ho kam in einem schwarzen T-Shirt mit dem Bild des U2-Sängers Bono zurück. Er hatte eine Mappe dabei. »Ist heute gekommen.« Er hielt ein Fax mit dem Briefkopf des Justizministeriums hoch und schob sich die Bifokalbrille auf die Nase. »Branick, Joe. Ohne Untersuchung des Leichenbeschauers freizugeben. Und so weiter, und so weiter.« Er schloss die Mappe und blickte Molia über die Brille hinweg an. »Damit bin ich gemeint. Das heißt, es gibt keine Autopsie. Das heißt, ich komme rechtzeitig nach Hause, um Jason beim Baseball zuzuschauen.«

»Heute Abend ist ein Spiel?«

»Maggie hat mich gebeten, dich daran zu erinnern. Warum schaffst du dir nicht mal einen Kalender an?«

»Glaubst du, der Typ hat sich umgebracht?«

»Keine Ahnung. Hab die Leiche gar nicht angeschaut. Muss ich jetzt auch nicht mehr.«

»Aber sie ist noch hier?«

Ohne jedes Interesse deutete Ho über die Schulter auf einen Metallschrank mit zahlreichen Schubladen. »Im Kühlkasten. Gleich morgen früh holen sie ihn ab. Die Papiere sind schon alle unterschrieben.« Er ging zu einem Tisch unter einem Regal mit Lehrbüchern über Pathologie, Anatomie, Toxikologie und Gerichtsmedizin.

»Warum hast du den Papierkram überhaupt gemacht, wo du doch schon gewusst hast, dass sie dich ausgebootet haben?«

»Wollte ich ja nicht, aber die Schwester von dem Typ hat angerufen. So eine stressige Powerjuristin aus Boston, hat mir die Befehle nur so um die Ohren gehauen. Wollte die genaue Todesursache wissen, und zwar wirklich die genaue. Also hab ich mit den Papieren angefangen. Dann kam ein Anruf von Mr. Jones, der mir gesagt hat, ich soll die Bremse reinhauen. Dann das Fax. Du hast doch bestimmt auch eins gekriegt, du warst nämlich der Nächste, bei dem er seinen Charme spielen lassen wollte.«

»Moment mal.« Molia rutschte vom Hocker. »Die Schwester hat schnelle Ergebnisse verlangt. Hat sie gesagt, warum?«

»Nein.«

»Und dann hat dich das Justizministerium zurückgepfiffen?«

»Ja.«

»Natürlich auch ohne Erklärung.«

»So ist es.« Ho schaltete in seinem Büro das Licht aus. »Wahrscheinlich haben sie kein Vertrauen zu einem einfachen Landarzt.«

Ho stammte aus Philadelphia und war ungefähr so ländlich wie Molia. »Hast du sie zurückgerufen?«

»Die Schwester? Wozu denn?« Ho durchquerte den Raum und knipste das Licht über einem Metalltisch aus. »Ist mir egal. Soll doch ein anderer an ihm rumschneiden.«

»Warum hat sich das Justizministerium eingeschaltet, Peter?«

Ho zuckte mit den Achseln. »Er war mit dem Präsidenten befreundet.«

»Ja, das habe ich auch gehört. Aber sie gehen an die Sache ran, als ob es kein Selbstmord gewesen wäre. Jones hat bei dem Gespräch mit mir die Beherrschung verloren ...«

»Was für eine Überraschung.«

»... und hat mit Wörtern wie ›Untersuchung‹ um sich geworfen. Warum nehmen die bei einem routinemäßigen Selbstmord eine offizielle Untersuchung vor?«

Ho knipste das Licht aus und ging an ihm vorbei. »Keine Ahnung.«

»Und Jones sagt, er handle auf Anweisung des Präsidenten.«

Ho blieb stehen. »Wirklich?«

»Ja, wirklich.«

Ho winkte ab. »Sie waren eben Freunde. Der Präsident hat ein persönliches Interesse an der Sache, und die Angehörigen wollen es sowieso nie wahrhaben, wenn sich ein Verwandter umbringt. Das weißt du doch.«

»Mein Magen kneift mich.«

»Dein Magen kneift dich, weil du ständig allen möglichen Müll in dich reinstopfst. Hoffentlich muss ich dich nie aufschneiden. Wahrscheinlich würde ich Blechdosen und ein Nummernschild finden.«

»An diesem Abend hat es keinen Anruf von der Einsatzzentrale gegeben, Peter. Kein Notruf, bei dem ein Toter gemeldet wurde. Ich hab es überprüft.«

Ho dachte kurz darüber nach. »Und wie hat Coop es dann rausgefunden?«

»Gute Frage. Ich habe auch dazu eine Theorie, aber nehmen wir mal einen Moment lang an, dass er es nicht hätte herausfinden sollen. Nehmen wir an, er ist über etwas gestolpert, worüber er nicht hätte stolpern sollen. Dann erscheint doch unser Gespräch mit Mr. Jones auf einmal in einem ganz anderen Licht.«

Ho verzog das Gesicht, als müsste er zu seinem großen Verdruss eine mathematische Gleichung berechnen. Dann schüttelte er unwillig den Kopf. »Das sind doch nur Spekulationen. Es gibt keine harten Fakten … Mann, das Justizministerium! Warum sollten die an so was beteiligt sein … Das ist doch lächerlich.«

»Genau was ich sagen will. Sie wären nicht beteiligt, wenn es wirklich Selbstmord wäre.« Molia wollte unbedingt Hos Interesse wecken. Denn es gab nur eine Möglichkeit, um festzustellen, ob es sich um einen Selbstmord handelte: eine Autopsie.

»Kein Problem, das rauszufinden.«
»Ja?«
»*Falls* ich was machen würde, aber das kommt nicht in Frage.« Ho schlüpfte in eine leichte Windjacke, die quer über der Brust den Aufdruck »Charles Town Little League« und darunter das Wort »Dodgers« trug.
»Bist du nicht neugierig?«, wollte Molia wissen.
Ho ging zum Tisch und zog den Sack zu, um die Leiche über Nacht im Kühlfach zu verstauen. »Nicht so, dass ich mir dafür den Kopf abreißen lassen will. Ich bin raus aus der Sache, Mole. Und du auch. Soll sich das Justizministerium drum kümmern. Wenn er sich nicht umgebracht hat, werden die das bald wissen.«
Molia sprach bereits zu Hos Rücken. »Wahrscheinlich hast du recht. Ist bestimmt nichts. Alles nur Zufall – so wie bei dem Typ mit der Verkäuferin.« Er wandte sich zum Gehen. »Bin am Wochenende zu Hause. Ruf mich an. Vielleicht gehen wir mal Angeln mit den Jungs.«
Explosionsartig wie ein Wal stieß Ho die Luft aus. »Verdammter Scheiß… Warum machst du das? Du weißt ganz genau, dass ich es jetzt rausfinden muss.«
Molia lächelte. Ho gehörte zu der Sorte von Leuten, die bei einem Roman die letzte Seite zuerst lasen. »Kannst du es so machen, dass es niemand merkt, Peter?«
»Machst du dir solche Sorgen?«
»Ich möchte bloß keinen Verdacht erregen.«
Ho überlegte kurz. »Bis zu einem gewissen Grad. Bei einer Schusswunde sollte es nicht so schwer sein. Ich kann ein kleines Stück Haut mit Schmauchspuren von der Schläfe mit den Spuren an den Fingern und den Pulverrückständen unter den Nägeln vergleichen. Dann überprüfe ich noch die Flugbahn des Projektils und nehme eine winzige Blutprobe, um nach Chemika-

lien zu schauen. Ist nicht hundertprozentig zuverlässig, aber sicher für uns. Niemand würde was davon mitkriegen.«

»Wie lange würde das dauern? *Wenn* du es machen würdest?«

»Sie holen die Leiche am Morgen. Ist es wirklich so wichtig, Tom?«

»Möglicherweise.«

Ho zog die Windjacke wieder aus und ging zurück zum Waschbecken, um seine Schürze zu holen. Seine gemurmelten Flüche klangen eher halbherzig und gezwungen. »Das darfst *du* dann Jason erklären.« Er seifte sich die Hände ein, als wollte er sich die Haut abziehen. »Er wird sauer sein, dass ich sein Spiel verpasse.«

»Ich rufe Maggie an, dass sie das Spiel auf Video aufnehmen soll. Bis wann können wir mit den Ergebnissen rechnen?«

Ho schnappte sich ein Papierhandtuch. »Ich gebe die Proben morgen beim Labor ab. Die Überprüfung der Rückstände dauert mindestens zwei Tage. Bei Bluttests können es unter Umständen über zehn Tage sein. Soll ich es dringend machen?«

Molia schüttelte den Kopf. »Nein, ich muss halt einfach warten. Geduld ist schließlich eine Tugend.«

»Bei dir nicht.«

»Danke, Peter.« Wieder wandte er sich dem Gang zu, doch dann fiel ihm etwas ein. »Was für einen Namen nimmst du für die Laborproben? Du kannst sie schließlich nicht unter seinem echten Namen laufen lassen.«

Ho streifte sich Handschuhe über und zog den Leichensack des Toten auf, an dem er gerade gearbeitet hatte. Er drehte ein gelbes Schild am Zeh um. »Dunbar, John.«

Er blickte zu Molia auf. »Ich brauche den Ballistiktest.

Ohne den kann ich mit den Schmauchspuren nichts anfangen.«

»Ich schaue, was ich machen kann.« Molia trat hinaus in den Gang.

»Und nimm von jetzt an den Vordereingang!«, brüllte ihm Ho nach, warf im Büro die Musik wieder an und ging zum Stahlschrank, um das Schubfach mit der Aufschrift »Branick, Joe« herauszuziehen.

## 13

Schwer nach Atem ringend lehnte sich Sloane an die Zedernholzverkleidung vor seiner Wohnungstür. Das Sweatshirt klebte ihm am Leib, und der Schweiß tropfte ihm von Stirn und Schläfen. Im übernächsten Apartment mit der Nummer sechs dröhnte der Bohrer des Schlossers, der gerade einen neuen Türriegel einbaute und sich anschließend Apartment für Apartment zu Sloanes Wohnung im Westteil des Gebäudes vorarbeiten würde. Die Nachricht von dem Einbruch hatte sich herumgesprochen, und Sloanes ältere Mieter hatten sich besorgt gezeigt.

Er stieß die Tür auf und warf seinen MP3-Player und die Ohrhörer auf die geflieste Theke, die die Küche vom Wohnzimmer trennte. Dann holte er sich einen Krug kaltes Wasser aus dem Kühlschrank und trank so gierig, dass es ihm teilweise wieder aus dem Mund lief. Vor dem Küchenfenster schwärmten Seemöwen um einen Mann und eine Frau, die am Strand spazieren gingen und Brotstücke in die Luft warfen. Sloane hörte das Kreischen der Vögel durch die offene Schiebetür im Wohnzimmer.

Nachdem er das Büro verlassen hatte, hatte er sich unbedingt austoben müssen. Sein Knöchel war zwar noch empfindlich, aber in erster Linie bei Seitwärtsbewegungen. Mit dem Stöhnen von Mick Jagger und den Rolling Stones im Ohr war er an der Küste entlanggejoggt, und das schien der Verletzung sogar gutgetan zu haben. Er dachte an Leute, die er schon seit Jahren nicht mehr getroffen oder gesprochen hatte; Gesichter aus der Kindheit und der Schulzeit zogen an ihm vorüber wie bei einer Diavorführung mit Musik. Er war so versunken, dass er schon acht Kilometer gelaufen war, als er anhielt, um umzudrehen und denselben langen Weg zurückzulaufen.

Er verschloss den Krug und stellte ihn zurück in den Kühlschrank. Melda hatte ihm eine Plastikdose mit einem handgeschriebenen Zettel hinterlassen:

*Für Sie, wenn zu Hause. Freut mich.*
*Melda*

Er zog den Deckel von der Schüssel und schob sich einen Bissen Hühnchen mit Pilzsoße auf Reis in den Mund. In diesem Moment sprang Bud auf die Theke. Sloane streckte der Katze die Finger hin, um sie daran schnuppern zu lassen. Desinteressiert wandte sie sich ab und lief davon.

Er stülpte den Deckel wieder auf die Dose und stellte sie zurück. Dann nahm er einen Eisbeutel heraus und wühlte in einer Schublade unter der Theke nach der Rolle Isolierband. Im Wohnzimmer streute er Futter ins Aquarium und sah zu, wie der Zackenbarsch vor dem Kaiserfisch losschoss, um sich die winzige Krabbe zu schnappen. Sloane hatte das Aquarium aus einer spontanen Laune heraus gekauft; Fische schienen irgendwie die richtigen Haustiere für einen Junggesellen, der am Meer wohnte. Er riss mit den Zähnen ein Stück Klebeband ab und machte sich daran, notdürftig eines der Polster zu reparieren, um irgendwo sitzen zu können, wenn er sich den Eisbeutel an den Knöchel band. Da hörte er drei vertraute leise Klopfzeichen an der Tür.

Melda stand mit einem Packen Umschlägen vor der Schwelle. »Ich bringe Ihnen Post, Mr. David. Diesmal ist nicht viel. Nur Rechnungen und Müll.«

Ein Jahr lang hatte er sie gebeten, ihn einfach David zu nennen, aber sie ließ sich nicht von ihrem »Mr. David« abbringen. Die Post erinnerte ihn an seinen Briefkasten. »Ist Ihnen aufgefallen, dass mein Briefkasten kaputt ist, Melda?«

Verblüfft blickte sie ihn an. »Kaputt? Was kaputt?«

»Die Tür war offen. Das Schloss …« Er versuchte es zu erklären. »Das Schloss war durchgeschlagen.«

Sie machte eine Faust. »Durchgeschlagen?«

»Es hat gefehlt. Das Schloss hat gefehlt.« Ihrem Gesicht war anzusehen, dass sie nicht wusste, wovon er redete. »Nicht so wichtig. Wollen Sie auf eine Tasse Tee reinkommen?«

Sie schüttelte den Kopf. Auf ihrem Gesicht erblühte ein Lächeln. »Ich mache Apfelkuchen. Heute Abend ich bringe für Sie ein Stück nach meine Bingo.«

Das Backen von Apfelkuchen erfüllte bei Melda einen therapeutischen Zweck; die Ereignisse am Morgen hatten sie wohl ziemlich aus der Fassung gebracht. Sloane klopfte sich auf den Bauch, der immer noch fest war, wenn auch nicht mehr ganz so wie früher. »Sie müssen einen sechsten Sinn haben, Melda. Immer wenn ich Lust habe, ein paar Kalorien zu verbrennen, backen Sie Apfelkuchen.«

»Sie wollen nicht?« Enttäuscht blickte sie ihn an.

»Hab ich schon mal nein zu Ihrem Apfelkuchen gesagt?«

Das Lächeln kehrte zurück. »Heute Abend, also. Ich gehe zu meine Bingo, dann bringe ich für Sie Kuchen.« Auf dem Weg zur Treppe blieb sie noch einmal stehen und legte die Hand an die Schläfe. »Entschuldigung. Ich erinnere nicht mehr so gut.«

»War noch etwas?«

»Die Telefone – sind sie repariert?«

»Repariert? War was mit Ihrem Telefon nicht in Ordnung?«

Sie schüttelte den Kopf. »Nein, Ihre Telefon.«

»Mein Telefon? Was war denn mit meinem Telefon?«

Sie zuckte die Achseln. »Wo sie weg waren, ein Mann kommt und sagt, dass die Telefone sind kaputt und muss reparieren.«

»Hat er erklärt, was kaputt war?«

»Ich verstehe nicht diese Sachen. Über ... irgendwas ist Problem. Ich zeige ihm einfach Ihre Telefon.«

»In meiner Wohnung?«

Die Telefonanlage für das Haus war in der Werkzeugkammer beim Stellplatz untergebracht. Sloane wusste zumindest so viel über das System, dass ein Problem nicht auf einen einzelnen Anschluss beschränkt sein konnte – und schon gar nicht auf seinen, weil er ja gar nicht dagewesen war, um eine Störung zu melden.

»Er sagt etwas von testen Ihre Telefone. Ich habe zugeschaut.«

Sloane nahm den Hörer des Apparats auf der Küchentheke ab. Das Freizeichen war zu hören. »Scheint zu funktionieren. Hat sich sonst jemand über Probleme mit dem Telefon beschwert?«

»Nein, kein Problem.«

»Wollte der Mann in die Werkzeugkammer?«

»Nein.« Sie zögerte.

»Hat er andere Telefone ausprobiert?«

»Nein, nur Ihre.« Melda wirkte aufgeschreckt. »Habe ich falsch gemacht?«

Der Anwalt in ihm stellte bereits eine Verbindung zwischen der Verwüstung seiner Wohnung und dem Telefontechniker her. Wenn er Recht hatte, schied damit die Hypothese aus, dass der Einbruch zufällig passiert war.

»Mr. David? Habe ich falsch gemacht?«

Sloane beruhigte sie. »Nein. Es ist bestimmt in Ordnung, Melda. Sind Sie sicher, dass der Mann von der Telefongesellschaft war?«

Sie nickte.

»Hat der Mann eine Karte oder irgendwelche Unterlagen dagelassen?«

Sie schüttelte den Kopf.

»Und einen Namen?«

»Kein Name … Aber netter Mann. Sehr freundlich.«

»Es ist bestimmt in Ordnung, machen Sie sich keine Gedanken.« Er nahm sich vor, gleich am Montagvormittag bei der Telefongesellschaft anzurufen und zu fragen, ob der Reparaturdienst angefordert worden war. Allerdings hatte er den Verdacht, dass er die Antwort bereits kannte. Er überlegte, ob der Mann vielleicht ein Verwandter eines Opfers aus einem seiner Prozesse sein konnte, irgendjemand, der nicht gut auf ihn zu sprechen war. »Können Sie mir den Mann beschreiben? Wie hat er ausgesehen?«

Sie dachte kurz nach. »Kleiner als Sie.« Sie beugte die Arme und rollte die Schulter ein. »Starke Muskeln.«

»Und sein Gesicht? Wie hat sein Gesicht ausgesehen?«

Sie fuhr sich mit der Hand über den Kopf. »Kurze Haare. Oben flach … Ach! Er hat Vogel auf Arm.«

»Einen Vogel?«

»Adler, Sie wissen.« Melda machte eine Grimasse. »Wie ist Wort? Farben …« Sie deutete auf ihren Unterarm. »Mit Nadel.«

»Eine Tätowierung?«

»Ja, Tätowierung. Ein Adler.«

Wie aufs Stichwort läutete das Telefon. »Na, auf jeden Fall funktioniert es«, sagte er.

Sie lächelte. »Bis heute Abend.«

»Ich vergesse es nicht.« Er schloss die Tür und ging ans Telefon.

»David? Mein Gott, hast du mir einen Schrecken eingejagt.« Es war Tina. »Was machst du denn zu Hause? Ich dachte, du bist weggefahren.«

»Ich hab's mir anders überlegt. Warum rufst du denn an, wenn du glaubst, dass ich nicht hier bin?« Plötzlich fiel ihm auf, dass es schon nach fünf am Freitagnachmittag war. »Du möchtest wirklich eine Gehaltserhöhung.«

»Behalt dein Geld. Das hier kann man mit Geld gar nicht bezahlen.«

In ihren Worten schwang mehr als der übliche Sarkasmus mit.

»Was ist denn los?«

»Ich wollte dir eine Nachricht hinterlassen, falls du noch mal nach Hause kommst. Um dich am Montagmorgen nicht gleich damit zu überfahren.«

»Klingt ja vielversprechend.«

»Ist es aber nicht. Die sprichwörtliche Kacke ist am Dampfen. Abbott Security hat heute Nachmittag sieben Akten geschickt. Paul Abbott hat alle anderen Anwälte rausgeworfen und will, dass du die Fälle übernimmst. Du bist ein echter Glückspilz.«

»Ich weiß. Bob Foster hat mir heute Vormittag schon die frohe Botschaft überbracht.«

»Wirklich? Und hat Seine Majestät dir auch mitgeteilt, dass in einem Fall der Prozessbeginn für Montag angesetzt ist?«

»*Diesen* Montag?«

»Diesen Montag.«

Sloane lachte frustriert auf. »Wir lassen uns einen Aufschub geben.«

»Vergiss es. Amy Dawson ist noch am Nachmittag zum San Mateo Superior Court gerast, und Richter Margolis hat ihr die Bitte um Aufschub rundweg abgeschlagen. Offensichtlich hat Abbott schon zum dritten Mal den Anwalt gewechselt. Muss überhaupt ein feiner Zeitgenosse sein. Erinnere mich daran, dass ich für die Weihnachtsfeier der Mandanten seine Adresse verlege. Und Richter Margolis hat auch noch vage anklingen lassen, dass ein Staranwalt immer bereit sein muss, du solltest also besser in Topform sein. Abbott hat schon dreimal angerufen und nach dir gefragt, und beim letzten Mal nicht gerade besonders höflich deine Handy- und Privatnummer verlangt.«

»Wie schlimm ist die Akte?«

»Amy meint, dass sie nicht so toll aussieht. Einer von Abbotts Wachleuten hat den Juwelenladen ausgeräumt, auf den er hätte aufpassen sollen. Der Typ hatte eine Vorstrafe wegen Einbruchdiebstahls. Anscheinend nimmt Abbott wirklich nur die Besten.«

Sloane hätte gern rumgemeckert, aber damit hätte er bei Tina nur offene Türen eingerannt. Die Juristerei war nun mal sein Beruf, und er musste in guten wie in schlechten Zeiten daran festhalten. »Da sollte ich wohl besser rausfinden, wie tief wir in der Patsche sitzen. Sag Amy, dass ich bereits unterwegs bin. Und bestell schon mal was für uns beim Chinesen.«

Er legte auf und stellte sich geistig auf einen langen Abend ein. Dann warf er seine Post in die Aktentasche – er verbrachte ohnehin so viel Zeit im Büro, dass die meisten Rechnungen dorthin geschickt wurden – zog sich das schweißgetränkte Sweatshirt über den Kopf und trabte zu einer schnellen Dusche ins Bad.

## 14

*Camano Island, Western Washington*

Charles Jenkins ließ sich auf die Fersen seiner schlammverschmierten Stiefel nieder. Er streifte einen Lederhandschuh ab und wischte sich mit dem Unterarm über die Stirn, so dass sich Schmutzflecken mit Schweißperlen vermischten. Obwohl das Wetter kühl war, war das Sweatshirt unter seiner Latzhose vorn und hinten durchnässt. Über ihm flog im verblassenden Licht der untergehenden Sonne ein Schwarm Kanadagänse in V-Formation über den nordwestlichen Himmel. Am südlichen Horizont ragte mit golden glühenden Gletschern der Mount Rainier auf.

Jenkins schlüpfte wieder in den Handschuh und machte sich daran, weiter Unkraut aus einem Tomatenbeet zu rupfen. Sorgfältig durchkämmte er die Auflage aus kaffeebrauner Erde, Pferdemist und Kompost und entfernte Zweige und Steine. In der Weide hinter ihm galoppierten die weißen Araber und schlugen mit den Hinterbeinen aus. Schnaubend und mit gesenktem Kopf gingen sie auf Lou und Arnold los. Außer dem Fressen kannten die Hunde kein größeres Vergnügen, als die vierhundert Kilo schweren Riesen zu ärgern. Ihr ständiges Bellen war nur erträglich, weil es keine Nachbarn gab, die sie damit hätten stören können. Im Westen und Norden grenzte ein dichter Wald aus alten Zedern, Schierlingstannen und Ahornbäumen an Jenkins' Weide. Im Osten erstreckte sich die grüne Wiese einer Milchfarm wie eine Decke über sanft abfallende Hügel. Und vierhundert Meter im Süden begann direkt hinter der weiß verkleideten Presbyterianerkirche und der zweispurigen Küstenstraße der Puget Sound.

Beunruhigt durch die ungewöhnliche Stille beugte sich Jenkins hoch und blickte über die Schulter, um zu sehen, ob die Hufe der Araber nun doch ihr Ziel getroffen hatten, aber Lou und Arnold standen aufrecht und starr mit gespitzten Ohren und witternder Schnauze.

Jenkins' Wahrnehmungsvermögen war immer noch außerordentlich, zudem war er nicht ganz unvorbereitet. Als er am Nachmittag nach Stanwood gefahren war, um Vogelnetze für seine wertvollen Gemüsebeete zu kaufen, hatte ihm Gus im Haushaltswarenladen gesagt, dass jemand nach ihm gefragt hatte. Jemand, der seinen Namen kannte. Zudem war Jenkins auch die erste Seite des *Seattle Post-Intelligencer* aufgefallen.

Das Auto kam von Osten und wurde langsamer, als es sich der Kirche näherte, die dem Fahrer anscheinend als Orientierungspunkt genannt worden war. Er verlor es kurz aus den Augen, als es hinter dem weißen Bau verschwand, dann sah er es wieder, als es auf der anderen Seite auf die Kiesstraße bog. Vorsichtig schob sich der Wagen voran und verschwand erneut, diesmal hinter dem dichten Brombeergestrüpp, das die Grenzlinie zwischen dem Grund der Kirche und seinem eigenen bildete. Egal. Er kannte diese Straße wie die Furchen in seiner Hand. Der Kiesbelag endete und ging in einen Feldweg mit tiefen Schlaglöchern über. An der Gabelung, gleich hinter einem weiteren Brombeerdickicht, das seinen baufälligen Werkzeugschuppen schon fast überwuchert hatte, würde der Unbekannte nach rechts abbiegen, weil der Weg dort breiter und befahrener aussah. Von dort aus würde er runter zum Bach kommen, wo es nicht mehr weiterging. Dann musste er vorsichtig zurücksetzen. Die linke Abzweigung war so eng, dass die Büsche die Seiten des Wagens streifen würden. Etwas breiter wurde der Weg erst wieder am Stellplatz, einem wenig vertrauenswürdigen Holzanbau an der Verwalterhütte. Abenteuerlustige Besucher stiegen tatsächlich aus und klopften an die Tür. Heute Abend würde niemand auf das Klopfen antworten. Denn der Besitzer kniete gerade im Garten und rupfte Unkraut aus seinem Tomatenbeet.

Beim dumpfen Schlagen einer Autotür schnellten Lou und Arnold miteinander tollend durch die schenkelhohen Sträucher. Ihr Auftauchen und ihre schiere Größe – zwei vierzig Kilo schwere Rhodesian Ridgebacks mit natürlichem Haarkamm im Nacken – würden bestimmt für eine gewisse Unruhe sorgen. Doch an ihren wedelnden Schwänzen und ihrem Gesabber war schnell zu erkennen, dass sie völlig harmlos waren. Jenkins hatte Zweifel an ihrer Reinrassigkeit. Diese beiden in Südafrika angeblich speziell für die Löwenjagd gezüchteten Hunde taten nicht einmal einem Eichhörnchen was zuleide.

Jenkins beugte sich wieder vor, um Kompost mit Erde zu mischen. Einige Minuten später hörte er Lou und Arnold hektisch durch das hohe Gras schießen. Mehrmals blieben sie stehen und rannten wieder los, und er spürte, dass sie jemanden zu ihm brachten. Schließlich erreichten sie ihn und umkreisten ihn mit heraushängenden Zungen. Jenkins zog die Handschuhe aus, griff nach der Gartenhacke und stand auf. Seine eins fünfundneunzig hohe und einhundertfünf Kilo schwere Gestalt richtete sich auf wie die Bohne aus dem Märchen »Hans und die Bohnenranke«. Er wischte sich die rechte Hand am linken Hosenbein ab und tat, als würde er die Bewegung wiederholen. Doch stattdessen wirbelte er herum, den Stiel fest im Griff, und die Hacke sauste von oben nach unten.

## 15

Sloane schob die Mappe zurück ins Regal. Er schloss die Augen und kniff sich in den Nasenrücken. Sein Optiker hatte ihm gesagt, dass er wahrscheinlich mit vierzig eine Lesebrille brauchen würde, doch seine müden Augen deuteten darauf hin, dass es vielleicht schon ein paar Jahre früher so weit sein könnte. Die gute Nachricht war immerhin, dass der Waldbrand, den Tina ihm am Telefon geschildert hatte, sich wie bei den meisten Rechtsstreitigkeiten als kleines Buschfeuer entpuppt hatte. Sloane hatte instinktiv richtig getippt: Richter Margolis wollte einen Vergleich erzwingen, und das auch zu Recht. Der Fall gehörte nicht vor Gericht. Nach einer Stunde am Telefon hatte Sloane Abbott dazu überreden können, die Vergleichssumme zu bezahlen und die Sache damit hinter sich zu bringen, doch erst, nachdem er damit gedroht hatte, Abbott Security nicht mehr zu vertreten. Abbott stieß seinerseits Drohungen aus, gab am Ende aber nach.

Normalerweise hätte Sloane nur halb so lange gebraucht, um die Akte durchzusehen. Im Lauf der Jahre hatte er sich die Fähigkeit angeeignet, alles auszublenden, was ihn von der anstehenden Aufgabe ablenken konnte. Arbeit war seine Therapie – eine Vermeidungstherapie vielleicht, doch bisher hatte sie ihm immer geholfen, den Kopf über Wasser zu halten.

Diesmal nicht.

Immer wieder schweiften seine Gedanken ab zu dem Einbruch in seine Wohnung und Meldas anschließendem Bericht über das Auftauchen eines Telefontechnikers im Haus. Seine juristische Ausbildung ließ ihn automatisch an eine Verbindung zwischen den beiden Ereignissen glauben, und sei es nur, weil in beiden Fällen keine logische Erklärung zu finden war und Sloanes Wohnung im Mittelpunkt stand. Er setzte sich an seinen Schreibtisch und stocherte mit Stäbchen in den Resten eines pikanten Schweinefleischgerichts herum, das den Raum mit einem Aroma von rotem Chili, grünen Zwiebeln und Knoblauch erfüllte. Den letzten Bissen spülte er mit einer Flasche Tsingtao-Bier hinunter. Er hatte keine Beweise für einen Zusammenhang zwischen den zwei Vorfällen, wurde aber das nagende Gefühl nicht los, etwas übersehen zu haben, irgendeine wesentliche Tatsache, die den Schlüssel zu den zwei merkwürdigen Episoden lieferte. Das war der Fluch der Anwaltstätigkeit: Keine zwei Fakten waren unverbunden; es gab immer einen durchgehenden Faden, immer eine Verschwörung. Kein Wunder, dass Anwälte zu den meistverfolgten Leuten gehörten, die er kannte – ihre Verfolgung war hausgemacht.

*Haben Sie irgendwelche Feinde, Mr. Sloane?*

Vor seinem inneren Auge sah Sloane den Polizisten, der in seiner Wohnung erschienen war, um den Einbruch zu untersuchen. Diese Frage hatte er ihm gestellt, als sie den Schaden begutachteten.

»Sieht fast aus, als wäre jemand sauer auf Sie. Haben Sie irgendwelche Feinde, Mr. Sloane?«

Sloane erklärte ihm, dass da angesichts seines Berufs

ziemlich viele Leute in Frage kamen. »Warum fragen Sie?«

Der Beamte führte ihn zur Wohnungstür. »Das Schloss ist noch intakt.«

»Hat das was zu bedeuten?«

»Es bedeutet, dass sich der Täter nicht gewaltsam Zutritt verschafft hat. Die Tür wurde nicht aufgebrochen. Er hatte entweder einen Schlüssel oder einen Dietrich. Jemand, der genau gewusst hat, was er tut. Irgendeine Ahnung?«

»Nein.« Sloanes Stimme hallte durch sein Büro. Er ließ die Stäbchen in den leeren Esskarton fallen und warf beides in den Mülleimer neben seinem Schreibtisch. Dann nahm er seine Post aus der Aktentasche und ging sie flüchtig durch, bis er auf einen rostfarbenen Umschlag in Briefbogenformat stieß. Sein Name und seine Adresse waren von Hand mit Druckbuchstaben geschrieben.

Tina klopfte und kam herein.

»Du bist noch da?« Er legte den Umschlag weg, als sie ihm einen Entwurf der Vergleichsvereinbarung reichte, die er ihr zur Ausformulierung am Montag diktiert hatte.

»Nur mit dem Körper«, antwortete sie. »Mein Geist hat sich schon um fünf verabschiedet.«

»Es war nicht nötig, dass du das noch heute Abend machst.«

»Das sagst du mir jetzt.« Sie strich sich ein verirrtes Haar von der Wange und zupfte an den Ärmeln des Strickpullovers, den sie sich um die Schultern geschlungen hatte. »Was ist? Hab ich was im Gesicht?« Sie sah ihr Spiegelbild im Fenster an und wischte sich den Mundwinkel aus.

Er hatte sie angestarrt. Schon vom ersten Augenblick an, als sie ihm als seine neue Assistentin vorgestellt worden war, hatte er Tina attraktiv gefunden. Doch so richtig aufgefallen war sie ihm erst, als sie bei der Fünfundzwanzigjahrfeier der Kanzlei ohne Begleitung in einem rückenfreien schwarzen Kleid und mit einer Perlenkette erschienen war. Sie hatten zusammengesessen, beide ohne Anhang, und des Öfteren miteinander getanzt. Dann schlug die Uhr Mitternacht und Tina brach rasch auf. Und das war im Grunde auch gut so. Es durfte nichts geben zwischen ihnen. Erstens war sie seine Mitarbeiterin, und zweitens wäre eine Beziehung mit ihr genauso zum Scheitern verurteilt gewesen wie all seine anderen bisherigen Beziehungen. Aber im Gegensatz zu diesen Verflossenen, die nur darauf gewartet hatten, geheiratet zu werden, ließ Tina in keiner Weise durchblicken, dass so etwas zu ihren Zukunftsplänen gehörte. Sloane respektierte sie als intelligente und für ihr Alter ungewöhnlich lebenserfahrene Frau, die das Wohlergehen ihres Sohnes Jake über alles stellte.

»Ich habe mich nur gefragt, wer auf Jake aufpasst.«

Sie wandte sich vom Fenster ab. »Du wirst es nicht glauben, sein Vater. Ich hab ihn gefragt, ob er krank ist oder so.« Sie hob eine Hand. »Meine Mutter schimpft immer, weil ich solche Sachen sage, sie meint, ich solle diplomatischer sein. ›Frank ist kein schlechter Mensch. Er ist bloß kein guter Vater.‹« Sie verdrehte die Augen und nickte dann in Richtung der Bierflasche. »Gibt's davon noch was, oder hast du alles leer getrunken?«

Sloane machte eine weitere Flasche auf und reichte sie ihr über den Schreibtisch. »Möchtest du was Chinesisches? Ich hab noch einen ungeöffneten Karton Knoblauchhuhn.«

»Ich hab schon was für mich bestellt. Auf deine Kosten.« Sie hielt die Flasche hoch. »Cheers, auf einen aufregenden Freitagabend.« Sie stieß mit ihm an und setzte sich auf einen der Stühle vor seinem Schreibtisch. »Also, wo wolltest du hin?«

»Was meinst du?«

»In Urlaub, wo wolltest du hin?«

»Ach, nur ein paar Tage in die Berge. In den Yosemite-Nationalpark.«

»Zum Bergsteigen?«

»Nichts Wildes. Dafür bin ich nicht gut genug in Form. Mir gefällt nur die geistige Herausforderung und die Bewegung an der frischen Luft.«

»Du brichst dir noch mal das Genick.«

»Ich bin dir dankbar, dass du heute hiergeblieben bist. Hoffentlich hat das nicht irgendwelche Pläne ruiniert.«

»Doch, doch, ich hatte ein heißes Date: Meine Mutter steht voll auf die *Antiques Roadshow* im Fernsehen … Nein, mach dir keine Gedanken. So hatte ich Gelegenheit, was für mein Studium zu tun, und Jake hatte Gelegenheit, mit dem Mann zusammen zu sein, der angeblich sein Vater ist. O, jetzt fange ich schon wieder damit an.«

Sloane lachte in sich hinein. »Studium?«

»Du klingst so schockiert.«

»Ich fand deine Bemerkung witzig. Gehst du zur Schule oder so?«

»Oder so.« Lachend ließ sie ihn zappeln. »Du bist wirklich schockiert.«

»Na ja, du hast nie was davon erzählt. Besuchst du Kurse?«

Sie lächelte neckisch und nahm wieder einen Schluck Bier.

»Was studierst du denn?«

»Architektur.«

»Jetzt ernsthaft, was studierst du?«

Sie stellte ihr Bier ab und starrte ihn an. »Pass auf, sonst steigst du mit dem anderen Fuß auch noch rein.«

»Was?«

»Ins Fettnäpfchen.«

Sie meinte es ernst. Er hatte erwartet, dass sie irgendwelche Kunstkurse besuchte.

»Zu deiner Information: Ich studiere schon seit drei Jahren. Als Jake zur Welt kam, musste ich das College abbrechen, aber ich habe mir damals geschworen, dass ich das Studium fertig mache. Dann war Frank der Meinung, dass ihn das Leben als Vater zu sehr einengte, und ich musste warten. Ich wollte sicher sein, dass ich es schaffe, bevor ich es irgendjemandem erzähle.«

»Was schaffe?«

»Ich mache am Ende des Sommers meinen Abschluss.«

Er spürte plötzlich ein hohles Ziehen im Bauch. »Abschluss? Und dann?«

Sie trank aus der Flasche. »Darüber können wir später reden.«

»Hast du vor zu kündigen?«

Sie zögerte. »Eigentlich wollte ich schon früher mit dir darüber reden, aber ich hatte Angst, dich dadurch von dem Scott-Prozess abzulenken.«

Er fühlte sich, als hätte er einen Tritt in den Unterleib verpasst bekommen. »Du verlässt die Kanzlei.«

»Offiziell kündige ich am 1. August.«

»In zwei Wochen?«

»Du hast einen Monat, um mich zu ersetzen, David. Für mich hat sich völlig überraschend was ergeben. Ich brauche Zeit, um Jake für den Herbst in einer Schule unterzubringen und um ein Haus für uns zu finden.«

Der Raum um ihn herum schien zu schwanken. »Ein Haus … Wohin ziehst du denn?«

»Nach Seattle. Ein Freund hat mir eine Stelle als Bauzeichnerin angeboten. Besseres Gehalt, bessere Sozialleistungen. Endlich kann ich mir ein Haus leisten. Außerdem kann ich mehr Zeit mit Jake verbringen, und auch meine Mutter wird wieder ein eigenes Leben haben.«

Er war völlig sprachlos. Die Möglichkeit, dass Tina kündigen könnte, war ihm nie in den Sinn gekommen. In seiner Vorstellung würden sie gemeinsam in den Ruhestand gehen.

»Die Arbeit hier ist nicht das, was ich mir für mein Leben vorgestellt habe, David. Es ist viel besser für mich … Ich meine, was soll ich denn hier?«

»Du könntest hier eine andere Stelle finden.«

»Vergiss es.« Sie wandte den Blick zum Fenster, dann wieder zu ihm. »Warum bist *du* noch hier?«

»Es ist eine gute Kanzlei, Tina …«

»Nein. Warum bist du heute Abend noch hier? Du hast schon seit Jahren keinen Urlaub mehr gemacht, und wenn du endlich welchen kriegst, scheinst du ihm aus dem Weg zu gehen. Und verzeih mir, wenn ich das sage, aber du siehst wirklich müde aus.«

Vielleicht war es wegen ihrer Kündigung oder wegen des Biers. Auf jeden Fall antwortete er einfach, ohne lange zu überlegen.

»In letzter Zeit hab ich nicht viel geschlafen.«

»Du arbeitest zu viel.«

»Die Arbeit ist es nicht. Ich habe immer wieder ein und denselben Alptraum.«

»Einen Alptraum.«

»Und dann kriege ich diese stechenden Kopfschmerzen und kann nicht mehr einschlafen.«

Sie senkte die Bierflasche. »Wie lange geht das schon so?«

»Seit Beginn des Scott-Verfahrens.«

»David, du solltest zum Arzt gehen.«

Er lachte. »Du meinst, ich sollte mal meinen Kopf untersuchen lassen.«

»Nein, das meine ich nicht.«

»Der Anwaltsstand ist immer noch eine einzige große Familie, Tina. Da hat es keiner gern, wenn sich rumspricht, dass man ein bisschen plemplem ist.«

»Stell dich nicht stur. Geh zum Arzt, David.« Tina trank einen Schluck aus der Flasche. »Worum geht's in dem Alptraum?«

»Das will ich dir lieber nicht erzählen, Tina.«

»Warum nicht? Je länger ich hier bleibe, desto mehr Zeit verbringt Jake mit dem Mann, der angeblich … äh, ich meine, mit seinem Dad.« Sie stellte die leere Flasche auf den Schreibtisch. »Mach mir noch eine auf.« Er reichte ihr ein zweites Bier. »Außerdem hab ich dir mein Geheimnis auch erzählt. Ich erwarte eine Gegenleistung. Vielleicht stellst du sogar fest, dass es dir guttut, wenn du mit jemandem darüber redest.«

Die Sache für sich zu behalten hatte ihm jedenfalls nicht gutgetan. »Ach, was soll's.« Er begann sachlich, als würde er vor den Geschworenen Fakten aufzählen. »Ich bin in einem Zimmer – wo genau, weiß ich nicht, die Einzelheiten sind verschwommen, und es ist sehr kahl. In dem Zimmer ist eine Frau.« Er schloss die Augen und sah sie vor sich. »Manchmal arbeitet sie an einem Schreibtisch. Manchmal steht sie einfach nur da … ganz in Weiß gekleidet, von hinten beleuchtet, eine Silhouette. Und ich weiß nicht warum, aber ich habe so eine Ahnung …« Er schlug die Augen wieder auf. »Nein, es ist mehr als eine Ahnung. Ich weiß, dass ihr etwas zustoßen wird, etwas Schlimmes, und ich kann es nicht verhindern.«

»Warum nicht?«

Er rang um die richtigen Worte. »Ich kann mich nicht bewegen. Als ob ich an Armen und Beinen gefesselt wäre. Wenn ich ihr etwas zurufen will, kommt kein Ton heraus. Meine Stimme …«

Sie beugte sich vor. »Und was passiert dann?«

»Ich weiß nicht genau. Plötzlich sind da ein blendend helles Licht und eine Explosion.« Er legte die Hand ans Ohr, als könnte er es hören. »Dann stürmen Leute ins Zimmer und brüllen.«

»Was für Leute?«

Er schüttelte den Kopf. »Alles ist verschwommen. Ich kann kaum noch sehen und atmen.«

»Was passiert mit der Frau?«

Er griff nach seiner Flasche.

»David?«

Er senkte den Blick. »Sie vergewaltigen sie«, sagte er leise. »Und dann bringen sie sie um.«

## 16

Sie zuckte nicht mit der Wimper.

Das Blatt der Gartenhacke stoppte fünf Zentimeter vor ihrer Kehle, und sie bewegte sich nicht.

Bemerkenswert.

Sie betrachtete ihn mit leichter Verwunderung, ein Blick wie bei der ersten Begegnung mit einem großen alten Redwoodbaum. Ihr Blick wanderte über seine Latzhose, von den straffen Trägern auf den mächtigen Schultern und der Brust bis zu den aufgerollten Hosenumschlägen über seinen dreckverschmierten Arbeitsstiefeln. Charles Jenkins kannte das Gesicht nicht, auch wenn es irgendwo in den Tiefen seines Gedächtnisses zu dämmern schien. Dabei handelte es sich um ein Gesicht, das man nicht so leicht vergaß. Ihr Aussehen war genauso umwerfend wie ihre Gemütsruhe. Das Haar fiel ihr wie verschüttete Tinte auf die Schultern und hatte die gleiche tiefschwarze Farbe wie ihre Augen. Ihre Nase war schmal und vollkommen, vielleicht dank chirurgischer Hilfe. Er sah zwar kein Make-up, doch das kühle Wetter – oder der Adrenalinstoß – hatte ein wenig Röte in ihre Wangen steigen lassen. Ansonsten war ihr bronzefarbener Teint makellos. Er schätzte sie auf eins achtzig – das meiste davon Beine, die in gerade geschnittene Jeans gehüllt waren –, dazu als Dreingabe die ungefähr drei Zentimeter hohen spitzen Absätze der hochglanzpolierten Stiefel, die sich in den nassen Boden bohrten. Sie trug eine hüftlange Lederjacke über einer weißen Bluse.

Und hinter diesem hinreißenden Äußeren verbarg sich eine hervorragende Ausbildung.

»Charles Jenkins?«, fragte sie.

Er ließ die Hacke liegen und führte sie über die Weide zum Haus. An der Hintertür zog er seine Stiefel aus und trat ein. Er ging durch die Küche zum Hauptraum und drehte sich um, als er sie nicht eintreten hörte. Sie stand in der Tür und betrachtete die Küche mit der gleichen maßvollen Neugier, mit der sie auch ihn gemustert hatte. Töpfe, Pfannen und Schöpfkellen quollen aus dem Spülbecken auf die abgewetzte Resopalplatte und hatten auch drei der vier Herdstellen unter sich begraben. Auf der Platte standen Dutzende von Schraubgläsern, einige von ihnen mit Wachs abgedichtet, aufgereiht wie Soldaten. Frisch gepflückte Brombeeren und Erdbeeren warteten in Sieben darauf, gewaschen und eingekocht zu werden.

Der Supermarkt des Ortes verkaufte seine Marmelade in einer eigenen Abteilung für einheimische Spezialitäten – ein Hobby wie auch die Araber. Seine Eltern hatten ihm ein bescheidenes Vermögen hinterlassen, das er umsichtig angelegt hatte. Sein Auskommen war bis ins hohe Alter gesichert.

»Sie lassen die Wärme raus«, bemerkte er, obwohl es kühl im Haus war.

Sie schloss die Tür und bahnte sich leichtfüßig einen Weg durch ein Gewirr aus Tomatenpflanzen, jungen Kürbissen, Gartenwicken und Kopfsalat in schwarzen Plastikbehältern, um zu ihm in den Hauptraum zu gelangen.

Er warf seine Arbeitshandschuhe auf einen Zeitungsstapel und schnappte sich eine Handvoll Post von dem berghohen Haufen, der auf dem runden Tisch verstreut war. Die fünfzehn Zentimeter dicke Platte hatte er aus dem Stamm einer alten Zeder geschnitten, die von den Winterstürmen im Jahr 1998 umgerissen worden war. Abgeschliffen und lackiert diente sie nun als einzigartiger Esstisch. Bis auf einen warf er alle Umschläge in einen aus unbearbeiteten Flusssteinen gebauten Kamin. Mit einem Streichholz zündete er den Umschlag in seiner Hand an und warf auch ihn auf den Haufen. Dann kniete er nieder, um Brennholz hinzuzufügen. Mit dem Rücken zu ihr hörte er zu, wie die Absätze ihrer Stiefel über Bodenplanken klackten. Sie machte die Runde um die Schränke, die wie in einer Landbibliothek die Wände säumten und eine eindrucksvolle Sammlung von Büchern und Videobändern mit klassischen Filmen enthielten. In Obstkisten lagen weitere Bücher, die er noch nicht gelesen hatte, und Filme, die er demnächst wieder anschauen wollte.

Über die Schulter beobachtete er, wie sie durch die Leinwände neben einer farbverschmierten Staffelei blätterte.

»Gar nicht schlecht.« Ihre Worte klangen eher überrascht als beeindruckt, und sie waren ehrlich. Ein van Gogh war er nicht.

Lou und Arnold krachten durch die Plastikklappe der Hundetür, polterten in den Raum und nahmen ihre gewohnten Plätze ein: Lou auf der karierten Couch mit den völlig abgewetzten Seitenlehnen, Arnold auf dem Sessel vor dem Kamin. Der Boden war ihnen nicht gut genug. Er hatte sie verzogen. Aufrecht und mit gespitzten Ohren saßen sie da, und ihre Blicke huschten hin und her zwischen Jenkins und der unerwarteten Besucherin, die ihren Alltag gestört hatte. Jenkins legte die Ahornscheite ins Feuer, die knisterten und knackten und den Raum mit einem süßen, sirupartigen Duft erfüllten. Dann schob er das Gitter vor. Er stand auf und kratzte Lou hinter den Ohren, so dass dessen Gesicht Falten warf wie das eines Neunzigjährigen.

Sie trat zum Fenster und nahm die Blüte einer Orchidee in die Hand, die zusammen mit elf anderen auf einem Holzbrett stand. Die Blumen verliehen dem Raum die Atmosphäre eines Gewächshauses. Dann blickte sie hinaus auf die Weide. »Araber. Temperamentvoll und nervös.«

»Sie kennen sich aus mit Pferden.«

»Die Familie meiner Mutter hatte eine Farm. Vollblüter, Araber, ein paar Maulesel.« Sie wandte sich vom Fenster ab und ging mit ausgestreckter Hand auf ihn zu, als hätten sie sich an der Supermarktkasse kennengelernt. Ihre Finger waren kalt und weich, aber die Hornhaut verriet, dass sie ihr Geld nicht mit einem Schreibtischjob verdiente. »Alex Hart.«

»Okay, Ms. Hart, ich habe Joe Branick seit dreißig Jahren weder gesehen noch gesprochen.«

»Das wundert mich nicht. Sie haben ja nicht einmal ein Telefon.«

Er nahm ein Handy aus der Brusttasche. »Die Nummer steht nicht im Telefonbuch. Ich bekomme nicht viele Anrufe. Und auch nicht viele Besucher. Leute, die mich suchen, fragen nach dem schwarzen Mann. Aber Sie haben meinen Namen genannt, als Sie nach mir gefragt haben.«

»Manche Sachen sprechen sich schnell rum.«

Sie stellte ihre Aktentasche auf einen der zwei Eschenholzstühle, die er selbst gebaut hatte, und nahm eine Ausgabe der *Washington Post* heraus. Der Artikel der Nachrichtenagentur, den er schon im *Seattle Post-Intelligencer* gesehen hatte, stand mit dem gleichen Foto von Joe Branick gleich unter dem Knick. Joe sah älter aus, was nach dreißig Jahren kaum verwunderlich war. Seine Schläfen waren von distinguiertem Grau gesäumt und sein braunes, sonnengegerbtes Gesicht verlieh ihm das robuste Aussehen von jemandem, der im sonnigen Süden lebte. Jenkins hatte sich im Ort nicht die Mühe gemacht, den Artikel zu lesen, und auch jetzt hatte er keine Lust darauf. Die Schlagzeile sagte ihm alles, was er wissen musste. Joe Branick war nicht der Typ für einen Selbstmord. Daran konnten auch dreißig Jahre nichts ändern.

Er ließ die Zeitung auf den Tisch fallen. »Ich wusste gar nicht, dass die *Washington Post* ihre Zeitungen jetzt persönlich zustellen lässt. Gibt es eine Spezialausgabe in diesem Monat?«

Lächelnd schnippte sie sich das Haar von den Schultern und steckte es hinter die Ohren. Er bekam einen Hauch ihres Parfüms ab. Die Orchideen verblassten dagegen. Arnold wimmerte. Wieder griff sie in ihre Aktentasche und zog einen dicken Umschlag heraus, den sie ihm reichte. »Joe hat gesagt, wenn ihm was passiert, soll ich Ihnen das hier geben.«

Er spürte das Gewicht des Kuverts. »Was ist das?«

»Ich weiß es nicht.«

Er sah ihr in die Augen. Wenn sie ihm etwas verheimlichte, dann verstand sie sich sehr gut darauf. Ohne den Blick von ihr zu nehmen, drehte er den Umschlag um. Er war sich bewusst, dass sie ihn genau beobachtete, vielleicht, um seine Reaktion einzuschätzen. Er riss die Klappe auf, griff hinein und nahm den Inhalt heraus.

Die abgenutzte Mappe ließ ihn erschauern – er kam sich vor wie ein Vater, der nach dreißig Jahren zum ersten Mal sein Kind wiedersieht.

## 17

Tina schüttelte sich, aber nicht wegen Sloanes grausiger Enthüllung, sondern weil er den Traum jede Nacht neu durchleben musste.

»David, das tut mir ja so leid.«

»Das Schlimmste daran ist«, antwortete er, »dass ich das Gefühl habe, schuld zu sein.«

»Du meinst, weil du ihr nicht helfen kannst?«

»Es ist nicht nur das.« Er strich sich mit dem Finger über die Lippen, während er überlegte, wie er es am besten erklären konnte. Letztlich fiel ihm nichts Besseres ein als: »Ich fühle mich verantwortlich für das, was mit ihr passiert.«

»David, es ist doch nur ein Traum.«

»Ich weiß.« In Gedanken sah er zu, wie der Schatten die Frau an den Haaren packte und sie vom Boden hochriss. Schlaff und leblos baumelte ihr Körper im flackernden Licht, und der Mondschein fing sich kurz auf einer polierten Klinge, bevor diese durch die Nacht schnitt wie durch eine schwarze Leinwand.

Sie lehnte sich zurück. »Kein Wunder, dass du nicht schlafen kannst. Das ist ja furchtbar, so was jede Nacht durchmachen zu müssen, David! Hast du eine Ahnung, wer diese Frau sein könnte?«

Die Frage verblüffte ihn. »Du meinst Emily Scott?«

Sie machte große Augen und zog die Brauen nach oben. »Hast du vorhin gesagt, dass das in deinem Traum Emily Scott ist?«

Er hatte es angenommen, aber durch die Frage wurde ihm klar, dass er es nicht mehr wusste. »Ich dachte, sie ist es.«

Tina stellte ihre halbvolle Flasche auf den Schreibtisch. »Kann ich dich was anderes fragen?«

Er lächelte. Sie würde sich bestimmt nicht aufhalten lassen. »So eine günstige Gelegenheit wie heute Abend kommt nicht so schnell wieder, stimmt's? Also schieß los.«

»Wie hast du dich gefühlt, als die Geschworenen erklärt haben, dass Paul Abbott nicht haftbar ist?«

»Du meinst, wie ich mich gefühlt habe, nachdem ich dafür gesorgt hatte, dass dieser widerliche Scheißkerl nicht den hohen Preis zahlen musste, zu dem er moralisch eigentlich verpflichtet gewesen wäre? Es ist kein vollkommenes System, Tina, aber es ist auch nicht meine Aufgabe, meine Mandanten zu beurteilen. Das müssen die Geschworenen machen.«

»Dann vergiss Paul Abbott mal einen Moment. Vergiss die Geschworenen. Vergiss die Rechtfertigung des Systems. Sag mir einfach, wie du dich nach *diesem* Sieg gefühlt hast.«

»Worauf willst du hinaus?«

Scherzhaft rief sie ihn zur Ordnung. »Immer stellst *du* die Fragen. Lass *mich* doch mal den Anwalt spielen. Also, wie hast du dich gefühlt?«

»Es ist unmöglich, das eigene Ego völlig davon abzuschirmen. Niemand verliert gern.«

»Blablabla. Du speist mich mit lehrbuchmäßigen Antworten ab. Aber ich will wissen, wie du dich gefühlt hast. Warst du glücklich? Traurig? Hattest du Schuldgefühle?«

Das Wort hing über ihm wie ein Fallbeil.

»Warum fragst du mich das?«

»Hattest du Schuldgefühle?«

Irritiert drehte er den Hals hin und her, um die Muskeln zu dehnen. »Solche Verfahren sind nie leicht, Tina, und auch nie besonders befriedigend, aber damit kann ich mich nicht aufhalten. Auch wenn ich noch so viel Mitgefühl mit der Familie habe, es ist mein Job, meine Mandanten zu verteidigen, egal, ob ich sie persönlich mag oder nicht.«

Schweigend saß sie da.

Er rieb sich mit der Handfläche über den Mund. »Wenn man ein Mensch ist, fühlt man auch Mitleid. Deswegen sind diese Fälle so schwer. Die Geschworenen wollen einen Grund dafür finden, der Familie Geld zu geben. Aber das ändert nichts daran, dass ich für gute Arbeit bezahlt werde.«

Im Geiste sah er das Foto von Emily Scotts zerschlagenem Körper auf dem Präsentationsständer im Gerichtssaal. Mit dem Bild hatte der Detective von der Mordkommission »das grausamste Verbrechen« beschrieben, »das ich in meinen sechsundzwanzig Jahren bei der Polizei erlebt habe«. Steiner hatte vergessen, das Beweisstück nach der Aussage des Ermittlers zu entfernen. Danach war Emily Scotts junger Sohn zu einem Teil des Schlussplädoyers hereingeholt worden. Mit baumelnden Beinen saß er an seinem Platz und hatte direkt das letzte Bild seiner Mutter vor Augen. Als Sloane dies bemerkte, war er mitten in Steiners Plädoyer aufgestanden – normalerweise eine völlig undenkbare Handlungsweise –, um das Foto umzudrehen.

Niemand nahm daran Anstoß. Weder Steiner noch die Richterin.

»Ja.« Er hörte das leise Pfeifen des Fallbeils, hörte, wie es niedersauste und mit einem dumpfen Schlag auf den Holzblock prallte. »Ich hatte Schuldgefühle.«

## 18

Parker Madsen stand in seinem holzgetäfelten Wohnzimmer und blickte durch das Bleiglasfenster hinaus. Er schlürfte Tee aus einem Becher, auf dem ein großer Hirsch abgebildet war – ein Weihnachtsgeschenk seiner Sekretärin. Über dem stolzen Geweih stand das berühmte Zitat »The Buck stops here«, mit dem Präsident Truman seine Bereitschaft zum Ausdruck gebracht hatte, ganz allein die Verantwortung für wichtige Entscheidungen zu übernehmen. Auf einem gepflegten, von vereinzelten japanischen Laternen beschienenen Rasen kaute Exeter auf einem schlaffen Basketball. Das würde Madsens Enkel bestimmt nicht freuen, aber Hunde erteilten Kindern mitunter wertvolle Lektionen. Zum Beispiel, dass man Spielsachen nicht unbeaufsichtigt liegen lassen durfte.

Madsen wandte den Blick vom Fenster ab und vertiefte sich im gedämpften Licht einer grüngoldenen Schreibtischlampe wieder in das Blatt Papier in seiner Hand. Aus der Auflistung ging hervor, dass die letzten drei Telefonate jeweils im Abstand von zwei Minuten geführt worden waren, zwei davon mit Anschlüssen im Gebiet der San Francisco Bay. Die erste Nummer gehörte zu einer Anwaltskanzlei in San Francisco, die zweite zu einer Privatwohnung in Pacifica, Kalifornien. Beide waren auf denselben Namen eingetragen: David Allen Sloane.

Nach Auskunft der Anwaltskammer von San Francisco arbeitete Sloane für die Kanzlei Foster & Bane. Ein Rechtsanwalt. Das fand Madsen interessant. Beide Anrufe waren mit exakt einer Minute verrechnet, was darauf schließen ließ, dass sie in Wirklichkeit weniger als eine Minute gedauert hatten – nur lange genug, um eine Nachricht zu hinterlassen oder den Teilnehmer um Rückruf über eine andere Leitung zu bitten.

Madsen legte das Blatt zurück ins Ringbuch. Dann drehte er eine Karteikarte um. Sloanes Geburtsdatum war der 17. Februar 1968. Er hatte nie geheiratet und auch keine Kinder. Anhand von Sozialversicherungsurkunden in Baltimore war die kalifornische Vorwahl 573 ermittelt worden. Nach Angaben des dortigen Standesamts war Sloanes Geburtsurkunde 1974 ein zweites Mal ausgestellt worden. Gründe dafür waren nicht belegt, doch Madsen nahm an, dass es etwas mit dem Tod von Sloanes Eltern bei einem Autounfall in Südkalifornien zu tun hatte. Auf einem Ausschnitt aus der *Los Angeles Times* war das Bild eines Wagens zu sehen, der wie ein Akkordeon um einen Telefonmasten gewickelt war. Mit sechs Jahren hatte Sloane weder Eltern noch Vormund. Als Mündel des Staates Kalifornien wurde er nacheinander bei verschiedenen Pflegefamilien untergebracht, bis er sich im Alter von siebzehn freiwillig zum Marine

Corps meldete. Es war nichts Ungewöhnliches, dass Minderjährige zum Militär gingen. Einige gaben ein falsches Alter an, andere erhielten die Erlaubnis ihrer Eltern. Aus den Aufzeichnungen ging nicht hervor, wie Sloane es angestellt hatte. Irgendwie hatte er sich bei der Rekrutierung durchgemogelt. Als er bei der Eignungsprüfung des Marine Corps die höchste Punktzahl in dem Jahr erhielt – eines der besten Ergebnisse aller Zeiten –, stellte niemand mehr Fragen nach seinem Alter. Madsen setzte extra seine Brille auf, um sich zu vergewissern. Nein, er hatte die Zahl nicht falsch gelesen. Bei weiteren Tests stellte sich heraus, dass David Sloane einen IQ von 173 hatte. Knapp unterhalb der Grenze zum Genie. Und er war nicht nur schlau. Obwohl er das jüngste Mitglied seines Platoons war, sahen Sloanes vorgesetzte Offiziere so viel Potential in ihm, dass sie ihn zum Platoonführer ernannten: erste Marine-Division, zweites Bataillon, Echo Company. Im Lauf seiner vier Jahre bei den Marines erwarb sich Sloane eindrucksvolle Verdienste. Er wurde mit einer ehrenvollen Erwähnung für seine Schießkunst und mit dem Silver Star für Tapferkeit in Grenada ausgezeichnet. Als Nächstes studierte Madsen einen Krankenbericht. Sloane hatte eine kubanische Kugel in die Schulter bekommen, nachdem er bei einem Gefecht die Splitterschutzweste ausgezogen hatte. Dieses Verhalten war der Grund für einen zweiten Bericht, in dem Madsen sogleich ein bestimmtes psychologisches Profil erkannte. Er rückte die Lampe zurecht.

»Dieser Marine verfügt zweifellos über ein hohes Maß an Intelligenz sowie über außerordentliche Fähigkeiten und Führungsqualitäten. Die Männer in seinem Platoon zeigen große Bereitschaft, seinem Befehl zu folgen, sowie Loyalität und Vertrauen in seine Kompetenz, die angesichts seiner jungen Jahre durchaus als bemerkenswert zu bezeichnen ist. Dennoch kann ich diesen Marine nicht als Kandidaten für die Offiziersausbildung empfehlen. Seine einzige Erklärung dafür, dass er während eines Gefechts seine Schutzweste ausgezogen hat, war, dass er sie als »Last« empfand und sich »schneller bewegen« wollte. Auf den ersten Blick scheint dies eine leichtsinnige Handlungsweise, die nicht zu einem Mann mit seinen geistigen Fähigkeiten passt und das eigene Wohlergehen geringschätzt. Eine eingehendere Befragung zeigte jedoch, dass sich dahinter ein Muster impulsiver Verhaltensweisen verbirgt. So berichtet er zum Beispiel, dass er seine Entscheidung, sich zum Marine Corps zu melden, eher zufällig traf, als er auf dem Weg zum Eisenwarenladen an einem Rekrutierungszentrum der Marines vorbeikam.

Nach meiner Auffassung fand er beim Corps, was seinem Leben bis dahin gefehlt hatte. Die Alltagsroutine gab ihm Stabilität, und die Kameraden boten ihm einen Familienersatz. Daher kann es nicht überraschen, dass das Corps für ihn zum Lebensinhalt wurde, dass er hervorragende Leistungen erzielte und starke Bindungen zu den Männern aufbaute, die mit ihm dienen. Dennoch besteht eine Parallele zwischen seiner spontanen Entscheidung, sich zum Corps zu melden, und der spontanen Entscheidung, seine Schutzweste auszuziehen. Dies lässt darauf schließen, dass er mit seiner Lebenssituation unzufrieden ist und zu unbesonnenen Entscheidungen neigt, um etwas daran zu ändern. Solche Entscheidungen könnten in Zukunft nicht nur ihn selbst gefährden, sondern auch Männer, für die er verantwortlich ist.«

Madsen legte den Bericht beiseite und drückte einen Finger gegen die Lippen, die sich zu einem Lächeln gekräuselt hatten. Sloane hatte große Ähnlichkeit mit den Soldaten, die er rekrutierte: Männer ohne Familie, geschickt und entschlossen, die aber noch Führung und Disziplin benötigten. Sie zu kommandieren war fast wie das Abrichten eines Hundes. Madsen bändigte sie und baute sie neu auf, mit genügend Disziplin, um sie zu beherrschen, aber ohne ihren Geist und ihren natürlichen Kampfinstinkt zu brechen. Wenn man einem Rudel Hunde ein Stück Fleisch hinwarf, ging selbst die beste Ausbildung der Welt zum Teufel. Dann gab es statt Ordnung nur noch ein wildes Getümmel, und statt erlernter Verhaltensweisen herrschte nur noch der Instinkt. Menschen waren da nicht anders. Zahllose Male hatte Madsen das in Vietnam erlebt: die dunkle Seite der menschlichen Psyche, die Männer dazu brachte, Hunderte von Schüssen in eine Hütte mit Frauen und Kindern zu feuern und sie anschließend niederzubrennen. Seine Leute taten, was ihnen befohlen wurde, ohne Rücksicht auf die moralischen oder ethischen Konsequenzen ihres Handelns. Es waren Männer, die eine Aufgabe erledigten. Und es waren Männer, denen man ebenso wenig den Rücken zukehren durfte wie Hunden.

Madsen schloss das Ringbuch. Die NSA hatte ihm ihre Hilfe bei der Aufschlüsselung von Sloanes Telefonkontakten und Kreditkartentransaktionen im letzten halben Jahr zugesichert. Das war alles gut und schön, aber den Luxus, so lange zu warten, hatte Madsen nicht. Obwohl nichts auf eine Beziehung zwischen Joe Branick und David Sloane hindeutete, gab es diese Beziehung offensichtlich. Branick hatte es für richtig gehalten, Sloane zweimal anzurufen und ihm ein Paket zu schicken.

Exeter tapste herein. Seine Krallen klickten auf dem Holzparkett, und zwischen den Zähnen schüttelte er sein neues Kauspielzeug. Nach dem Tod seiner Frau hatte Madsen alle Perser aus dem Haus entfernen lassen. Teppiche dämpften Schrittgeräusche, und Parker Madsen ließ sich nicht gern überraschen.

## 19

Tina schaffte es nicht ganz, ihr Lächeln zu unterdrücken, und wischte sich eine Träne aus dem Augenwinkel. »Das Bier«, sagte sie.

»Bier bringt dich zum Weinen?«

Sie reichte ihm die leere Flasche. »Red keinen Quatsch und gib mir lieber noch eine.« Er folgte ihrer Bitte. »Du bist menschlich, David. Die Tatsache, dass du Schuldgefühle hast, zeigt nur, dass du menschlich bist.«

Er grinste. »Hattest du da Zweifel?«

»Manchmal schon.« In ihrer Stimme lag Sarkasmus.

»Mann, wahrscheinlich ist es wirklich besser, man weiß nicht, was andere über einen denken.«

»Jetzt bist du aber empfindlich.«

»Das ist nur meine menschliche Seite, die rauskommt.« Sie lachten. Dann wurde er nachdenklich. »Wirklich schade, dass du gehst, Tina. Aber es freut mich für dich.«

Sie senkte den Blick. »Die finden eine andere gute Sekretärin für dich. Die Kanzlei will bestimmt nicht, dass deine Prozessmaschinerie ins Stocken gerät.«

»Du hast zehn Jahre lang gut für mich gesorgt und warst mir eine echte Freundin. Dafür bin ich dir sehr dankbar.«

Sie sah wieder auf. »Ich muss auch an Jake denken.«

»Ich weiß. Deswegen bist du ja so eine gute Mutter.«

Sie schien leicht zu erröten über seine Bemerkung und stand auf, um durch die zimmerhohen Fenster hinauszuschauen. »Weißt du, ich erinnere mich gar nicht mehr, wann ich den letzten Freitagabend freihatte. Meine Mutter hackt deswegen ständig auf mir herum …« Sie unterbrach sich. »Na ja, du weißt ja, wie Mütter sein können.«

Sloane hatte keine Ahnung, wie Mütter sein konnten. Aber das wollte er bei dieser Unterhaltung nicht auch noch zur Sprache bringen. »Warum hast du eigentlich nicht wieder geheiratet?« Die Frage schien sie aus dem Konzept zu bringen, und auch er selbst war erstaunt, dass er sie gestellt hatte. »Entschuldige, das geht mich natürlich nichts an.«

Sie redete mit der Fensterscheibe. »Mehrere Gründe. Erstens müssten es die richtigen Umstände sein.« Ihr Blick glitt zu Sloane. »Nicht nur für mich, sondern auch für Jake.« Dann wandte sie sich wieder dem Fenster zu. »Keinen Vater zu haben ist schwer, aber ein schlechter Vater wäre noch schlimmer. Er ist schon zu oft enttäuscht worden … Es müsste also jemand sein, der nett zu ihm ist, der Zeit mit ihm verbringt und ihn ins Herz schließt.«

»Das sollte nicht allzu schwierig sein. Jake ist ein prima Junge. Zu unserem jährlichen Betriebspicknick komme ich ausschließlich seinetwegen.«

Sie setzte sich wieder auf ihren Stuhl. »Ja, er redet immer noch davon, wie er mit dir Ball gespielt hat.«

»Und was ist mit dir selbst?«

Sie zuckte die Achseln. »Praktische Fragen.«

»Zum Beispiel?«

»Ich gehe nicht viel aus, und die Auswahl an attraktiven, alleinstehenden heterosexuellen Männern in dieser Stadt ist nicht besonders groß.«

»Was ist mit dem Typ in Seattle?«

»Mit wem?«

»Der Typ mit dem Architekturbüro in Seattle?«

Sie lachte. »Ich glaube nicht, dass das funktionieren würde.«

»Und gibt es hier jemanden?«

»Vielleicht.« Sie ließ es sich kurz durch den Kopf gehen und sah wieder zum Fenster hinaus. »Aber er muss erst noch zu sich finden. Und solange er das nicht geschafft hat, kann ich nicht erwarten, dass er mich findet.« Sie stellte ihr Bier auf den Schreibtischrand.

Ihm lag schon die Frage auf der Zunge, ob sie noch einen Kaffee wollte, doch da fiel ihm Melda ein, und er schaute auf die Uhr. »Ich hab völlig vergessen, dass ich noch eine Verabredung habe. Bin schon spät dran.«

Ihr Gesicht wurde ausdruckslos.

»Eine siebzigjährige Frau, die einen Apfelkuchen backt, kann erwarten, dass ihre Gäste pünktlich sind.«

»Melda.«

»Komm, ich fahr dich nach Hause.«

»Das ist doch ein Riesenumweg. Dann kommst du wirklich zu spät.«

Sie hatte Recht. »Ich spendier dir ein Taxi.«

»Darauf kannst du dich verlassen. So spät am Abend nehme ich nicht mehr den Bus.«

Er warf die leeren Flaschen in den Müll, schnappte sich einen Stapel Arbeit vom Schreibtisch und machte Anstalten, ihn in die Aktentasche zu stopfen.

Tina packte ihn an der Hand. »Du willst doch Urlaub machen. Nimm dir doch wenigstens einen Tag frei, David.«

# 20

Er fuhr mit der Hand über die Mappe, als wäre sie aus feinster Seide. Die Ränder waren abgewetzt, der Deckel war vergilbt, und das merkwürdig schräg aufgestempelte, ursprünglich rote Wort »Verschlusssache« war zu einem schwachen Rosa verblasst. Dennoch war kein Irrtum möglich. Charles Jenkins war schon drauf und dran, die Mappe zu öffnen, schloss sie dann aber wieder wie die Tür zu einem Schrank voller schlechter Erinnerungen. Seine Brust schnürte sich so stark zusammen, dass er die Hand darauflegte und die Schultern zurückzog. Plötzlich bekam er Atemnot.

»Alles in Ordnung?«, fragte Alex Hart.

Nein, nichts war in Ordnung. Er fühlte sich wie bei einem Herzinfarkt, und wenn er jemals einen bekommen sollte, dann war das der richtige Augenblick dafür. Er blickte auf den Tisch hinab. Die Akte existierte also noch. Wie absurd. Die ganzen Jahre über hatte er geglaubt, dass sie vernichtet worden wäre. Aber dem war nicht so. Joe hatte sie an sich genommen. Dieser Gedanke riss ihn wieder in die Realität zurück. Wenn Joe sich die Mühe gemacht hatte, die Akte dreißig Jahre lang zu verstecken, dann hätte er sie nicht irgendjemand x-Beliebigem anvertraut. Dadurch erschien die Fremde in seinem Wohnzimmer auf einmal in einem völlig anderen Licht.

»Woher haben Sie ihn gekannt?«, fragte er.

»Joe? Er war ein Freund meines Vaters.«

»Und wer ist Ihr …« Die vagen Erinnerungen, die ihr Gesicht vorhin im Garten hervorgerufen hatte, wurden plötzlich konkret, als ob ein starker Windstoß eine Tür aufgerissen hätte. Die Ähnlichkeit war wirklich verblüffend.

»Robert Hart«, flüsterte er.

Sie wirkte überrascht. »Sie haben meinen Vater auch gekannt?«

In ihren zwei gemeinsamen Jahren in Mexico City hatten Jenkins und Joe Branick Professor Robert Hart mehrmals zu Hause besucht. Hart war Amerikaner und mit einer Mexikanerin verheiratet. Er unterrichtete an der Universidad Nacional Autónoma de México und hatte Häuser am Golf von Mexiko und in einem Vorort von Washington – ein ziemlich üppiger Lebensstil für einen Universitätsprofessor. Aber es war nicht Robert Harts Gesicht, das Jenkins jetzt so deutlich vor sich sah. Es war das Gesicht der schönen *criolla,* die ihn und Joe an ihrer Haustür begrüßt hatte. Ihr glattes schwarzes Haar war bis zur Hälfte des Rückens herabgefallen, und die grünen Augen hatten ihre spanische Abstammung verraten. Alex Hart war ihrer Mutter wie aus dem Gesicht geschnitten, bis auf ihre Größe und die Locken. Beides hatte sie von ihrem Vater. Die Vergangenheit, die Jenkins hatte begraben wollen, sprang ihn nun an in Gestalt einer Frau, die er zum letzten Mal als kleines Mädchen auf einem Fahrrad im Garten ihres Elternhauses gesehen hatte.

»Ich brauche was zu trinken«, sagte er.

Er schlurfte in die Küche und räumte in den Schränken herum, bis er das Gesuchte ganz hinten auf einem Regal entdeckt hatte. Wieder im Hauptraum stellte er die Flasche Jack Daniel's und zwei Marmeladengläser auf den Tisch und schenkte beide zwei Fingerbreit voll. Nachdem er ihr ihr Glas gereicht hatte, trank er seines in einem Zug leer und spürte ein scharfes Brennen, das ihm die Tränen in die Augen trieb. Als es abgeklungen war, schenkte er sich nach.

»Wie alt bist du, Alex?« Seine Stimme klang heiser vom Alkohol wie die von Clint Eastwood in *Zwei glorreiche Halunken.*

Sie lachte. »Schon um einiges über einundzwanzig, aber danke für das Kompliment.« Sie hatte die lockere Art ihrer Mutter.

»Du siehst aus wie deine Mutter.«

Sie senkte das Glas. »Danke. Sie ist vor gut zwei Jahren gestorben.«

»Das tut mir leid. Und dein Vater – lebt er noch?«

»Nein, er ist ein halbes Jahr nach ihr gestorben. Die Ärzte haben gesagt, es sei ein Herzinfarkt gewesen. Ich glaube, es war ein gebrochenes Herz. Er hat sie sehr geliebt.«

»Ja, das stimmt. Er war ein guter Mensch.« Jenkins setzte sich und bot ihr den zweiten Sessel an. Diesmal setzte auch sie sich. »Du weißt wohl, dass er für uns gearbeitet hat?«

Robert Hart war viele Jahre lang ein hochbezahlter CIA-Berater für mexikanische Angelegenheiten gewesen. Seine Spezialität waren die rechtsextremen Revolutionsgruppen des Landes.

»Ich habe erst später davon erfahren. Meine Mutter hat es mir erzählt.« Mit einer Grimasse trank sie ihr Glas leer und stellte es auf einem Stapel Umschläge ab.

Beide schauten sie die Mappe zwischen ihnen an, als wäre sie ein bissiges Tier. »Weißt du, wie Joe an die Akte gekommen ist?«

Sie schüttelte den Kopf.

»Aber du hast mit ihm zusammengearbeitet.« Er rieb sich die Hände, eine alte Angewohnheit beim Denken. »Öl. Nichtreligiöses Öl.«

Es war keine besondere intellektuelle Leistung. Im

Gegenteil, Robert Peak hatte die Frustration und Wut über die steigenden, von der OPEC diktierten Benzinpreise und die wachsende Verbitterung über den Verlust amerikanischer Menschenleben in Ölkriegen als Wahlplattform benutzt. Die Amerikaner hatten es satt, von muslimischen Terroristen als Geiseln gehalten zu werden. Ähnlich wie Richard Nixon, der bei seinem Präsidentschaftswahlkampf versprochen hatte, den Vietnamkrieg zu beenden – ohne zu verraten, wie er das anstellen wollte –, hatte Peak versprochen, Amerikas Abhängigkeit vom Öl im Nahen Osten zu beenden. Politische Experten hatten von einem Wahlkampftrick gesprochen. Peak war von den großen Ölgesellschaften stets gut finanziert worden, und so war die Wahrscheinlichkeit verschwindend gering, dass Peak etwas unternahm, was sich entscheidend auf deren Geschäftsergebnisse auswirkte. Andere spekulierten, dass Peak den Kongress durch Lobbyarbeit dazu bewegen wollte, ein Gesetz zu verabschieden, das eine stärkere Erschließung alternativer Energiequellen und einen zunehmenden Prozentsatz von Autos vorschrieb, die mit solchen Treibstoffen fuhren. Das jedoch würde sich auf die Profite der Ölgesellschaften auswirken, und solange diese Hauptaktionäre der betreffenden Autounternehmen waren, war auch dieses Szenario kaum denkbar. Angesichts einer immer weiter absackenden Konjunktur konnte es sich Peak gar nicht leisten, seine stärksten politischen Verbündeten vor den Kopf zu stoßen. Eine weitere Alternative war Lateinamerika, wo sich mehrere Möglichkeiten auftaten: Venezuela, allerdings mit einer Regierung am Rande des Chaos, und Mexiko mit Ölreserven von über 75 Milliarden Barrel, doch nur dann, wenn man mit neuester Technik an das Öl herankam. Für beide Alternativen sprach nicht viel.

»Wie will er es machen?«

Ihr Blick ruhte kurz auf ihm. »Eine Neuöffnung des mexikanischen Ölmarktes für amerikanische Ölfirmen und verwandte Fertigungsbranchen.«

Jenkins schüttelte den Kopf. Die Verstaatlichung des mexikanischen Ölmarktes war für das Land so sakrosankt wie die Jungfrau von Guadelupe. Im Jahr 1938, nachdem eine Untersuchung ergeben hatte, dass Mexiko von US-amerikanischen und anderen ausländischen Ölgesellschaften ausgeplündert wurde, verwies der mexikanische Präsident Lázaro Cárdenas diese Unternehmen des Landes und verstaatlichte die Ölindustrie. Bei der folgenden Konfrontation drohte Cárdenas den USA, während des Zweiten Weltkriegs mexikanisches Öl an Deutschland zu verkaufen, und zwang damit Franklin D. Roosevelt und John D. Rockefeller zum Einlenken. Die mexikanischen Geschichtsbücher erklärten Cárdenas zum Helden, und das Land feierte den 18. März noch immer als den »Tag der nationalen Würde«.

»Das funktioniert nie.«

»Mitglieder der US-Regierung haben sich mit Vertretern von Castañeda getroffen.« Sie sprach von Alberto Castañeda, dem kürzlich gewählten jungen Präsidenten, der mit John F. Kennedy verglichen wurde.

Jenkins blieb skeptisch. »Und warum? Was hat Mexiko dabei zu gewinnen?«

»Einen größeren Anteil am amerikanischen Ölmarkt mit festen, an den Weltmarktpreis gebundenen Barrelpreisen. Das sind zig Milliarden Dollar.«

Jenkins ließ sich das Gehörte durch den Kopf gehen. »Wie hoch sind die Gespräche angesiedelt?«

»Der Präsident wollte nicht nach Südamerika reisen, um über die Erderwärmung zu reden.«

»Und vorher wollten sie nicht durch Peaks Hinzuziehung die Vertraulichkeit der Gespräche gefährden, solange der Abschluss nicht greifbar nah war.« Er stand auf und lief hin und her. Die Holzplanken knarrten unter seinem Gewicht. Castañeda war als rechter Konservativer bekannt, der sich in der Öffentlichkeit gegen jede ausländische Einmischung in mexikanische Angelegenheiten wandte. Das betraf auch das Recht zum Abbau von Bodenschätzen des Landes. »Für den mexikanischen Präsidenten ist es doch absurd, sich auf solche Gespräche einzulassen.«

»Du darfst das nicht aus amerikanischer Sicht betrachten. In Mexiko wird der Präsident für eine einzige sechsjährige Amtszeit gewählt. Er muss sich keine Sorgen um die Wiederwahl machen.«

»Aber seine Partei verliert damit jede Chance, an der Macht zu bleiben. Das ergibt doch keinen Sinn.«

»Im Gegenteil, das ergibt durchaus einen Sinn.«

Er blieb stehen. »Und welchen, wenn ich fragen darf?«

»Peak hat ihn in der Hand. Nach dem Zusammenbruch der mexikanischen Privatbanken sind die Ölfelder des Landes als Sicherheit für das letzte finanzielle Hilfspaket eingesetzt worden.«

»Verstehe.«

»Wenn Mexiko seine Schulden nicht zurückzahlt, verliert das Land sowieso die Kontrolle über das Öl. Castañeda kann nicht unbedingt aus einer Position der Stärke heraus verhandeln. Er kann sich darauf berufen, dass Mexikos Beitritt zur NAFTA von der Vorgängerregierung zu verantworten ist. Für das Land war dieses Freihandelsabkommen nicht gut. Durch die jetzigen Verhandlungen gelingt es ihm vielleicht, eine für das Land günstigere Vereinbarung zu erreichen. Vordergründig betrachtet wird das dazu führen, dass Mexikaner in den USA arbeiten können, dass die Armen besser bezahlte Stellen bekommen, dass sich der mexikanische Wirtschaftsmarkt vergrößert und dass Geld für soziale Projekte vorhanden ist.«

Jenkins spann ihren Gedanken weiter. »Das sind seine wichtigsten Anhänger. Castañeda kann sich dadurch zum Helden machen.«

»Er hat versprochen, ein Präsident des Volkes zu sein, ein Präsident für das Volk. So ein gutes Angebot kann er gar nicht ausschlagen.«

Jenkins blickte hinaus zu den friedlich grasenden Arabern. »Das ist das Problem. Wenn Robert Peak beteiligt ist, gibt es so was wie ein ›gutes Angebot‹ überhaupt nicht.«

## 21

*Financial District, San Francisco*

Zitternd und mit hochgezogenem Jackenkragen standen sie im kalten Wind, der durch die Straßenschluchten zwischen den Wolkenkratzern fuhr. Nach einer Woche mit Temperaturen über zweiunddreißig Grad, die die Pflanzen hatten verdorren lassen, brachte die Brise aus der Bucht einen metallischen Geruch mit sich. Die Hitzewelle war vorüber.

Sloane fand die nächtliche Stille im Bankenviertel unheimlich; es war, als würde man im Hof eines riesigen, plötzlich verlassenen Apartmentkomplexes stehen. Die schiere Größe der Gebäude spielte der Phantasie Streiche, man rechnete ständig damit, irgendwelche Geräusche zu hören: Gespräche, Automotoren, Sirenen. Stattdessen war da nur das Rauschen des Windes, vereinzelte Wagen in der Ferne und das Scharren eines Papiers, das über den Gehsteig und den Rinnstein geweht wurde. Nach Sonnenuntergang flohen die Bewohner San Franciscos aus der Geschäftsgegend in ihre Häuser und Apartments, in die Restaurants in North Beach und Chinatown und in die angesagten Nachtclubs in South of Market. Der Financial District wirkte auf einmal wie eine Geisterstadt aus einem Hollywoodfilm.

»Du musst nicht mit mir warten, David. Du bist doch sowieso schon spät dran.«

Er zog sein Handy heraus. »Ich sag ihr, dass es noch ein bisschen dauert.«

Meldas Telefon klingelte dreimal, dann meldete sich ihr Anrufbeantworter. Sloane hinterließ eine Nachricht und klappte sein Telefon zu. Wieder sah er auf die Uhr.

»Alles in Ordnung?«, fragte Tina.

»Es wundert mich nur, dass sie noch nicht zu Hause ist.«

»Na, dann fahr mal. Ich komm schon klar.«

»Nein, ich kann noch warten.« Er vergrub die Hände in den Jackentaschen und zog die Schultern hoch, um den Hals vor der Kälte zu schützen. »Wahrscheinlich trinkt sie noch eine Tasse Kaffee mit einem gewissen Herrn, den sie neulich erwähnt hat.«

»Ein anderer Mann? Sie hat dich versetzt!«

Grinsend drehte Tina den Kopf ein wenig zur Seite, damit ihr der Wind, der durch die Battery Street blies, die Haare aus dem Gesicht wehte. Er hatte ihre Augen immer für blau gehalten, doch jetzt, im indirekten Licht der umliegenden Bürohäuser, hatten sie eher die Farbe eines hochsommerlichen Himmels mit grauen und gelben Einsprengseln. Wie an einer unsichtbaren Schnur gezogen beugte sie sich auf ihn zu, und einen Moment lang dachte er schon, sie wollte ihn küssen. Doch sie ging auf den Zeitungskasten hinter ihm zu und blickte wie gebannt durch die Plastikscheibe.

»Hast du den Notizzettel noch, den ich dir gegeben habe? Den von dem dreiundzwanzigjährigen Börsenmakler mit dem heißesten Anlagetipp des Jahres?«

Er griff in die Tasche, ehe ihm einfiel, dass er das Hemd gewechselt hatte.

»Weißt du den Namen noch?«, fragte sie. »Den Namen auf dem Formular?«

»Joe Branick, glaube ich – warum?«

Sie klang, als würde sie mit sich selbst reden. »Doch nicht der neueste Überflieger mit dem heißesten Tipp des Jahres.«

»Was?« Er trat zu ihr. Das Foto war direkt über dem Knick, darunter stand der Name. Sloane blickte sie ungläubig an und wühlte dann in der Tasche nach einem Vierteldollar. Er schob die Münze in den Schlitz und nahm eine Zeitung heraus.

Dann las er laut die Schlagzeile: »Präsident trauert um Freund.«

Sie beugte sich über seine Schulter, und gemeinsam lasen sie den Artikel auf der rechten Seite.

»WASHINGTON – Im Rahmen einer morgendlichen Pressekonferenz des Weißen Hauses, bei der Präsident Peak über seine Teilnahme an einer südamerikanischen Umweltkonferenz zum Schwerpunktthema Erderwärmung reden sollte, bestätigte der Stabschef des Weißen Hauses Parker Madsen, dass der Präsidentenberater Joe Branick tot ist.

Kurz nach 5.30 Uhr entdeckte die Park Police in West Virginia Branicks Leiche in der Nähe eines verlassenen Feldwegs im Black Bear National Park. Die Schusswunde im Kopf hatte er sich offenbar selbst zugefügt. Madsen betonte, dass das Weiße Haus keine weiteren Einzelheiten verlauten lassen werde, und verwies alle Fragesteller an das Justizministerium. Der Präsident und der Westflügel seien »zutiefst erschüttert«.

Peak und Branick, die sich schon seit ihrer Kindheit kannten und im College Georgetown ein gemeinsames Zimmer bewohnten, standen sich sehr nah. Der Präsident hat seine Reise zu dem Gipfel in Südamerika abgesagt. In einer schriftlichen Erklärung des Weißen Hauses wird berichtet, dass der Präsident Branicks Frau und seinen drei erwachsenen Kindern die Nachricht persönlich überbracht habe.«

Sloane ließ die Zeitung sinken und dachte noch einmal angestrengt nach, ob er sich nicht in dem Namen getäuscht hatte. »Das muss ein Zufall sein«, sagte er leise.

Ihr Taxi kam.

»Er ist tot; in der Zeitung steht, er hat sich umgebracht. Warum sollte er dich anrufen?«

Er sah Tina an. »Wir wissen nicht mal sicher, ob er es war.«

»Natürlich war er es. Wer sollte es denn sonst sein? Kennst du ihn?«

»Ich …« Er betrachtete das Foto über der Schlagzeile. Irgendwas mit den Augen. »Nein, ich bin mir ganz sicher.«

Der Taxifahrer, ein spindeldürrer Schwarzer, beugte sich ungeduldig vor. Sloane öffnete die Wagentür und schob ihm dreißig Dollar durch den Fensterschlitz. »Bringen Sie sie nach Hause. Der Rest ist für Sie.«

Tina protestierte. »Kommt überhaupt nicht in Frage, dass du mir das Taxi bezahlst, David.«

Sloane wusste, dass das eine Frage der Unabhängigkeit für sie war, auch wenn sie vorher im Scherz darauf bestanden hatte, dass er die Kosten für ihre Heimfahrt übernahm. »Ich selbst bezahle keinen Penny. Das setze ich alles Paul Abbott auf die Rechnung.«

»Wenn das so ist, mache ich sogar einen Umweg.« Lächelnd ließ sie sich auf den Rücksitz gleiten. »Zumindest ist es eine interessante Geschichte.« Mit einer Kinnbewegung deutete sie auf die Zeitung in seiner Hand.

Er war sich da nicht so sicher.

»Alles in Ordnung?«

»Es ist immer noch ein Schock für mich, dass du kündigst.«

»Vielleicht tu ich's ja auch nicht.« Sie nahm den Türgriff in die Hand. »Ich hab dir ja gesagt, für den Richtigen würde ich bleiben. Du musst ihn nur für mich finden.«

Sie zog die Tür zu, und er blieb allein auf dem Gehsteig zurück.

Sloane überließ seinem Körper die Routinearbeit des Steuerns. Im Kopf war er mit einem Puzzle beschäftigt, das immer mehr Teile zu bekommen schien und dessen Lücken immer größer wurden. Vom Beifahrersitz starrte ihn das Foto an.

*Warum hast du gezögert? Warum hast du gezögert, als Tina gefragt hat, ob du ihn kennst?*

Noch einmal studierte er das Gesicht, aber er konnte sich nicht konzentrieren.

*Klick.*

Das Bild in seinem Kopf veränderte sich. Er blickte auf das Loch in seinem Briefkasten, wo vorher das Schloss gewesen war. Die Türen der anderen sieben Briefkästen waren unbeschädigt. Verschlossen.

*Klick.*

Zusammen mit dem Polizeibeamten stand er in seiner Wohnung.

*Das Schloss ist noch intakt,* hatte der Officer gesagt.

*Nicht aufgebrochen?*

*Jemand hat genau gewusst, was er tut.*

*Klick.*

Sloane hielt das Briefkastenschloss in der Hand und drehte es um. Es hatte keinen Kratzer.

Der Polizist hatte von dem Schloss an Sloanes Wohnungstür gesprochen, doch Sloane wurde mit einem Mal klar, dass diese Beschreibung auch auf das Briefkastenschloss zutraf. Auch dieses Schloss war nicht aufgebrochen worden. Aber es hatte sich auch nicht von selbst gelöst. Dadurch ergab sich eine völlig neue Situation. Die Person, die sich Zugang zu seinem Apartment verschafft hatte, hatte auch seinen Briefkasten geöffnet. Die beiden Ereignisse waren zu ähnlich und zeitlich zu nah beieinander, um an einen Zufall glauben zu können. Und wenn das stimmte, musste man von einem völlig anderen Motiv ausgehen. Es war nicht jemand, der sauer auf ihn war und seiner persönlichen Habe so viel Schaden wie möglich zufügen wollte.

*Klick.*

Er stand mitten in dem Chaos in seinem Wohnzimmer. Die Heizkörperverkleidung war aus der Verankerung gerissen, die Polstermöbel waren aufgeschlitzt worden. Sie hatten etwas gesucht.

*Klick.*

Er hielt das Schloss vor den leeren Briefkasten.

Etwas, was sie in der Post vermuteten.

*Klick.*

Melda vor der Schwelle, die ihm einen Packen Umschläge reichte. *Diesmal ist nicht viel. Nur Rechnungen und Müll.*

*Klick.*

Er saß im Büro und blätterte die Post durch. Das rostfarbene Päckchen mit handgeschriebener Adresse war ihm aufgefallen. Also nicht nur Rechnungen und Müll.

Instinktiv blickte er auf den Boden vor dem Beifahrersitz, dann fiel ihm ein, dass er die Aktentasche im Büro gelassen hatte, nachdem er seine Post hineingestopft hatte. Schon wollte er sich nach einer Ausfahrt umsehen, doch er überlegte es sich wieder anders.

*Das sind doch alles nur wilde Phantasien. Du weißt nicht, ob es nicht doch nur Werbepost ist. Wahrscheinlich so ein Gutschein für einen Aufenthalt in Las Vegas oder Palm Springs, alles kostenlos, wenn du einen anderthalbstündigen Wortschwall über die immensen Vorteile der Beteiligung an einer Ferienwohnung über dich ergehen lässt.*

Er stellte das Radio an, doch auch die Musik konnte nicht verhindern, dass er in Gedanken weiter die Puzzleteile hin und her wendete und sie probeweise zusammenfügte, um ein schlüssiges Bild zu erzeugen. Melda war das Loch im Briefkasten nicht aufgefallen. Das bedeutete, dass sie ihn schon geleert hatte, bevor die Einbrecher kamen.

Plötzlich hatte er ein mulmiges Gefühl in der Magengrube. Hastig nahm er sein Handy von der Mittelkonsole und drückte die Wahlwiederholung. Das Telefon klingelte.

Keine Antwort.

Wieder klingelte es.

Keine Antwort.

Drittes Klingeln.

Der Anrufbeantworter meldete sich. Er beendete das Gespräch und warf einen Blick auf die Anzeige am Armaturenbrett. 22.00 Uhr. Die Bingoveranstaltung war vor einer Stunde zu Ende gegangen. Melda hätte längst zu Hause sein müssen.

Melda Demanjuk drehte den Schlüssel um und drückte auf den Griff. Die Tür wollte sich nicht öffnen. Der Riegel. Frustriert zog sie den Schlüssel heraus und steckte ihn wieder in das neu eingebaute Schloss. Sie drehte und wartete auf das Klicken, so wie David es ihr gezeigt hatte. Dann schob sie den Schlüssel wieder in das Türgriffschloss und rüttelte daran. Manchmal blieben die Zähne hängen. Diesmal drehte sich der Türknauf.

Sie meinte, den Türriegel geschlossen zu haben, als sie zum Bingo ging, doch anscheinend wurde ihr Gedächtnis von Tag zu Tag schlechter. Sie musste es vergessen haben. Und jetzt, beim Heimkommen, hatte sie offenbar zu- statt aufgesperrt. Sie seufzte. So viele Schwierigkeiten wegen dieser Einbrecher, so viel Ärger.

Dennoch lächelte sie. Das konnte ihr die gute Laune nicht verderben. Nicht heute Abend. Sie hatte gewonnen! Zum ersten Mal überhaupt. Als das Los B-5 aufgerufen wurde, war sie so aufgeregt, dass sich ihr »Bingo!« anhörte, wie das Gejaule eines Hündchens, dem jemand auf den Schwanz getreten war. Die Leute im Kirchsaal brachen in Lachen und dann in Beifall aus, als sie aufstand, um den Hauptpreis von zweihunderzweiundsechzig Dollar abzuholen. Sie wiegte ihren Gewinn in der Tasche wie einen Schatz. Und sie wusste auch schon, was sie damit machen würde. Sie würde für David diesen wunderschönen Pullover kaufen, den sie im Einkaufszentrum im Schaufenster gesehen hatte. Er war immer so gut zu ihr, so gut wie ein echter Sohn.

Sie schob die Tür auf und knipste das Licht an. Die Handtasche fiel zu Boden. Beide Hände fuhren zum Mund, um einen leisen Schrei zu unterdrücken. Der entsetzliche Anblick trieb sie über die Schwelle. Ihre Sammlung von Porzellanengeln lag zerborsten auf dem beigen Teppichboden. Bilder waren aus den Rahmen gelöst, die Möbel zerfetzt und zerschlissen. In der Küche ging die Verwüstung weiter: Teller und Tassen verstreut zwischen Töpfen und Pfannen und dem Inhalt ihres Kühlschranks. Ihr frischgebackener Kuchen zog triefende, zimtgewürzte Apfelspuren über das Linoleum.

Ihre Knie waren auf einmal wie Gummi. Sie taumelte gegen die Küchentheke und zitterte, als wäre sie plötzlich in eine eisige Brise geraten.

*Was tun? Herr im Himmel, was tun?*

Angst durchflutete sie. Sie nahm die schwere Bratpfanne vom Herd und drückte sie an die Brust wie ein unbezahlbares Erbstück.

*David. Hol David.*

Rückwärts stolperte sie über die Trümmer, bis sie die Tür erreicht hatte. Dann drehte sie sich um und rannte los. Das Ersteigen der Treppe wurde zu einer mühseligen Aufgabe, als würde sie durch tiefen Schnee waten. Oben angelangt musste sie sich nach Atem ringend am Geländer festhalten und konnte nicht einmal mehr Davids Namen rufen, als sie seine Wohnungstür öffnete und eintrat. Er stand in der Küche mit dem Rücken zu ihr. Sie holte Luft, um etwas zu sagen.

Da drehte er sich um.

»Sie«, ächzte Melda.

# 22

Charles Jenkins stieß die Autotür mit dem Stiefelabsatz zu, während er drei Tüten Lebensmittel und einen Zwanzigkilosack Hundefutter balancierte. Nachdem er die Araber für die Nacht in den Stall gebracht hatte, war er nach Stanwood gefahren, um einzukaufen. Die Vorräte in seiner Küche waren nicht unbedingt auf Gesellschaft ausgerichtet, und Alex Hart musste unter Umständen eine Zeitlang hierbleiben, zumindest bis er herausgefunden hatte, was da eigentlich los war. Wenn Joe Branick sie aufgefordert hatte, Jenkins die Akte zu bringen, dann hatte er wohl geahnt, dass sein Leben in Gefahr war. Und sein Tod bestätigte diesen Verdacht. Das bedeutete, dass jetzt auch Alex Hart und Jenkins in Gefahr waren. Jenkins hatte die letzten dreißig Jahre in Ruhe gelebt, weil er und andere überzeugt waren, dass die Akte vernichtet worden war. Mit ihrem plötzlichen Wiederauftauchen hatte sich die Lage total verändert – für alle Beteiligten.

Über ihm schwankten die Äste der Zedern und Schierlingstannen, ein sicheres Zeichen dafür, dass der Wind auf der Insel auffrischte und wie so oft bei Einbruch der Dunkelheit um diese Jahreszeit in Böen aus dem Sund blies. Weder Lou noch Arnold ließen sich dazu herab, ihn zu begrüßen. Von wegen der beste Freund des Mannes. Wenn eine Frau aufkreuzte, dann desertierte jeder vernünftige Hund schneller als ein irakischer Soldat. Bestimmt liefen sie Alex Hart durchs Haus nach wie verliebte Teenager.

Und er konnte ihnen keinen Vorwurf machen.

Die Frauen, die er sonst mitbrachte, stanken normalerweise nach Jim Beam und Marlboros und blieben nur eine einzige Nacht. Die meisten waren bloß neugierig. Er war immer noch ein Kuriosum auf der Insel, und nicht nur, weil er schwarz und muskulös war und viele noch immer an der Klischeevorstellung festhielten, dass ein so großer Mann bestückt sein musste wie ein Esel. Als er auf der Insel ankam, war die Gemeinschaft dort undurchdringlicher als eine Familie irischer Brüder. Gerüchte über den Schwarzen, der die Wilcox-Farm gekauft hatte, machten die Runde. Jenkins' Zurückgezogenheit führte dazu, dass diese Gerüchte noch ausgeschmückt wurden. Bei seinen seltenen Ausflügen ins Dorf schlugen die meisten Leute einen Bogen um ihn, doch einige Jungs vom Ort, die sich mit ein paar Flaschen Mut angetrunken hatten, sahen ihn an wie Jäger einen Prachthirsch. Wenn er konnte, ging er ihnen aus dem Weg, wenn nicht, brachte er es schnell hinter sich. Das sprach sich herum, und man ließ ihn in Ruhe wie einen störrischen alten Bullen.

Vor der Fahrt ins Dorf hatte er sich geduscht und eine schwarze Jeans, ein Flanellhemd und Cowboystiefel angezogen, seine einzigen Schuhe, die nicht schlammverschmiert waren. Sogar Rasierwasser fand er.

Ebenfalls mit dem Absatz schob er die Hintertür auf und trat in die Küche. Eine Tüte landete auf dem Boden. Obst rollte ungehindert über das Linoleum. Die Pflanzen waren verschwunden. Auch die Arbeitsplatte war leer geräumt worden. Die Marmeladengläser standen sauber gestapelt in einer Ecke, die Brombeeren und Erdbeeren waren wahrscheinlich im Kühlschrank verstaut. Der Lachs, den er gestern im Sund gefangen hatte, lag ausgenommen auf einer Servierplatte und war gefüllt mit frischem Gemüse aus seinem Garten.

Er stellte die anderen beiden Tüten Lebensmittel auf

die Theke und ließ das Hundefutter auf den Boden fallen. Dann ging er ins Wohnzimmer.

»Du hättest gar nicht einkaufen müssen.«

Sie hatte den ganzen Müll vom Tisch geräumt und ein weißes Tuch darüber gebreitet. Jetzt war sie gerade dabei, Teller und Besteck um eine Schüssel mit grünem Salat und Tomaten zu drapieren. Im Kamin prasselte ein Feuer und verbreitete frischen Ahornduft. Die Bücher waren zurück in Regale gestellt und die Bilder sorgfältig zurechtgerückt worden. Sie hatte in einer Stunde mehr getan, um einen heimeligen Ort aus dem Haus zu machen, als er in dreißig Jahren.

»Tut mir leid. Ich hab ein bisschen aufgeräumt. Das war bestimmt dumm von mir.« Sie wartete seine Reaktion ab.

Weil ihm keine schlaue Bemerkung einfiel, reichte er ihr die Flasche Cabernet. »Ich wusste nicht, dass es Fisch gibt.«

Sie stellte die Flasche neben die Salatschüssel. »Alles frisch. Nicht zu fassen, wie groß die Tomaten sind. Was ist dein Geheimnis?«

»Häh?«

»Die Tomaten – was ist dein Geheimnis?«

»Kein Gärtner verrät seine Geheimnisse.« Er hatte sich wieder ein wenig gefangen.

»Ich dachte, das ist nur bei Magiern so.«

»Kann jemand, der kein Magier ist, solche Tomaten züchten?«

Sie strahlte wie ein Kind, das am 4. Juli das Feuerwerk beobachtet. Jenkins ging zurück in die Küche und hielt sich an der Kante der Arbeitsplatte fest.

»Tut mir leid. Es war unverschämt von mir, einfach aufzuräumen.« Sie stand hinter ihm in der Tür.

Als er sich umwandte, roch er ihren Atem, der ihn an den Duft von warmem Karamell erinnerte. Er machte einen Schritt zurück und prallte gegen die Arbeitsplatte. Um sein Missgeschick zu überspielen, vollführte er eine unbeholfene Pirouette zu den Futternäpfen von Lou und Arnold. »Wird Zeit, dass die Hunde was kriegen.«

Den Kopf leicht zur Seite geneigt stand sie im Türrahmen. »Du hast anscheinend viele Geheimnisse.«

»Wenn ein Mann nicht gleich seine ganze Lebensgeschichte erzählt, heißt das noch lange nicht, dass er was zu verbergen hat, Alex.« Während er redete, prasselten die Hundekroketten in die Aluminiumnäpfe.

»Ich meinte die Tomaten.«

Er stellte den Sack ab. »O.«

»Aber wo du schon davon angefangen hast, das Finanzamt wäre nicht sehr zufrieden mit dir.«

»Willst du mich anzeigen?«

»Vielleicht.«

Er schnappte sich die Hundenäpfe und wollte an ihr vorbei, aber der Türrahmen war schmal, und sie machte keine Anstalten, ihm auszuweichen. Im Feuerschein leuchteten ihre Wangen in den Farben eines Weizenfeldes bei Sonnenuntergang. Ihm fiel auf, dass ihr Haar der Linie ihres Kiefers folgte und hinten ungehindert auf ihre Schultern fiel. Er hatte sich getäuscht. Sie war nicht so schön wie ihre Mutter. Sie war noch schöner. Flirtete sie etwa mit ihm? Das letzte Mal, dass eine Frau mit ihm geflirtet hatte, war schon so lange her, dass er es nicht mehr zu erkennen vermochte. Die Frauen in den Bars hatten meistens kaum ihre langhalsigen Budweiserflaschen abgestellt, bevor sie ihn schon befummelten und an ihm herumrupften wie an der Leine eines Rettungsboots. Bei subtileren Signalen war er völlig aus der Übung …

Und sie war Robert Harts Tochter, das schlaksige Mädchen auf dem Fahrrad vor dem Haus ihrer Eltern.

»Wird Zeit, dass ich Lou und Arnold ihr Fressen gebe.«

Sie lächelte. »Du bist ja schon dabei.«

Er blickte auf die Näpfe. »Dann muss ich sie suchen. Sonst kauen sie noch an den Möbeln rum.« Er trat an ihr vorbei.

Normalerweise war das Prasseln der Kroketten in den Näpfen wie ein Ruf zu den Waffen. Dann hatten es die beiden Köter so eilig, dass sie sich fast gegenseitig niedertrampelten und auch ihn über den Haufen rannten. Doch jetzt stürmten sie nicht heran und waren auch weder an ihren üblichen Lieblingsplätzen noch neben dem Feuer zu finden.

»Ich dachte, du hast sie mitgenommen«, sagte Alex.

Er schüttelte den Kopf. »Die zwei zusammen mit einem Futtersack hinten im Auto sind keine gute Mischung. Die treiben sich wahrscheinlich irgendwo draußen rum.«

»Ich mach schon mal den Wein auf.«

Er öffnete die Eingangstür und ging auf die kleine Veranda, von der man über sein Grundstück zur Milchfarm blicken konnte. Manchmal, wenn die Araber sie ignorierten, schlüpften Lou und Arnold unter dem Stacheldraht durch, um die Kühe zu ärgern. Aber Jenkins sah, dass die letzten Tiere der Herde gerade unbehelligt zum Stall zurücktrotteten. Er stellte die Näpfe auf den Boden und steckte zwei Finger in den Mund, um einen schrillen Pfiff auszustoßen, doch der Wind war inzwischen zu einem lauten Heulen angeschwollen, das jeden Pfiff verschluckte. Also trat er hinaus zwischen die schwankenden hohen Grashalme und rief ihre Namen. Um halb zehn in einer Sommernacht war das Tageslicht im Nordwesten noch nicht ganz verblasst, und eine blaugraue Abenddämmerung verwandelte das Gras in ein Meer aus Schatten. Von den Hunden war nichts zu sehen. Das bedeutete, dass sie sich wahrscheinlich unten im Bach suhlten und ihn wegen der starken Windböen nicht gehört hatten. Er drehte sich um, um die Verandastufen hinaufzusteigen.

Sie hatte seinen Namen über das Finanzamt gesucht. Wie sonst hätte sie ihn finden können?

Seine Vergangenheit und Gegenwart kollidierten, und einen Sekundenbruchteil später hörte er das leise Geräusch – ein Knacken wie von einem Zweig, das seine schlummernden Instinkte weckte. Sofort tauchte er nach unten, als hätte sich unter ihm eine Falltür geöffnet. Hundefutter ergoss sich aus den scheppernden Aluminiumnäpfen auf die Verandaplanken.

Der erste Schuss zischte an seinem rechten Ohr vorbei und schlug krachend in den Türrahmen.

## 23

Mit wahnwitzigen hundertzwanzig Stundenkilometern bog Sloane vom Highway 1 auf die Palmetto Avenue und schoss blind in den erbsensuppendicken Nebel. Vor ihm blitzten rote Lichter auf, und er stieg so heftig auf die Bremse, dass der Jeep über den feuchten Asphalt schlitterte. Schlingernd umfuhr er das Heck eines Wagens und hielt an der Kreuzung. Nachdem er sich mit einem kurzen Blick überzeugt hatte, dass kein Verkehr kam, raste er mit Vollgas auf den Beach Boulevard. Eine Minute später bretterte er mit einer scharfen Rechtskurve auf den Kiesparkplatz vor seinem Haus und hielt neben einem

Lieferwagen, der parallel zu der Lorbeerhecke parkte, die die Grenze zwischen dem Parkplatz und dem leeren Nachbargrundstück markierte. Manchmal benutzten fahrmüde Reisende das Grundstück, um sich die Hotelkosten zu sparen. Sloane machte das nichts aus, wenn sie ruhig waren und keine Müllkippe hinterließen. Aber heute hielt er sich nicht lange damit auf, den Neuankömmlingen die Spielregeln zu erklären.

Er wuchtete sich aus dem Auto und setzte zu einem leichten Trab an, weil sein Knöchel von dem langen Lauf noch wehtat. In Meldas Küche brannte Licht, aber ihren Kopf konnte er nicht entdecken. Wahrscheinlich war sie drinnen und schnitt ihm gerade ein Stück Kuchen ab. Ohne Rücksicht auf die Schmerzen im Fußgelenk nahm er auf der Treppe an der Rückseite des Gebäudes immer zwei Stufen auf einmal und humpelte durch den Außenflur. Die Tür zu ihrer Wohnung stand offen. Ein schlechtes Zeichen.

Und es wurde noch schlimmer, als er über die Schwelle trat. Hilflos und verängstigt tappte er zwischen den Trümmern herum.

Sein Blick ging nach oben, als die Decke erbebte. Er brauchte einen Moment, um zu begreifen, dass das aus seiner Wohnung kam. Jemand war in seinem Apartment. Jemand, der herumlief. Jemand, dessen Schritte zu schwer waren für eine alte Frau, die eins zweiundfünfzig groß war und fünfundvierzig Kilo wog. Er folgte dem Geräusch an der Decke bis hinaus zum Flur und beugte sich über das Geländer. Im oberen Außenflur war ein Mann, der sich zielstrebig aus Sloanes Wohnung entfernte. Er trug einen marineblauen Overall mit einem rechteckigen Aufnäher am Rücken.

Pacific Bell. Die Telefongesellschaft.

»Hey, Sie!«

Der Mann blieb stehen und wandte sich mit einer roboterhaften Bewegung um. Wie aus dem Nichts erschien eine Waffe, surreal und fremdartig. Sloane erstarrte, als die Waffe herumschwenkte und ihm klar wurde, dass der Mann auf ihn zielte. Dann übernahmen Instinkt und Ausbildung das Kommando. Blitzschnell drückte er sich mit dem Rücken an die Wand und lauschte auf die Bewegungen des Mannes auf dem oberen Flur. An beiden Seiten des Gebäudes gab es Treppen, und über beide konnte der Mann seinen Lieferwagen erreichen. Sloane hörte, dass er sich zur Vorderseite des Hauses bewegte, und schlich lautlos zur rückwärtigen Treppe. Über die Schulter beobachtete er, wie der Mann rasch herunterlief und sich mit der Hand auf dem Geländer um die Ecke warf. Allerdings blieb er nicht auf der Treppe. Er wollte nicht zu seinem Lieferwagen. Er kam den Flur entlang.

Sloane drehte sich um und rannte die Treppe hinunter. Die letzten vier Stufen nahm er im Sprung. Beim Aufprall knickte sein rechter Knöchel um, und ein stechender Schmerz durchzuckte ihn. Er riss sich wieder hoch. Über ihm erzitterte die Flurdecke. Mit zusammengebissenen Zähnen hinkte er durch den dunklen Stellplatz und den Gang, der zur Rückseite des Gebäudes führte.

Am Ende des Hauses spürte er den Wind und den feuchten Nebel, die vom Meer hereinwehten. Er hielt an, um durch den Gang zurückzuschauen. Wie am anderen Ende eines Tunnels erschien die Silhouette des Mannes. Dann explodierten die Planken neben Sloanes Kopf, und Holzsplitter trafen ihn im Gesicht wie Nadelstiche. Sloane tauchte in den Nebel und die Dunkelheit. Sein Knöchel war wie Gummi auf dem unebenen Boden und den Mittagsblumen, und jeder Schritt wurde zur Qual.

Immer wieder wechselte er die Richtung, duckte sich, suchte nach Deckung, die er nicht fand.

Er entfernte sich so weit vom Haus, bis er mit einem Fuß abrutschte und auf einem Knie landete. Irgendwo hinter einem dichten Nebelschleier hörte er das Tosen der Brandung. Wind und Gischt schlugen ihm ins Gesicht.

Wo er war, wuchs keine Mittagsblume mehr.

## 24

Mit einem Schrei hechtete er durch die Eingangstür.

»Auf den Boden!«

Alex hatte am Tisch gestanden, die Flasche Wein in einer Hand, den Korkenzieher im Korken, als das Fenster zersprang, die Weinflasche zerplatzte und die Topforchideen durch die Luft flogen wie vorbeiziehende Zielscheiben in einer Schießbude. Im Zimmer schien sich alles zu drehen – ein Tornado aus Scherben und Holzsplittern. Bücher wurden von den Regalen geschleudert, die Täfelung wurde von Kugeln durchsiebt, und aus dem Kamin stieg Steinstaub auf. Sie waren mit enormer Feuerkraft angerückt und schienen entschlossen, keine einzige Patrone wieder mit nach Hause zu nehmen.

Jenkins schlitterte über den Boden und presste sich mit dem Rücken an den umgestürzten Tisch. Das Prasseln der Kugeln in der Platte klang wie ein durchgedrehter Fernschreiber. Auch Alex lag mit dem Rücken zum Holz. Ihre weiße Bluse hatte sich zu einem dunklen, fast purpurnen Rot verfärbt, aber die Tatsache, dass sie es geschafft hatte, den Tisch umzukippen und eine 9-Millimeter-Glock aus ihrer Aktentasche zu ziehen, ließ darauf schließen, dass es kein Blut war, sondern Wein.

»Alles in Ordnung?«, rief er.

Es war, als wollte man gegen einen Sturm anbrüllen.

»Können wir hinten raus?« Sie wirkte so ungerührt wie im Garten, als die Hacke auf ihre Kehle zugesaust war.

»Die wollen doch nur, dass wir nach hinten abhauen. Deswegen greifen sie uns so massiv von vorn an.«

»Gibt es irgendwelche Nachbarn, die vielleicht die Polizei holen?«

»Der Wind weht vom Sund herein, da kriegt keiner was mit.«

»Hast du eine Ahnung, wer das da draußen ist?«

»Ich bin kein Hellseher, aber ich schätze, das sind dieselben Leute, die Joe umgebracht haben.«

»Die sind also hinter der Akte her?« Sie deutete mit dem Kinn zu dem Lehnstuhl beim Kamin, auf den sie die Mappe gelegt hatte.

»Auch ohne Kristallkugel würde ich davon ausgehen. Kannst du mir Deckung geben?«

»Wozu?«

Er nickte in Richtung der Akte.

»Lass es.«

Er schüttelte den Kopf. »Keine Chance, Alex.« Immer noch hinter der Tischplatte ging er in die Hocke.

»Scheiße!« Alex stützte sich auf ein Knie, als ihr klar wurde, dass er es mit oder ohne ihre Hilfe versuchen würde. Sie machte sich schussbereit. »Auf mein Kommando.« Als eine Feuerpause eintrat, rief sie: »Los!«

Er stürmte zum Stuhl, während sie aufstand und von links nach rechts drei Schüsse durch die Fensteröffnung abgab. Das hielt die Angreifer ein oder zwei Sekunden auf, dann folgte ein weiterer Kugelhagel. Der Sessel bot Jenkins kaum Deckung. Auf dem Boden liegend spähte er über die Schulter zu ihr und wartete, bis sie wieder hochschnellte. Als sie drei weitere gut gezielte Schüsse abfeuerte, sprang er zurück hinter den Tisch.

»Mir geht allmählich die Munition aus.« Sie drückte sich mit dem Rücken ans Holz, als das Dauerfeuer wieder einsetzte. »Was ist denn das für eine Akte, verdammt noch mal?«

»Wenn wir hier heil rauskommen, erzähl ich es dir beim Abendessen und einer neuen Flasche Cabernet.«

»Den vertrag ich sowieso nicht«, antwortete sie. »Ich krieg Kopfweh von den Sulfiten.«

»Hoffentlich hab ich noch mal Gelegenheit, mich daran zu erinnern. Dann trinken wir eben feinen Scotch, zum Andenken an deinen Vater.«

»Lädst du mich ein?«

»Außer du überzeugst mich, dass gutes Benehmen in den letzten dreißig Jahren ausgestorben ist.« Er wies mit dem Kopf zur Gangtür. »Meine Knarren sind im Schlafzimmer.«

Sie schüttelte den Kopf. »Da kommst du nicht hin. Es ist zu weit, und ich hab nicht mehr genug Patronen, um dir Deckung zu geben. Bleib lieber unten.«

»Ich hab keine Wahl«, erwiderte er. »Mit deiner Pistole kannst du sie nicht ewig aufhalten. Die nehmen das Haus auseinander wie Termiten. Außerdem, wenn die so viel Feuerkraft haben …«

Plötzlich wurde die Luft von einem gleißenden Blitz durchzuckt, gefolgt von einem heftigen Schlag, der die Eingangstür aus den Angeln riss und sie durchs Zimmer schleuderte. Bücherregale kippten um, und dichter Rauch quoll aus einem Kanister, der über den Boden rollte. Sofort stürzte Jenkins hin, um ihn durch das klaffende Loch wieder hinauszubefördern, auch wenn er sich dabei die Hand verbrannte. Dann nutzte er die Rauchwolke und das Gewirr von Büchern als Deckung, um ins Schlafzimmer zu gelangen. Er riss die Wandschranktür auf, packte die Schrotflinte in der Ecke und klappte den Lauf nach unten. Eine Patrone steckte noch in einem der Läufe. Als er nach der Munitionsschachtel griff, stellte er feste, dass sie leer war. Auf der Suche nach eventuell verstreuten Patronen warf er Kleider und Schuhe durcheinander, fand aber nur noch eine einzige. In einer kurzen Feuerpause hörte er, dass Alex erneut zurückschoss, um die unbekannten Angreifer davon abzuhalten, das Haus zu stürmen – allerdings in längeren Abständen, um Munition zu sparen.

Auf dem Boden kroch er zu seinem Nachttisch und holte seine Smith & Wesson. Das Magazin war leer. Er schaute sich nach den Ersatzmagazinen um, dann fiel ihm ein, dass er sie zuletzt im Kofferraum seines Wagens gesehen hatte, als er zu Schießübungen in den Wald gefahren war. Schließlich fand er ganz hinten in der Nachttischschublade vier einzelne .40er-Patronen.

Das war alles.

Krachend ging das Fenster über seinem Bett zu Bruch, und das Zimmer füllte sich schnell mit dem gleichen beißenden Ammoniakgestank wie vorher. Er schnappte sich ein Hemd vom Boden und kroch mit angehaltenem Atem ins Bad, wo er den Hahn aufdrehte. Kein Wasser. Sie hatten die Leitung gekappt. Er tauchte den Stoff in die Kloschüssel und hielt ihn sich vor Mund und Nase, versuchte zu atmen, aber seine Kehle schnürte sich zusammen, und seine Augen brannten wie die Hölle. Er robbte zurück ins Wohnzimmer, zerriss das feuchte Hemd und reichte Alex eine Hälfte. Sie band sich den Stoff um Nase und Mund.

»Gibt es noch einen anderen Ausgang?«, fragte sie.

»Du meinst so was wie einen Geheimgang unterm Grundstück?«

»Das wäre praktisch.«

»Damit kann ich leider nicht dienen.«

»Hast du eine Idee?«

»So wenig wie möglich atmen.«

Im Gang loderten Flammen auf. Das Gas hatte die Zündflamme des Ofens erreicht. Sie hatten nicht mehr viel Zeit. Das mit alten Zeitungen und Büchern vollgestopfte Haus würde brennen wie Balsaholz. Auch im Schlafzimmer züngelte schon das Feuer.

Er gab ihr die Schrotflinte. Sie schob die Glock hinten in den Hosenbund. Er lockerte den Gürtel in seiner Jeans, steckte sich die Mappe vor den Bauch und bedeckte sie mit seinem Hemd. »Wenn wir rauskommen, läufst du nach links. Da ist ein Weg zum Wald. Er führt zu einer Scheune. Es sind ungefähr fünfzig Meter, aber die Bäume und Büsche stehen relativ dicht.«

»Was hast du vor?«

»Uns den Weg freischießen.«

»Okay, aber sag mir, wie wir da rauskommen sollen, wenn die da hinten auf uns warten.«

»Wir nehmen nicht die Hintertür.«

Sie glotzte ihn an wie einen Verrückten.

»Hast du mal *Butch Cassidy und Sundance Kid* gesehen, Alex?«

»Nein.«

Er lehnte sich mit dem Rücken an den Tisch, zog die Patronen aus der Tasche, nahm das Magazin vom Revolver und drückte die .40er-Geschosse hinein. »Du kennst *Butch Cassidy und Sundance Kid* nicht? Ist doch ein Klassiker.«

Ihr Blick wanderte zu den Flammen, die sich immer

weiter ausbreiteten. »Können wir die Kritik an meinen cineastischen Kenntnissen zu einem anderen Zeitpunkt fortsetzen?«

»Am Schluss haben sich Butch und Sundance irgendwo in Südamerika in einer Scheune verschanzt. Und sie wissen nicht, dass draußen ungefähr zehntausend Federales auf sie warten, um sie zu töten.«

»Danke für die tröstlichen Worte.«

»Auf jeden Fall gehen sie direkt zum vorderen Tor raus, weil das die am wenigsten wahrscheinliche Fluchtroute ist.«

»Und, schaffen sie es?«

Jenkins ließ das Magazin einrasten. »Das Ende ist unwichtig. Aber die Logik leuchtet mir ein.«

»Super. Und was nehmen wir als Deckung?«

»Gute Frage – einen Baum.«

Er schob sich die Smith & Wesson in die Hose. Dann spuckte er in die Hände und packte den Tisch an der Unterseite. »Bei drei rennst du los.«

»Den kannst du doch nicht heben.«

»Was glaubst du, wer ihn reingebracht hat – Lou und Arnold vielleicht? Wenn wir am Fenster sind, schießt du eine Ladung raus, voll in die Mitte. Lass es krachen. Da haben die was zum Nachdenken.«

Seine Beinmuskeln spannten sich unter dem Jeansstoff, und er ächzte wie ein wütender Bär. Langsam hob sich der Tisch vom Boden, und dann stürmte er los, direkt auf das klaffende Loch zu, in dem sich das Fenster befunden hatte. Alex feuerte eine Schrotladung ab und rannte nach links in den Wald. Jenkins ließ den Tisch fallen, rollte sich ab, riss den Revolver hoch und schoss auf zwei Punkte, an denen er die Angreifer vorher gesehen hatte. Dann folgte er ihr ins dichte Unterholz. Die fünfzig Meter bis zur Scheune kamen ihm vor wie ein Kilometer … noch vierzig Meter … noch dreißig. Hinter sich hörte er das Rauschen des Windes. Etwas summte an seinem Ohr vorbei; es war kein Moskito. Auf halber Strecke holte er sie ein, und sie rannten nebeneinander über das unebene Gelände. Sie sprangen über Äste und rissen die Füße hoch wie Soldaten in übertriebenem Marschschritt. Gleich hatten sie es geschafft, verdammt …

Sein Fuß verfing sich in etwas, und er schlug der Länge nach hin. Er schrie ihr zu, weiterzulaufen, wälzte sich zur Seite und schoss zweimal in die Richtung der Verwalterhütte, obwohl er im Dunkel nicht erkennen konnte, ob von dort jemand kam. Als er sich aufstützte, um sich hochzurappeln, fühlte er das dünne, warme Fell.

Lou.

Der Hund hatte Schaum vor dem Mund, und die Zunge hing ihm heraus. Sein Gesicht war zu einer Maske aus Angst und Qual erstarrt. Von den Augen war nur noch das Weiße zu sehen, und die Lefzen waren gedehnt, als wollte er die Zähne fletschen. Sein Bauch war auf groteske Weise angeschwollen. Neben ihm, zum Teil verborgen unter Distelbüschen und Brombeergestrüpp, lag Arnold.

Jenkins kroch zu seinen Hunden und wiegte ihre Köpfe an der Brust.

»Komm. Komm jetzt.« Alex stand über ihm und zerrte an seinem Hemd. »Da kannst du nichts mehr machen.«

Den Blick zum Himmel gewandt brüllte er in den Wind. »Gottverdammt, Joe! Der Teufel soll diese Schweine holen!«

»Komm, Charlie.«

Ein Zweig knackte. Zentimeter von seinem Kopf entfernt splitterte ein Stück Holz aus einem Baumstamm. Alex schrie auf und fiel um wie ein Mehlsack. Jenkins schüttelte die Erinnerung ab, packte die Schrotflinte und feuerte die letzte Ladung auf einen näher kommenden Schatten. Dann raffte er sich auf, warf sich Alex über die Schulter wie einen Zwanzigkilosack Hundefutter und rannte los zur Scheune. Noch zehn Meter … Jeden Moment erwartete er einen Einschlag im Rücken … Seine Beine stampften weiter. Noch fünf Meter … Wo blieb die Kugel? Drei Meter … Er riss das Scheunentor auf und sprang geduckt hinein. Hinter ihm spritzten die Holzsplitter. Mit angehaltenem Atem legte er Alex vorsichtig hinter die Heuballen. Die Hühner gackerten und flogen aufgeregt hin und her. Die Araber hämmerten mit den Hufen gegen die Stalltüren und schüttelten wild schnaubend die Köpfe.

Jenkins untersuchte ihr Hemd. Wegen der Weinflecken war schwer zu erkennen, wo es sie erwischt hatte, aber dann sah er neben ihrem rechten Arm einen Riss im Stoff.

»Kannst du mich an der Hüfte packen?«

»Was?«

»Kannst du dich an mir festhalten?«

»Ich glaube schon. Warum?«

Er rang sich ein Lächeln ab. »Wahrscheinlich hast du auch nie John Wayne in *Der Marshal* gesehen.«

»Nein, aber sag mir bitte, dass es für ihn besser ausgeht als für Butch und Sundance.«

Er nahm ein Seil von einem Haken und zog eine Schlinge durch den Knoten. Dann machte er die Tür zum Pferdestall auf. Wiehernd und mit wild verdrehten Augen bäumte sich der Araber auf. Jenkins streifte ihm das Seil über Nüstern und Hals und warf ihm mit einiger Mühe ein Halfter über den Kopf. Daran befestigte er die Leine, um eine Art Zügel zu haben. Das musste reichen.

Alex stand auf und hielt sich den Arm. Jenkins zog das Pferd aus dem Stall, ließ es zuerst tänzeln und führte es dann in einem engem Kreis, um es zu beruhigen. Er stellte sich auf einen Baumstumpf und schwang sich auf den Rücken des Tiers. Verwirrt und aufgeregt schlug der Araber aus und warf den Kopf hin und her, doch Jenkins drückte die Beine mit aller Kraft zusammen und riss ihn weiter in engen Kreisen herum, während er sich gleichzeitig duckte, um den Deckenbalken auszuweichen.

»Steig rauf«, sagte er.

Alex trat auf den Stumpf, und er zog sie hinter sich hoch.

»Und wie geht es aus?«, fragte sie.

»Was?«

»Der Film mit John Wayne – wie geht er aus?«

»Zieh einfach den Kopf ein und halt dich fest.«

»Hab ich mir gleich gedacht, dass mir das nicht gefallen wird.«

Er klemmte sich das Seil zwischen die Zähne, packte mit der rechten Hand die Smith & Wesson und mit der linken die Glock. Dann trieb er das Pferd mit einem heftigen Ruck in Richtung Scheunentor.

## 25

Dreck stürzte auf Sloanes Kopf und rieselte ihm in den Hemdkragen. Mit gesenktem Kinn und geschlossenen Augen ließ er die kleine Lawine über sich ergehen. Ungefähr acht Meter unter der oberen Kante krallte er sich in die Steilwand. Über ihm streifte der Mann am Rand entlang.

Die stampfende Brandung hatte den Sandstein und Fels

mit der Unermüdlichkeit eines Bataillions von Pressluft-hämmern ausgehöhlt, so dass die obere Hälfte der Wand hinausragte wie ein starker Überbiss. Dieser Umstand und der starke Nebel gaben Sloane Schutz. Selbst wenn sich der Mann auf den Bauch legen und über den Rand blicken sollte, konnte er Sloane nicht sehen. Er musste sich mit der Annahme zufriedengeben, dass Sloane ein Bad im eisigen Wasser des Pazifiks riskiert hatte oder ihm auf andere Weise in der Dunkelheit entkommen war. Im Augenblick zählte für Sloane nur, wie lange der Mann warten wollte, um sich seiner Sache sicher zu sein. Sloane konnte sich nicht ewig festhalten. In seinem Knöchel schwelte ein kaltes Feuer, und die Muskeln in den Beinen und Armen, die nicht mehr so stark waren wie in den Zeiten, als er regelmäßig zum Bergsteigen ging, fingen bereits an zu zucken – das erste Zeichen erlahmender Kraft. Um das drohende Muskelversagen hinauszuzögern, gab er sich Mühe, sein Gewicht zu verlagern und den Griff zu verändern, ohne den gleichzeitigen Kontakt zu drei Punkten am Hang aufzugeben. Schweißtropfen vermischt mit feuchter Salzluft rannen ihm in die Augen und hinterließen ein scharfes Brennen.

Wieder fiel Dreck herunter.

Auch wenn seine Arme und Beine durchhielten, so gab es doch keine Gewähr, dass ihn der Felsvorsprung noch lange trug. Die Risse, an die er sich klammerte, hatten die Beschaffenheit von Kalk. Es war bekannt, dass der von den unaufhörlichen Wellen ausgezehrte Sandstein ganz plötzlich abbrechen konnte. Winterstürme führten zu dramatischen Fernsehbildern, die zeigten, wie ganze Gärten innerhalb weniger Sekunden in den Pazifik rutschten.

Sloane zählte leise, um zu wissen, wie viel Zeit vergangen war. Ein Trick, den er sich angeeignet hatte, um die Konzentration zu schärfen. Als er bei sieben Minuten angekommen war, wusste er, dass er nicht länger warten durfte, wenn die Kraft für den Aufstieg noch reichen sollte. Im Dunkeln, mit einem verstauchten Knöchel, im heulenden Wind und halb erstarrt von der feuchten Kälte stand ihm da ohnehin ein schweres Stück Arbeit bevor. Wenn er sein volles Gewicht verlagerte, musste er sich seines Halts immer ganz sicher sein. Die drohenden Folgen eines Fehlers zwangen ihn dazu, jede Hast zu vermeiden.

Er packte einen Ast, fand eine Kerbe für den Fuß, testete sie und stieg hinein. Die Kerbe gab nach, und sein rechter Fuß baumelte in der Luft. Er scharrte über die Wand, bis er wieder Halt gefunden hatte. Dann ruhte er einen Moment aus. Sein Herz hämmerte wild in der Brust. Das rhythmische Rollen der Wellen unter ihm klang wie ein Sterbender, der an einem Atemgerät saugt.

Sloane fand einen weiteren Halt und vertraute ihm sein Gewicht an. In seinem Knöchel pochte es, aber er zwang sich, den Schmerz zu ignorieren und sich wie ein Schachspieler auf die nächsten zwei, drei Schritte zu konzentrieren. Zurück konnte er nicht mehr.

Nach zwanzig Minuten erreichte er die Kante. Wenn er sich getäuscht hatte und der Mann noch da war, war er erledigt. Nach kurzer Überlegung griff er nach oben. Jeden Moment rechnete er damit, dass ihm ein Paar Schuhe auf die Finger steigen und ihn nach unten in den Nebel und Schaum schleudern würde. Als nichts passierte, hob er den Kopf über den Rand und zog sich hinauf, blieb aber dicht am Boden. Er suchte die Schatten und windzerrissenen Nebelschwaden nach verdächtigen Bewegungen ab. Da ihm nichts auffiel, stand er auf und humpelte zurück zum Haus und durch den Gang, der in den Stellplatz mündete. Von dort aus hatte er einen guten Blick auf den Parkplatz.

Der Lieferwagen war verschwunden.

Da fiel ihm Melda ein.

Warum war sie nicht in ihrem Apartment? Wenn sie nach der Rückkehr von der Bingoveranstaltung ihre Wohnung verwüstet vorgefunden hatte, konnte sie sich nur an einen Menschen gewandt haben. Sloane.

Und dort war der Mann gewesen.

Er packte das Metallgeländer, um sich wie auf einen Stock gestützt die Treppe hinaufzuziehen. Die Tür zu seinem Apartment stand immer noch offen.

»Melda?«

Auf der Theke lag ihre gusseiserne Pfanne.

»Melda?«

Sie war weder in der Küche noch im Wohnzimmer. Über Trümmer stolpernd eilte er ins Schlafzimmer und schaltete das Licht an. Vor der geschlossenen Badtür lag ein Schuh. Weiß, mit weicher Sohle. Meldas Schuh.

»Melda?«

Sloane trat auf das Bad zu. Direkt neben sich hatte er den Ozean. Mit hämmerndem Puls streckte er die Hand nach dem Türgriff aus. Wenn es einen Gott gab, dann musste das Bad leer sein. Er drückte die Klinke und schob die Tür auf. Ein Lichtkeil fegte über das Linoleum und wurde größer wie die Anzeige einer Sonnenuhr, bis er schließlich auf eine zusammengesackte Gestalt vor der Badewanne fiel. Der Anblick strahlte fast so etwas wie Gelassenheit aus. Dann drückte Sloane auf den Schalter, und das Licht offenbarte ein Bild des Grauens. Melda lag in einer Blutlache, der Kopf nach hinten geknickt. Ihre Kehle war nur noch ein klaffendes Loch.

Sloane hatte das Gefühl, am Boden angewurzelt zu sein. Vor Wut und Ratlosigkeit rang er die Hände.

»Nein«, rief er leise. Dann brach in einem Sturm der Verzweiflung der Schmerz aus ihm hervor. »Neiiiiin!«

Er stürzte auf die Knie, kroch auf sie zu, drückte sie an die Brust.

*Nein. Nein. Nein.*

»Atme«, flehte er. »Bitte, du musst atmen.«

*Bitte atme. Bitte atme.*

Er legte sie auf den Boden und umschloss ihren Mund mit seinem. Dann blies er und drückte auf ihre Brust, ohne Sinn und Verstand.

»Eins, zwei, drei, vier, fünf.«

*Einmal blasen, fünfmal pressen.*

Sein Atem entwich durch ihren Hals wie die Luft aus dem Loch in einem Reifen.

»Drei, vier, fünf.«

*Nein, bitte lieber Gott …*

Noch mal. Blasen. »Drei, vier, fünf.«

Noch mal. Und noch mal. Der Raum zerrann zu flackernden weißen Lichtern.

»Zwei, drei, vier …«

Die Stimme wurde leise.

Dunkelheit umfing ihn und zog an ihm wie ein Gewicht an seinen Fußgelenken. Er ging unter. Das Licht verblasste. Zwischen seinen Schläfen explodierte der Schmerz und stürzte ihn noch tiefer in die Dunkelheit. Nur noch seine verhallende Stimme war zu hören wie ein Tonbandgerät mit versagender Batterie. »Eins … zwei … drei …«

Dann war auch sie verklungen, und er spürte nichts mehr.

## 26

Der Wunsch nach Rache an den Leuten, die seine Hunde umgebracht hatten, drängte ihn dazu, mit bellenden Waffen auf den schmalen Pfad zum Haus zu reiten, so wie Rooster Cogburn – John Wayne – beim Showdown von *Der Marshal* über das offene Feld galoppiert war. Aber das hier war kein Kinofilm, und im wirklichen Leben starben auch die Guten. Jenkins wandte das Pferd weg von der Scheune und bohrte ihm die Absätze in die Flanken, um es in die entgegengesetzte Richtung zu treiben. Mit einem Arm schützte er sich vor tiefhängenden Ästen, und hinter sich spürte er Alex, die sich fest an seine Taille klammerte. An der Asphaltstraße hörte das Unterholz auf. Er hielt noch im Schutz der Bäume an, um einen kurzen Blick auf die Straße zu werfen. Er konnte nur hoffen, dass die Angreifer diese Fluchtroute nicht vorhergesehen hatten. Dann lenkte er das Pferd hinüber und tief in die Dunkelheit auf der anderen Seite.

Nach einem straffen Ritt von zehn Minuten, in denen der Araber schnaubend weiße Dampfschwaden in die kühle Nachtluft blies, wurde Jenkins langsamer, um einen schmalen Bach zu überqueren, der ungefähr nach eineinhalb Kilometern in den Sund mündete. Bedächtig dirigierte er das Pferd einen steilen Hang hinauf, damit es Halt finden konnte. Der Blick hinab auf sein Haus zeigte ihm einen lodernden Scheiterhaufen. Er stieg ab und band das Tier an einen Baum. Vorsichtig hob er Alex nach unten und setzte sie so ab, dass sie mit dem Rücken an einem Baum lehnte. Als er den Ärmel ihrer Bluse abriss, um ihre Verletzung anzuschauen, zog sie ein Grimasse.

Sie hatte Glück gehabt. Die Kugel war von dem Baumstamm abgeprallt und hatte ihren Bizeps gestreift. Bis auf eine Narbe würde nichts zurückbleiben. Das Blut gerann bereits.

Mit den Zähnen riss er Stoffbahnen ab. »Du musst zu einem Arzt.«

»Willst du mit dem Pferd ins Dorf reiten?«

Er riss noch einen Streifen ab und verband ihr den Arm. »Die Sache betrifft dich nicht, Alex.«

»Inzwischen schon.«

Er machte einen Knoten und legte noch einen Streifen an. »Deine Wunde ist nur oberflächlich. Meine Wunden gehen viel tiefer und haben nicht zu bluten aufgehört, seit du vor dem Haus deiner Eltern Rad gefahren bist.«

Sie stieß ihn weg und rappelte sich hoch. »Aber jetzt fahre ich nicht mehr Rad. Ich bin kein kleines Mädchen mehr, Charlie. Ich kann selbst bestimmen, was ich mache.«

Sie war dickköpfig wie ihr Vater. Er erhob sich aus der Hocke. »Wenn du das persönlich nimmst, Alex, kann dich das das Leben kosten.«

»Und du, nimmst du es denn nicht persönlich?«

Er wandte den Blick zurück zur Farm. Aus der Ferne sahen die Flammen so friedlich aus wie ein Lagerfeuer. »Sie haben meine Hunde umgebracht.« Erst jetzt begriff er allmählich die Endgültigkeit seiner Worte. »Ich hab mir alles gefallen lassen. Sie haben mir meine Karriere genommen, mein ganzes Leben, und ich hab es mir gefallen lassen.« Er sah sie an, sein Stimme war angespannt vor Wut und Erregung. »Aber das mit den Hunden nehme ich persönlich.«

»Wir stecken beide in der Sache drin, uns bleibt gar

keine andere Wahl mehr. Wir dürfen jetzt nur nicht den Kopf verlieren.«

Lange Zeit saßen sie schweigend da und lauschten dem Bach in der Ferne und den gelegentlichen Windstößen in den Bäumen.

»Wo warst du Charlie? Wo warst du vorhin auf einmal? Du hast mich angeschaut, als wärst du Lichtjahre weit weg.«

Er antwortete nicht.

»Du hast mich Joe genannt.«

In den ersten Jahren hatte ihn das Bild der Frau jede Nacht heimgesucht. Die Tage brachte er mit Jack Daniels und Southern Comfort rum. Wenn er genug getrunken hatte, konnte er eine Nacht, manchmal auch eine ganze Woche überstehen, aber die Erinnerung an das, was geschehen war, an das, woran er beteiligt gewesen war, war immer da. So beständig wie der Mount Rainier am Horizont – schlummernd, aber jederzeit zu einem Ausbruch fähig. Als ihm der Schnaps nicht mehr beim Vergessen half, hörte er einfach Knall auf Fall damit auf. Er brauchte keine Anonymen Alkoholiker. Er hatte kein Suchtproblem. Er war nur ein Mann, der einen Alptraum vergessen wollte. Er musste nicht einmal den Whiskey in den Ausguss schütten, um der Versuchung aus dem Weg zu gehen. Bis heute Abend hatte die Flasche unberührt im Schrank gestanden.

»Was ist in dieser Akte, Charlie?«

Er sah erst sie und dann wieder das Feuer an, das unten im Tal brannte. »Ein Haufen schlechter Erinnerungen«, erwiderte er. »Zu viele.«

## 27

*UCSF Hospital, San Francisco*

Ein greller Lichtblitz blendete ihn, und die Tür explodierte in einem Schauer von nadelspitzen Splittern, der das ganze Zimmer erschütterte. Das heftige Krachen schleuderte ihn aus dem Bett, wie einen Mann, der in einem Sturm über Bord geht. Im Herunterrutschen krallte er sich in die Bettdecke und zog sie über sich, als er in die Lücke stürzte. Eingekeilt zwischen der Wand und dem schweren Holzgestell konnte er sich nicht bewegen. Rauch verätzte ihm die Lunge und brannte in seinen Augen, so dass er nur noch verschwommen sah. Nach der Detonation waren alle Geräusche bis auf das Dröhnen in seinen Ohren verstummt.

Wieder zitterte der Boden unter ihm, als Leute ins Zimmer stürmten.

Sie fiel auf den Boden, das Gesicht parallel zu seinem. Blut spritzte auf den nackten Erdboden. Hilflos beobachtete er, wie sie sich mit rudernden Armen gegen die prügelnden Fäuste zur Wehr setzte, als wollte sie sich gegen einen Bienenschwarm schützen, bis Schmerz und Instinkt sie schließlich in die Fötushaltung zwang. Als die Hiebe nachließen, schob sich die Frau ächzend und am ganzen Körper zitternd auf die Knie. Blut sickerte ihr aus dem Mundwinkel und der Nase. Sie hob den Kopf, um ihre Peiniger anzusehen, dann spuckte sie auf ihre Stiefel.

Die Schläge begannen von Neuem. Sie rissen ihr die Kleider vom Leib, bis sie völlig nackt war, und warfen sie auf den Rücken. Einer nach dem anderen fielen sie über sie her, bis sie keine Kraft mehr hatte und willenlos alles über sich ergehen ließ. Eine Handschuhfaust zog sie an den Haaren vom Boden hoch. Ihr Körper baumelte wie eine Puppe, ihr rechtes Auge war zugeschwollen, ihre Lippen aufgeplatzt. Ihr Blick wanderte unter das Bett und ruhte einen kurzen Moment auf ihm.

Die Klinge beschrieb einen Bogen durch die Luft, und das flackernde Mondlicht spiegelte sich in ihr, bevor sie durch die Dunkelheit schnitt wie eine Sense durch den Weizen.

»Nein!«

Diesmal hörte er kein Echo in den Ohren. Kein geisterhaftes Jammern, das ihn verfolgte. Sloane wollte sich aufsetzen, dann spürte er einen Druck auf der Brust und merkte, dass er weder Arme noch Beine bewegen konnte. Ein heller Lichtkreis fraß sich in seine Augen. Panik erfasste ihn, dann hörte er eine Stimme, die seinen Namen sagte.

»Mr. Sloane. Mr. Sloane, können Sie mich hören?«

Das Licht wich zurück und hinterließ eine Aura aus schwarzen und weißen Flecken. Dann folgten verwaschene Bilder. Schemenhaft nahm er jemanden wahr, der über ihm stand.

»Mr. Sloane?«

Die Bilder verdichteten sich. Eine unbekannte Frau beugte sich über ihn, das Gesicht rund und flach wie ein aufgebrachter Kugelfisch, die Augen hinter einer Brille mit dicken Gläsern und Plastikgestell – eine seltsame, achteckige Form, die viel zu groß war für ihr Gesicht.

»Mr. Sloane?«

Der Raum war fremd und nüchtern weiß bis auf eine violette Gardine, die den Lichteinfall durchs Fenster dämpfte. In der Ecke stand ein unbenutzter Stuhl in der gleichen Farbe. Er blickte auf einen roten Nylongurt über seiner Brust. Seine Handgelenke waren mit ähnlichen Gurten festgebunden. Seine Fußgelenke konnte er unter der weißen Bettdecke zwar nicht sehen, aber das Druckgefühl sagte ihm, dass sie ebenfalls gefesselt waren. Von einem Tropf an einem Metallständer verlief eine durchsichtige Kanüle zu einer Nadel in seiner rechten Armbeuge.

Das war nicht seine Wohnung … nicht sein Zimmer.

»Alles in Ordnung mit Ihnen?«

Eine andere Stimme, die eines Mannes. Sloane wandte den Kopf. Sofort verwischten sich die Bilder wie im Zeitraffer bis sich sein Blick schließlich auf einen dunkelhäutigen Mann einpendelte, der mit einer Hand die Tür aufhielt. Auf seinem kahlrasierten Schädel spiegelte sich das Neonlicht. Er trug einen grauen Anzug und eine schlichte Krawatte.

»Ich dachte, ich hätte einen Schrei gehört.«

Die Frau trat auf ihn zu. »Ich komme schon zurecht, Detective. Bitte warten Sie draußen.«

»Ist er wach?«

»Ich untersuche ihn gerade. Ich sage Ihnen Bescheid, wenn ich den Eindruck habe, dass er sprechen kann.«

»Für mich sieht er ziemlich munter aus.«

»Überlassen Sie das bitte meiner Beurteilung, Detective Gordon.«

Achselzuckend gab der Mann nach. »Dann hol ich mir eben noch eine Tasse Kaffee.« Die Tür schloss sich hinter ihm.

Die Frau kehrte zum Fußende des Betts zurück. »Mr. Sloane? Können Sie mich hören?«

Sloane nickte. Ihr Gesicht wackelte nach oben und unten, bis er die Augen schloss. Dann schlug er sie wieder auf.

»Haben Sie Sehstörungen?«

»Alles unscharf.«

»Ich bin Dr. Brenda Knight. Wissen Sie, wo Sie sind?«

Als er den Kopf schüttelte, sprang ihre Gestalt hin und her wie ein kaputtes Fernsehbild.

»Sie sind im Krankenhaus.«

Sein Kopf stellte die Verbindung zwischen dieser Erklärung und dem spärlichen Mobiliar her, doch alles blieb irgendwie ungereimt und schräg wie in einem schlechten *Alice im Wunderland*-Film. »Wie …« Seine Kehle fühlte sich an, als wäre sie mit Schleifpapier wund gescheuert worden. Dr. Knight nahm einen Plastikbecher von einem Beistelltisch und führte den Halm zwischen seine Lippen. Es brannte wie Feuer, als er das lauwarme Wasser schluckte. Er zuckte zurück, und sie zog ihm den Halm aus dem Mund. Sein Kopf sank zurück auf das Kissen.

»Was ist mit mir passiert? Wie bin ich hierhergekommen?« Die Worte hallten pochend hinter seiner Stirn.

»Ein Krankenwagen hat Sie letzte Nacht gebracht.«

»Letzte Nacht.«

»Es ist jetzt Morgen, Mr. Sloane.«

Wieder blickte er zu der violetten Gardine und begriff, dass das gedämpfte Licht von der Sonne stammte. Morgen. Seine letzte Erinnerung war, dass er zusammen mit Tina auf ein Taxi wartete.

»Hatte ich einen Unfall? Was ist passiert? Warum bin ich gefesselt?«

Die Ärztin nahm einen Augenspiegel aus ihrem Kittel und schaltete ihn ein. Während sie ihm ein Lid zurückzog, redete sie weiter. Schmerzende Lichtblitze durchzuckten seinen Schädel. Mit einer Grimasse riss er sich los.

Sie schaltete das Gerät aus und schob es wieder in die Vordertasche ihres Mantels. Dann musterte sie ihn mit verschränkten Armen.

»Können Sie sich an irgendetwas von gestern Nacht erinnern, Mr. Sloane?«

»Eigentlich nicht.«

»Versuchen Sie es. Sagen Sie mir, was Ihnen einfällt.«

Er richtete den Blick auf die gegenüberliegende Wand, sein Kopf war leer. Schon wollte er »Nichts« sagen, da begannen die Bilder aufzutauchen wie purzelnde Dominosteine, langsam zuerst, dann schneller. Er sah das Kopfbild in der Zeitung. Joe Branick. Tina reichte ihm das rosa Notizformular mit dem handgeschriebenen Namen. Joe Branick. Sein Briefkasten, das offene Schloss. Die Verwüstung in seiner Wohnung. Der Mann auf dem Außenflur, der sich ihm zuwandte. Die Waffe in seiner Hand. Die Flucht. Stolpern über Mittagsblumen. Das Abrutschen am Klippenrand. Niederprasselnder Dreck.

Melda. Plötzlich wusste er, dass Melda etwas zugestoßen war. Seine Wohnung. Meldas Pfanne. Ihr Schuh auf dem Boden vor der … der Badtür.

Melda.

»O nein.« Er schloss die Augen.

»Mr. Sloane?«

Der Mann hielt die Frau an den Haaren hoch, das Blut quoll ihr aus Nase und Mund.

»Mr. Sloane?«

Das Licht flackerte. Die Klinge zuckte.

»Mr. Sloane … Mr. Sloane!«

Ein schweres Gewicht fiel auf seine Brust und verschlug ihm den Atem. Er sank zurück in die Dunkelheit. Die Stimme über ihm wurde schwächer. Das Licht verblasste.

»Mr. Sloane … Mr. …«

Er stürzte hinab in die Dunkelheit zu der Frau, die in einer Blutlache lag. Sie war jung. Ihr volles, dunkelbraunes Haar bedeckte einen Teil ihres Gesichts. Er kniete sich hin und schob ihr die Strähnen von den Wangen. Es war nicht Melda. Es war nicht Emily Scott. Ein heftiger Schmerz durchbohrte seine Brust, eine Wunde, die ausstrahlte bis in die letzten Fasern seines Seins.

*Atme. Bitte atme.*

Zusammengesackt lag sie auf den Knien. Unter dem merkwürdig über die Schulter verdrehten Kopf war eine klaffende Wunde. Er zog sie an sich. Tränen schossen ihm in die Augen und flossen ihm über die Wangen. Seine Schuld. Es war seine Schuld.

Er spürte, dass er nicht mehr allein war, und blickte auf. Zwei Männer ragten über ihm auf: ein unglaublich großer, massiger Schwarzer und ein Weißer, dem das Wasser aus den Haaren ins Gesicht lief. Der Weiße rang nach Luft, aber nicht so wie nach einem langen Lauf. Er atmete stoßweise, überwältigt von Erregung und Zorn. Sloane sah dem Mann ins Gesicht, das sich zu einer Maske des Schmerzes verzogen hatte. Dennoch kam es ihm irgendwie vertraut vor.

Dann entglitt ihm die Szene wieder, und er blickte von oben auf die zwei Männer und sich selbst herab, während er wie ein Taucher ohne Bleigurt zur Oberfläche schoss und vergeblich gegen den Auftrieb ankämpfte. Die dunklen Tiefen wichen flackerndem Licht. Die Stimme kehrte zurück.

»Mr. Sloane?«

Keuchend vor Atemnot durchbrach er die Oberfläche. Sein Herz hämmerte wie wild.

»Mr. Sloane, können Sie mich hören?«

Er schloss die Augen, weil er wieder nach unten zu den beiden Männern wollte, doch es gelang ihm nicht.

»Mr. Sloane?«

Genauso plötzlich wie Sloane hinabgestürzt war zu einem unbekannten Ort, durchbrach nun der Mann, der ihm irgendwie bekannt erschienen war, von unten die Oberfläche von Sloanes Wirklichkeit und zwang ihn zu einer verstörenden Erkenntnis.

## 28

*Highway 5, Brownsville, Oregon*

Wie eine Feuerbahn zog sich der Schmerz von seinem Nacken hinunter bis zu einem brennenden Punkt zwischen den Schulterblättern. Nach sechs Stunden Fahrt fühlte sich Jenkins wie ein ausgelutschtes Bonbon. Der untere Teil des Rückens tat ihm weh. Das linke Knie knackte beim Anwinkeln – Arthritis von einer Verletzung, an die er sich nicht einmal mehr erinnern konnte. Mit dem jugendlichen Aussehen seiner Mutter und einem Körper, auf den er sich noch immer hundertprozentig verlassen konnte, vergaß Jenkins manchmal, dass er schon zweiundfünfzig war. Wenn er in den Spiegel schaute, überraschte ihn sein Gesicht. Er fühlte sich immer noch wie dreißig – außer in Momenten wie diesem.

In den ersten zwei Stunden hatte er den Rück- und die Seitenspiegel im Auge behalten. Aber auf dem Highway waren nur wenige Autos unterwegs, und er hätte jeden Verfolger sofort entdeckt. Niemand war ihnen auf den Fersen. Alex schlief noch immer, die Lederjacke als Kissenersatz gegen das Beifahrerfenster gedrückt. Ab und zu zuckte ihr Körper – Nachwirkungen des billigen Schmerzmittels aus dem Laden, das sie mit zwei Flaschen Bier hinuntergespült hatte.

Jenkins fuhr auf einem öden, gänzlich verlassenen Abschnitt des Highway 5 durch Oregon. In der Ferne flammte die herannahende Morgendämmerung wie ein vom Wind angefachtes Feuer. Sie tauchte die ziegelrote Erde in ein rostiges Orange und ließ die zerklüfteten Berge hell erglühen. Jenkins musste an sein Zuhause und an Lou und Arnold denken.

Er und Alex hatten gewartet, bis die Flammen erloschen waren. Irgendjemand auf der Insel hatte den Brand bemerkt und die Feuerwehr geholt. Sie brauchten über drei Stunden, bis der letzte Funke erstickt war. Alex hatte ihn gedrängt, nicht zur Farm zurückzukehren, aber er konnte nicht zulassen, dass die Hunde im Wald verrotteten und zum Futter für Kojoten und andere Tiere wurden. Er begrub sie in der Nähe des Bachs. Ein passender Ort, wie er fand, weil sie immer gern im Wasser herumgetollt waren. Allerdings hatte er nicht einmal Zeit gefunden, alle Zweige und Steine aus den Gräbern zu klauben, und diese Vorstellung quälte ihn noch immer. Außerdem hatte er keine Zeit zum Abschied gehabt. Er hatte nur eine Handvoll Erde genommen und sich angestrengt an ein Gebet erinnert, das bei seinen früheren sonntäglichen Besuchen einer Baptistenkirche irgendwie in seinem Gedächtnis hängen geblieben war.

»Aus Asche bist du entstanden. Zu Asche wirst du werden.« Er ließ die Krume durch die Finger rieseln und vom Wind verwehen. »Asche zu Asche, Staub zu Staub.«

Das hatten sie verdient. Nein, sie hatten Besseres verdient. Wenn er je dorthin zurückkehrte, wollte er dort Steine aufschichten und einen Baum oder einen Rhododendronbusch pflanzen, um ihr Andenken mit etwas Lebendigem zu ehren. Die Endgültigkeit dieses Gedanken ließ wieder die Trauer in ihm aufsteigen. Er stellte sich vor, wie sie mit wedelndem Schwanz in den Tod gerannt waren, ohne mit der Grausamkeit zu rechnen, zu der Menschen fähig waren. Charles Jenkins wusste Bescheid. Er hatte menschliche Grausamkeit aus erster Hand erlebt, und auch nach dreißig Jahren standen die Bilder so frisch in seinem Gedächtnis, als wäre es gestern passiert.

Die blaue Nylonwindjacke fing die Hitze auf, die dampfend von seinem Körper aufstieg. Das Hemd klebte an seiner Haut wie Zellophan. Er wischte sich den Schweiß und die Feuchtigkeit weg, die ihm aus den Haaren in die Augen tropften. Die Morgendämmerung ließ gebrochene Sonnenstrahlen durch Lücken in dem massiven Baldachin aus Bäumen und Ranken fallen und war von einer fast heiteren Ruhe erfüllt.

Einer unheimlichen Ruhe.

Er spürte eine Beklommenheit im Dschungel, diese unnatürliche Stille, die entsteht, wenn ein Raubtier alle Lebewesen, die sich noch bewegen können, verscheucht oder getötet hat.

Durch dichtes Laubwerk stieß er in eine Lichtung vor. Seinen Augen bot sich ein grauenvoller Anblick, wie er ihn nur ein einziges Mal in Vietnam erlebt hatte.

Rauch- und Aschedunst, der aus der Glut aufstieg, hing schwer in der Luft und brannte sich ihm zusammen mit dem Geruch von Holzkohle und einem süßen Duft in Kehle und Nase, den er niemals wieder hatte riechen wollen. Wo einmal Hütten gestanden hatten, schwelten kleine Feuer. Gelegentlich loderte eine einzelne Flamme aus dem Zerstörungswerk hervor, krachend und zischend wie eine aufgescheuchte Schlange. Es war das einzige Geräusch in der ohrenbetäubenden Stille. Sogar die Tiere waren verstummt.

Jenkins sank auf ein Knie, erschöpft und traurig, krank vor Zorn. Hinter sich hörte er das Rascheln von Pflanzen, Schritte und das schwere Atmen eines Mannes, der Mühe hatte, ihn einzuholen. Joe Branick brach durch das Laub und blieb stehen, als hätte er einen Abgrund erreicht. Die Worte, die er vielleicht hatte sprechen wollen, blieben ihm im Hals stecken. Mit offenem Mund starrte er auf die niedergemetzelten Menschen – in Türstöcken, deren Mauern nicht mehr existierten, und auf den Wegen und Hügeln, zu denen die Dorfbewohner in ihrer Verzweiflung geflohen waren. Wie Tiere waren sie gejagt und erlegt worden. Abgeschlachtet. Männer und Frauen.

Kinder.

Jenkins beugte sich vor und erbrach sich, bis statt des geblichen Breis nur noch ein trockenes Würgen herauskam. Er wischte sich das Zeug aus den Mundwinkeln und spuckte aus, doch das saure Brennen hing noch immer in seiner Kehle.

»Die Männer haben sie zuerst umgebracht.« Seine Stimme war ein heiseres Flüstern. »Schüsse in den Kopf und Oberkörper. Tödliche Schüsse. Sie haben sie laufen lassen und sie als lebende Zielscheiben benutzt.«

»O Gott.« Branick machte ein Kreuzzeichen.

Jenkins stand auf und ging auf die Leichen zu. »Die Frauen haben sie gefesselt. Die einen haben sie gefoltert, die anderen vergewaltigt. Einige haben sie mit ihren Kindern im Arm umgebracht.«

Je gründlicher er sich umsah, desto klarer wurde ihm die Vorgehensweise. Die Kinder, die sich noch an ihre Eltern klammerten, waren ausnahmslos Mädchen. »Die Jungen haben sie zusammengetrieben.« Er drehte sich um und rannte durch das Dorf. Branick folgte ihm.

Das einzimmrige Haus neben dem großen, flachen Stein war stark verkohlt, stand aber noch, gerettet vielleicht durch den schweren Regen und die feuchte Luft oder aus anderen Gründen, mit denen er sich nicht befassen wollte. Die Tür war aus den Angeln gesprengt worden, aber nicht, um sich Eintritt zu verschaffen – das billige Holz wäre schon nach einem kräftigen Tritt zersplittert –, sondern um Verwirrung und Panik zu stiften.

Geduckt trat Jenkins in die Hütte. Eine einzelne Leiche lag im Schmutz. Obwohl er das Blutbad draußen gesehen hatte, wurde das Grauen beim Anblick der brutal entstellten und verstümmelten Frau auf dem Boden, die allein und getrennt von den anderen den Tod gefunden hatte, noch persönlicher und unfassbarer.

Hilflos vor Zorn ballte Jenkins die Fäuste, als er seine Vermutung bestätigt fand. Die Wut und Qual, die in seiner Kehle saßen, drohten ihn zu ersticken, und seine Schuldgefühle warfen ihn mit der Kraft von Schmiedehämmern auf die Knie.

»Charlie, komm schon. Komm schon.« Joe Branick stand neben ihm und zog ihn zur Tür.

»Gottverdammt, Joe!«, sagte er, »der Teufel soll diese Schweine holen!«

Alex bewegte sich und zuckte vor Schmerzen zusammen, aber sie wachte nicht auf.

Jenkins betrachtete sie im schwachen Licht des Armaturenbretts und fragte sich erneut, ob Joe Robert Harts Tochter in Gefahr gebracht hätte. Sie hatte ihm erzählt, dass sie rechtsextremen Guerillaorganisationen nachgespürt hatten, die eine Vereinbarung über die Öffnung des mexikanischen Ölmarktes für ausländische Anleger hätten behindern können. Das stimmte wahrscheinlich, aber es war nicht der Grund für Joes Tod. Die Antwort auf diese Frage stand in der Akte, die Charles Jenkins' Namen trug.

Der Grund für Joes Tod war David Allen Sloane.

## 29

Dr. Brenda Knight hatte die Gurte um Sloanes Brust und Knöchel entfernt, aber nicht die, die seine Handgelenke in einem Abstand von fünfzehn Zentimetern vom Bettrand festhielten. Das war nach den Krankenhausvorschriften nicht möglich, erklärte sie ihm, außer er wurde in die geschlossene Station gebracht, was er nicht wollte. Sloane war klar, dass mehr hinter der Entscheidung der Ärztin steckte als ihre Vorschriften. Entweder hielt sie ihn für verrückt oder für gefährlich. Eine logische Schlussfolgerung angesichts der Polizisten, die draußen wachten und darauf warteten, mit ihm zu sprechen. Ständig musste er an Melda denken, daran, wie er ihren winzigen, leblosen Körper in den Armen gehalten hatte. Trauer überwältigte ihn. Dann packte ihn der Zorn.

Wer tat so etwas? Wer konnte eine so liebe alte Frau umbringen?

Und was war mit seinem Traum? War es wirklich nur ein Traum, oder war es mehr, eine Art Vorahnung? Hatte er Meldas Tod vorhergesehen? Ihn sozusagen prophezeit? Hatte das mit der Macht zu tun, die er im Gerichtssaal fühlte?

Allein im Krankenhauszimmer wurde er wieder von Schuldgefühlen heimgesucht. Irgendwie war er für all das verantwortlich. Der Gedanke machte ihn benommen und lethargisch. Dann fiel ihm der Mann ein, der sie getötet hatte, und die Wut brandete wieder hoch.

So wenig Dr. Knight bereit war, Sloane mit der Polizei sprechen zu lassen, so sehr interessierte sie sich für seine Lebenszeichen. Aus ihren Fragen spürte er, dass etwas daran ungewöhnlich und faszinierend für sie war. Sie erzählte ihm, dass ihn die Polizei in seiner Wohnung gefunden hatte. Er hatte sich an Meldas Leiche geklammert und vor Qual gestöhnt. Als sich die Beamten näherten, ignorierte Sloane ihre Befehle. Sie versuchten ihn von Melda zu trennen, aber er wehrte sich. Mitten in dem folgenden Kampf war er dann plötzlich mit schlaffen Gliedern zusammengebrochen. Als er nicht mehr reagierte, brachten ihn die Polizisten in die Notaufnahme. Der diensthabende Arzt, der ihn untersuchte, stellte keinerlei körperliche Beschwerden fest, konnte ihn aber nicht wecken. Er rief Knight zu Hause an, und sie erklärte sich bereit, Sloane zu behandeln. Jetzt lag er in einem eigenen Zimmer.

Die Ärztin hatte ihm zwei Milliliter Lorazepam in den Arm gespritzt und ihm versichert, dass ihn das Mittel beruhigen würde. Und tatsächlich, die betäubende Wirkung des Medikaments hatte bereits eingesetzt. Sein Kopf lag schwer auf dem Kissen, in seinen Armen und Beinen kribbelte es, als würde er sich in ein zu heißes Bad gleiten lassen. Er schloss die Augen und sah das Gesicht des Mannes, den er aus den Tiefen seines Gedächtnisses gezerrt hatte. Die Züge waren jünger, klarer, noch nicht vom Alter verwischt, doch es war dasselbe Gesicht wie das in der Zeitung.

Joe Branick.

Irgendwo, irgendwann waren sie einander begegnet, und das bedeutete, dass der Alptraum, den er jede Nacht durchlitt, weder eine Vorahnung noch ein reiner Traum war. Die Frau darin war real, und Joe Branick, ein Berater des Weißen Hauses, war ebenfalls Zeuge gewesen. Außerdem hatte ihm Branick eine Telefonnachricht hinterlassen, kurz bevor jemand Sloanes Briefkasten aufgebrochen und sein Apartment verwüstet hatte. Und wenn der Bericht in der Zeitung stimmte, auch kurz bevor Branick in einem Nationalpark in West Virginia tot aufgefunden worden war. Falls noch irgendein Zweifel bestanden hatte, dass diese Ereignisse zusammenhingen, verflog er mit der Rückkehr des falschen Telefontechnikers. Es gab keinen anderen Grund, Meldas Apartment zu durchwühlen, als die Suche nach Sloanes Post. Plötzlich hatte Sloane den rostroten Umschlag mit seinem handgeschriebenen Namen vor Augen. Joe Branick hatte versucht, ihn anzurufen. Lag da nicht die Vermutung nah, dass auch das Kuvert von ihm stammte?

Die Wirkung des Beruhigungsmittels wurde stärker, und Sloane wurde allmählich müde. Er blickte in einen dunklen Kreis, eine schwarze Scheibe, die vor ihm schwebte. Seine Augen wurden schwer, und er spürte, wie er wegdriftete … auf die Scheibe zu … auf die Zielscheibe zu.

Der Mann war nicht über die Treppe zu seinem Lieferwagen hinuntergelaufen. Er hatte nicht versucht, unerkannt zu entkommen. Mit der Waffe in der Hand hatte er die Verfolgung aufgenommen.

Er wollte Sloane töten.

Sloane riss die Augen auf. Wieder durchflutete ihn die schlimme Vorahnung, die ihn in den Bergen so bedrängt hatte, die unangreifbare Gewissheit, dass ihm jemand nachstellte. Der Mann hätte sich einfach abwenden und das Haus verlassen können. Stattdessen war er Sloane nachgelaufen, weil er es auf ihn abgesehen hatte.

Und daran hatte sich nichts geändert.

Sloane blickte auf die roten Nylongurte, mit denen seine Handgelenke ans Bett gefesselt waren.

Er war eine lebende Zielscheibe.

## 30

*Highway 5, Dunsmuir, Kalifornien*

Alex glitt auf den kirschroten Vinylsitz in der hintersten Ecke des Imbisslokals. Ohne anzuhalten, hatten sie Washington und Oregon durchquert. Als nach neun Stunden das Lokal an der Straße wie eine Oase in der Wüste auftauchte, hatte Jenkins den vollen Blasen und Hungerkrämpfen nachgegeben. Kurz nach Mittag war das Quecksilber bereits auf sechsunddreißig Grad geklettert. Jenkins hatte sich an das milde Pazifikklima im Nordwesten gewöhnt, das nur selten über siebendundzwanzig Grad hinauskam. Jetzt fühlte er sich wie in einem Backofen.

»Tut's weh?«, fragte er.

Sie betastete den Verband unter ihrer Bluse. »Die Schulter ist in Ordnung. Nur mein Kopf dröhnt wie von einem Kater. Wo hast du denn dieses Hausmittel her?«

»Mein Großvater hat immer gesagt, mit genügend Bier kann man alle Beschwerden kurieren.«

»Ich komme mir vor, als hätte ich Bekanntschaft mit einem Gummiknüppel gemacht.« Sie stieß die Luft aus und schüttelte sich, um einen klaren Kopf zu bekommen. Dann deutete sie auf seine Hand. »Arthritis?«

Er hatte die Finger gestreckt und gekrümmt, um die Steifheit aus den Gelenken zu bekommen. Besonders schlimm war es immer, wenn er am Tag zuvor im Garten gearbeitet hatte.

»Mir ist nur die Hand eingeschlafen.« Er legte die Hände gefaltet in den Schoß. Arthritis war in seinen Augen eine Altmännerkrankheit.

»Das hat mein Vater auch immer gemacht.« Sie lächelte.

Eine junge Frau in einem pink und weiß gestreiften Kostüm brachte zwei Cola in altmodischen Gläsern und dazu Strohhalme mit teilweise abgerissener Papierhülle. Jenkins bestellte ein Sandwich, Alex einen Salat. Er ließ den Strohhalm liegen und trank aus dem Glas. Das Cola war für ihn eine seltene Abweichung von seiner normalen Kost und schmeckte süß wie Ahornsirup. Doch an diesem Morgen brauchte er den Zucker und das Koffein. Er drehte den Kopf, um die Halsmuskeln zu dehnen. Am Straßenrand bemerkte er einen jungen Tramper in einer grünen Militärjacke – noch so ein Geist aus den sechziger Jahren, ein Jahrzehnt, das ihn anscheinend nicht mehr loslassen wollte.

»Vietnam«, murmelte er vor sich hin.

»Vietnam?«

Er erwiderte ihren Blick. Sie hatte ihr Haar mit einem Tuch zurückgebunden, was die weiche Linie ihres Halses zur Geltung brachte. Mit dem Strohhalm im Mund sah sie aus wie ein kleines Mädchen.

»Kleines Scharmützel drüben in Südostasien, noch vor deiner Zeit.«

Sie setzte ein gönnerhaftes Lächeln auf.

»Mir ist gerade eingefallen, dass ich solche Temperaturen wahrscheinlich zum letzten Mal in Vietnam erlebt habe.«

Sie sog an ihrem Strohhalm. »Du siehst gar nicht so alt aus.«

»Danke.«

Sie zwinkerte ihm zu. »Haben sie dich eingezogen?«

»Hab mich freiwillig gemeldet. Kam mir damals wie eine gute Sache vor, für mein Land zu kämpfen. Viele meiner Freunde hatten gar keine Wahl. Mit achtzehn bin ich in Da Nang aus dem Flugzeug gestiegen und dreizehn Monate später mit achtunddreißig wieder auf amerikanischem Boden gelandet. Die letzten zwei Tage hatte ich nur noch Angst. Ich war mir sicher, dass ich sterben muss. Nach fast vierzig Stunden im Flugzeug und im Auto bin ich in New Jersey angekommen und mit einer Zigarette im Mund auf dem Sofa meiner Eltern eingeschlafen. Fast wäre ich verbrannt.«

»Und wie bist du an die CIA geraten?«

Er legte die Hände auf den Tisch und rollte die Papierhülle des Strohhalms zu einem Kügelchen zusammen. »Zwei Monate nach meiner Heimkehr habe ich immer noch die Blicke der Leute auf der Straße und im Supermarkt gespürt. Leute, die ich mein ganzes Leben gekannt hatte, haben mich auf einmal völlig anders angeschaut. Und auch ich habe sie mit ganz anderen Augen gesehen. Es war nicht mehr so wie früher, es hatte sich für immer verändert. Ich hab nicht mehr zu ihnen gepasst, und sie wollten mich am liebsten loswerden, wollten mit ihrem Alltag weitermachen, ohne ständig daran erinnert zu werden, dass dort drüben junge Männer – gute junge Männer – vor die Hunde gingen. Dann sind diese beiden Typen vor meiner Tür aufgekreuzt und haben mich gefragt, ob ich an einer Tätigkeit für den Staat interessiert sei. Mir war klar, dass sie nicht die Fremdenlegion meinten. Da ich keine Arbeit und keine unmittelbaren Zukunftspläne hatte, hab ich mir gedacht, warum nicht? Ich musste irgendwas machen, um aus dem Scheißkaff wegzukommen.«

»Normale Anwerber?«

»Die hatten sich schon genau über mich informiert.«

»Bevor du zugesagt hast? Warum?«

»Sie hatten es eilig und wollten jemanden, der fließend Spanisch spricht und taktisch geschult ist.«

Sie nickte. *»Tu hablas español.«*

»Nicht mehr besonders gut.«

»So hat es dich also nach Mexico City verschlagen.«

»Mein erster Auftrag.«

»Und dort hast du Joe kennengelernt?«

»Ja.« Er wandte den Blick hinaus zu dem Tramper, der ein Stück die Straße hinuntergegangen war. Um ihn herum flirrte der Asphalt in geisterhaften Wellen. »Dort hab ich Joe kennengelernt.«

Sie schien kurz zu überlegen. »Und warum ausgerechnet Mexico City?«

»Paradoxerweise hatte das was mit den Ereignissen im Nahen Osten zu tun. Das war ungefähr die Zeit, als die Saudis gemerkt haben, dass ihr Öl nicht nur Milliarden von Dollar wert ist, sondern dass sie damit auch Einfluss auf die Weltpolitik ausüben können. Die königliche Familie hat relativ unverhohlen damit gedroht, dass Saudi-Arabien genau wie Mexiko seine Ölindustrie verstaatlicht, falls die USA Israel nicht die Unterstützung entziehen. Solches Gerede macht viele reiche Aktionäre nervös, und da Präsidenten in erster Linie von ihnen ins Amt befördert werden, kommen die Dinge in so einer Situation normalerweise schnell ins Rollen. Nixon hat es zuerst auf die harte Tour probiert und den Saudis gesagt, sie sollen in den Sand kacken. Die Saudis haben ziemlich humorlos reagiert und den Preis für das Barrel Öl um siebzig Prozent erhöht. Als auch dadurch keine Bewegung in die verfahrene Situation kam, haben sie ARAMCO angewiesen, alle Öllieferungen an das US-Militär einzustellen. Der Kalte Krieg hatte gerade seinen Höhepunkt erreicht, und die Sowjetunion hat die Palästinenser unterstützt, um in der Region Fuß zu fassen. Da brauchten wir gute Argumente, um die Saudis zu überzeugen.«

»Ein Druckmittel.« Sie schlürfte ihr Cola durch den Halm. »Eine alternative Ölquelle.«

»Genau. Wenn es hart auf hart kommt, so die Annahme auf unserer Seite, fühlt sich die königliche Familie doch mehr dem Geldverdienen als der arabischen Sache verpflichtet.«

»Und genau zu dieser Zeit wurden unter den üppigen Savannen von Tabasco und im Golf von Mexiko vor Campeche riesige Mineralöl- und Erdgasvorkommen entdeckt.«

»Genau, sehr gut. Die Anfangsschätzungen gingen bis mindestens sechzig und vielleicht sogar hundert Milliarden Barrel.«

»Die Antwort auf Nixons Stoßgebete.«

»Das mussten wir eben herausfinden. Das Öl war da. Die Frage war jetzt, ob wir die nötige Technologie entwickeln konnten, um es zu fördern, und ob wir von Mexiko die Genehmigung dafür bekommen würden. Not macht bekanntlich erfinderisch, und so sind wir einfach davon ausgegangen, dass wir den technologischen Aspekt schon in den Griff kriegen würden.«

»Jetzt mussten wir nur noch einen Ansatz finden, um Mexiko dazu zu bringen, seinen Ölmarkt wieder für ausländische Anleger zu öffnen.«

»Aus deinen Geschichtsbüchern weißt du vielleicht noch, dass Mexiko damals auch Probleme hatte. Studenten- und Arbeiterproteste wurden häufiger und gewalttätiger. Es gab Berichte, dass kommunistische Aufrührer aus Kuba und der Sowjetunion in Mexiko vietnamesische Verhältnisse schaffen wollten. So etwas in Südostasien war eine Sache. Aber direkt vor der Haustür war so eine Bedrohung auf einmal ganz was anderes.«

»Und euer Auftrag war herauszufinden, wie real die Bedrohung war«, warf sie ein. »Du und Joe, ihr habt diese Gruppen überwacht, um zu erfahren, welche von ihnen wahrscheinlich für Unruhen sorgen würden, falls die USA und Mexiko in ernsthafte Gespräche eintreten.«

»Wir sollten den Status quo aufrechterhalten, falls die Saudis nicht zum Einlenken bereit waren.«

»So wiederholt sich die Geschichte«, bemerkte sie.

»Das tut sie immer.« Er lehnte sich zurück und stützte einen Arm auf die Sitzfläche. »Deshalb muss ich wissen, woran ihr gearbeitet habt, du und Joe. Ich brauche Einzelheiten, Alex, um zu erkennen, ob es da einen Zusammenhang zu unserem damaligen Auftrag gibt.«

Auch sie machte es sich bequem. »Wir haben mit dem mexikanischen Geheimdienst zusammengearbeitet, um bestimmte revolutionäre Organisationen zu identifizieren, die die laufenden Verhandlungen behindern könnten. Joe hat mich gebeten, ihm zu helfen. Er hat gesagt, dass sein Spanisch nach dreißig Jahren eingerostet ist und dass er jemanden braucht, der ihm Gespräche und Dokumente übersetzt.«

Er lachte. »Joes Spanisch war nicht eingerostet, er konnte die Sprache überhaupt nie richtig. Sag mal, war bei diesen Organisationen, die ihr überwacht habt, zufällig auch die Frente de Liberación Mexicano dabei?«

Sie runzelte die Stirn. »Worauf willst du hinaus, Charlie?«

»War das eine der Organisationen, mit denen du dich für Branick befasst hast?«

»Ja.«

»Und was hast du über sie rausgefunden?«

»Das weißt du ganz genau. Die Mexikanische Befreiungsfront existiert angeblich nicht mehr. Zum letzten Mal hat man vor dreißig Jahren etwas von ihr gehört, also zu der Zeit, als ihr dort wart.« Fragend zog sie die Augenbrauen hoch.

Jenkins überlegte sich seine Worte genau. »Die Organisationen sterben aus, aber nicht die Gesinnung, Alex. Solche Splittergruppen können sich jederzeit wieder aus der Asche erheben. Das erleben wir doch gerade bei den islamistischen Extremisten im Nahen Osten. Sie nennen sich zwar anders, aber die Gesinnung ist die gleiche: Sie wollen die westliche Kultur zu Fall bringen.«

Sie nickte. »Es wird gemunkelt, dass die Nationale Arbeiterpartei eine historische Verbindung zur FLM hat.«

Als Kenner der mexikanischen Geschichte hatte er das bereits vermutet. Die Nationale Arbeiterpartei war die Partei von Alberto Castañeda – die einzige Partei in achtzig Jahren, die es trotz der tiefverwurzelten Korruption der mexikanischen Politik geschafft hatte, die Partei der Institutionalisierten Revolution, die PRI, zu besiegen. Castañeda erhielt den Beinamen *destapado,* der Enthüllte, weil er aus völliger Unbekanntheit hervorgetreten war und die Präsidentschaftswahl gewonnen hatte. Seine Anhänger waren vor allem die mexikanischen Ureinwohner und die unteren Schichten: Gewerkschaftsmitglieder, Fabrikarbeiter, Bauern. Normalerweise war dieser Teil der mexikanischen Bevölkerung am schwersten zur Wahl zu bewegen. Doch diesmal hatten sie gewählt. Auf die gleichen Menschen hatte sich in den siebziger Jahren auch die FLM gestützt, als sie vor allem in den südlichen Regionen des Landes heftige Unruhen auslöste.

»Der Führer der FLM war ein Mann, der unter dem Namen *el Profeta* bekannt war.«

»Der Prophet?«

»Er hat vorwiegend den unteren und mittleren Schichten gepredigt, dass Mexiko erst dann frei sein würde, wenn die politischen Verantwortlichen des Landes alle ausländischen Einflüsse abgeschüttelt hätten, und dass sie das zusammen erreichen könnten. Er hat verkündet, dass er die Kraft habe, Mexiko aus der jahrhundertelangen Knechtschaft durch ausländische Mächte und vor allem durch die USA zu befreien. Zuerst hat ihm niemand große Beachtung geschenkt, aber als die FLM anfing, Regierungsvertreter und reiche Landbesitzer als Verräter zu ermorden, musste die mexikanische Regierung umdenken. Besonders die Bewohner der Dörfer im Süden von Mexiko hatten sich gut organisiert und den Mut gefunden, sich gegen die Obrigkeit zu stellen. Die Regierung hat alle Register gezogen, um *el Profeta* zu fassen.«

»Wer war der Mann?«

Jenkins schüttelte den Kopf.

»Ihr habt ihn nie erwischt?«

»Nein. Obwohl Verhörmethoden angewandt wurden, die normalerweise sehr wirkungsvoll sind, konnte ihn die mexikanische Regierung nicht identifizieren. Genauso wenig wie wir.«

»Und was ist aus ihm geworden?«

»Bis du vor meiner Tür aufgekreuzt bist«, entgegnete er, »habe ich ihn für tot gehalten.«

## 31

Obwohl Sloane sie geradezu anflehte, ließ Dr. Knight nicht zu, dass er mit der Polizei sprach. Sie hielt es in seinem Zustand nicht für ratsam. Als er verlangte, entlassen zu werden, wies sie ihn auf die Gesetzeslage hin, nach der sie ihn für unbegrenzte Zeit festhalten konnte. Vernünftigen Argumenten war sie nicht zugänglich, und als er wütend wurde, wollte sie gleich die Dosis seines Beruhigungsmittels erhöhen. Dabei musste er ohnehin schon kämpfen, um einigermaßen munter zu bleiben.

Dr. Knight schloss die Akte und drückte sie an die Brust. »Wir machen erst mal eine Reihe von Tests, dann können wir reden«, erklärte sie. Bevor er antworten konnte, fügte sie hinzu: »Ihre Frau ist da, um Sie zu sehen. Sie darf reinkommen, aber nur kurz. Im Moment brauchen Sie vor allem Ruhe.«

Sie öffnete die Zimmertür und sprach mit jemandem im Gang. Kurz darauf kam Tina herein.

»Machen Sie es kurz.« Die Ärztin hielt mit einer Hand die Tür auf. »Höchstens zehn Minuten.« Dann reichte sie Tina eine Karte aus der Vordertasche ihres Kittels. »Wenn Sie fertig sind, würde ich gern mit Ihnen sprechen. Mein Büro ist im ersten Stock.«

Tina trat ans Fußende des Betts, als sich die Tür schloss. Sie wirkte unsicher und erschlagen. Die Haare hingen ihr strähnig herunter, ihre Augen waren hohl und blutunterlaufen. »Sie wollten nur Verwandte reinlassen.«

»Wie hast du es erfahren?«

»Du hast mich als deine Kontaktperson für Notfälle angegeben, David. Sie haben mich mitten in der Nacht angerufen und mir nur gesagt, dass sie dich im Rettungswagen ins Krankenhaus gebracht haben. Ich dachte sofort an einen Autounfall. Ich hatte schon Horrorvorstellungen, dass ich dich hier an einem Atemgerät hängend vorfinde. Ich habe den ganzen Vormittag draußen gesessen und darauf gewartet, dass sie mich zu dir lassen.«

Als er das Formular in der Arbeit ausgefüllt hatte, hatte er nicht damit gerechnet, dass sein Notfallkontakt jemals eine Rolle spielen würde. Er hatte Tina genommen, weil er sonst niemanden hatte. Melda wäre einer solchen Situation nicht gewachsen gewesen.

»Entschuldige, Tina. Ich hätte dich fragen sollen.«

»Macht nichts, David, es ist bloß …«

Er wusste, was sie sagen wollte. Das war sein anderes Geheimnis, das er bisher nur Melda anvertraut hatte. »Ich habe keine Familie. Meine Eltern sind bei einem Verkehrsunfall ums Leben gekommen, als ich sechs oder sieben war. Ich bin bei Pflegefamilien aufgewachsen. Es gibt niemand anderen. Melda war die einzige Familie, die ich hatte.« Der Gedanke machte ihn traurig. Sein Atem ging schwer.

»David, das tut mir leid.«

»Die Polizei glaubt wahrscheinlich, dass ich sie umgebracht habe.«

Erschöpft ließ sie sich auf einen Stuhl beim Bett fallen. »Du hast Melda geliebt, David, das weiß ich. Du hast sie bestimmt nicht umgebracht.« Sie stieß die Luft aus. »David, dein Traum war kein Traum. Er war real. Woher hast du das gewusst?«

Er schüttelte den Kopf. Er wusste nicht, wie er es ihr erklären sollte, wusste nur, dass er keine Zeit hatte. Die Vorahnung, dass der Mann schon unterwegs zu ihm war, wurde stärker.

»Tina, was ich dir jetzt erzähle, hört sich garantiert seltsam und verrückt für dich an, aber du musst mir glauben, weil ich sonst niemanden mehr habe.«

Sie nickte vorsichtig. »Okay.«

Er berichtete ihr von dem Mann auf dem Außenbalkon, von den Ereignissen der vergangenen Nacht und von seiner Theorie, dass derselbe Mann auch in seine Wohnung eingebrochen war.

»Deswegen hast du Melda nicht erreicht.«

»Ja, deswegen.«

»Was ist das für ein Typ? Was will er?«

Er dachte an Joe Branick. »Er will ein Kuvert, das mir geschickt wurde. Er ist nicht einfach so bei mir eingebrochen. Er hat alles von oben bis unten auseinandergenommen, weil er etwas gesucht hat. Er hat auch meinen Briefkasten aufgebrochen. Zuerst hab ich da keinen Zusammenhang gesehen. Aber das ist der Grund, warum er in Meldas Wohnung gegangen ist.«

»Wenn du weg bist, holt sie deine Post aus dem Briefkasten.«

»Genau.«

»Was ist das für ein Kuvert?«

»Ich weiß es nicht. Aber du erinnerst dich doch an diesen Joe Branick.«

»Der Mann, der dir eine Nachricht hinterlassen hat – der aus der Zeitung?«

»Ja.«

»Du meinst, er hat dir das Kuvert geschickt?«

»Wenn du die Nummer anrufst, wirst du sehen, dass er es ist. Ich bin mir sicher.«

»Wieso?«

»Ich hab keine Zeit, es dir zu erklären. Vertrau mir einfach. Ich muss hier raus.«

»David …«

»Dieser Mann ist irgendwo da draußen, und er gibt sich nicht mehr damit zufrieden, das Kuvert zu kriegen. Gestern Abend auf dem Außenbalkon hätte er unerkannt entkommen können. Er hätte einfach abhauen können, aber er hat es nicht getan. Stattdessen ist er mit einer Waffe in der Hand auf mich losgegangen. Und er wird wiederkommen. Ich weiß, das klingt verrückt, aber bei allem, was wir in den letzten zehn Jahren gemeinsam durchgestanden haben, Tina – du musst mir glauben, wenn ich dir sage, dass ich es spüre. Ich muss hier raus.«

»Aber, David, woher soll er denn wissen, dass du hier bist? Außerdem steht ein Wachmann vor der Tür. Wie soll er denn da reinkommen?«

Er zog an den Gurten, um ihr seine schwierige Lage zu verdeutlichen. »Er wird mich umbringen, Tina.«

Die Tür ging auf. Ein pummeliger Pfleger trat ein. »Mrs. Sloane, es ist leider Zeit.«

Sloane sprach schneller, dringlicher. »Er ist klein und kräftig gebaut mit einem Kurzhaarschnitt. Melda sagt, er hat eine Adlertätowierung auf dem Unterarm. Es ist derselbe, den ich gestern Abend gesehen habe. Vorher war ein Detective hier …«

»Frank Gordon. Das ist der Detective, mit dem ich geredet habe.« Sie zog eine Karte aus der Jeanstasche. »Die hat er mir gegeben.«

»Dr. Knight will mich nicht mit ihm reden lassen. Du

musst ihm den Mann beschreiben. Erzählt ihm von dem Einbruch in meine Wohnung. Sag ihm, dass ich Anzeige erstattet habe. Und er soll sich im Haus erkundigen, ob jemand anderer den Mann gesehen hat. Er fährt einen Lieferwagen. Vielleicht hat jemand das Kennzeichen aufgeschrieben.«

»In Ordnung.«

Der Pfleger machte noch einen Schritt ins Zimmer. »Mrs. Sloane …«

»Der Detective soll die Mieter fragen, ob jemand von ihnen mit dem Mann gesprochen hat. Irgendjemand muss ihm erzählt haben, dass Melda die Hausverwaltung macht. Das ist die einzige Erklärung dafür, dass er ihr Apartment durchsucht hat. Und er soll auch bei der Telefongesellschaft anrufen. Er wird bestimmt erfahren, dass niemand einen Techniker bestellt hat. Ich bin mir sicher.«

»Mrs. Sloane, es tut mir leid.«

Tina wandte sich dem Pfleger zu, dann wieder Sloane.

»Hinter meinem Haus ist ein Stellplatz, von dem ein Gang wegführt. Sag Gordon, er soll sich die Wand anschauen.«

»Warum?«

»Ein Einschussloch.«

Sie riss die Augen auf.

»Er soll nachschauen.«

Der pummelige Pfleger berührte sie am Ellbogen. Sie drehte sich um. »Hey, lassen Sie mich in Ruhe. Ich rede mit meinem Mann.«

Der Pfleger wich zurück.

Sloane lächelte. »Ich muss dich noch um einen Gefallen bitten. Bring mir meine Aktentasche.«

Verwirrt sah sie ihn an. »Deine Aktentasche?«

»Ich hab sie im Büro unter dem Schreibtisch gelassen, weißt du noch?«

»Du hast deine Post reingelegt«, antwortete sie.

»Die brauche ich. Kannst du sie mir hierherbringen?«

Sie nickte und wandte sich zur Tür. Plötzlich blieb sie stehen, als wäre ihr etwas eingefallen. Sie trat wieder ans Bett und nahm seine Hand. Dann neigte sie sich zu ihm und küsste ihn auf die Wange. Kurz darauf verließ sie das Zimmer.

## 32

Mit einer Tasse Kräutertee, die sie an die Lippen drückte, stand Tina am Fenster und starrte hinaus auf die Postkartenaussicht, die die Touristen bei jedem Straßenfotografen an der Fisherman's Wharf kaufen konnten. In helles Morgenlicht getaucht glitzerten die beiden Türme der Golden Gate Bridge, als wären sie aus Edelmetall gemacht. Der Rest der Brücke und die Marin Headlands, zu denen sie sich erstreckte, waren von dichten weißen Nebelschwaden eingehüllt.

Es war, als würde sie ein zweidimensionales Gemälde ohne Substanz betrachten. In Gedanken war sie bei den Gesprächen, die sie gerade mit David und danach mit dem Detective im Gang geführt hatte.

Frank Gordon war ein massiger Mann und starrte sie mit finsterem Blick an, als würde er ihr nicht mal den Namen glauben, den sie ihm nannte – und tatsächlich nannte sie ihm ja einen falschen Namen. Obwohl sich Gordon seine Skepsis anmerken ließ, erzählte sie ihm alles, worum Sloane sie gebeten hatte. Gordon machte sich Notizen, und als sie fertig war, atmete er mit geblähten

Nüstern tief und hörbar durch. Wenn er an ihren Aussagen zweifelte, sagte er es zumindest nicht. Sloane hatte ihm Fakten genannt, handfeste Dinge, die er überprüfen konnte, und genau das störte ihn. Gordon wollte die Geschichte nicht glauben, aber jetzt blieb ihm nichts anderes übrig, als herauszufinden, ob Sloanes Angaben zutrafen oder nicht. Nachdem er das Notizbuch zugeklappt hatte, rief er einen uniformierten Wachmann des Krankenhauses herbei und befahl ihm, sich vor der Tür zu postieren. Dann wandte er sich ab und ließ Tina grußlos stehen.

Die Erschöpfung hatte sich tief in ihre Gesichts- und Halsmuskeln gegraben, und ihr Kopf war schwer, als hätte sie am Vorabend zu viel Rotwein getrunken. Wohltuend und belebend empfand sie die Wärme des Tees an Gesicht und Händen.

»Entschuldigen Sie bitte. Es hat etwas länger gedauert als erwartet.« Dr. Knight legte den Hörer auf. Tina wandte sich vom Fenster zu ihr. Die Ärztin saß an einem vollgepackten Schreibtisch in einem eher kleinen Büro, das mehr wie ein Ort zum Ablegen als zum Bearbeiten von Sachen wirkte. An der Wand hingen Diplome und Urkunden, aber es gab keine Bilder von einem Ehemann, Kindern oder einem Haustier. Rechts auf einem kleinen runden Tisch lagen aufeinandergestapelte Dokumentenmappen. Ohne Brille sah Dr. Knights Gesicht kleiner und irgendwie fremd aus, so wie bei einem Mann, unter dessen Hut eine Glatze zum Vorschein kommt. Der gelbe Notizblock war mit Notizen und winzigen blauen Punkten gefüllt, die sie mit der Spitze ihres Kugelschreibers machte – eine Gewohnheit beim Sprechen.

Tina setzte sich auf einen von zwei Stühlen vor dem Schreibtisch, und sie führten die Unterhaltung fort, die von dem Anruf unterbrochen worden war.

»Ich arbeite seit fünfundzwanzig Jahren als Psychiaterin, Mrs. Sloane, aber so etwas habe ich noch nie gesehen und auch noch nie davon gelesen.«

»Was meinen Sie damit?«

»Als die Polizei Ihren Mann brachte, gab es keine Anzeichen eines körperlichen Traumas bei ihm. Trotzdem hat er nicht auf externe Reize reagiert. Kein Zucken nach Nadelstichen in die Fußsohlen und die Handflächen. Die Pupillen waren weit geöffnet, und die Augen haben sich schnell bewegt. Der Puls war meistens bei einer normalen Frequenz von zweiundsiebzig Schlägen pro Minute, ist aber hinauf bis zu hundert und hinunter bis zu knapp über sechzig gegangen, ohne dass ihm Anzeichen von Unruhe anzusehen waren. Manchmal wurde sein Atem ganz schwer, und seine Körpertemperatur ist auf 35,5 Grad gesunken, um dann auf 38,5 Grad hochzuschießen. Auch sein Blutdruck hat sich ständig verändert.«

»Und was bedeutet das alles?«

»Das weiß ich noch nicht«, antwortete die Ärztin. Allerdings hatte Tina den Verdacht, dass sie durchaus eine Vorstellung hatte, die sie anscheinend sehr spannend fand. Das war wohl der Grund, warum sie sich hier miteinander unterhielten. »Wie gesagt, so etwas habe ich noch nie erlebt. Wenn ich eine vorläufige Diagnose abgeben müsste, würde ich auf einen Dissoziationszustand tippen – ein Abwehrmechanismus des Körpers, der sich der Realität des geistigen Erlebens entziehen will.«

»Der Realität?«

Knight wippte auf ihrem Stuhl. »Die Symptome Ihres Mannes haben große Ähnlichkeit mit einem Phänomen, das als Körpererinnerung bezeichnet wird, Mrs. Sloane.« Die Ärztin stützte die Ellbogen auf den Schreibtisch und hielt den Kugelschreiber in den Händen, als wollte sie ihn entzweibrechen. »Haben Sie schon mal von Posttraumatischer Belastungsstörung gehört?«

»Ja, das haben manche Soldaten, die aus dem Krieg zurückkommen.«

»Genau, damit wird es meistens in Verbindung gebracht. Seit dem Vietnamkrieg haben wir eine ganze Enzyklopädie an klinischen Daten über dieses Krankheitsbild. Nach meiner Erfahrung haben Körpererinnerungen eine gewisse Ähnlichkeit mit Posttraumatischen Belastungsstörungen. Eine PTBS tritt meistens mit einer gewissen Verzögerung ein – üblicherweise ist dann von Amnesie die Rede. Die Betroffenen können die Erinnerung jahrelang vergraben und nach außen hin völlig unauffällig und unversehrt erscheinen. Sie führen ein normales Leben, gehen einer geregelten Arbeit nach und haben feste Beziehungen und Familie.«

»Und was passiert dann?«, fragte Tina.

Knight senkte den Kugelschreiber. »In Fachkreisen ist es höchst umstritten, was genau eine verdrängte Erinnerung wieder hervorbringen kann, aber dass oft genau dies passiert, steht außer Zweifel. So etwas ist weiter verbreitet, als die meisten Menschen glauben. Man muss nicht im Krieg gewesen sein. Es kommt ziemlich häufig vor, dass Erlebnisse wie Misshandlungen oder sexueller Missbrauch verdrängt werden.«

»Und Sie meinen, dass der Emily-Scott-Prozess etwas wieder hervorgebracht haben könnte, was David verdrängt hat?«

»Gut möglich. Wie alt war Ihr Mann, als seine Eltern gestorben sind?«

Tina überlegte, was ihr David erzählt hatte. »Er war noch ein kleiner Junge.«

Mit einem »Hmmm« machte sich die Ärztin eine Notiz und setzte dann die Reihe ihrer blauen Punkte fort.

»Ist das von Bedeutung?«

»Bei Kindern kann Amnesie komplizierter sein. Sie werden nach traumatischen Erfahrungen normalerweise von Erwachsenen unterstützt – in der Regel von den Eltern oder einem Elternteil. In vielen Fällen ist das ausreichend, und die Angelegenheit ist erledigt. Bei ihrem Mann ist die Situation offensichtlich schwieriger durch die Tatsache, dass er keine Eltern hatte, die diese Rolle hätten übernehmen können. Und auch keine engen Verwandten, wenn ich Sie richtig verstanden habe. Aus klinischer Sicht ein faszinierender Fall, wie er mir noch nie begegnet ist. Wissen Sie, was nach dem Tod seiner Eltern mit ihm passiert ist, wer ihn aufgezogen hat?«

»Er ist bei Pflegefamilien großgeworden.«

Die Ärztin verzog das Gesicht. »Wenn ein Kind nach einem traumatischen Ereignis nicht unterstützt wird … nun, dann kann es nicht begreifen, warum das passiert ist. Kinder glauben oft, dass sie der Grund sind, dass sie schuld an dem Ereignis sind.«

Tina beugte sich vor. »Genau das hat er gesagt. Er hat das Gefühl, dass er dafür verantwortlich ist, was der Frau in seinen Träumen zustößt.«

Dr. Knight nickte. »Viele Kinder meinen, sie sind schuld an Dingen im Leben, die sie nicht verstehen – zum Beispiel wenn sich die Eltern scheiden lassen. Eine Möglichkeit damit umzugehen, ist, dass man sich entzieht und alles verdrängt. Das Bewusstsein leugnet die Erfahrung, und das Ereignis wird immer tiefer unter die Oberfläche geschoben – manchmal jahrelang, wie gesagt.« Die Ärztin starrte vor sich hin, unschlüssig, ob sie fortfahren sollte.

»Was ist?«

»Wir dürfen nicht die Augen davor verschließen, dass der Traum Ihres Mannes große Ähnlichkeit mit den Umständen des Todes dieser Frau hat, Mrs. Sloane.«

Tina schüttelte den Kopf. »Er hat sie nicht umgebracht, Dr. Knight, auch wenn die Ähnlichkeit noch so groß ist. Er hat Melda geliebt. Sie war wie eine Mutter für ihn.«

»Nun, es gibt noch eine andere Möglichkeit, die allerdings sehr vage ist.«

Tina wartete.

Die Ärztin kratzte sich am Kopf. »Im Moment ist das noch reine Spekulation.«

»Ich verstehe.«

»Ich muss zugeben, dass ich das Ganze äußerst faszinierend finde. Trotz der offenkundigen Übereinstimmungen glaubt Ihr Mann nicht, dass die Frau in seinen Träumen dieselbe ist, die in ihrem Büro getötet wurde ...« Sie blickte auf ihre Notizen. »Emily Scott.«

»Stimmt, bei unseren Gesprächen hat er die beiden nie wirklich gleichgesetzt.«

»Und es war auch nicht diese alte Frau – Melda.«

»Das wäre auch völlig unmöglich. Er hat diesen Alptraum schon seit Wochen. Aber was hat das alles zu bedeuten?«

»Vielleicht gar nichts.« Der Ton der Ärztin ließ darauf schließen, dass sie etwas anderes dachte. »Aber Alpträume sind nicht das Problem, Mrs. Sloane. Sie sind das Alarmzeichen, das auf ein Problem hindeutet. Nach allem, was Sie mir erzählt haben, scheint Ihr Mann den Autounfall nicht verdrängt zu haben, bei dem seine Eltern ums Leben gekommen sind.«

»Ich weiß es nicht.«

»Kann er sich daran erinnern?«

»Ja.«

»Das könnte heißen, dass sich der Alptraum Ihres Mannes nicht um den Autounfall und den Tod seiner Eltern dreht.«

»Sondern um etwas anderes«, warf Tina ein.

Dr. Knight nickte. »Um etwas aus seiner Vergangenheit. Etwas, das so schrecklich ist, dass sein Bewusstsein lieber alles vergessen hat. Bis jetzt.«

## 33

Sloane lehnte sich vor, um den Spiegel auf der Innenseite der Badezimmertür sehen zu können. Sie stand genau in einem Winkel offen, dass sich darin das Maschendrahtfenster in der Tür zu seinem Zimmer spiegelte. Ungefähr alle fünfzehn Minuten spähte ein uniformierter Wachmann durch dieses Fenster in den Raum. Das war problematisch. Aber problematisch war auch, einfach nur tatenlos auf das Erscheinen des falschen Telefontechnikers zu warten.

Seit dem letzten Kontrollblick des Wachmanns hatte Sloane zwölf Minuten gezählt. Das Zählen war für ihn in seinem momentanen Zustand eine anspruchsvolle Aufgabe, die ihn halbwegs wachhielt. In drei Minuten würde der Wachmann wiederkommen. Sieben Minuten später war der pummelige Pfleger dran.

Fünf Minuten vergingen.

Plötzlich wurde die Tür aufgerissen, und der Pfleger erschien. Der Wachmann hatte Verspätung.

Sloane überlegte fieberhaft. In seiner Situation war es unmöglich zu erkennen, ob der Wachmann nur auf die Toilette gegangen war und jeden Moment zurückkehren konnte oder ob er ganz verschwunden war. Das würde er schon noch rausfinden, falls er überhaupt so weit kam. *Eins nach dem anderen,* mahnte er sich. *Denk voraus, aber immer nur bis zum nächsten Schritt.* Durch das Bergsteigen hatte er seinen Körper und Geist daran gewöhnt, nichts zu überstürzen und sich ganz auf Details zu konzentrieren. Auf dieses Training verließ er sich jetzt.

Der Pfleger trat ans Bett und griff nach Sloanes Handgelenk. Sloane nutzte dies, um seinen linken Arm zu packen und ihn an die Bettseite zu drücken. In diesem Augenblick fiel dem Pfleger auch das gleichmäßige Rieseln aus dem Tropf auf, dessen Nadel nicht mehr in Sloanes rechtem, von seinem Gurt befreiten Arm steckte.

Als sie sich über ihn gebeugt hatte, um ihn zu küssen, hatte sich Tina zwischen den Pfleger und das Bett gestellt und den Gurt gelöst.

Die Verwirrung in den Augen des Pflegers wurde zu Angst. Alarmiert riss er den Mund auf.

»Tut mir leid«, sagte Sloane. Er traf den Mann voll mit der rechten Hand. Seine Beine knickten ein, und er sank zusammen wie ein schwerer Sack. Ohne den Blick vom Spiegel zu nehmen, schaffte es Sloane, den Pfleger aufs Bett zu ziehen, damit er nicht auf den Boden krachte. Er schwang die Beine über die Bettseite. Das Zimmer drehte sich um ihn wie ein Karussell, und sein Fuß rutschte über den Boden; er klammerte sich an die Bettkante, um sich gegen die Zentrifugalkraft zu stemmen. Nachdem der Raum wieder zum Stillstand gekommen war, warf er einen Blick auf die Tür.

Kein Wachmann.

Als er aufstand, spürte er ein kaltes Brennen im Knöchel: noch ein Problem, mit dem er fertigwerden musste. Geduckt durchquerte er das Zimmer und öffnete den kleinen Schrank beim Bad. Auf einem Regalbrett lagen seine Brieftasche und sein Collegering, aber von seinen Kleidern war nichts zu sehen. Damit hatte er nicht gerechnet. In einem Krankenhauskittel, aus dem hinten der nackte Arsch hing, würde er nicht weit kommen. Er wandte sich wieder dem Pfleger zu.

In aller Eile vertauschte er seinen Kittel gegen das blaue Hemd und die Hose des Pflegers. Beide waren eng und die Hose zu kurz. Die Schuhe des Mannes waren hoffnungslos. Sloane warf sie unters Bett. Wenn er Glück hatte, schaute der Wachmann nicht nach unten. Er legte die Gurte um die Hände und Beine des Pflegers und zog sie so fest an, dass der nicht aus dem Bett konnte. Der Mann stöhnte. Sloane stopfte ihm ein Stück Kittel in den Mund und zog ihm die Bettdecke bis unter die Nase. Dann schnappte er sich das Klemmbrett vom Stuhl. Als er sich der Tür zuwandte, sah er im Spiegel den Wachmann durch das Maschendrahtfenster spähen.

## 34

Wieder wurden sie vom Klingeln des Telefons unterbrochen. Verärgert hielt Dr. Knight inne. »Entschuldigen Sie bitte, es tut mir leid. Eigentlich hatte ich Anweisung gegeben, keine Gespräche durchzustellen. Es dauert bestimmt nur einen Moment.« Sie griff zum Hörer. »Dr. Knight.«

Tina lehnte sich in ihrem Stuhl zurück und sah einem Vogel zu, der sich von den Luftströmungen tragen ließ, ein kleiner schwarzer Fleck über den schneeweißen Nebelfeldern, die keine Anstalten machten, sich aufs Meer hinaus zurückzuziehen.

»David Sloane? Ja, das ist mein Patient.«

Als Davids Name erwähnt wurde, wandte Tina den

Blick von der Aussicht ab und schaute Brenda Knight an. Die Ärztin machte ein gequältes Gesicht und deutete eine entschuldigende Geste an. Dann tippte sie wieder mit der Kugelschreiberspitze auf ihren Block. »Richtig, er darf keinen Besuch empfangen. Das geht doch klar und deutlich aus seiner Patientenkarte hervor.« Ihre Stimme klang leicht gereizt. »War es Detective Gordon? Nein? Wer war es dann?« Sie runzelte die Stirn. »Bleiben Sie bitte kurz dran.«

Knight legte die Hand über die Sprechmuschel.

»Gibt es ein Problem?«, fragte Tina.

»Es ist der Empfang. Sie sagen, ein Besucher ist gekommen, der zu Ihrem Mann wollte, und sie haben ihm aus Versehen die Zimmernummer gegeben, bevor sie meinen Eintrag in der Karte gesehen haben, dass er keinen Besuch empfangen darf.«

»Wer ist es denn?«

»Das ist das Komische. Haben Sie mir nicht erzählt, dass Ihr Mann keine Verwandten hat?«

Tina spürte plötzlich ein Stechen im Bauch. »Das hat er mir zumindest erzählt.«

»Also, die Leute vom Empfang sagen, dass gerade jemand aufgetaucht ist, der behauptet, der Bruder Ihres Mannes zu sein.«

Tina sprang auf. »Sein *was?*«

»Sein Bruder aus Indiana. Er sagt, er ist extra hergeflogen …«

»David stammt nicht aus Indiana. Er ist in Kalifornien aufgewachsen.« Ihr Nacken und ihre Schultern spannten sich krampfartig an. In ihrem Kopf hallte Sloanes Stimme wider. Meldas Beschreibung.

*Er ist klein und kräftig gebaut mit einem Kurzhaarschnitt. Melda sagt, er hat eine Adlertätowierung auf dem*

*Unterarm. Es ist derselbe, den ich gestern Abend gesehen habe.*

Tina riss die Bürotür auf und schrie: »Rufen Sie den Sicherheitsdienst!« Dann lief sie in den Gang hinaus.

## 35

Sloane neigte den Kopf so, dass der Wachmann sein Gesicht nicht erkennen konnte. Die Zimmertür ging auf.

»Alles in Ordnung hier drin?«, fragte der Uniformierte.

Sloane kritzelte Notizen auf das Klemmbrett. Nach einem kurzen Seitenblick auf den Pfleger tat er sein Bestes, um den Singsang des Mannes nachzuahmen. »Mhm. Alles in Butter. Schläft wie ein Baby.«

Er spürte, dass der Wachmann kurz verharrte.

Dann schloss sich die Tür wieder.

Sloane atmete aus, doch er wusste, dass seine Erleichterung verfrüht war. An dem Wachmann vorbei durch den Korridor zu gelangen und das Krankenhaus zu verlassen, war garantiert nicht einfach. Bestimmt gab es in einer psychiatrischen Anstalt nur eine begrenzte Anzahl von Ausgängen. Da er bei seiner Einlieferung bewusstlos gewesen war, hatte er keine Ahnung von der Anordnung der Räumlichkeiten. Wenn er keinen Verdacht erregen wollte, durfte er nicht im Korridor herumstehen und sich umsehen. Er musste zielstrebig ausschreiten. Wohin ihn das führen würde, konnte er jetzt noch nicht wissen.

Er trat zur Tür und blickte durch das Fenster. Von dem Wachmann war nichts zu sehen. Er machte die Tür einen Spaltbreit auf und spähte in den Gang hinaus. Durch das Beruhigungsmittel waren die Bilder verschwommen, doch er konnte den Uniformierten erkennen, der am Tresen eines Schwesternzimmers lehnte. An dieser Stelle liefen zwei Gänge zusammen, und dort befanden sich vermutlich auch die Aufzüge. Er blickte in die entgegengesetzte Richtung. Dort war kein Durchgang.

Das Stöhnen des Pflegers wurde lauter. Sloane hatte keine Zeit mehr und keine andere Wahl. Mit erhobenem Klemmbrett zog er die Tür auf und trat hinaus.

Bei jedem Schritt schoss ein Stechen von seinem Fußgelenk nach oben, aber er zwang sich, nicht zu humpeln, als er sich dem Schwesternzimmer näherte, wo der Wachmann mit dem Grund seiner Verspätung sprach: einer blonden Krankenschwester.

»Redet nur weiter«, flüsterte Sloane im Näherkommen. »Schaut nicht auf, schaut nicht nach unten.«

Der Uniformierte wandte den Kopf, doch sein Blick ging an Sloane vorbei den Gang hinunter. Dann setzte er seinen Flirt fort. Mit dem Klemmbrett vor dem Gesicht steuerte Sloane auf die sich kreuzenden Korridore zu.

Da schlitterte plötzlich Tina mit gesenktem Kopf um die Ecke, fand das Gleichgewicht wieder und rannte an ihm vorbei. Nur wenige Meter hinter ihr bemühte sich Brenda Knight kurzatmig und mit rotem Gesicht, Schritt zu halten. Die Ärztin blieb am Zimmer stehen und redete den Wachmann an. Sie deutete den Gang hinunter.

»Folgen Sie ihr, schnell.«

Der Uniformierte richtete sich gerade auf. »Alles in Ordnung. Hab gerade nachgesehen. Er schläft. Ein Pfleger ist bei ihm.«

Sloane bog um die Ecke und hatte die Aufzüge vor sich. Er drückte auf den Knopf und sah sich gleichzeitig nach dem Treppenhaus um, konnte es aber nicht entdecken.

Knight sprach noch kurz mit der Schwester, während

sie mit dem Wachmann schon auf das Zimmer losmarschierte. »War sonst noch jemand bei ihm?«

»Nein.« Die junge Frau klang nervös. »Nur Michael war bei ihm.«

Sloane wollte nicht mehr auf den Aufzug warten und setzte seine Suche nach einem anderen Ausgang fort. Als er nach hinten zur Station blickte, starrte ihn die blonde Krankenschwester mit einem verwirrten Ausdruck an. Besorgte Stimmen hallten durch den Korridor. In diesem Augenblick schaltete sich das Licht ein, und die Schwester fing an zu deuten und zu schreien.

»Hey! Er ist beim Aufzug. Er ist beim Aufzug!«

Die Aufzugklingel ertönte.

Schritte. Rennende Leute.

Die Aufzugtür glitt auf. Tina erreichte das Schwesternzimmer, der Wachmann knapp hinter ihr. Sie wandte sich zum Aufzug. »David!«

Als Sloane einsteigen wollte, trat ein Mann aus dem Aufzug.

*Kleiner als Sie. Starke Muskeln. Kurze Haare. Oben flach.*

Sie erkannten sich beide im selben Moment. Der Mann packte Sloane am Hemd, und Sloane stieß ihn nach hinten in den Fahrstuhl. Die Türen schlossen sich, als sie gegen die hintere Wand prallten. Der Aufzug erschauerte. Sie rangen miteinander und wälzten sich von einer Seite zur anderen. Sloane umklammerte den Arm mit der Waffe. Die andere Hand des Mannes erwischte Sloane am Hals, grub sich tief in seine Kehle und schnitt ihm die Luft ab. Trotz des aufwallenden Zorns und des Adrenalins, das durch seine Adern pumpte, war er durch die Medikamente geschwächt und spürte, wie der Mann die Oberhand zu gewinnen drohte, wie die Waffe sich in seine Richtung drehte. Er fühlte sich wie ein Ringkämpfer, dem die Kraft ausgeht, und der Lauf der Pistole näherte sich immer mehr seinem Kopf.

Ohne jede Vorwarnung warf Sloane den Kopf nach vorn und hörte, wie das Nasenbein des Mannes krachend zertrümmert wurde. Blut spritzte. Gleichzeitig verlagerte er das Gewicht auf das gesunde Bein und rammte den Mann mit aller Kraft gegen das Geländer an der gegenüberliegenden Wand. Mit einem jähen Ruck, der sie ins Schwanken brachte, kam der Aufzug zum Stillstand.

Immer wieder hämmerte Sloane die Hand mit der Waffe gegen die Wand, bis die Pistole zu Boden fiel. Als er sich umwandte, um sie an sich zu nehmen, sackte der Fahrstuhl wieder nach unten und blieb trudelnd hängen. Erneut verlor er das Gleichgewicht. Die Aufzugtüren öffneten sich. Sloane schnappte sich die Waffe, als eine Frau einstieg. Der Mann stieß erst sie und dann noch weitere Leute, die auf den Aufzug warteten, in Sloanes Richtung. Wie Bowlingkegel krachten sie mit Sloane zusammen. Die Fahrstuhltüren öffneten und schlossen sich rhythmisch, und ein lautes Summen zeigte eine Störung an. Sloane kletterte über die Gestürzten hinaus in den Korridor. Krankenhausangestellte ließen sich auf den Boden fallen und gingen in Deckung. Am Ende des Korridors erspähte er den Mann, der eine Tür aufzog und in ein Treppenhaus verschwand. Mit brennendem Knöchel humpelte ihm Sloane nach und riss die Tür auf. Er lehnte sich über das Geländer und sah, wie sein Gegner die Treppe hinunterstürmte. Selbst auf zwei gesunden Beinen hätte Sloane ihn nie eingeholt. Von oben wurden Stimmen und Schritte laut. Von unten kamen andere Stimmen. Sloanes Fluchtmöglichkeiten schwanden rapide. Er lief einen Treppenabsatz hinunter, steckte die Waffe in den Hosenbund unter dem Pflegerhemd und trat in einen Korridor, wo sich gerade eine Krankenschwester mit einem Patientenbett und einem Tropfgestell auf Rollen abmühte. Sloane hinkte heran, packte den Metallrahmen des Betts, um sich aufzustützen, und schob.

»Ich fass mal schnell mit an«, sagte er.

»Danke.« Sie hielt den Kopf gesenkt. »Die Räder verdrehen sich ständig … mein Gott, was ist denn mit Ihnen passiert?«

Sloanes Hemd war über und über mit Blut bespritzt. »Nasenbluten. Wollte gerade das Hemd wechseln. Wo muss er denn hin?«

Sieben Meter vor ihm kamen zwei junge Wachleute aus dem Treppenhaus gerannt. Mit abgewandtem Kopf zog Sloane das Laken zurecht und verlangsamte sein Tempo, um von der Krankenschwester an der anderen Seite des Betts verdeckt zu werden. Diese musterte ihn mit wachsendem Misstrauen.

»Ich habe Sie hier noch nie gesehen.«

Ihr Blick wanderte nach unten zu seinen nackten Füßen.

Ende der Fahnenstange.

Sloane entdeckte ein Ausgangschild und warf sich mitten im Schritt gegen die Tür. Das Tropfgestell blieb ratternd stehen, und er verschwand im Treppenhaus.

Am Ende der Treppe riss Sloane eine Tür auf, die auf einen leeren Bedienstetenkorridor mit zwei Pendeltüren führte. Von dort aus trat er auf eine Laderampe mit großen Wäschekörben. Autos oder Lieferwagen waren nicht zu sehen. Aus einem der Körbe zog er ein hellblaues Oberteil und eine passende Hose heraus, die er rasch über die Pflegeruniform streifte. Dann stülpte er sich eine blaue Baumwollmütze übers Haar und zog sich blaue Krankenhauslatschen über die nackten Füße. Kies bohrte sich in seine Sohlen, als er die Zufahrt überquerte. Auf halbem Weg zur Straße entdeckte er ein Taxi, das vor dem Krankenhauseingang parkte. Es war riskant, aber ohne Schuhe und mit einem verstauchten Knöchel würde er zu Fuß nicht weit kommen. So steuerte er auf das Taxi zu und zog die hintere Tür auf.

»Dr. Ingman?«, fragte der Fahrer.

»Ich hab es eilig«, antwortete Sloane.

## 36

Es sah aus wie beim Karneval. Tom Molia parkte hinter einer Reihe von Streifenwagen und orangefarbenen Wartungsfahrzeugen, die den Highway 9 säumten und die Abenddämmerung in pulsierendes Licht tauchten. Ü-Wagen von diversen Fernsehsendern waren ebenfalls eingetroffen, und überall wuselten Reporter mit tragbaren Kameras und Kabeln herum, um alles vorzubereiten. Molia zeigte zwei Uniformierten seine Dienstmarke, tauchte unter der Polizeiabsperrung durch und ging auf einen großen Kran zu, der direkt neben dem Abhang die Hälfte der Straße einnahm. Von seinem Ausleger erstreckten sich dicke Seile über das steile Gelände hinunter zu einer tragbaren Winde am Ufer.

Trotz des heftigen Ziehens in seinem Magen hatte Molia die Hoffnung noch nicht aufgegeben, dass es ein Irrtum war, dass sich Clay Baldwin getäuscht hatte. *Mein Gott, er muss sich einfach getäuscht haben,* dachte er.

Baldwin hatte Molia zu Hause angerufen, als er gerade vorn im Garten mit T.J. Ball spielte. Maggie war die Vortreppe heruntergekommen und hatte ihm das Telefon gegeben. »Es ist Clay. Hast du wieder Bereitschaftsdienst?«

Er war eigentlich nicht mit dem Bereitschaftsdienst dran, und allein die Erwähnung von Baldwins Namen brachte seinen Magen zum Brodeln. Er wusste, dass Clay Baldwin ihn nicht aus privaten Gründen anrief. Als Molia das Gespräch beendete, brannte sein Magen wie ein Hochofen, während sein übriger Körper zu Eis erstarrt war.

Ein Fischereiboot hatte den ungewöhnlichen Umriss mit dem Echolot erfasst – mit einem Garmin Fishfinder 240, wie der Kapitän nicht ohne Stolz erzählte. Der Mann, der von einer Ausfahrt am späten Nachmittag zurückgekehrt war, kannte nach eigenen Angaben jeden Zentimeter des Shenandoah, und deshalb hatte ihn das dunkle Bild auf seinem Monitor stutzig gemacht. Zunächst dachte er an den größten Fisch seines Lebens, doch eine feinere Auflösung zeigte, dass er sich geirrt hatte.

»Sie glauben, dass sie ihn gefunden haben. Sie glauben, dass sie Cooperman gefunden haben«, sagte Baldwin.

Aus dieser schlichten Aussage schloss Molia sofort, dass sie Bert Cooperman nicht beim Biertrinken und Billardspielen im Pub gefunden hatten.

»Sieht aus, als hätte er in einer Kurve die Kontrolle über den Wagen verloren«, fuhr Baldwin fort. »Sie haben Reifenspuren gefunden. Anscheinend ist er auf dem losen Kies ins Schleudern gekommen. An der Stelle gibt es keine Leitplanke, Mole. Deswegen hat niemand was bemerkt. Muss alles ganz schnell gegangen sein.«

Molia blickte die Böschung hinunter und spürte, wie seine Knie weich wurden und ihm der kalte Schweiß auf die Stirn trat. Er trat von der Kante zurück. Höhen vertrug er nicht, das war schon immer so gewesen. Wenn es so weit nach unten ging, kriegte er Zustände. Das Gelände fiel zwar eher schräg ab, aber ihm erschien es wie ein gerader Abhang, ein Abgrund ohne Boden. Er ging zum Kranführer, der in der Kabine saß und in ein Handfunkgerät sprach, wahrscheinlich mit dem Mann, der unten am Ufer die Winde betätigte.

Molia hielt seine Dienstmarke hoch. »Was machen Sie gerade?«

»Wir haben drei Taucher im Wasser.« Die Stimme des Kranführers, der gleichzeitig mehrere Hebel bediente, drang durch das Dröhnen der Maschine. »Sie befestigen Ketten, damit wir den Wagen raufziehen können.«

»Was für ein Auto?«, fragte Molia.

»Schwer zu erkennen. Auf jeden Fall sitzt einer eingeklemmt hinterm Steuer.«

Molia war entsetzt. »Warum haben sie den noch nicht rausgeholt?«

»Geht nicht.« Der Mann legte einen Hebel um. »Anscheinend hat es den Wagen ziemlich zusammengestaucht.« Über das Funkgerät kam ein Ruf. »Jetzt müssen Sie mich entschuldigen.« Der Kranführer setzte sich zurecht und legte los. Einige Minuten später, nach weiteren Anweisungen über Funk, wurde das Seil straff. »Jetzt kommt er hoch!«, brüllte der Mann zu Molia hinab.

Der Detective trat vor, hielt aber Abstand zur Kante. Er hörte das Summen der Stahlseile und des angestrengten Motors. Als das Auto die Oberfläche durchbrach, strömte das Wasser über die ramponierte Karosserie. Ein Streifenwagen. Bert Cooperman.

Molia spuckte die Böschung hinunter. Der Schmerz in seinen Eingeweiden war zu einem bitteren Geschmack in seinem Mund geworden.

Der Kranführer rief ihm etwas zu. »Ist das einer von euch?«

»Ja.« Molia wandte sich nicht um. »Das ist einer von uns.«

Jemand hatte einen Cop umgebracht, und diesmal würde kein aufgeblasener Bundesstaatsanwalt die Leiche beschlagnahmen. Diesmal würde Tom Molia die Arbeit machen, zu der er sich mit einem Eid verpflichtet hatte. Und es war ihm scheißegal, wem er dabei auf die Zehen treten würde.

## 37

Vor dem Haupteingang des UC San Francisco Hospital an der Judah Street drängte sich ein Dutzend schwarzweißer Polizeiwagen zusammen, die mit ihren blitzenden Lichtern die natürliche Farbpalette der späten Abenddämmerung bereicherten. Der Sonnenuntergang hatte die Wolken in eine Mischung aus Violett- und Blautönen getaucht. Auf der anderen Straßenseite standen Medizinstudenten mit schweren Rucksäcken Schulter an Schulter mit Krankenhausangestellten und verfolgten angeregt diskutierend das Geschehen. Wilde Gerüchte kursierten. Im Krankenhaus habe es Tote gegeben, viele sogar. Ein geistesgestörter Patient, der aus seinem Zimmer geflohen sei, habe mehrere Mitarbeiter getötet und halte andere als Geiseln fest. Sondereinsatzkommandos der Polizei seien nun dabei, Stockwerk für Stockwerk und Zimmer für Zimmer zu durchkämmen.

Verwundert starrte Detective Frank Gordon durch die getönten Glastüren der Eingangshalle hinaus auf die Menschenmenge. »Kaum schaltet man das Blaulicht an, ist es wie mit den Motten an der Haustürlampe. Egal, wie gefährlich die Situation ist, und selbst wenn sie vielleicht sogar draufgehen könnten – sie können nicht anders, sie müssen zum Licht strömen.« Er wandte sich zu Tina. »Wer sind denn Sie eigentlich – eine Freundin von ihm? Seine Frau jedenfalls nicht.« Gordon deutete auf ihre linke Hand. »Kein Ring. Außerdem habe ich es nachgeprüft. Sloane ist nicht verheiratet.«

»Ich bin seine Sekretärin. Tina Scoccolo.«

Gordon lehnte sich vor, als hätte er Hörprobleme. »Seine Sekretärin?«

Sie nickte. »Wir arbeiten schon seit zehn Jahren zusammen.«

Gordon schüttelte den Kopf, und sein Lächeln drückte geistige Erschöpfung aus. »Seit vierundzwanzig Jahren bin ich jetzt bei der Polizei, aber so was Verrücktes hab ich noch nie erlebt.«

»Aber seine Geschichte stimmt, oder? Was er über den Mann in seinem Haus gesagt hat, ist wahr.«

Gordon klang resigniert und nicht gerade zufrieden. »Ja, die Leute vom Empfang haben den Typ, der sich als Sloanes Bruder ausgegeben hat, ganz ähnlich beschrieben wie Sloane. Außerdem haben wir von einem von Sloanes Mietern eine Beschreibung bekommen, die auch passt. Ich bin dort rausgefahren. Der Mieter sagt, er habe einen Telefontechniker, der dieser Beschreibung entspricht, weiterverwiesen an Melda ...« Er blickte auf seine Notizen.

»Demanjuk«, warf Tina ein.

»Demanjuk, genau.«

»Bloß dass er nicht von der Telefongesellschaft war.«

»Anscheinend nicht. Auch da waren Sloanes Angaben richtig. Von dem Haus aus wurde keine Störung gemeldet.«

»Also stimmt es, was David über den Einbruch gesagt hat«, bemerkte sie.

»Von einem Einbruch weiß ich nichts. Ich kann nur sagen, dass Mr. Sloane tatsächlich Anzeige bei der Polizei erstattet hat. Und nach Angaben der beiden Beamten, die dort waren, hat jemand seine Wohnung auseinandergenommen, genauso wie die Wohnung von Ms. …«

»Demanjuk.«

»Die Wohnung von Ms. Demanjuk, genau. Auf jeden Fall passt das alles zusammen, ja.«

Tina stieß einen Seufzer der Erleichterung aus.

»Aber der Officer meint auch, dass das Ganze irgendwie komisch war.«

»Komisch?«

»Zum Beispiel, dass die Einbrecher nichts mitgenommen haben.«

»Das verstehe ich nicht.«

»Ich auch nicht. Einbrecher kommen normalerweise zum Stehlen.« Gordon zog die Augenbrauen hoch. »Die Leute, die in Sloanes Apartment eingedrungen sind, haben keine Wertsachen mitgenommen – weder die Stereoanlage noch den Fernseher. Sie haben nur alles verwüstet. Da scheidet Raub wohl als Motiv aus.«

Tina wusste von David, dass der Mann nach einem Kuvert gesucht hatte. Aber sie hütete sich, etwas davon zu erzählen.

»Hat Mr. Sloane Ihres Wissens irgendwelche Laster?«

»Laster?«

»Drogen, Alkohol, Spielsucht … Frauen.«

Sie schüttelte den Kopf. »Er trinkt nur selten was, Detec…« Sie verstummte mitten im Satz, als ihr Sloanes Bitte einfiel, seine Aktentasche aus dem Büro zu holen. Das Kuvert von Joe Branick war da drin.

»Ms. Scoccolo?«

»Hmm?«

»Irgendwelche Laster?«

»Nein«, antwortete sie. »Nicht, dass ich wüsste.« Sie klang nicht besonders überzeugend.

Dem Detective fiel ihr Zögern sofort auf. »Irgendwas, was ihn in Schwierigkeiten bringen könnte? War jemand sauer auf ihn? Hat er jemandem Geld geschuldet?«

»Soweit ich weiß, nein.« Ihre Stimme war immer noch unsicher. Sie verschränkte die Arme. »Ich habe keinen Einblick in sein Privatleben, Detective, aber ich kann Ihnen sagen, dass er keine Sucht hat … außer vielleicht die nach seiner Arbeit. Für so was hätte er gar keine Zeit. Was das Geld angeht, ich erledige seine Gehaltsüberweisungen und zahle ziemlich viele seiner Rechnungen. Ich kann Ihnen versichern, dass es ihm nicht schlechtgeht. Er gibt nur selten was für sich aus. Ich bestelle Anzüge und Hemden für ihn aus Katalogen.«

»Und was macht er mit dem ganzen Geld?«

»Er legt es an oder lässt es einfach auf seinen Konten liegen. Er spendet viel an Wohltätigkeitsprojekte für Kinder.«

Gordon rieb sich übers Kinn, wie um die Gründlichkeit seiner Rasur zu überprüfen. »Hat er Feinde?«

Sie zuckte die Achseln. »Er ist Anwalt.«

Gordon lachte.

»Ich wollte damit sagen, dass er meistens gewinnt. Es gibt also bestimmt einige Leute, die nicht besonders gut auf ihn zu sprechen sind. Aber von richtiggehenden Feinden weiß ich nichts.«

Gordon zog eine Plastiktüte aus seiner Manteltasche und hielt sie Tina hin. In der Tüte war ein Projektil. »Ein Polizist hat es entdeckt. Genau dort, wo Sloane gesagt hat.«

Ein Schauer lief ihr den Rücken hinab.

»Können Sie ihm etwas ausrichten?«

»Ich kann es versuchen.«

»Ich würde es Ihnen empfehlen. Sagen Sie ihm, er soll sich stellen.«

»Aber Sie glauben ihm doch. Sie haben gesagt, dass seine Angaben stimmen.«

»In jedem Punkt? Ich weiß es nicht. Nun, im Zusammenhang mit dem Tod von Ms. Demanjuk ist er nicht mehr tatverdächtig, aber leider weiß er das nicht.«

»Was soll das heißen?«

»Er ist auf der Flucht, und nach Zeugenaussagen hat er eine geladene Waffe bei sich.«

»Er ist nicht gefährlich, Detective.«

»Im Normalfall würde ich Ihnen gern zustimmen, Ms. Scoccolo, aber das ist kein normaler Fall. Verzweifelte Menschen sind zu verzweifelten Handlungen fähig. Sloane war so verzweifelt, dass er aus seinem Krankenhauszimmer ausgebrochen ist. Das hatte wahrscheinlich was mit dem Typen zu tun, den er im Aufzug niedergeschlagen hat. Allerdings haben Sie ja selbst gesagt, dass er schon auf der Flucht war, bevor der Typ aufgekreuzt ist. Also muss Sloane gewusst haben, dass der Typ kommt, oder er hatte einen anderen dringenden Grund, sich bedroht zu fühlen. Wie und warum, würde mich besonders interessieren, zusammen mit ungefähr zwanzig anderen Fragen, aber das ist im Moment nicht meine größte Sorge.«

»Was dann?«

»Der Typ, der im Krankenhaus aufgetaucht ist. Er läuft noch immer frei herum, und ich möchte nicht, dass das Ganze noch weiter eskaliert.«

# 38

Die enge Werkzeugkammer, nicht größer als ein begehbarer Schrank, war vollgestopft mit Metallregalen, auf denen sich Meldas Gartengeräte und diverses Baumaterial stapelten. Sloane saß auf einem Zwanziglitereimer Holzbeize, der vom letzten Anstrich der Schindeln übrig geblieben war. Aus einer nackten Glühbirne über ihm, die er an einem Holzbalken befestigt und notdürftig angeschlossen hatte, drang schwaches Licht. Beim Aufwachen spürte er die Nachwirkungen der Medikamente. Er war müde und zittrig, aber wenigstens war ihm nicht mehr schwindlig und er wurde nicht mehr ständig von diesen Schauern geschüttelt. Er hatte keine Ahnung, wie viel Zeit vergangen war.

Er hatte den Taxifahrer gebeten, ihn auf dem unbebauten Grundstück herauszulassen, und dann das Haus beobachtet, um sicherzugehen, dass alles ruhig war. Dann war er am Rand des Kliffs entlang zur Werkzeugkammer auf der Rückseite des Hauses geschlichen. Dort war er zusammengebrochen. Als der Adrenalinfluss nach seiner Auseinandersetzung im Krankenhausaufzug abflaute, fühlte er sich zusehends schwindlig und übel. Er setzte sich erst mal hin, um sich ein wenig zu sammeln, denn ohne seine Schlüssel musste er über die Außenbalkone klettern, wenn er in seine Wohnung wollte. Seine letzte Erinnerung war, dass er sich mit dem Kopf an die Betonwand gelehnt hatte, um ein wenig zu verschnaufen.

Er stand auf, um die Schnur zu ziehen, mit der man die Birne ausschaltete, und schob langsam die Tür auf. Es war Nacht. Er hörte die Grillen auf dem Feld und die gedämpfte Meeresbrandung. Eine kühle Brise blies durch den Korridor, der zur Werkzeugkammer führte. Schwaches Mondlicht fiel herab. Der Nebel war ausgeblieben. Er wartete, bis sich seine Augen an das Dunkel gewöhnt hatten, dann steuerte er auf den Stellplatz zu. Durch die Fenster eines großen Geländewagens schaute er hinüber zum Parkplatz. Im Schatten zeichnete sich der Umriss des Blaulichts auf dem Dach eines Streifenwagens ab, der bei der Lorbeerhecke parkte.

Keine leichte Sache für ihn.

Er schlich zurück zur Werkzeugkammer, um den Eimer Holzbeize zu holen, und trug ihn zur Rückseite des Hauses. Auf dem Eimer stehend konnte er das gusseiserne Geländer im Erdgeschoss erreichen. Er zog sich hinauf und glitt auf Meldas Außenflur. Dann stellte er sich auf das Geländer, um sich zum Rand des Balkons vor seinem Apartment zu strecken, und wiederholte die Übung. Er schob die Glastür zu seinem Schlafzimmer auf und lauschte kurz, um sicherzugehen, dass er allein war. Alle Gedanken an Meldas grausamen Tod beiseiteschiebend, trat er ein. Zuerst tauschte er die Krankenhauskluft gegen Jeans, T-Shirt und ein schlichtes graues Sweatshirt, dann holte er das Isolierband, mit dem er das Sitzpolster repariert hatte. Sein Knöchel war blau und grün, aber eine Behandlung kam in nächster Zeit nicht in Frage. Auf der Bettkante sitzend zog er eine Sportsocke an und umwickelte das Fußgelenk zur Stabilisierung mit Isolierband. Er schluckte den Schmerz hinunter, als er den Fuß in einen Wanderstiefel zwängte und diesen fest verschnürte. Um den Knöchel zu testen, stand er auf. Es war nicht besonders angenehm, aber das Band und der Stiefel gaben ihm zumindest so viel Halt, dass er ohne sichtbares Hinken und ohne allzu große Schmerzen gehen konnte.

Sloane nahm die Waffe vom Bett. Aus seiner Zeit bei

den Marines wusste er, dass es eine Ruger MK II war, eine Automatik Kaliber .22. Was lief da eigentlich ab, verdammt? Ihm war, als wäre er plötzlich in ein Virtual-Reality-Game geworfen worden, in dem er von unsichtbaren und unhörbaren Kräften beherrscht und gelenkt wurde. Er stand auf, um den Gedanken abzuschütteln. Jetzt zählte nur das Wesentliche. Er warf die Waffe in eine Sporttasche aus seinem Schrank und stopfte wahllos Kleidungsstücke aus der Kommode und Toilettensachen aus dem Bad dazu. Wieder im Schlafzimmer kniete er sich in den Wandschrank und schleuderte Schuhe und schmutzige Wäsche zur Seite, um den Teppichboden zurückzuziehen. Darunter kam der kleine Bodensafe zum Vorschein, den er nach dem Kauf des Hauses hatte einbauen lassen. Er benutzte ihn als feuerfesten Aufbewahrungsort für wichtige Unterlagen und Mietzahlungen, denn seine älteren Mieter gaben ihm das Geld noch in bar. Nachdem er die Safetür aufgezogen hatte, zählte er 2 420 Dollar.

Es kam ihm darauf an, so lange wie möglich keine Kreditkarten und Geldautomaten benutzen zu müssen. Auch die Rolex vom Nachttisch nahm er an sich, weil er sie unter Umständen verpfänden konnte. Als er sich die Uhr übers Handgelenk streifte, bemerkte er die rote Zahl Eins, die auf dem Anrufbeantworter neben seinem Bett blinkte. Einer merkwürdigen Regung folgend drückte er auf den Knopf. Der Piepton schallte wie eine Autoalarmanlage in seinen Ohren. Schnell drehte er die Lautstärke zurück.

»David? Ich bin's, Tina.« Sie klang aufgeregt. »Wenn du diese Nachricht abhörst, ruf mich bitte an. Ich habe mit Detective Gordon gesprochen. Er sagt, er hat mit einem deiner Mieter geredet. Du hattest Recht. Der Mann, der ins Krankenhaus gekommen ist, hat sich in deinem Haus als Telefontechniker ausgegeben, und dein Mieter hat ihn zu Melda geschickt. Detective Gordon hat herausgefunden, dass bei der Telefongesellschaft keine Reparaturanfrage eingegangen ist. Außerdem hat die Polizei auch eine Kugel in der Hausverkleidung gefunden, David. Ich soll dir von Gordon ausrichten, dass der Mann immer noch frei rumläuft ...« Sie zögerte. »Ich hoffe, du bekommst diese Nachricht, David.«

Er spürte Erleichterung. Wenigstens waren die ganzen Ereignisse um ihn herum keine Hirngespinste gewesen. Er wollte schon auf den Ausknopf drücken, aber Tina war noch nicht zu Ende. Anscheinend war ihr noch etwas eingefallen.

»Ich hole heute Abend deine Aktentasche aus dem Büro. Du kannst mich zu Hause anrufen.«

Als sich das Gerät abschaltete, spülte eine schlimme Vorahnung über ihn hinweg wie eine plötzliche Welle. Seine Aktentasche. Er hatte völlig vergessen, dass er sie gebeten hatte, sie zu holen. Und jetzt erkannte er, dass er einen schrecklichen Fehler begangen hatte. Es war naheliegend, als Nächstes in Sloanes Büro nach dem Kuvert zu suchen, und Sloane war sich plötzlich sicher, dass der Mann schon unterwegs dorthin war, so wie er auch gewusst hatte, dass er ins Krankenhaus kommen würde. In diesem Moment fiel ein weiterer Dominostein – eine Frage, mit der er sich unterbewusst die ganze Zeit beschäftigt hatte, ohne eine Lösung zu finden. Wenn der Mann mühelos Schlösser knacken konnte, warum sollte er sich dann die Mühe geben, sich als Telefontechniker auszugeben?

Schnell lief Sloane durch das Wohnzimmer in die Küche, nahm das Telefon aus seinem Halter auf der Theke und klappte die Rückseite auf. Hinter den Batteriesatz war ein winziges Mikrofon geklemmt, nicht größer als eine Uhrenbatterie.

Er schaute auf die Rolex. Bis zum Büro brauchte er mindestens eine halbe Stunde.

Beim Klang von Absätzen auf dem Marmorboden blickte Jack Connally auf und machte ein Eselsohr in die Seite seines Romans. Die Hände flach auf dem Tresen schob er seinen Stuhl zurück und stand auf. Lächelnd kam Tina näher, während sie in ihrer Tasche nach ihrer Karte mit dem Zugangscode für das Gebäude wühlte. Nach der Geschichte mit Emily Scott und dem Amoklauf eines Mannes mit Militärwaffen in der Kanzlei seines Anwalts waren in den meisten Geschäftsgebäuden der Stadt spezielle Sicherheitsvorkehrungen eingeführt worden. Dazu gehörten Aufzüge in der Eingangshalle, die sich nur nach Eingabe eines digitalen Codes in Gang setzten, und Türen auf jedem Stockwerk, die die Büros vom äußeren Gang abriegelten. Um nach den normalen Arbeitszeiten Zutritt zu erhalten, war für beide eine Zugangskarte erforderlich.

»Tina, was macht denn eine hübsche junge Frau wie Sie so spät am Wochenende noch im Büro?«, fragte Connally, der seit kurzem Großvater und alt genug war, um ihr Vater zu sein.

»Ach, Sie wissen schon, Jack, wieder so ein Prozess.«

»Na, hoffentlich müssen Sie nicht so lange bleiben.«

»Heute Abend nicht.« Sie kramte immer noch in ihrer Tasche. »Muss nur ein paar Sachen holen.«

»Am Samstagabend sollten Sie sich ein bisschen Unterhaltung gönnen. Sie arbeiten zu viel. Die Überstunden hören ja gar nicht mehr auf bei Ihnen.«

»Ich muss eben meine Rechnungen bezahlen, Jack.« Sie hatte die Karte gefunden und zwinkerte dem alten Mann zu, als sie die Karte über den elektronischen Sensor führte. »Außerdem … sind die guten Männer wie Sie alle schon vergeben.«

Connally lächelte wie ein verlegener Schuljunge. Der Computer registrierte, dass sie das Gebäude um 21.22 Uhr betreten hatte.

»Der achtzehnte ist offen.« Connally griff nach seinem Roman. »Der Hausmeister ist gerade raufgefahren.«

Tina stieg in einen Aufzug und lehnte sich an die Wand, als sich die Türen schlossen. Während der Fahrt beobachtete sie das Hochzählen der Etagennummern. Sie hatte David Nachrichten zu Hause, im Büro und auf seinem Handy hinterlassen und hoffte, dass er zumindest eine davon bekam. Der Fahrstuhl wurde langsamer und hielt an. Die Türen glitten auseinander. Sie stieg aus und sprang sofort wieder zurück, die Hand vor der Brust.

»O Gott! Haben Sie mir einen Schreck eingejagt.«

Im Gang stand mit verwirrter Miene der Hausmeister, der gerade einen Aschenbecher reinigte. »Tut mir leid.« Er zog den Mülleimer zur Seite, damit sie vorbeikonnte.

Tina tippte den Zugangscode in das Tastenfeld direkt unter dem Schild mit der goldgeprägten Aufschrift »Foster & Bane, Anwaltskanzlei« und öffnete die Tür. Dann trat sie in den dunklen Empfangsbereich, der nur von einer Sicherheitslampe an der Decke und dem grünen Schein eines Ausgangsschildes über der Doppeltür erleuchtet war, und ging durch den Flur zu Davids Büro. Sie fand seine Aktentasche genau dort, wo er sie hingelegt hatte. Als sie sie aufnahm, fiel ihr der rostrote Umschlag auf, der aus der Seitentasche ragte, und sie überlegte, was er wohl enthielt.

Da klingelte im Gang ein Telefon. Sie fragte sich, wer so spät am Samstagabend noch arbeitete. Kein Wunder, dass so viele Leute aus der Kanzlei geschieden waren. Als sie auf dem Rückweg gerade um die Ecke biegen wollte, bemerkte sie das blinkende rote Licht an ihrem Telefon. Da sie am Freitag fast bis zehn gearbeitet hatte, konnte es wohl kaum eine geschäftliche Nachricht sein. Ihr fielen nur zwei Leute ein, die sie noch spät am Samstagabend im Büro vermuten konnten: ihre Mutter ... und David. Sie trat an den Schreibtisch und tippte zuerst die Zahl für das gesamte Voicemail-Netz und dann ihr Passwort ein. Die Computerstimme teilte ihr mit, dass sie zwei Nachrichten habe. Die erste war ungefähr vor zwanzig Minuten eingegangen.

*»Tina? Tina, bist du da?«*

Beim Klang seiner Stimme verspürte sie einen Adrenalinstoß, aber damit war die Nachricht schon zu Ende. Schnell drückte sie auf den Knopf, um die zweite Nachricht abzuhören, die vier Minuten nach der ersten hinterlassen worden war.

»Tina. Ich bin's, David. Ich hab gerade mit deiner Mutter telefoniert. Bist du da?« Er fluchte leise vor sich hin. »Verdammt. Tina, ich hab deine Nachricht bekommen.«

Aus dem Rauschen schloss sie, dass er vom Handy aus angerufen hatte. Er klang atemlos, als wäre er gerannt.

»Vergiss das mit meiner Aktentasche. Hol sie *nicht* ab. Lass sie, wo sie ist. Wenn du da bist und das hörst, lass sie einfach liegen und verschwinde aus dem Gebäude. Verdammt.«

Seine Worte trafen sie wie ein Schlag in den Magen. Unsicher hielt sie das Telefon in der Hand, dann wählte sie rasch aus dem Gedächtnis seine Nummer. Er meldete sich gleich nach dem ersten Klingelton.

»David.«

»Tina, wo bist du?«

»Ich bin im Büro …«

»Verschwinde von dort! Hast du kapiert? Verschwinde, so schnell du kannst.«

»Was …« Sie hörte die Räder des Hausmeisterwagens auf dem Marmorboden im Korridor. Im ganzen Haus galt Rauchverbot. Es gab keinen Grund dafür, dass der Hausmeister am Aufzug stand und einen Aschenbecher reinigte.

»Tina? Tina!«

Sie musste an Melda Demanjuk denken. Und dann an Emily Scott.

Im Schutz der Autos, durch deren Fenster er den Parkplatz nicht aus den Augen ließ, überquerte er den überdachten Stellplatz. Sein Jeep kam nicht in Frage; den hatte die Polizei direkt unter der Nase. Seine einzige andere Möglichkeit war Meldas 69er Barracuda. Sie hatte einen Ersatzschlüssel bei ihm deponiert. Wenn er den Wagen erreichte und es schaffte, den Motor anzulassen, hatte er eine Chance. Nach dem Tod ihres Mannes war Melda nur selten gefahren, und das Auto war oft über lange Zeiträume hinweg nicht benutzt worden.

Er hatte kurz mit dem Gedanken gespielt, einfach hinaus zu den zwei Polizisten zu laufen, die vor dem Haus Wache standen, ihn aber wieder verworfen. Sie hielten Ausschau nach einem bewaffneten und möglicherweise gewaltbereiten Mann, der aus einer psychiatrischen Abteilung entflohen war. Unter diesen Umständen hätten sie wahrscheinlich ziemlich wenig anfangen können mit Sloanes Ahnung, dass in einem Hochhaus in San Francisco eine Frau in Gefahr schwebte, und ihm wohl kaum

Gelegenheit gegeben, die Sache zu erklären. Er hatte versucht, Detective Frank Gordon im Polizeirevier Ingleside zu erreichen, aber der hatte sich nicht gemeldet, und die Zentrale wollte Sloane nicht Gordons Privatnummer geben. Also hinterließ er ihm eine Nachricht, aber es war unwahrscheinlich, dass der Detective vor ihm in dem Gebäude eintraf.

Er glitt zwischen die Mauer und das Auto und ließ das Schloss aufschnappen. Die Fahrertür quietschte wie eine Seemannskiste, die geöffnet wird, nachdem sie jahrelang unbenutzt auf dem Speicher gestanden hat. Er quetschte sich hinein und schob den Sitz zurück, während er gleichzeitig den Rück- und die Seitenspiegel im Auge behielt. Von den Polizisten war nichts zu sehen. Im Wagen stand ein muffiger Geruch wie im Kleiderschrank eines alten Menschen, nur schwach getarnt mit einem Kiefernduftspray, das seine Wirkung längst verloren hatte. Das Auto war in makellosem Zustand – kein Riss oder Sprung in den kirschroten Sitzen und auf dem Armaturenbrett. Hoffentlich war der Motor genauso gut in Form. Er würde es gleich erfahren. Mit gekreuzten Fingern steckte er den Schlüssel ins Zündschloss und drehte. Der Motor gab das keuchende Lachen einer Hyäne von sich – dann nichts mehr. Sloane spielte mit dem Gaspedal, um den Motor zum Anspringen zu bewegen. Schließlich schaltete er ab, als er spürte, dass die Batterie nicht mehr viel Strom hatte. Den Blick auf dem Rückspiegel zwang er sich, bis zehn zu zählen. Dann stieg er einmal kurz aufs Gas, um die Startautomatik in Gang zu setzen und drehte erneut den Schlüssel. Diesmal wimmerte der Motor und stieß hoffnungsfroh stotternd Auspuffgase aus. Schiebend und drängend bearbeitete er das Pedal.

»Komm schon. Komm schon, spring an.«

Der Wagen hustete und spuckte wie ein Ertrunkener, der wieder zum Leben erwacht.

Dann starb der Motor ab.

»*Scheiße.*« Er stellte die Zündung ab und wartete. Sein Blick huschte zu den Spiegeln, während er gegen den Drang ankämpfte, einfach davonzustürmen. Hoffentlich war noch genügend Saft in der Batterie. Wieder zählte er, diesmal nur bis fünf, bevor er den Schlüssel drehte. Der Motor gab ein Lebenszeichen von sich und hatte eine Fehlzündung – ein Auspuffknall, der laut unter dem Dach widerhallte. Sloane hörte Stimmen, und die beiden Polizisten tauchten im Rückspiegel auf. Sie mussten nur der Rauchfahne aus dem Auspuffrohr des Barracuda folgen.

Sloane schloss die Augen. »Okay, Melda, wenn du irgendwo da oben bist und dich noch für mich interessierst, dann sorg dafür, dass dieser Scheißmotor anspringt.«

Er drückte kurz aufs Gas und drehte den Schlüssel. Der Motor krächzte, stotterte, knallte erneut. Er kitzelte das Pedal, bis der Motor aufheulte, und kämpfte, um ihn nicht wieder absterben zu lassen. Eine kohlengraue Wolke verdeckte ihm die Sicht durch die Heckscheibe. Bei hoher Drehzahl warf er den Rückwärtsgang ein, nahm den Fuß von der Bremse und hoffte, dass die beiden Beamten, die irgendwo hinter ihm im Rauch standen, rechtzeitig zur Seite sprangen.

## 39

Peter Hos marineblauer Chevrolet Blazer, auf dessen Tür in weißer Schrift JEFFERSON COUNTY MEDICAL EXAMINER stand, parkte an dem Backsteingehsteig vor Tom Molias Haus. Das hellgelbe Kolonialstilgebäude am

Ende einer Sackgasse hatte Mansardenfenster mit blauen Läden. Im Garten blühten Rosen und Azaleen, und der Rasen war grün bis auf einige braune Stellen, die von der Sprinkleranlage nicht erreicht wurden. Molia hielt seinen Wagen an, um einen Blick auf das Vorstadtviertel mit seinen grünen Rasenflächen, hochgewachsenen Bäumen und großzügigen Häusern zu werfen, die im Licht von absolut gerade angeordneten Straßenlampen und bunt gemischten Verandaleuchten erstrahlten. Es war die Art von Wohnviertel und die Art von Häusern, von denen Bert Cooperman immer geträumt hatte.

Damit war es jetzt vorbei.

Molia hatte die Familie persönlich aufgesucht, um ihr die Nachricht zu überbringen. Er hatte schon öfter in solchen Fällen an Türen geklopft, aber so schwer war es ihm noch nie gefallen. Debbie Cooperman brach sofort zusammen, als sie ihn sah. Sie wusste es. Die ganze Familie wusste es. Sie waren alle da und warteten. Sie hofften, obwohl es keine Hoffnung mehr gab. Coopermans kleiner Sohn weinte in den Armen seiner Mutter. Er hatte jedes Recht dazu.

Für J. Rayburn Franklin erklärte der Unfall, warum Cooperman einfach verschwunden war, warum der junge Officer nicht mehr gefunkt hatte und warum ihn die Park Police nicht angetroffen hatte. Coop war gar nicht bis zu dem Ort gekommen, wo sich Joe Branick umgebracht hatte. Sein Auto war in einer Kurve ins Schleudern geraten und über die Böschung hinunter in den Shenandoah geschossen. Das war die einzig logische Erklärung.

Bloß dass Tom Molia kein einziges Wort davon glaubte.

Bert Cooperman verschätzte sich nicht in einer Kurve, die er schon hundert Mal in seinem Leben gefahren war. Er berechnete seine Geschwindigkeit nicht aus Erschöpfung falsch. Jemand wollte, dass es aussah wie ein Unfall. Jemand wollte, dass es aussah, als hätte ein übermüdeter junger Officer in der Hektik einen tödlichen Fehler gemacht. Und dieser Jemand hatte wirklich gute Arbeit geleistet. Sie hatten alle Spuren verwischt und sogar den Reifenabdruck des Streifenwagens am Abhang beseitigt. Das waren keine Amateure. Das waren professionelle Killer, die ihr Handwerk verstanden.

Aber sie kannten Bert Cooperman nicht so gut, wie ihn Tom Molia kannte.

Sie wussten nicht, dass Coop ein Junge vom Land war, der in den Bergen von West Virginia gejagt und in den Bächen gefischt hatte, seit er alt genug war, um auf dem Schoß seines Vaters zu sitzen und über das Lenkrad zu schauen. Sie wussten nicht, was es für einen jungen Polizisten bedeutete, am Ende seiner Schicht zu seinem ersten Toten zu fahren. Von Übermüdung und Erschöpfung hatte Cooperman garantiert nichts gespürt. Im Gegenteil, er war bestimmt hellwach gewesen.

Molia parkte vor dem Haus und öffnete die Wagentür. Er nahm das Fahrrad seines Sohns vom Gehsteig und lehnte es mit dem Lenker an das Verandageländer. Es rutschte weg und fiel wieder um. Er ließ es liegen. Als er die Fliegentür aufzog, hörte er das Surren des Ventilators. Nachts benutzten sie die Klimaanlage meistens nicht, weil das teuer war und die Luft abgestanden machte. Peter Ho saß auf der Couch neben Maggie. Sie trug Shorts und Molias Softball-T-Shirt von der Charles Town Police. Mit ihrem nach hinten gebundenem roten Haar sah sie hübscher aus denn je. Seine Tochter Beth hatte es sich auf dem Vorleger bequem gemacht und versuchte, ein Buch zu lesen, während T.J., der immer noch in seinem Little-League-Dress steckte, das Ende von Hos

Stethoskop an ihren Kopf drückte. Sie patschte nach ihm wie nach einer lästigen Fliege, was ihn in seinem Vorhaben nur noch bestärkte.

Maggie stand auf und umarmte Tom. »Alles in Ordnung?«

Er unterdrückte die Tränen, die in Debbie Coopermans Wohnzimmer ungehemmt geflossen waren.

Maggie trat zurück. »Was Neues?«

Er schüttelte den Kopf. Er konnte sich nicht vorstellen, dass es noch eine unerwartete Wendung geben würde. Der offizielle Bericht würde zu dem Schluss kommen, dass Bert Coopermans Tod ein tragischer Unfall war. Es gab keine Hinweise, um diese Annahme zu widerlegen.

»Ich mach dir was zu essen«, sagte Maggie.

»Hab keinen Hunger, danke.« Er schaute seine Kinder an, die zu ihm hinaufblickten, weil sie spürten, dass es für ihn kein normaler Arbeitstag gewesen war. Dann zog er sie beide an sich und umarmte sie fest. Als er losließ, schaltete sich Maggie ein.

»Okay, Kinder, Zeit zum Schlafengehen.« Sie bugsierte die zwei aus dem Zimmer, und Molia gab beiden im Vorbeigehen noch einen Kuss auf den Kopf. Maggie nahm T.J. das Stethoskop ab und gab es Ho zurück. »War schön, mit dir zu reden, Peter.«

Ho setzte ein halbherziges Lächeln auf. »Für mich auch, Maggie. Liza wollte dich schon die ganze Zeit anrufen wegen des Gemeindeausflugs. In letzter Zeit war es ziemlich hektisch.«

»Das kenne ich. Willst du nicht doch noch bleiben und was essen? Es ist wirklich kein Problem.«

»Lieber nicht. Ich habe diese Woche schon mehrere Abendessen verpasst. Ich fahre gleich nach Hause. Wir brauchen nicht lange.« Ho wartete, bis Maggie das Zimmer verlassen hatte, dann wandte er sich an Molia. »Ein Haufen blauer Flecke am Körper. Am Hinterkopf eine Prellung, von der er wahrscheinlich bewusstlos wurde.«

Molia hatte Ho von der Unfallstelle aus angerufen und ihm Coopermans Leiche ins Büro gebracht. Er hatte zwei bewaffnete Beamte vor dem Gebäude postiert und war dann zu Coopermans Angehörigen gefahren. »Kannst du …«

»Kann ich dir sagen, ob die Verletzungen von dem Unfall stammen oder von einem stumpfen Trauma davor?« Ho schüttelte frustriert den Kopf. »Tut mir leid, Tom. Aber bei seiner Fahrgeschwindigkeit und dem Aufprall im Wasser … Er wurde bestimmt ziemlich hin und her geworfen im Wagen. Da kann ich eigentlich nur raten. Er hat eine lineare Schädelfraktur vorn, wahrscheinlich von der Windschutzscheibe. Und er hat einen Schädelbasisbruch.« Ho legte die Hand an den Hinterkopf. »Unter normalen Umständen hätte ich den wegen der linearen Fraktur vielleicht noch nicht mal entdeckt.«

Molia ließ sich auf die Couch fallen und rieb sich das Gesicht. »Ein Schädelbasisbruch würde dazu passen, dass ihn jemand mit einem stumpfen Gegenstand – zum Beispiel einem Gewehrkolben – auf den Hinterkopf geschlagen hat, bevor er im Wagen verstaut und über die Böschung gestoßen wurde.«

Ho ging nicht auf Molias Bemerkung ein. »Außerdem hat er ein subdurales Hämatom, was ebenfalls auf ein stumpfes Trauma vor seinem Tod schließen lässt. Das Problem ist nur, dass ich nicht unterscheiden kann, was von dem Unfall stammt und was vielleicht vorher passiert ist. Trotzdem bin ich mir sicher, dass da vorher schon was war.«

Molia zog ein Gesicht.

Ho nahm einen Umschlag von der Couch und warf ihn Molia auf den Schoß. »John Dunbar. Das Labor hat mir einen Gefallen geschuldet.«

»John Dunbar?«

Ho deutete auf den Umschlag. »Joe Branick. Ich hab sie gebeten, aufs Tempo zu drücken, ohne Aufmerksamkeit zu erregen.«

Molia blickte ihm in die Augen. »Er hat sich also nicht umgebracht?«

Ho schüttelte den Kopf. »Auch nicht eindeutig. Aber ich würde schwer darauf tippen.«

Molia öffnete das Kuvert und zog Fotos und die ballistische Untersuchung heraus. »Deine fachliche Meinung?«

»Nach meiner fachlichen Meinung ist die Wahrscheinlichkeit größer, dass es kein Selbstmord war.«

Molia las den Bericht. »Die ballistischen Daten passen.«

»Kein Projektil, Tom. Die Schmauchspuren an Hand und Schädel passen. Dieselbe Waffe. Das Muster der Schmauchspuren am Kopf und im Gesicht deuten auf einen einzigen, aus kurzer Entfernung abgegebenen Schuss. Es gab Gewebeverletzungen an der Schläfe und eine Blutung …«

»Was darauf schließen lässt, dass die Mündung der Waffe direkt an die Haut gepresst wurde oder knapp davor war.«

»Genau. Und die Flugbahn des Projektils durch den Schädel passt zu der erwarteten Reflexbewegung, die man bei einer selbst zugefügten Wunde erwarten kann. Das Geschoss ist durch die Schläfe eingedrungen und durch den oberen Hinterkopf ausgetreten.« Er zeigte auf den Umschlag. »Da drin findest du ein paar wunderschöne Fotos, die du dir am besten gut einprägst und dann irgendwo im Garten vergräbst.«

Molia stand auf, um sich die Bilder anzusehen. Wenn er auf den Beinen war, konnte er besser denken. »Hat der Bluttest was ergeben?«

»Nichts. Keine Einstichspuren, die auf eine Injektion deuten. Ich nehme an, dass auch die genauen Laboruntersuchungen keine Spuren von toxischen Substanzen, Medikamenten oder Betäubungsmitteln im Blut und Urin ergeben werden. Aber bis die Ergebnisse vorliegen, dauert es noch zwei Wochen.«

»Woher wissen wir dann, dass es kein Selbstmord war?«

Ho schüttete sein Bier hinunter und machte ein angewidertes Gesicht. Die Kohlensäure trieb ihm die Tränen in die Augen. Er schob sich das Haar aus der Stirn und starrte auf den Boden, wie um noch einmal alles Revue passieren zu lassen. »Ich war schon kurz davor, den Leichensack im Fach zu verstauen und dir am Telefon zu sagen, dass du dir mit deinem Instinkt nicht mal eine Tasse Kaffee kaufen kannst. Da fällt mir auf einmal ein kleiner Riss auf dem Handrücken auf, direkt über dem Mittelfinger. Da hast du ein schönes Foto.« Ho schnappte sich den Umschlag und blätterte die Fotos durch, bis er auf eine Vergrößerung von Joe Branicks Hand stieß. »Siehst du's?«

Molia blieb unbeeindruckt. »Das ist doch nur ein Kratzer. Das kann überall passiert sein. Zum Beispiel bei seinem Sturz.«

»So ist es wahrscheinlich auch. Die Schramme an sich hat keine Bedeutung. Wichtig ist, dass es keine Gerinnung gegeben hat. Es hat nicht geblutet.«

Molia wusste genug über Leichen, um zu erkennen, dass das eine interessante Information war. »Ich bin ganz Ohr, Peter.«

»Okay. Schnellkurs zum menschlichen Kreislauf. Wenn ein Mensch lebt, zirkuliert das Blut. Deswegen treten bei einer Schuss- oder Stichwunde rote Blutzellen aus den angrenzenden kleinen Gefäßen aus. Allgemeinverständlich ausgedrückt, erwartet man rote Blutzellen im gesamten verletzten Gewebe – wie zum Beispiel bei Coopermans Hämatom an der Schädelbasis.« Ho hob die Hand und ballte sie zur Faust. »Wenn ein Mensch stirbt, hört das Blut auf zu zirkulieren. Das Herz schlägt nicht mehr, und es tritt kein Blut mehr ins Gewebe aus. Das Fehlen roter Blutzellen entlang der Wundbahn ist ein deutliches Zeichen dafür, dass der Betreffende verletzt wurde – in unserem Fall mit einem Schuss –, nachdem er bereits tot war. Bei einer hochkalibrigen Waffe lässt sich das schwerer feststellen, weil das Projektil so viel Gewebe und Knochen zerstört.«

»Und wieso glaubst du, dass das hier der Fall ist?«

Ho lief neben dem Couchtisch auf und ab. »Ich hatte da diesen Verdacht. Also habe ich mich zu einer Biopsie entschlossen. Dazu wird eine feine Nadel, die vielleicht den fünffachen Durchmesser eines Haars hat, in die Haut eingeführt, um Gewebeproben zu entnehmen. Die habe ich in einen Paraffinblock gelegt und sie mit Hämatoxylin und Eosin beträufelt. So konnte ich feststellen, dass die roten Blutzellen noch im Gewebe waren. Sie waren nicht aus den Blutgefäßen ausgetreten.«

Molia nickte. »Er war schon tot, als sie ihm die Kugel durch den Kopf gejagt haben.«

## 40

Tina ließ das Telefon fallen, lief durch den Gang in ein dunkles Büro und schloss leise die Tür. Sie kauerte sich hinter den Schreibtisch und zog das Telefon auf den Boden, um auf den roten Notfallknopf zu drücken. Es klingelte einmal, dann meldete sich Jack Connally.

»Jack? Hier ist Tina. Rufen Sie die Polizei.«

»Tina? … Ich verstehe Sie so schlecht.«

»Jack, rufen Sie die Polizei.« Sie wagte kaum, lauter zu sprechen. Die Räder des Müllwagens im Gang waren nicht mehr zu hören. Wahrscheinlich hatte der falsche Hausmeister ihn stehen lassen und durchsuchte nun ein Büro nach dem anderen.

»Alles in Ordnung, Tina? Ich kann Sie kaum hören.«

Sie konnte sich vorstellen, wie ihn ihre Stimme aus dem Stuhl riss und er sein Buch fallen ließ.

»Jack, rufen Sie einfach die Polizei, schalten Sie die Aufzüge aus, schlagen Sie Alarm und schließen Sie sich in dem Raum hinter dem Empfangstresen ein.«

»Tina, was ist los? Soll ich raufkommen?«

»Verdammt, Jack …«

Die Tür zum Büro flog auf, und das Licht aus dem Gang strömte herein.

»Jack, rufen Sie …«, brüllte sie.

Der falsche Hausmeister reagierte prompt und riss das Telefonkabel aus der Wand. Er sah die Aktentasche in ihrer Hand und lächelte. Während er auf sie zukam, wickelte er sich das Kabel um die Hände, bis das Stück dazwischen nur noch sechzig Zentimeter lang war. Tina lief um den Schreibtisch herum und warf alles in seine Richtung, was sie finden konnte. Er wich aus, blieb aber immer zwischen ihr und der Tür. Sie erblickte das Geschenk zum fünfzehnjährigen Bestehen der Kanzlei auf der Schreibtischmatte: ein Brieföffner, den jeder Mitarbeiter erhalten hatte.

»Die Polizei ist schon alarmiert. Sie wird gleich kommen«, rief sie. »Die wissen, dass Sie hier sind.«

Er lächelte.

Sie machte eine Finte, schleuderte ein Buch nach ihm und packte im Vorbeilaufen den Brieföffner. Er erwischte sie von hinten und riss sie zurück. So fest sie konnte, rammte sie dem Mann den Brieföffner ins Bein und bohrte ihn zwölf Zentimeter weit hinein, bis nur noch das rote Logo von Foster & Bane auf dem Griff zu sehen war.

Mit zusammengebissenen Zähnen schrie der Hausmeister vor Schmerz auf. Tina schlüpfte aus ihrem Pullover und raste durch die Tür hinaus zum Notausgang. Sie riss die Tür zum Treppenhaus auf und blickte hinter sich. Der Mann kam hinkend aus dem Büro, auf seinem rechten Hosenbein ein großer Blutfleck, in der Hand eine Waffe.

Die Reifen drehten auf dem glatten Asphalt durch und verströmten weißen Qualm, der sich mit der grauen Rußwolke aus dem Auspuff vermischte. Dann fand der Gummi Halt und der Barracuda schoss schlingernd und kiesspritzend nach hinten auf den Parkplatz. Die beiden Polizisten sprangen zur Seite und stürzten zu Boden. Immer noch im Rückwärtsgang steuerte Sloane den Wagen über das Grundstück, durch die Lorbeerhecke und über den Gehsteig. Autohupen jaulten. Reifen quietschten. Er schaltete auf Drive und stieg aufs Gas.

Drei Minuten später fädelte er sich mit dem Barracuda auf den Highway 1. Mit seinem V-8-Motor und ohne behindernde Smogschutzvorrichtungen war das Auto erstaunlich schnell. Der Tachometer war schon an hundertdreißig vorbeigerauscht, ehe der Motor ein erstes Murren von sich gab. Sloane zog nach Norden über den Highway 280, immer darauf gefasst, rasch aufholende Streifenwagen hinter sich zu hören. Aber sie kamen nicht.

Er klappte sein Handy auf und drückte die Wiederwahltaste. Der Nebenanschluss auf Tinas Schreibtisch läutete, aber sie ging nicht hin. Stattdessen meldete sich ihre Voicemail.

»Tina? Tina, bist du da?«

Er nahm die Abfahrt in die Innenstadt und gelangte auf die Fourth Street, wo die Autobahn abrupt endete. Am Ende der Ausfahrt missachtete er das Rotsignal und schätzte das Tempo einer von links kommenden Straßenbahn ab. Sloane musste an der Sansome Street über die parallel zur Straße verlaufenden Gleise nach links abbiegen. Er beschleunigte zuerst und zögerte kurz, als er die Tram nicht hinter sich lassen konnte. Doch dann riskierte er es. Er riss das Steuer herum und hörte das Scharren von Metall und das Zischen von Druckluftbremsen. Er glaubte schon, es geschafft zu haben, dann spürte er, wie die Straßenbahn den hinteren Stoßdämpfer streifte und das Heck des Barracuda seitlich in ein geparktes Auto schlitterte. Keine Zeit, um eine Nachricht zu hinterlassen – er trat aufs Gas und fuhr weiter. Kurz vor der Battery Street griff er wieder nach dem Telefon und wollte gerade die Wiederwahl drücken, als es in seiner Hand klingelte.

»Tina?«

»David.«

»Tina, wo bist du?«

»Ich bin im Büro …«

»Verschwinde von dort! Hast du kapiert? Verschwinde, so schnell du kannst. Tina? Tina!«

Er warf das Handy auf den Sitz und angelte sich die Waffe aus der Sporttasche, während er in der falschen Richtung in die Gasse hinter dem Gebäude einbog und den Barracuda in einer Ladezone mit einem Ruck zum Stehen brachte. Die Hintertür war verschlossen. Während er zu Vorderseite spurtete, hielt er nach Streifenwagen Ausschau, konnte aber keine sehen. Methodisch von links nach rechts vorgehend, zerrte er immer heftiger an den Glastüren, bis endlich ganz rechts eine aufging. Er eilte durch die Empfangshalle. Der Wachmann stand am Tresen und brüllte ins Telefon.

»Tina, alles in Ordnung? Tina?«

Mit ruckartigen, unsicheren Bewegungen fuhrwerkte Connally an seiner Armatur herum. »Mr. Sloane«, sagte er, als Sloane den Empfangstresen erreichte. Beim Anblick der Waffe riss er die Augen auf und hob beide Hände auf Schulterhöhe.

Sloane hetzte an ihm vorbei, trat in einen Aufzug und drückte auf den Knopf für den achtzehnten Stock. Die Türen schlossen sich nicht. Er presste andere Knöpfe, aber immer noch tat sich nichts. *Der Computer.* Die Aufzüge waren abgeschaltet. Er brauchte seine Karte.

Er rannte zurück zum Tresen. »Jack, schalten Sie die Aufzüge ein.«

»Immer langsam …«

»Jack schalten Sie die verdammten Aufzüge ein.«

Connally zögerte.

»Machen Sie schon. Tina ist in Schwierigkeiten da oben.«

Connally schüttelte den Kopf, seine Hände zitterten. »Das geht nicht. Nach dem Abstellen braucht der Computer eine Minute, bis er wieder hochfährt.«

Sloane blickte zur Tür am Ende der Eingangshalle. Achtzehn Stockwerke, aber er konnte doch nicht einfach untätig rumstehen! Plötzlich flog die Tür zum Treppenhaus auf, und Tina schoss heraus. Völlig außer Atem geriet sie auf dem Marmorboden ins Rutschen und schrie: »Jack, gehen Sie in Deckung!«

Sloane machte einen Schritt auf sie zu, dann blieb er stehen, alles wurde langsamer und bewegte sich wie durch eine dicke Ölwolke. Tina rannte am Tresen vorbei, und Connally trat gleichzeitig heraus. Die Treppenhaustür krachte gegen die Wand. Lichter blitzten, und das *Popp-Popp-Popp* einer halbautomatischen Schusswaffe hallte wider wie Applaus. Connallys Körper wurde von einem krampfartigen Zucken erfasst, als ihn die Kugeln durchschlugen. Jeder Treffer riss ihn in eine andere Richtung wie eine Blechdose, die in der Luft gehalten wird, bis die Schüsse aufhörten und er zu Boden stürzte.

Als ihm Connally nicht mehr die Sicht verstellte, schwenkte der Killer den Arm herum wie ein Pendel und legte auf Tina an.

## 41

»Bist du sicher?«, fragte Molia. »Ist eine Biopsie erlaubt – ich meine als Beweismittel?«

Ho hob beide Hände. »Nicht so schnell, Tom. Niemand hat was von Beweisen gesagt. Vergiss nicht, der Typ hätte nie aus dem Kühlschrank kommen dürfen. Außerdem ist eine Biopsie allein ziemlich dünn.«

Molia beugte sich vor. »Das heißt, du hast dich nicht damit zufriedengegeben.« Molia kannte Peter Ho. Er wusste, dass sich hinter der Fassade des Landarztes ein höchst begabter Gerichtsmediziner verbarg, der zu den Besten seines Jahrgangs an der John Hopkins University gezählt hatte. Ein Mann, der seiner Arbeit mit der gleichen Hingabe nachging wie Molia.

Ho zögerte. »Ich wollte noch mehr Gewebe anschauen. Ich bin in den Mund gegangen, an den hinteren Gaumen.

An der Stelle ist es am wenigsten wahrscheinlich, dass jemand nachsieht. Ich habe so viel rausgenommen, dass ich das Ergebnis der Biopsie bestätigen konnte.«

Molia ließ sich diese Informationen durch den Kopf gehen. »Aber wie ist er dann gestorben? Du hast gesagt, es gibt keine Zeichen von Gewalteinwirkung außer dem Kratzer an der Hand. Wenn er keine Chemikalien im Blut hatte, wie ist er dann gestorben?«

»Wie genau, meinst du?« Ho schüttelte den Kopf. »Ich weiß es nicht. So was kommt selbst einem Gerichtsmediziner nicht jeden Tag unter. Wenn ich überhaupt mal was Ähnliches gesehen habe, dann wahrscheinlich noch an der Uni. Da hatte ich mit zwei Jungen zu tun, die bei einem Bootsunglück ertrunken sind. Tragische Sache. Der Vater hat behauptet, dass sie über Bord gefallen sind, während er seinen Rausch ausgeschlafen hat. Die Eltern waren zerstritten, und der Staatsanwalt hatte den Verdacht, dass der Vater die Kinder erstickt und sie dann ins Wasser geworfen hatte – als sadistische Rache an seiner Exfrau.«

»Mein Gott.«

»Ich musste herausfinden, ob da was dran war. Wenn jemand erstickt, bleibt das Blut in den Gefäßen, und die Todesursache ist ein allgemeiner Sauerstoffmangel, bei dem in der Regel zuerst das Gehirn und dann das Herz versagt. Es gibt einen Kreislaufkollaps so wie bei unserem Fall hier. Das könnte erklären, warum kein Blut in das Gewebe ausgetreten ist, wie das bei einer Schuss- oder Stichverletzung passieren würde.«

»Das heißt also, bei unserem Mann sieht es eher nach Erstickung aus als nach einer tödlichen Schussverletzung.«

»Genau.«

»Jemand hat ihn erstickt.«

»Nein, das glaube ich nicht.«

»Aber du ...«

»Der Hauptbefund bei jemandem, der langsam an Sauerstoffmangel stirbt, sind winzige Blutungen auf der Oberfläche des Herzen, der Lunge und der Thymusdrüse im Hals. Weniger auffällig ist eine Gehirnschwellung. Nach dem Kopfdurchschuss dürfte das bei unserem Mann allerdings schwer festzustellen sein. Um Genaueres herauszufinden, müsste ich ihn aufschneiden – eine Autopsie also ...«

»Dann ...«

»Ich glaube einfach, dass er schneller gestorben ist.«

»Warum?«

»Keine Anzeichen von Gegenwehr, Tom. Man müsste Spuren am Körper sehen, Prellungen wie bei Cooperman. Das war kein kleiner Mann. Er war durchtrainiert und muskulös. Wenn er erstickt worden wäre, müsste man um Nase und Mund zerplatzte Blutgefäße sehen können. Irgendwas. Risse und Kratzer an den Händen, blaue Flecken an den Armen. Aber bis auf das Loch im Kopf gab es keine Spuren an ihm. Ich bin sicher, dass er tot war, bevor auf ihn geschossen wurde. Aber wie er gestorben ist, weiß ich nicht.«

»Kannst du raten?«

Ho schüttelte den Kopf. »Mir fallen nur ganz wenige Drogen ein, die keine verräterischen Spuren hinterlassen und weder im Darm noch durch chemische Analyse zu entdecken sind.«

»Aber es gibt sie?«, fragte Molia.

»Ja. Kohlendioxid zum Beispiel. Aber worauf ich hinauswill, Tom ... Die Leute, die ihn umgebracht haben – und auch Cooperman, wenn du Recht hast –, sind keine

Amateure. So was Perfektes habe ich noch nie gesehen. Sie haben genau gewusst, was sie machen, und sie haben es sehr gekonnt gemacht.«

Sie lauschten dem Summen des Ventilators, der sich anhörte wie eine Million kämpfender Mücken.

»Tut mir leid, dass ich dich da reingezogen habe, Peter. Wieder mal mein Ego.«

»Ist doch mein Job, Tom.«

»Niemand wird rausfinden, dass du was gemacht hast, Peter. Ich behalte es für mich.«

»Was willst du jetzt tun?«

»Die haben einen Cop umgebracht, Peter.«

»Aber du hast keine Beweise. Du hast gar nichts.«

»Ich weiß. Aber irgendwas ergibt sich immer. Ein perfektes Verbrechen gibt es nicht. Irgendwas sickert immer durch, Peter – das weißt du so gut wie ich –, und wenn es so weit ist, schlage ich zu.«

»Ich möchte nicht, dass sie dich im Sack in mein Büro schleppen, Tom.«

»Ich komm schon klar.«

Ho stand auf. »Ich gehe jetzt zum Abendessen mit meiner Frau und meinen Kindern. Du sollest das Gleiche machen.« Er ließ die Flasche Bier auf dem Couchtisch stehen und ging zur Fliegentür.

»Peter.«

Ho drehte sich um.

»Danke.«

Ho trat hinaus auf die Veranda, und die Fliegentür fiel hinter ihm zu. Tom Molia stand im Wohnzimmer und schaute seinem Freund nach, von dem im Dunkeln nur ein unscharfer Schemen durch den Gitterdraht zu erkennen war.

# 42

Seine in der Ausbildung erworbenen Reflexe übernahmen sofort die Kontrolle. Sloane hielt sich nicht mit der Erinnerung an Einzelheiten auf, sondern ließ sich einfach mitreißen. Die Welt zog sich zu einer engen Röhre zusammen, in der völlige Konzentration herrschte und die allem in ihr scharfe, klare Konturen verlieh. Ein Tunnel. Sein Herzschlag pochte im Kopf. Sein Atem rauschte durch den Brustkorb wie das Branden der Wellen gegen Felsen, kontrolliert und bewusst, mit einem leisen Pfeifen zwischen den geöffneten Lippen. Die Beine schulterbreit auseinandergestellt, stützte er die Hand, die die Waffe hielt, mit der anderen, legte auf sein Ziel an, atmete langsam aus und drückte zweimal ab.

Die Schulter des falschen Hausmeisters zuckte wie eine gebeutelte Stoffpuppe, und die Automatik stieß ein wütendes Bellen aus, das funkenstiebende Querschläger gegen den Marmorboden und die Wände schleuderte. Reglos hielt Sloane die Waffe auf sein Ziel gerichtet und wartete darauf, dass der Mann zusammenbrach und er ihm die Waffe abnehmen konnte. Doch der Mann sank nicht zu Boden. Er stand immer noch, während sein Blut eine tiefrote Blüte bildete, die sich fast schwarz von der waldgrünen Uniform abhob, das Pendant zu dem Fleck auf seinem Hosenbein. Der rechte Arm baumelte schlaff an seiner Seite, doch die Hand wollte die Waffe nicht fallen lassen. Allein der Schmerz hätte ihn umhauen müssen wie einen Sandsack, aber er drehte bloß den Kopf und suchte Sloanes Blick. Sein Gesichtsausdruck war eine leere Maske, die Augen wie Kohlenstücke.

Sloane widerstand dem Impuls, erneut abzudrücken.

Er durfte nicht zulassen, dass Zorn und der Wunsch nach Rache seine Handlungen steuerten. Er wollte den Mann nicht umbringen. Tot nützte er ihm nichts. Er brauchte ihn lebend. Er brauchte Antworten auf seine Fragen.

Von außen drang Lärm in den Tunnel – Schritte und schreiende Stimmen. Aus dem Augenwinkel bemerkte Sloane dunkelblaue Schatten – Polizisten, die sich niederkauerten und hinter dem Pförtnertresen in Deckung gingen.

»Lassen Sie die Waffen fallen, sofort! Hände hoch! Ganz langsam. Ich will die Hände sehen.«

Sloane hielt die Pistole weiter auf den Hausmeister gerichtet, der sich ebenfalls nicht bewegte.

»Waffen weg! Waffen weg!«

Auch dem Killer war nicht anzumerken, dass er etwas außerhalb ihres gemeinsamen Tunnels wahrnahm. Anscheinend legte er es darauf an, Sloane zu einem Spiel auf Leben und Tod zu zwingen. Plötzlich zuckte es in seinem Gesicht, ein fast unmerklicher Muskelspasmus. Er kniff die Lippen zusammen, und die Mundwinkel verzogen sich zu einem Grinsen, das besagte: Besser als jetzt wird es nicht mehr. Unmittelbar darauf streckte er die linke Hand aus, um nach der Automatik zu greifen.

Die Polizisten eröffneten das Feuer.

## 43

Die Tür zu der Wohnung war verschlossen, wie nicht anders zu erwarten um zehn Uhr abends. Weitaus interessanter war das kreuzförmig angebrachte gelbe Absperrband über der Schwelle. Jenkins schob die Tür auf und riss beim Durchschlüpfen ein Band ab. Im Apartment war ein wenig aufgeräumt worden, aber es waren noch deutliche Spuren eines Kampfs, einer Durchsuchung oder von beidem zu sehen. Er suchte nach Blut, sah aber zunächst nichts. Vermutlich war die Unordnung also die Folge einer Durchsuchung, ein weiterer Beleg für die Richtigkeit von Joe Branicks Unterlagen.

Alex Hart trat hinter ihm in die Wohnung. »Ihr zwei habt wohl den gleichen Putzdienst.«

Jenkins hatte beschlossen, ihr nur das Notwendigste zu erzählen, weil er immer noch nicht sicher war, was sie mit der Sache zu tun hatte. Er hatte ihr nur gesagt, dass sie zu einem Mann fuhren, der vielleicht erklären konnte, warum Joe tot war.

»Ich würde sagen, wir sind hier richtig«, bemerkte Alex. »Wir sind bloß ein bisschen zu spät gekommen.«

»Wenigstens haben sie nicht gleich das Haus niedergebrannt.«

Jenkins sah sich jetzt genauer um. Das Telefon lag mit aufgeklappter Rückseite auf der Küchentheke, die Batterien waren herausgenommen, und dahinter klemmte ein winziges Abhörgerät. Während er im Wohnzimmer herumging, hörte er das gedämpfte Rauschen der Wellen und gelegentlich das melancholische Tuten eines Nebelhorns. Er trat ins Schlafzimmer. Vor einer Glasschiebetür, die auf einen kleinen Balkon führte, kräuselte sich ein Vorhang. Er beugte sich über das Geländer und bemerkte unten am Boden einen Eimer. Wieder im Zimmer wandte er sich einem Spiegelschrank zu. In der Ecke befand sich ein Bodensafe. Er zog eine Lebensversicherungspolice und ein Testament heraus, die er kurz überflog. Im Vollbesitz seiner Kräfte setzte David Allen Sloane eine Frau namens Melda Demanjuk zu seiner alleinigen Erbin ein. Falls sie vor ihm starb, sollte sein gesamtes Vermögen zwischen mehreren Wohlfahrtsorganisationen für Kinder und einer Frau namens Tina Scoccolo aufgeteilt werden.

David Sloane hatte keine Verwandten.

Jenkins stand auf. Er ging ins Bad und schaltete das Licht ein.

»O Gott.« Alex stand hinter ihm und betrachtete das eingetrocknete rostfarbene Blut auf dem weißen Linoleum. »Wir kommen wirklich zu spät.«

Nach zwei vorsichtigen Schritten öffnete Jenkins das Medizinschränkchen an der Kante, um keine Abdrücke zu hinterlassen. Dann inspizierte er das Waschbecken. Schließlich ging er an Alex vorbei zurück ins Schlafzimmer und hob ein Kleidungsstück vom Boden – ein blaues Krankenhaushemd, das ebenfalls blutverschmiert war.

»Er lebt noch.« Jenkins ließ das Hemd fallen.

»Du bist ein unverbesserlicher Optimist.«

»Er lebt, außer du kannst mir erklären, wozu ein Toter Zahnbürste und Rasierer braucht.« Er wies mit dem Kinn in Richtung Bad. »Er hat seine Toilettenartikel mitgenommen. Keine Zahnbürste, keine Zahncreme, kein Rasierapparat. Wenn das ganze Blut auf dem Boden von ihm wäre, hätte er sich wohl kaum mehr umziehen können. Tote haben normalerweise auch keine Verwendung für saubere Kleidung und Geld. Aber es war jemand hier, der sich beides geholt hat, jemand, der wusste, dass die Schiebetür offen ist, und der die Safekombination kannte.« Er deutete auf die Glastür. »Er ist über den Balkon reingekommen. Da unten steht ein Eimer, auf den er gestiegen ist, um auf den unteren Balkon zu kommen.«

»Warum?«

»Wahrscheinlich hatte er Angst, dass das Haus beobachtet wird. Die Rückseite des Gebäudes ist verborgen, man kann sie von vorn nicht einsehen.«

»Und wie erklärst du dir das Blut?«

»Bin mir nicht sicher. Ziemlich wahrscheinlich ist hier jemand verblutet, aber er war es nicht. Er hat im Wohnzimmer aufgeräumt; und die Polizei wird ihm bestimmt nicht sein Sitzpolster zusammenkleben. Das heißt, er war noch am Leben, nachdem die Wohnung durchsucht worden ist.«

»Durchsucht?«

»Hier hat jemand alles auf den Kopf gestellt.«

»Woher willst du wissen, dass das Ganze nicht bei einem Kampf passiert ist?«

»Intuition.«

»Wenn er schon saubergemacht hat, warum hat er dann nicht das Blut im Bad weggeputzt und die Klamotten vom Boden weggeräumt?«

»Das war später.« Er deutete auf die Kleidungsstücke auf dem Bett. »Das da und die Sache mit der Zahnbürste sagt mir, dass er noch mal hier war, wahrscheinlich um Geld und Sachen zum Anziehen zu holen. Er hat gepackt, und zwar ziemlich in Eile.«

»Oder er war gerade beim Packen, als ihn jemand umgebracht hat.«

»Dann hätten wir einen Koffer mit Kleidung und Toilettenartikeln gefunden und dazu wahrscheinlich auch eine Leiche oder den Kreideumriss einer Leiche. Weder der Killer noch die Polizei hätten einen Grund, den Koffer mit den Sachen mitzunehmen.«

Sie schwieg.

»Er lebt, und er ist auf der Flucht.«

Sie klang alles andere als überzeugt. »Wenn du Recht hast, wird es schwer werden, ihn zu finden. Außer du weißt mehr darüber, was er mit dem Ganzen zu tun hat.«

Jenkins trat an den Nachttisch neben dem Bett und drückte auf den Rückspulknopf des Anrufbeantworters. Nach dem Piepton meldete sich eine Frauenstimme. Er drehte die Lautstärke hoch. Nach dem Ende der Nachricht nahm er die Abdeckung der Maschine ab, drückte das Band heraus und steckte es ein.

»Vielleicht wird es doch nicht so schwer«, sagte er, »aber ich bin ja auch ein unverbesserlicher Optimist.«

## 44

Jack Connally lag leblos unter einem weißen Tuch. Gegenüber den Glastüren des Gebäudes hielt eine Polizeiabsperrung die Menge zurück. Wie künstliche Sonnen spiegelten sich die Scheinwerfer mobiler Fernsehteams in den Scheiben und tauchten Uniformierte, Zivilbeamte, Sanitäter und Spurensicherungsexperten in der Eingangshalle in grelles Licht. Neben der Armatur des Wachmanns stand ein junger Polizist mit Milchgesicht, völlig benommen vor Fassungslosigkeit und Erleichterung. Das Hemd aufgeknöpft, betastete er das Loch in seiner Uniform und die kleine Delle in seiner kugelsicheren Weste. Andere Beamte bestaunten ein deformiertes Projektil in einer Plastiktüte, als wäre es eine Jagdtrophäe.

In der Ecke saß Detective Frank Gordon mit Notizbuch und Stift auf einem Stuhl, das Gesicht zu einer finsteren Miene verzogen. Er hatte Jacke und Hemd ausgezogen, und ein Sanitäter war dabei, Gordons muskulöse Schulter zu verbinden. Der Detective wollte nicht ins Krankenhaus, solange er nicht mit Sloane gesprochen hatte. Die wilden Schüsse des Killers waren nur eine Reaktion auf die Polizeikugeln gewesen, die seinen Körper durchsiebten und ihn hin- und herzappeln ließen wie eine Marionette. Gordon hatte einen Querschläger abbekommen, der ihn aber zum Glück nur gestreift hatte. Aber froh war er deswegen wohl auch nicht unbedingt. Im Augenblick sah er aus wie ein Junge, der gezwungen wurde, auf einem Frisörstuhl zu sitzen und sich die Haare schneiden zu lassen, sauer auf die ganze Welt. Trotz der Schmerzen in seiner Schulter verhörte er Sloane jetzt schon fast seit einer Stunde.

Auf der anderen Seite der Eingangshalle, hinter einem Wandschirm, der den Fernsehkameras den Blick verstellte, hoben Sanitäter die Trage mit Connallys Leiche an. Wie bei einem Akkordeon schoben sich die Beine auseinander und zusammen. Mit Tränen in den Augen trat Tina zurück und schaute zu, wie Connally in den Lichtschein bei den Glastüren geschoben wurde. Sicher warteten in den Fernsehstudios bereits die Moderatoren auf die neuesten Nachrichten und Livebilder von der letzten Schießerei in einem San Franciscoer Hochhaus. Für sie war es einfach nur eine weitere dramatische Story.

»Die müssen ja glauben, der Zirkus ist in der Stadt. Zweimal an einem Tag haben wir es jetzt geschafft, ein bisschen Farbe in das müde Leben dieser Leute zu bringen«, knurrte Gordon. »Sie wissen ja, dass ich Sie verhaften könnte. Allein schon, weil Sie keinen Waffenschein für diese Pistole haben. Und eigentlich ist mir nicht klar, warum ich es nicht mache.«

Gordon klang zwar überzeugend, aber Sloane war sich sicher, dass ihn der Detective nicht festnehmen würde. Schließlich hatte Sloane soeben Tina das Leben gerettet. Seine Geschichte stimmte, der tote Killer war der schlagende Beweis dafür. Und Gordon hatte im Moment so viel um die Ohren, dass er sich nicht wegen eines fehlenden Waffenscheins den Kopf zerbrechen konnte. Unter anderem stand ihm ein Ausflug ins Krankenhaus bevor, ein frustrierender Dämpfer für seinen Tatendrang.

Gordon stieß ein angestrengtes Ächzen aus. »Und Sie haben keine Ahnung, wer das ist?«

Erneut musterte Sloane den falschen Hausmeister, dessen Körper nur noch eine grausige Masse aus Löchern und Blut war, als wäre er von einem Mob in Stücke gerissen worden. Eine Kugel hatte ihm das linke Auge herausgeschlagen. Auf Sloanes Bitte hin hatte der Gerichtsmediziner den Ärmel des Mannes hochgeschoben, unter dem die Tätowierung eines Adlers mit ausgestreckten Krallen und einem Messer im Schnabel zum Vorschein kam. Genau wie Melda es beschrieben hatte. Ansonsten wurde die Leiche behandelt wie ein Heiligtum. Viele Leute standen herum, manche machten Fotos, aber niemand berührte sie. Erst musste das Spurensicherungsteam den Tatort ablichten und die Position sämtlicher Gegenstände erfassen.

Gordon hatte Sloanes Beteuerung, nichts über die Identität des Mannes zu wissen, mit maßvoller Ungläubigkeit aufgenommen, aus der er auch keinen Hehl machte. »Das war, als würde man zuschauen, wie jemand von einer Steilklippe runterspringt«, erklärte er. »Der Kerl steht allein gegen viele, zig Waffen zielen auf ihn, er hat nicht den Hauch einer Chance, und trotzdem greift er nach seiner beschissenen Knarre. Das ist wirklich das Unheimlichste dran. Das war ein gottverdammter Selbstmord. Er wollte lieber sterben.« Gordons Blick glitt wieder zu Sloane. »Und Sie erzählen mir hier, dass Sie keine Ahnung haben, warum der Kerl so stinkig auf Sie war? Also, ich muss zugeben, dass mir das nicht in den Schädel will, Mr. Sloane. Und wenn ich mich noch so anstrenge.«

Da konnte Sloane dem Detective keinen Vorwurf machen. Auch er begriff das alles nicht. Dummerweise war der Mann jetzt tot, und sie würden beide keine Antworten auf ihre Fragen bekommen: wer der Mann war, was er gewollt und warum er das gewollt hatte. Außerdem hatte Sloane den Verdacht, dass selbst die Mappe in seiner Aktentasche, von der er Gordon nichts erzählt hatte, nicht alles erklären würde. Nicht annähernd.

Gordon klappte sein Notizbuch zu und deutete mit dem Stift auf die Waffe neben der Leiche des Killers. »Das ist eine AC556F-Maschinenpistole. Vier Jahre Army bleiben an einem kleben wie ein gebrauchter Kaugummi, und dieser Scheißkerl stinkt nach Militär, nicht nur wegen der Tätowierung. Egal, was wir letztlich über ihn rausfinden, auf jeden Fall war er ein Profi, und er hat es ernst gemeint. Solche Typen arbeiten normalerweise nicht allein, Sloane. Verstehen Sie, was ich meine?«

Sloane war zu dem gleichen Schluss gelangt. Auch vier Jahre bei den Marines wurde man nicht so leicht wieder los.

»Bleiben Sie in der Nähe.« Gordon konnte die unvermeidliche Fahrt ins Krankenhaus nicht länger hinausschieben. Er stand auf und legte sich die Jacke über die Schulter. Neben ihm warteten die Sanitäter. »Ich ruf Sie an, und dann werden wir uns noch ein bisschen unterhalten. Verlassen Sie sich drauf.«

Sloane ging zu Tina, die die Arme um sich geschlungen hatte, als könnte sie die Kälte aus ihrem Körper nicht vertreiben. »Alles in Ordnung?«

Sie nickte. Dann vergrub sie den Kopf an seiner Brust, und ihre Schultern zuckten. Sloane ließ sie weinen. Nach einer Weile legte er einen Arm um sie und führte sie nach hinten zu den rückwärtigen Türen. Eine Frau mit Schutzbrille kauerte gebeugt über der Leiche und untersuchte sie sorgfältig. Sloane hörte ihre Worte im Vorbeigehen.

»Meine Güte. Schau dir das an, Frank.«

Gordon blieb stehen und blickte zurück. Die Frau hielt die Handfläche des Killers hoch. An den Fingerspitzen waren Narben von einer grobschlächtigen Operation zu sehen.

»Er hat keine Fingerabdrücke«, sagte sie.

Die Ecke Eighth und Mission Street am Rand des Mission District in San Francisco war noch nicht von der Bauwelle erfasst worden, die dem South of Market ein neues Baseballstadion, modische Restaurants und abgetrennte Straßenzüge mit schicken Eigentumswohnungen beschert hatte. Wahrscheinlich kam es auch nie so weit. Schließlich mussten auch die Ärmeren irgendwo arbeiten und wohnen. Graffiti zierten die Wände von Autowerkstätten, Lagerhallen, Pfandhäusern und Supermärkten, die mehr Schnaps als Lebensmittel verkauften. Die meisten Läden waren über Nacht geschlossen und mit Rollgittern und Metalltüren geschützt, die ebenfalls Graffiti trugen. Junge Männer in übergroßen Parkas, ausgebeulten Jeans und Wollmützen standen auf dem Bürgersteig oder lehnten an amerikanischen Autos mit Chromradkappen, die so oft tiefergelegt worden waren, dass sie fast den Boden streiften, und trotzig unter Parkverbotsschildern abgestellt waren. Stampfende Raprhythmen schallten durch die Straßen.

Nachdem er dreimal auf einer immer wieder anderen Route vorbeigefahren war, um sicherzugehen, dass ihnen niemand gefolgt war, steuerte Sloane auf den Parkplatz des Quality Inn, das seinem Namen Hohn sprach. Tina wartete im Wagen, während er hineinging, um ein Zimmer zu buchen. Jake würde die Nacht bei seiner Großmutter verbringen. Der Mann am Schalter wollte wissen, wie lange Sloane den Raum aller Voraussicht nach brauchte – Gäste, die die ganze Nacht blieben, waren anscheinend eine Seltenheit. Sloane bat um ein möglichst weit von der Straße entferntes Zimmer und parkte den Barracuda dicht hinter dem Haus. Er und Tina stiegen eine Außentreppe hinauf, die schwankte wie das Loma-Prieta-Erdbeben und gingen dann durch einen U-förmigen Korridor mit Aussicht auf einen Swimmingpool, der halbvoll mit bräunlichem Wasser war und dringend einen Filter brauchte.

Doch das Zimmer erwies sich als angenehme Überraschung: sauber und ordentlich. Die Ausstattung bestand aus billigen holzfarbenen Laminatmöbeln der siebziger Jahre, violetten Tagesdecken mit Blumenmuster auf zwei breiten Betten und einem ziegelroten Flauschteppich. Er schloss die Tür und ließ das Sicherheitsschloss einschnappen. Gordon hatte die Ruger an sich genommen; er war unbewaffnet.

»Das Tadsch Mahal.« Er ließ den Blick durchs Zimmer schweifen. Die Sporttasche und den Aktenkoffer stellte er neben den Schreibtisch. Der Fernseher war festgekettet. »Wollen wir hoffen, dass die Nutten in der Regel die Zimmer mit nur einem Bett benutzen.« Tina reagierte nicht. »Hast du Hunger? Weiter unten an der Straße habe ich zwei Fastfoodlokale gesehen ...«

Sie schüttelte den Kopf.

Eine Weile standen sie schweigend da; dann schob er sich an ihr vorbei. »Ich stell dir schon mal die Dusche an. Danach fühlst du dich bestimmt besser.«

»Halt mich.« Sie ging zu ihm.

Er legte die Arme um sie und drückte sie fest an sich. Er hatte immer ihre physische Stärke bewundert, und doch war ihr Rücken nur so schmal wie der eines Kindes. Er spürte die warmen Rundungen ihres Körpers und atmete den Duft ihres Haars ein.

»Tina, es tut mir so leid ...«

Statt einer Antwort stellte sie sich auf die Zehenspitzen und küsste ihn auf den Mund.

Er wollte sie aufhalten, wollte ihr sagen, dass das keine gute Idee war, aber sie gab ihm keine Gelegenheit dazu, und er merkte, dass es ihn eigentlich auch gar nicht zum Reden drängte. Hastig zogen sie sich gegenseitig aus. Er legte sie aufs Bett und spürte, wie ihr Körper sich ihm sehnsuchtsvoll entgegenstreckte, als sie ihn zu sich zog und ihn mit ihrer Wärme umfing.

Tief und friedlich atmend schlief sie auf dem anderen Bett. Nachdem sie sich geliebt hatten, waren sie in die Dusche gegangen. Das fließende Wasser und der Dampf hatten sie beruhigt, als sie mit suchenden Mündern und forschenden Händen nach Atem rangen, um das grauenvolle Geschehen der letzten Stunden hinter sich zu lassen und Trost in etwas Schönem zu finden. Danach lagen sie im Bett, sie fest in seinen Armen, bis er spürte, wie sie, geistig und körperlich erschöpft, langsam in Schlaf versank. Dann zog er sanft den Arm weg, deckte sie zu und betrachtete ihre zarten, feinen Gesichtszüge.

Innerhalb von achtundvierzig Stunden hatte Sloane herausgefunden, warum er nie geheiratet hatte, warum ihn die Frauen, mit denen er sich getroffen hatte, nie glücklich gemacht hatten, warum er keine feste Bindung zu ihnen hatte eingehen können. Wie alles andere in seinem Leben hatte er auch seine Gefühle für Tina tief in den schwarzen Abgrund gedrängt und ihn dann mit Arbeit zugeschüttet. Es war leichter, wenn er sich nicht damit auseinandersetzen musste, alles war zu kompliziert, es hätte nie geklappt mit ihr. Dann, als er vor dem Taxi stand, hatte sie angedeutet, dass es funktionieren könne, wenn er bereit sei, das Risiko einzugehen. Er sei derjenige, auf den sie gewartet habe, doch zuerst müsse er zu sich finden. Er wollte neben ihr unter die Bettdecke gleiten und von ihr gehalten werden. Er wollte mit ihr nach Seattle gehen, wollte die Vergangenheit – wie sie auch aussehen mochte – vergessen und hinter sich lassen, um ein ganz neues Leben anzufangen. Er wollte sich um sie und ihren Jungen kümmern, den er von den Picknicks der Kanzlei her kannte, wollte der Vater sein, den Jake nie gehabt hatte. Er wusste nicht, wie er das anfangen würde, aber er war sich sicher, dass er dieser Aufgabe gewachsen war. Er würde zu Baseballspielen mit ihm gehen, ihm bei den Hausaufgaben helfen, für ihn da sein – all die Dinge, die ihm selbst beim Aufwachsen gefehlt hatten. Doch all das war nicht möglich, wenn er weiter wie ein Schlafwandler durchs Leben ging. Tina hatte Recht. Er konnte sie nicht finden, solange er nicht zu sich selbst gefunden hatte, und tief in seinem Innersten wusste er, was das bedeutete: Er musste ergründen, was gerade im Moment um ihn herum geschah und warum. Seine Träume waren keine Träume, sondern Erinnerungen. Die tote Frau war kein Hirngespinst oder irgendeine psychologisch wohlbegründete Erfindung seines Bewusstseins. Sie war real. Gleiches traf auf Joe Branick zu, und das hieß, dass auch der schwarze Hüne real war, der in Sloanes Erinnerung neben Joe Branick stand. Branick war nun ebenso tot wie die Frau, aber vielleicht lebte der unbekannte Schwarze ja noch.

Sloane zog das Kuvert aus der Aktentasche, riss es aber nicht sofort auf. Wegen dieses Umschlags waren vier Menschen gestorben. Sie hatten es verdient, dass man ihrer gedachte, bevor man ihn öffnete. Melda hatte es verdient. Das Dröhnen der Autostereoanlagen und der Lärm der Leute auf der Straße waren endlich verstummt. Es war Zeit. Er stellte die Lampe so ein, dass ihr Licht nicht auf Tinas Augen fiel, und schaltete sie ein. Dann hielt er das Kuvert unter das trübe, triste Licht und studierte die Handschrift. Der dünne Umschlag fühlte sich schwerer an, als er ihn in Erinnerung hatte – vielleicht hatten ihm die leidvollen Ereignisse Gewicht verliehen. Mit diesem Gedanken drehte er ihn um, entfernte die Metallstifte, schob die Klappe hoch und nahm die Papiere heraus.

## 45

*Ex Convento de Churubusco, Coyoacán, Mexiko*

Miguel Ibarón setzte die Gummispitze seines Stocks mit dem Goldgriff auf die zerbrochenen, unebenen Steine und machte den nächsten Schritt. Seinem Gesicht war nichts anzumerken von dem vertrauten Schmerz, der ausstrahlend von Fußgelenken, Knien und Rücken, durch seine Knochen fuhr wie ein Stromschlag. Er konnte die Auswirkungen der Tumore auf seinen einst so muskulösen Körper nicht verbergen, der vertrocknet war wie eine Blume in der heißen Sonne, aber er konnte sich zwingen, seine Gefühle zu beherrschen und den Schmerz klaglos zu ertragen.

Der Krebs hatte ihn um mehrere Zentimeter schrumpfen lassen und seinen Körper ausgemergelt. Sein früher volles schwarzes Haar war dünn und schlohweiß geworden. Aber die Krankheit hatte ihm nichts von der Würde eines Staatsmannes rauben können. Groß und hellhäutig – wahrscheinlich weil spanisches Blut in seinen Adern floss – war Ibarón immer noch fast eins fünfundachtzig groß und breitschultrig. Doch während er einst stolze fünfundneunzig Kilo gewogen hatte, waren es nun keine achtzig mehr.

Die Frau am Museumseingang begrüßte ihn mit einem Lächeln und lehnte es wie immer ab, Geld von ihm zu nehmen.

*»No sirve aquí«,* sagte sie. »Es steht mir nicht zu, Geld von Ihnen zu verlangen. Ihr Besuch ist eine Ehre für uns.«

Es war der Empfang für einen Mann, der sein ganzes Leben dem Land Mexiko und seinen Menschen gewidmet hatte. Seit seinem Eintritt in die PRI, die Partido Revolucionario Institucional, war er ein mustergültiges Parteimitglied. In seiner dreißigjährigen Karriere hatte er seinem Land als *diputado* im Kongress und als *senador* im Oberhaus gedient. Zweimal war er einer der *tapados* gewesen, der ›Verhüllten‹, die die Partei als mögliche Nachfolger des Präsidenten auserkoren hatte, doch in beiden Fällen war er nicht zum *verdadero tapado,* zum ›echten Verhüllten‹, bestimmt worden.

Es war Samstagmittag. Ibarón schlurfte durch die siebzehn Räume. Der gesprungene Terrakottaboden unter seinen Füßen hing durch. Wie die meisten Häuser in Mexico City und Umgebung sank das Museum jedes Jahr um einige Millimeter ab, da die fünfundzwanzig Millionen Einwohner das Wasser aus dem weichen Erdreich saugten, wo sich einst der große Lago de Texcoco befunden hatte.

Der Ort, an dem sich der Ex Convento de Churubusco befand, war einst ein Ort großer Ehre gewesen – und dennoch war das Gebäude nun angefüllt mit Artefakten der Schande. Dort errichtet, wo einst aztekische Krieger pochende menschliche Herzen geopfert hatten, um ihren Kriegsgott Huitzilopochtli zu besänftigen, hatte das Gebäude als Festung gedient, in der die mexikanischen Soldaten 1847 heftige Gegenwehr gegen die von Veracruz nach Mexico City vorrückende Armee der Vereinigten Staaten leisteten. Die Soldaten hatten alle Patronen verschossen, um General David Twiggs in Schach zu halten. Als Twiggs schließlich in die Festung einzog und die Herausgabe der verbleibenden Munition verlangte, antwortete General Pedro Anaya: »*Si hubiera cualquiera, usted no estaría aquí* – wenn wir noch welche hätten, wären Sie nicht hier.«

Und doch war an diesem Platz der Ehre und Würde ein Museum der Schande entstanden. Die Gipswände und rot gekachelten Korridore wurden von verblassten Fotos, vergilbten Dokumenten und anderen Erinnerungsstücken gesäumt, die sämtliche Invasionen Mexikos belegten: angefangen bei den Spaniern über die Franzosen bis hin zu den *norteamericanos.*

Ibarón blieb vor dem Glaskasten mit der Monroe-Doktrin stehen. In diesem Augenblick kam ein Mann mit einer zusammengerollten Zeitung näher. »Die Arroganz dieser Republikaner erlaubt es Ihnen nicht, uns als ebenbürtig zu sehen; vielmehr betrachten sie uns als unterlegen.« Die Worte, die der Mann las, stammten aus einer Rede von José Manuel Zozaya, dem ersten Botschafter Mexikos in Washington.

»Mit der Zeit werden sie zu unseren Todfeinden werden.« Mit dem Schlusssatz derselben Rede gab Ibarón dem anderen zu verstehen, dass sie offen miteinander reden konnten.

Ignacio López Ruíz, der Leiter des mexikanischen Nachrichtendienstes, rückte gewohnheitsmäßig den Kragen seiner Jacke und die Krawatte zurecht. Es sah aus, als würden ihn seine Kleider würgen. Ruíz, der nicht größer war als eins fünfundsechzig, hatte Unterarme so dick wie Ambosse und einen fassförmigen Brustkorb, die ihm von der Arbeit geblieben waren, die er als Jugendlicher in den Steinbrüchen seines Vaters geleistet hatte. Er hatte eine beginnende Glatze, die er mit langen über den Kopf gekämmten Haaren zu kaschieren suchte. Vom jahrelangen Boxen war sein Gesicht platt und zäh wie Schuhleder. Was Ruíz an Körpergröße und Aussehen fehlte, machte er jedoch durch Kraft, Ausdauer und Initiative wett. Dieser Umstand und die nicht unmaßgebliche Unterstützung von Miguel Ibarón hatten ihn die Karriereleiter bei der Polizei hinaufkatapultiert.

Ruíz tätschelte die sorgfältig arrangierte Haarpracht mit den Fingern, als wäre er verlegen über sein Täuschungsmanöver. »Ich habe einen Anruf vom CIA-Abteilungsleiter bekommen. Mit Zustimmung der PFP und des Direktors bin ich um eine vollständige Analyse meiner Akten gebeten worden.« Er sprach von der Policía Federal Preventiva und dem Direktor der Coordinación de Inteligencia, den beiden Organisationen also, unter denen der mexikanische Geheimdienst zusammengefasst worden war. Beide beschäftigten sich intensiv mit der Aufklärung der Aktivitäten von Guerilla- und Revolutionsgruppen.

»Ich wurde nach der Revolutionären Volksarmee gefragt, nach EPRI, nach den Zapatisten … und nach der Mexikanischen Befreiungsfront.«

Ibarón nickte, blieb aber äußerlich völlig ungerührt.

»Sie sagen, dass sie diese Informationen nur der Vollständigkeit halber wollen«, fuhr Ruíz fort. »Ich habe meine zuverlässigsten Informanten angerufen. Niemand kennt den Zweck dieser Anfrage, Miguel. Beto weiß nichts, und auch Toño nicht.« Mit diesen Spitznamen waren der Präsident Alberto Castañeda und der mexikanische Polizeiminister Antonio Martinez gemeint.

Ibarón zeigte angesichts dieser Informationen genauso wenige Emotionen wie bei der Betrachtung der vergilbten Blätter in dem Schaukasten. »Wer hat beim CIA-Abteilungsleiter angefragt?«

»Ein gewisser Joseph Branick, ein Amerikaner in Washington.«

»Weißt du, warum?«

»Nein, ich weiß nur, dass der Mann inzwischen tot ist.«

Ibarón wandte den Kopf. »Tot?«

»Das steht in den amerikanischen Zeitungen.«

Ibarón ging an einem Ausstellungsstück vorbei, das General Antonio López de Santa Anna bei der Unterzeichnung des Gadsden-Vertrags zeigte, der Mexiko zum Verkauf der Gebiete zwang, die heute das südliche Arizona und New Mexico bilden. »Was wissen wir über ihn?«

»Über Joseph Branick?« Ruíz schüttelte den Kopf. »Nichts. Es gibt keinen Grund, etwas Ungewöhnliches zu vermuten.«

»Wie ist er gestorben?«

»Selbstmord. Hat sich eine Kugel in den Kopf gejagt.«

Ibarón beobachtete Ruíz aus dem Augenwinkel, blieb aber ansonsten reglos. »Und du findest es nicht ungewöhnlich, wenn sich ein Freund das amerikanischen Präsidenten das Leben nimmt?« Auch er hatte die Zeitungen gelesen. »Hat der Präsident nicht das Treffen hier am Wochenende abgesagt, um zum Begräbnis dieses Mannes in Washington zu bleiben?«

»Man hat uns versichert, dass dieser Vorfall keine Auswirkungen auf den Fortgang der Gespräche haben wird.«

»Dieses Risiko können wir nicht eingehen«, erklärte Ibarón. »Finden Sie so viel wie möglich über diesen Joseph Branick heraus.«

»Und was ist mit den Verhandlungen?«

»Wenn Robert Peak nicht zu uns kommt, dann kommen wir eben zu ihm.« Ohne ein weiteres Wort ließ Ibarón seinen Gesprächspartner stehen, holte sich seinen weißen Strohhut von der Frau am Eingang und trat aus dem Museum.

Draußen setzte er den Hut auf, um seinen Kopf gegen die heiße Sommersonne zu schützen. Die Luft war stickig und schwül, aber nicht nur von der dicken Smogschicht, die über dem Tal hing und den Einwohnern von Mexico City in den Sommermonaten den Atem nahm.

Ibarón spürte, dass ein Gewitter im Anzug war.

## 46

*Berryville, Virginia*

Tina allein im Hotel zu lassen fiel Sloane furchtbar schwer, aber er wusste einfach, dass sie nicht mit ihm kommen konnte. Abgesehen von der Gefahr, war es nun einmal *sein* Leben, das er in Ordnung bringen musste. Er holte sein Notebook aus dem Büro und stieg unter falschem Namen in einem Hotel ab. Den ganzen Tag durchsuchte er das Internet, um Flüge, Hotelzimmer und Mietautos zu buchen. Außerdem telefonierte er mit der Filiale von Foster & Bane in Los Angeles. Ganz ähnlich fingen auch seine Fälle immer an. Ein Mandant kam mit einem Problem zu ihm und bat ihn, eine Lösung zu finden. Bevor er sich für eine Strategie entscheiden konnte, musste er die Fakten kennen – bis ins kleinste, noch so unscheinbare Detail. Diese Fakten wurden zu Puzzlestücken, die eine Geschichte ergaben, wenn sie richtig zusammengesetzt wurden. Der einzige Unterschied war, dass er diesmal zugleich Anwalt und Mandant war. Er konnte nur darauf hoffen, dass die Redewendung, dem zufolge ein Anwalt, der sich selbst vertritt, einen Narren zum Mandanten hat, auf ihn nicht zutraf.

Der erste Punkt seiner Nachforschungen betraf Joe Branick, und Sloane konnte nicht über mangelnde Informationen zu diesem Thema klagen. Branick hatte einen Abschluss an der Georgetown University gemacht, wo er schon ab dem ersten Jahr ein gemeinsames Zimmer mit dem Politologiestudenten Robert Peak bewohnte, den seine Freunde Rob nannten. Im Verlauf der nächsten vier Jahre wurden die beiden Männer, die nicht nur das Zimmer, sondern auch das Interesse an Politik und Sport teilten, enge Freunde. Beide gehörten zu den Besten ihres Abschlussjahrgangs. Peak folgte seinem Vater zur CIA. Mit Hilfe des älteren Peak wurde Robert dressiert wie ein Zirkushund und fungierte als jüngster Abteilungsleiter in England, Deutschland und Mexiko. Mit fünfundvierzig wurde er zum Deputy Director for Operations, mit achtundvierzig zum stellvertretenden Leiter der CIA und schließlich unter Präsident George Marshall, in dessen Kabinett sein Vater saß, zum Direktor. Als Marshall bei der nächsten Präsidentschaftswahl gegen Gordon Miller verlor, war Peak seinen Posten los und wechselte in die Politik. Vier Jahre später wurde er zum Vizepräsidenten von Thomas McMillan, der Miller mit seiner Kampagne entthronte. Nach zwei Amtszeiten trat Peak schließlich McMillans Nachfolge an.

Joe Branicks Lebensgeschichte war weniger imposant. Nach seinem Abschluss als Ingenieur heiratete er eine Frau, die er schon an der Highschool kennengelernt hatte, und arbeitete nacheinander für mehrere nationale und internationale Ölgesellschaften. Seine Ehe, aus der zwei Töchter und ein Sohn hervorgingen, hatte bis zu seinem Tod fünfunddreißig Jahre lang gehalten. Nach einem dreijährigen Gemeinschaftsprojekt des amerikanischen Herstellers für Ölfördergeräte Entarco und dem staatlichen Mineralölkonzern Mexikos, Pemex, kehrte Branick zurück in die USA und zog mit seiner Familie nach Boston zu seinen acht Geschwistern in eine irisch-katholische Enklave. Zusammen mit seinen vier Brüdern arbeitete er für das Import-Export-Unternehmen seiner Familie. Damit schien sein weiterer Lebensweg festzustehen. Dann kündigte sein Freund Robert Peak die Absicht an, für das Präsidentenamt zu kandidieren, und bat Joe Branick, seinen Wahlkampf zu organisieren. Da seine drei Kinder bereits erwachsen und am College waren, erklärte sich Branick einverstanden. Peaks Wahlsieg wurde vor allem als sein Verdienst betrachtet. Allgemein wurde mit Branicks Berufung zum Stabschef des Weißen Hauses gerechnet, doch anscheinend wurde er parteipolitischen Erwägungen geopfert. Die Republikaner hatten ein Auge auf den pensionierten Dreisternegeneral Parker Madsen geworfen, einem steil aufsteigenden Stern am Washingtoner Polithimmel. Es galt als ausgemacht, dass Madsen als Vizekandidat mit Peak ins Rennen um die Wiederwahl ziehen würde. Daraufhin entschloss sich Branick zur Rückkehr nach Boston, doch wieder bewegte ihn Peak zum Bleiben und schuf eine eigene Position für ihn: Sonderberater des Präsidenten. Danach hörte man kaum mehr etwas von Branick, bis die Park Police seine Leiche in einem Nationalpark fand.

Was Sloane bei seinen Recherchen nicht zutage förderte, war eine nachvollziehbare Erklärung dafür, weshalb sich dieser offenbar sehr ausgeglichene und geschätzte Familienmensch eine Kugel durch den Kopf jagen sollte. Die Informationen dazu waren eher spärlich. Angeblich hatte Branick sein Büro am Donnerstagnachmittag kurz nach halb vier verlassen. Als er am Abend nicht anrief, wie es seine Gewohnheit war, machte sich seine Frau Sorgen. Sie konnte ihn nicht in seinem Apartment in Georgetown erreichen, in dem er übernachtete, wenn er bis spätabends arbeiten musste und nicht mehr fahren wollte. Kurz vor dem Morgengrauen wurde seine Leiche im Black Bear National Park gefunden, neben ihm eine Waffe. Die Ermittlungen hatte das Justizministerium an sich gezogen. Allerdings wusste die *Washington Post* zu berichten, dass die örtlichen Behörden nicht besonders erfreut darüber waren, und deutete darüber hinaus an, dass das Ministerium die Untersuchung unter strenger Geheimhaltung durchführte. Die offiziellen Verlautbarungen blieben dürftig. Der mit den Ermittlungen betraute stellvertretende Bundesstaatsanwalt Rivers Jones verwies alle Fragesteller an die Presseabteilung des Justizministeriums; seine Begründung lautete, eine Stellungnahme bei noch laufenden Ermittlungen sei unangebracht. Auch das Weiße Haus hielt dicht. Die einzige Äußerung kam von Parker Madsen, der kurz nach der Entdeckung von Branicks Leiche im Ostflügel erschien und eine vorbereitete Erklärung verlas. Darin hieß es, der Präsident und die First Lady seien »schockiert« und »zutiefst erschüttert« über den Verlust eines guten Freundes und eines engagierten Politikers. Sloane kam das eher abgedroschen und emotionslos vor für einen Mann, der gerade einen langjährigen Freund verloren hatte, aber vielleicht musste das einfach so sein bei einer wichtigen Persönlichkeit des öffentlichen Lebens, deren Arbeit nicht liegenbleiben durfte.

Als er im Internet keine neuen Informationen mehr finden konnte, suchte Sloane ein nah gelegenes Einkaufszentrum auf, um sich mit weiteren Kleidungsstücken einzudecken. Dann fuhr er in der Bay Area herum und holte Bordkarten für Flugzeuge ab. Von einem Münztelefon am Flughafen rief er Tinas Handynummer an, kurz bevor er den Nachtflug nach Dulles nahm.

»Tut mir leid, dass ich mich nicht verabschieden konnte.«

»Dann tu es nicht. Sag mir, dass du zurückkommst.«

»Ich komme zurück, aber erst muss ich zu mir finden.«

»David, das war nicht so gemeint.«

»Aber du hast völlig Recht gehabt, Tina. Verlass dich auf mich.«

»Das werde ich.«

Mit heruntergelassenem Fenster näherte sich Sloane in seinem Mietauto Berryville. Die Luft fühlte sich ruhig und friedlich an, was auf einen heißen, fast windstillen Tag deutete. Dichte Baumhaine waren Feldern mit sommerbraunem Gras und einer Landschaft mit verstreuten Farmhäusern und Pferdeweiden gewichen. Nach der Steigung, einem ersten Orientierungspunkt, bremste er ab und bog auf eine Landstraße, auf der er blieb, bis er zu der Reihe von Briefkästen auf Holzpfosten gelangte – sein zweiter Orientierungspunkt. Von dort ging es auf einem Kiesweg weiter. Wie ein Teppich erstreckte sich der saftige grüne Rasen um ein weißes einstöckiges Farmhaus mit Mansardenfenstern, waldgrünen Läden und einer großen, umlaufenden Veranda. Dahinter ragte eine rote Scheune auf, und auf einer ausgedehnten Weide grasten Pferde.

Mit Hinterbliebenen zu sprechen war immer heikel, weil ihre Reaktion nicht vorhersehbar war, aber Sloane hoffte darauf, dass Joe Branicks Familie etwas mit ihm gemeinsam hatte: den Wunsch, die Gründe für seinen Tod zu erfahren. Er schaute kurz hinüber zu dem rostfarbenen Umschlag auf dem Beifahrersitz. Wie erwartet hatte sein Inhalt mehr Fragen aufgeworfen als beantwortet.

Eine dichte Hecke verstellte ihm den Blick um eine Kurve, und er musste plötzlich bremsen, um nicht auf einen Streifenwagen aufzufahren, der vor einer freistehenden Garage parkte. Ein Golden Retriever sprang bellend und schwanzwedelnd von der Veranda, um seine Ankunft zu melden. Sloane legte den Umschlag in seine Aktentasche. Als er sich umdrehte, hatte der Hund die Pfoten am Fenster, und sein Kopf hing mit hechelnder Zunge im Auto.

»Na, wie geht's dir?«, fragte er. »Würdest du mich bitte rauslassen?« Mit einem Jaulen glitt der Hund von der Scheibe.

Sloane stieg aus und beugte sich vor, um den Hund an seinem Handrücken schnuppern zu lassen. Dann kraulte er ihn hinter den Ohren und unter dem Kinn. Der Hund reagierte sofort und stellte ihm die Pfoten auf die Hüften. Es konnte nie schaden, sich mit dem Haustier anzufreunden. Zumindest hatte man dann ein Gesprächsthema.

Ein uniformierter Polizist näherte sich. »Kann ich Ihnen helfen?«

»Das geht in Ordnung, Officer.« Eine distinguiert aussehende Frau in kakifarbener Hose, blauer Seidenbluse und flachen Schuhen trat von der Veranda. Als sie bei Sloane angekommen war, zog sie kurz am Halsband des Hundes. »Sitz, Sam! Sitz!« Sie blickte Sloane an. »Entschuldigen Sie bitte, er hatte in letzter Zeit nicht viel Auslauf.« Sie sprach mit einem New-England-Akzent, der wie das britische Englisch den Buchstaben R häufig ignorierte.

»Schon gut. Wirklich ein schöner Hund.«

»Er hat meinem Bruder gehört. Sind Sie David Sloane?«

Sloane streckte ihr die Hand hin. »Nennen Sie mich bitte David.«

Sie drückte Sloanes Hand mit der Festigkeit einer Frau, die häufig mit Männern zu tun hat. Ihr Händedruck hatte nichts Weibliches oder Versöhnliches an sich. »Aileen Blair.«

Sloane schätzte sie auf Anfang bis Mitte fünfzig. Sie war großgewachsen und athletisch, das rotbraune Haar fiel natürlich bis über ihre Schultern, mit einer grauen Strähne links vom Scheitel. Ihr Gesicht war immer noch jugendlich, und in ihren Augenwinkeln zeigte sich lediglich ein Ansatz von Krähenfüßen. Um ihren Hals hing eine Perlenkette. Sie war eine attraktive Frau.

»Ich kann Ihnen einen Eistee anbieten«, sagte sie.

Sloane folgte ihr über zwei Holzstufen hinauf, die unter seinem Gewicht knarrten. In der Ecke neben einem Korbtisch hing reglos eine Verandaschaukel. Der Rand wurde von Tontöpfen mit verwelkenden Blumen gesäumt. Sam folgte ihnen, doch Aileen Blair ließ ihn nicht durch die Fliegentür.

»Stopp«, befahl sie, und der Hund blieb stehen. »Er ist wirklich ein braver Hund. Schade, dass sie ihn nicht behalten können. Kennen Sie zufällig jemanden, der einen Hund braucht?«

»Leider nein.« Sloane folgte ihr durch die Tür. Im Haus war es dunkel, auch durch den Eichenboden und die gemusterte Tapete. Es roch nach frisch Gebackenem – Plätzchen oder Kuchen. Er hörte Stimmen in den anderen Zimmern, aber niemand trat in den Flur, um ihn zu begrüßen. Aileen Blair schob zwei Tafeltüren auseinander und trat in ein Wohnzimmer mit grünen Wänden und weißen Jalousien. Zwei burgunderrote Ledersofas, ein Glastisch und ein waldgrüner Lehnsessel waren um einen Fernsehschrank aus Eichenholz gruppiert. Hinter einem der Sofas standen ein Billardtisch und daneben eine lebensgroße Pappfigur von Larry Bird, dem legendären früheren Basketballspieler der Boston Celtics. Sloane, der ein Basketballfan war, steuerte automatisch auf die Figur zu, als seine Gastgeberin die Tür zuzog. Offenbar wollte sie nicht gestört werden.

»Joe hat die Celtics geliebt, vor allem Larry Bird.« Sie stellte die Jalousien so ein, dass das Licht schräg ins Zimmer fiel. »Er hatte grünes Blut in den Adern. Für ihn und seine Brüder war der Boden heilig, auf dem Larry Bird gegangen ist. Sie sind zu jedem Spiel im Garden und haben geheult wie die Schlosshunde, als er abgerissen wurde. Ich weiß nicht, woher Joe dieses Ding hat, und erst recht nicht, wie er seine Frau dazu gekriegt hat, es hier aufzustellen, aber mein Bruder konnte ziemlich überzeugend sein, wenn er was wollte.« Sie wandte sich von der Jalousie ab. »Da bin ich wie er.«

Sloane sah sie an.

»Ich hoffe für Sie, dass Sie nicht auf eine Story aus sind, Mr. Sloane. Ich bin für die rechtlichen Angelegenheiten der Familie zuständig.« Ihr Blick wanderte zu einer Familienfotografie an der Wand. Fünf erwachsene Männer in dreckverschmierten Stollenschuhen und Rugbykleidung hielten einander an den Schultern umschlungen, Joe Branick in der Mitte. »Joes Brüder sind für die geschäftlichen Angelegenheiten zuständig.«

## 47

*Zona Rosa, Mexico City*

*Das Schrillen des Telefons riss ihn aus tiefem Schlaf. Joe Branick hielt sich nicht mit langen Erklärungen auf. »Zieh dich an. Wir treffen uns in fünf Minuten unten vor dem Haus.«*

*Charles Jenkins legte auf. Er brauchte ein paar Sekunden um einen klaren Kopf zu bekommen, dann warf er die Bettdecke zurück und stand auf. Er gönnte seinem Körper einen Moment, um sich an die plötzliche Vertikale zu gewöhnen. Auf den kalten Badfliesen stehend klatschte er sich lauwarmes Wasser ins Gesicht und leerte seine Blase. Er zog eine Jeans und ein Hemd an, die er aus einem Haufen auf dem Boden klaubte, und vier Minuten nach dem Gespräch trat er durch die Tür und schlüpfte in die blaue Windjacke mit dem golden geprägten Schriftzug Entarco auf der rechten Brustseite. Unter dem Lichtschein einer Straßenlampe wartete er. Obwohl es erst kurz vor drei Uhr früh war, bildeten sich bereits Schweißperlen auf seiner Stirn. Mexico City hatte einen heißen, schwülen Tag vor sich, was nichts Besonderes war. Das Schlimmste dabei war der Smog. Am Ende solcher Tage tat es ihm in der Brust weh, wenn er tief Atem holte.*

*Jenkins wohnte in einem kleinen Apartment über einem Straßencafé in der Zona Rosa, einem wohlhabenden Vorort mit farbenprächtigen Läden und Restaurants, an denen er vor allem das lebhafte Treiben und die schönen*

*Besucherinnen zu schätzen wusste. Im Augenblick lag die Zona Rosa im Schlaf, die Ladenfenster waren dunkel, und auf den Straßen war nichts zu sehen und zu hören von dem tagsüber nie abreißenden Verkehrsstrom mit den wütend hupenden Taxis. Er biss in einen Apfel und beobachtete die Scheinwerfer eines blauen Fords, der auf ihn zuraste und am Bordstein anhielt.*

*»Du musst mir den Weg beschreiben«, sagte Branick, als sich Jenkins auf den Beifahrersitz gleiten ließ.*

*Jenkins sprach mit vollem Mund. »Wo fahren wir denn hin?«*

*Branick umkurvte das Heck eines VW-Käfer-Taxis, das einzige andere Auto auf der Straße, überfuhr eine rote Ampel und steuerte nach Süden. Es war nicht zu übersehen, dass er es eilig hatte.*

*»Ins Dorf«, antwortete er.*

*Jenkins hörte auf zu kauen. In der Dunkelheit war es ihm nicht gleich aufgefallen, doch jetzt sah er, wie angespannt Branicks Gesicht war. Seine Miene war besorgt und grimmig. »Was ist denn los, Joe?«*

*Branick sprach leise, als würde er ein Gebet flüstern. »Ich glaube, gestern Nacht ist dort etwas passiert.« Er blickte kurz zu Jenkins hinüber. »Etwas Schlimmes. Etwas ganz Schlimmes.«*

*Jenkins kurbelte das Fenster herunter und schleuderte den Apfel hinaus auf die Straße. Auch er hatte in den letzten Wochen etwas Ungutes wahrgenommen wie jemand, der das erste Ziehen einer kommenden Grippe im Körper spürt. Nur war dieses Ziehen nicht in seinem Körper, sondern tief in ihm, an einem geheimen Ort, der sich durch die jahrelangen Besuche in der Baptistenkirche aufgetan hatte: in seiner Seele.*

*»Warum?« Er hörte seine eigene Stimme und wusste,*

*dass er eigentlich hätte fragen müssen: »Was ist passiert?« Das Ziehen wurde stärker.*

*»Wegen deiner Berichte, Charlie«, erwiderte Branick. »Deine Berichte haben die Leute nervös gemacht.«*

*Jenkins spürte ein plötzlich aufsteigendes Brennen, dass ihm von seinen Eingeweiden aus in die Glieder fuhr. Branick warf ihm einen Seitenblick zu, dann wandte er sich wieder der Windschutzscheibe zu, als spräche er mit einem Geist auf dem Highway. »Sie waren so überzeugend. Du hast sie so verdammt überzeugend gemacht.«*

Charles Jenkins setzte sich auf, einen Moment lang orientierungslos. Irgendwas schepperte – sein Handy. Er tastete auf dem Nachttisch herum, in den jemand »LS lutscht Schwänze« gekratzt hatte.

Er klappte das Handy auf. »Hallo? Hallo … Verdammt.«

Er schob sich aus dem Bett und stapfte im Zimmer hin und her. Sein Hemd war feucht, seine Hände klebrig. In seinen Fingergelenken und Kniekehlen rumorte ein kalter, tauber Schmerz, als wäre seine Körpertemperatur gefallen. Plötzlich hielt er es nicht mehr aus in dem engen, verkommenen Motelzimmer und steckte den Kopf durch ein Fenster, das er trotz mehrerer festgeklebter Schichten Farbe aufgerissen hatte. Er atmete durch den Mund, um den Müll- und Uringestank von der rückwärtigen Straße nicht abzubekommen.

Nachdem sie Sloanes Wohnung verlassen hatten, hatten er und Alex bei mehreren Mietern angeklopft. Diejenigen, die überhaupt reden wollten, hatten eine Menge zu erzählen. Und so waren sie auf Detective Frank Gordon gestoßen.

Sie fanden Gordon in einem Ledersessel in seinem

Wohnzimmer, den Arm in einer Schlinge und in ziemlich mieser Laune. Seinem Erscheinungsbild nach zu urteilen war es nicht Sonntagmorgen, sondern Freitag kurz vor Dienstschluss. Rote Linien verliehen seinen Augäpfeln das Aussehen von Straßenkarten; seine Augen flehten förmlich um Schlaf. Die Erschöpfung stand ihm ins Gesicht geschrieben. Nur drei Dinge schienen ihn vor dem Zusammenbruch zu bewahren: die Schmerztabletten, die er mit kaltem Kaffee hinunterspülte, Alex' Beine, die er rhythmisch schaukelnd beäugte, und die selbstzufriedene Erkenntnis, dass mehr hinter Sloanes Abenteuern steckte, als dieser zugegeben hatte. Letzteres schloss er aus der Tatsache, dass die CIA in seiner Bude hockte.

Nach Jenkins' Erfahrung war es für Cops das Höchste, wenn sie eine gute Geschichte zum Besten geben konnten. Gordon war da keine Ausnahme. Nach ungefähr einer Stunde hatte ihm Jenkins drei wesentliche Informationen aus der Nase gezogen: Sloane war am Leben, allerdings wusste der Detective nicht, wo er sich gerade aufhielt. In Sloanes Wohnung war jemand gestorben – Melda Demanjuk, die Frau, die Sloane in seinem Testament bedacht hatte –, und offenbar hatte Sloane die Leiche der Ermordeten gefunden. Als Gordon erzählte, dass man der Frau die Kehle durchgeschnitten hatte, musste Jenkins kurz die Augen schließen, um die Fassung wiederzugewinnen. Beim Eintreffen der Polizei hatte sich Sloane weinend an die Frau geklammert und nicht auf die Beamten reagiert. Dies hatte zu seiner Einlieferung ins UCSF Hospital geführt, wo die Psychiaterin Dr. Brenda Knight seine Behandlung übernahm. Die Ärztin hatte anscheinend Erfahrung mit Posttraumatischen Belastungsstörungen und diagnostizierte bei Sloane ein ähnliches Krankheitsbild. Schließlich hatte Gordon auch noch einen Toten im County-Leichenschauhaus – einen Mann, der wahrscheinlich ein Exmilitär war und mit dessen Schusswaffenarsenal sich ein kleiner Trupp eine ganze Woche lang hätte verschanzen können.

Wieder klingelte das Telefon in Jenkins' Hand. Nur ein Mensch hatte die Nummer. Er klappte es auf. »Bist du angekommen?«

Nach dem Besuch bei Gordon war er mit Alex zum Flughafen gefahren. Sie zahlten in bar für Einfachflüge nach Washington, reisten aber getrennt, denn auch mit falschen Ausweispapieren wären sie ein schwer zu übersehendes Paar gewesen. Außerdem hatte ihn das Gespräch mit Gordon auf etwas gebracht, was er vor dem Verlassen der Stadt unbedingt noch erledigen wollte. Und da eine Psychiaterin bestimmt nicht so ohne weiteres mit ihm geredet hätte, musste er es auf die altmodische Tour versuchen. Alex hatte inzwischen einen Freund in Langley angerufen, der sie zusammen mit ein paar Kumpels am Flughafen abholen wollte. Diesen Freund hatte sie gebeten, auf diskrete Weise Informationen über Sloane einzuholen.

»Alles klar«, sagte sie.

»Was hast du rausgekriegt?«

»Sloane hat an den Flughäfen von San Francisco, Oakland und San José bei sechs verschiedenen Fluglinien elf Flüge mit acht verschiedenen Zielen gebucht. In jedem Ankunftsort hat er Mietautos und Hotelzimmer reserviert. Die Buchungen waren problemlos nachzuverfolgen, weil er für alle Transaktionen eine Kreditkarte benutzt hat. Dann hat er mindestens drei Bordkarten für Maschinen zu verschiedenen Zielen mit ungefähr gleicher Abflugzeit abgeholt.«

»Ein Verwirrspiel.«

»Vielleicht, aber deine Ahnung war richtig. Einer der Flüge ging nach Dulles. Möchtest du mir nicht verraten, woher du das gewusst hast?«

»Was, und dir die Überraschung verderben?«

»Ich hab weiter ein Auge auf seine Kreditkarten und Bankkonten, aber ich vermute, dass er ab jetzt nur noch bar bezahlt.«

Jenkins war ebenfalls dieser Ansicht. Zwar war Sloane dann schwer aufzuspüren, aber wenigstens würde ihn vielleicht auch kein anderer finden. »Was ist mit der Tätowierung, die Detective Gordon beschrieben hat?«

»Ich arbeite dran, aber das dauert noch, wenn es geheim bleiben soll.«

»Es muss unbedingt geheim bleiben.« Jenkins blickte auf den gelben Block mit den Notizen und den blauen Pünktchen und Kritzeleien am Rand, den er aus Dr. Brenda Knights Büro mitgenommen hatte.

»Alles in Ordnung bei dir? Du klingst, als wärst du eine Million Meilen entfernt«, bemerkte Alex.

Jenkins dachte an das Dorf im Dschungel und an die Dinge, die er dort gesehen hatte. »Du hast mich aufgeweckt. Ich hab ein Nickerchen gemacht.«

»Du hast es schön.«

»Ich ruf dich morgen an, wenn ich gelandet bin. Bleib in Deckung, Alex. Das kann ich gar nicht oft genug sagen.«

Nach dem Gespräch nahm er den Notizblock und las noch einmal Dr. Knights Protokoll über David Sloanes wiederkehrenden Alptraum – einen Alptraum, der auch der seine war.

## 48

Aileen Blair führte Sloane zum Sofa und reichte ihm ein Glas Eistee mit einem Stück Zitrone. Es lag kühl in seiner Hand, außen hing das Kondenswasser. Sie setzte sich in den Lehnsessel und schüttelte eine Zigarette aus einer Marlboroschachtel. Als sie ihm eine anbot, lehnte Sloane ab.

»Gut für Sie«, sagte sie.

Sie zündete die Zigarette an und legte Schachtel und Feuerzeug auf den Couchtisch. Mit einem Glasaschenbecher auf dem Schoß blies sie den Rauch zur Decke. »Diese verdammte Sucht hab ich mir nie abgewöhnen können. Ich weiß gar nicht mehr, wie oft ich schon aufgehört habe. Meine Mutter hält mir Predigten. Mein Mann hält mir Predigten. Meine Kinder halten mir *heftige* Predigten. Ungefähr drei Wochen hab ich durchgehalten. Dann kam die Nachricht vom Tod meines Bruders.«

»Es tut mir sehr leid.«

Sie schnippte die Asche weg, als wollte sie seine Bemerkung ebenso nonchalant abtun. »Also, Mr. Sloane, wer sind Sie?«

»Bitte nennen Sie mich David.« Er zog eine Visitenkarte aus der Hemdtasche und reichte sie ihr.

Mit einem nachdenklichen Lächeln betrachtete sie die Karte. »Ein Anwalt.«

»Ich bin nicht aus geschäftlichen Gründen hier, Ms. Blair.« Aus den Zeitungsartikeln erinnerte er sich, dass Aileen Branick Blair als Anwältin in Boston arbeitete. Vielleicht erhöhte diese Gemeinsamkeit in ihren Augen seine Glaubwürdigkeit.

»Hoffentlich nicht. Wenn Sie fünftausend Kilometer

fliegen müssen, um Mandanten zu bekommen, würde das kein gutes Licht auf Ihre Kanzlei werfen.« Sie legte die Visitenkarte auf den Tisch. »Sie sagen, Sie haben Informationen, die den Tod meines Bruders betreffen?«

»Ich denke ja.«

Sie schlug die Beine übereinander und strich ihre Kakihose glatt. Die Ähnlichkeit mit ihrem Bruder kam besonders stark zur Geltung, weil sie das Haar zu einem Pferdeschwanz nach hinten gebunden hatte: markantes Kinn, irisch helle Haut, blaue Augen. »Na schön. Aber bevor Sie anfangen, möchte ich ganz offen zu Ihnen sein. Ich weiß nicht einmal, warum Sie überhaupt hier sitzen. Seit Ihrem Anruf frage ich mich schon die ganze Zeit, was mich dazu bewegt hat, ja zu sagen. Ich weiß bloß noch, dass ich Ihnen auf einmal den Weg beschrieben habe. Wir hatten Dutzende von Anfragen, und ich habe in allen Fällen abgelehnt. Aber Sie hatten am Telefon so etwas ... Ihre Stimme hatte so etwas Aufrichtiges, das ich bei den anderen nicht gehört habe. Das hat mich dazu bewogen, mit Ihnen zu reden. Ich rede mir nämlich gern ein, dass ich einen guten Instinkt habe.« Sie drückte die Zigarette im Aschenbecher aus und schüttelte sich noch eine aus der Packung, während sie weitersprach. »Aber bevor Sie jetzt loslegen und unsere Zeit verschwenden, möchte ich eins klarstellen. Ich habe mir jetzt drei Tage lag ziemlich viel Quatsch anhören müssen, und echte Antworten waren nicht dabei. Meine Mutter und mein Vater sind für so was zu alt, meine Brüder müssen das Geschäft weiterführen, und Joes Frau ... nun, sie ist der Sache im Moment emotional nicht gewachsen. Wir haben sie mit ihren Kindern nach Boston geschickt, damit sie alles arrangiert. Ich bin die Jüngste, aber ich bin auch die Bulldogge der Familie. Das möchte ich gar nicht abstreiten. Das heißt, das ist jetzt meine Aufgabe. Zuerst war ich schockiert, und dann wollte ich es nicht wahrhaben. Mein Therapeut meint, dass ich allmählich in die Phase zögernder Akzeptanz übergehen sollte. Aber dafür bin ich einfach viel zu wütend, verdammt.«

Sloane lächelte. »In Ordnung.«

Sie nickte. »Also, woher kennen Sie meinen Bruder?«

»Ich kenne ihn eigentlich nicht.«

Sie zog die Augenbrauen hoch. »Sie haben mir am Telefon gesagt, dass Joe Sie angerufen hat.«

»Das ist richtig. Ihr Bruder hat mich am Donnerstag um halb sieben Ortszeit in meinem Büro in San Francisco angerufen und mir eine Nachricht hinterlassen.« Sloane reichte ihr das rosa Notizformular. »Nach allem, was ich aus den Zeitungen weiß, hat ihn danach niemand mehr lebend gesehen.«

»Das ist seine Büronummer«, bemerkte sie.

»Und aus der Tatsache, dass er diese Nummer hinterlassen hat mit der Bitte, ihn zurückzurufen, schließe ich, dass Ihr Bruder noch mal in sein Büro wollte.« Die Tragweite dieser Worte hing zwischen ihnen wie der Zigarettenrauch. »Kurz und gut, Ihr Bruder hat also erwartet, noch am Leben zu sein. Das ist nicht unbedingt die Handlungsweise eines Mannes, der sich mit Selbstmordabsichten trägt.«

Aileen Blair musterte ihn. »Aber Sie haben nicht mit ihm gesprochen?«

»Nein.«

»Und Sie sagen, Sie kennen meinen Bruder nicht?«

»Ich habe gesagt, dass ich ihn *eigentlich* nicht kenne, Aileen. Nach dem Telefonanruf wird das Ganze etwas unübersichtlich.«

Sie nickte. »So etwas hab ich schon vermutet. Sie sind bestimmt nicht fünftausend Kilometer geflogen, um mir von Ihrem Anrufbeantworter zu erzählen. Am besten, Sie fangen ganz von vorn an, David.«

Auf der Fahrt hierher hatte er sich zurechtgelegt, wo er beginnen wollte. »In der Nacht, nachdem mir Ihr Bruder die Nachricht hinterlassen hatte, ist jemand in meine Wohnung eingedrungen und hat meinen Briefkasten aufgebrochen. Das Komische daran ist, dass er nichts mitgenommen hat. Er hat nur alles zu Klump gehauen. Zuerst dachte ich an Vandalismus.«

»Aber jetzt nicht mehr.«

»Der Einbrecher hat nach etwas gesucht, nach etwas Bestimmtem. Etwas, das mir mit der Post geschickt worden war – von Ihrem Bruder.« Er nahm den Umschlag aus der Aktentasche und reichte ihn ihr.

Ihr Blick lag auf dem Kuvert. »Das ist Joes Handschrift.« Sie zog die Papiere heraus und studierte sie mehrere Minuten lang eingehend. Dann schaute sie mit gefurchter Stirn zu Sloane auf. »Adoptionsurkunden?«

»Ihr Bruder hat mir diese Unterlagen zugeschickt. Er hat sie gefunden, nicht ich. Bis dahin hatte ich keine Ahnung, dass ich adoptiert war. Ich bin immer davon ausgegangen, dass meine Eltern bei einem Verkehrsunfall ums Leben gekommen sind, als ich noch ein Junge war.«

»Sie hatten keine Ahnung?«

Es war eine erstaunliche Enthüllung für ihn gewesen. Als er sich jedoch näher mit Gedanken beschäftigte, die er aus Furcht vor den Antworten nie genauer analysiert hatte, hatte Sloane erkennen müssen, dass er nach dem Öffnen des Umschlags weder Schmerz noch Zorn gefühlt hatte. Nur Erleichterung. Er konnte sich nicht erinnern, den Tod seiner Eltern je beweint und sich je nach einer sanften Berührung, einer lenkenden Hand oder einer tröstenden Stimme gesehnt zu haben. Jahrelang hatte er sich Vorwürfe gemacht. Warum empfand er so wenig für zwei Menschen, die er doch instinktiv hätte lieben müssen? Die Unterlagen in dem Umschlag hatten ihm diese Last von den Schultern genommen, doch an ihre Stelle war eine noch schwerere Bürde getreten. Das Gefühl, wie ein steuerloses Boot im Sturm dahinzutreiben, war noch stärker geworden.

Er deutete auf die Papiere in Aileen Blairs Händen. »Edith und Ernest Sloane, die Menschen, die ich für meine Eltern gehalten habe, sind bei einem Verkehrsunfall gestorben, als ich sechs Jahre alt war.«

Sie blätterte in der Mappe. »Das sind Ihre Adoptionsurkunden?«

»Das dachte ich zumindest.«

Sie hörte auf, sich mit den Papieren zu beschäftigen, und blickte zu ihm auf. »Joe hat sich also getäuscht?«

»In der Mappe finden Sie Unterlagen aus dem St. Andrews Hospital in Glendale, Kalifornien. Ich hab Sie mir über meine Anwaltskanzlei in Los Angeles besorgen lassen. Die Frau, von der in diesen Formularen die Rede ist und die mich angeblich zur Adoption freigegeben hat, hieß Dianna O'Leary. Sie war achtzehn, unverheiratet und hat bei Onkel und Tante gelebt, die streng religiös waren.«

»Mein Gott!« Aileen Blair war zu den Artikeln gelangt, die die Niederlassung von Foster & Bane in Los Angeles aus den Archiven der *Los Angeles Times* besorgt hatte. Dianna O'Leary hatte das Krankenhaus nicht mit einem neugeborenen Jungen verlassen und diesen auch nicht zur Adoption freigegeben.

»Sie hat ihren Sohn erstickt.« Aileen Blair klang erschüttert.

»Der Staatsanwalt hatte kein Mitleid mit ihr. Wegen Mordes mit bedingtem Vorsatz war sie fünfzehn Jahre hinter Gittern. Als sie rauskam, hat sie sich mit einer Überdosis Schmerzmittel umgebracht.«

Sie sah ihn fragend an. »Aber wenn diese Frau ihr Kind nicht zur Adoption freigegeben hat, dann stimmen diese Unterlagen nicht.«

»So ist es.«

Sie blickte auf.

»Jemand hat sie gefälscht, damit es so aussieht, als hätten Edith und Ernest Sloane den Jungen adoptiert und ihn David genannt.«

»Wer?«

»Rein logisch betrachtet kann es nur Ihr Bruder gewesen sein.«

Sie ließ die Papiere sinken. »Joe? Warum sollte Joe diese Unterlagen fälschen?«

»Ich kann es natürlich nicht mit Sicherheit sagen, aber die einzige vernünftige Erklärung, die mir dazu einfällt, ist, dass er meine Identität verschleiern wollte.«

Sie lehnte sich zu ihm vor. »Wie kommen Sie zu dieser Annahme?«

Er nahm ihr die Papiere aus der Hand und blätterte, bis er das Gesuchte gefunden hatte. »Weil Edith und Ernest Sloane tatsächlich einen kleinen Jungen adoptiert haben, Aileen.« Er reichte ihr eine Sterbeurkunde. »Aber der siebenjährige David Allen Sloane ist bei diesem Verkehrsunfall zusammen mit seinen Eltern ums Leben gekommen.«

## 49

Exeter erhob sich von seinem Lager, um Parker Madsen bei seinem Eintreten ins Büro zu begrüßen. Nachdem er dem Hund den Kopf getätschelt hatte, bat Madsen seine

Sekretärin über die Sprechanlage, seinen Besucher jetzt vorzulassen.

»Entschuldigen Sie bitte die Störung.« Rivers Jones kam durch die Tür herein. Sein Gang war merklich schneller als sonst. »Sie haben darum gebeten, über die Branick-Untersuchung vollständig auf dem Laufenden gehalten zu werden. Wir haben ein Problem.«

Madsen zog die Augenbraue hoch, während er Exeter mit einem Hundekuchen fütterte.

»Wir haben uns Joe Branicks Telefonaufzeichnungen aus dem letzten halben Jahr angeschaut. Da ist eine Nummer dabei, die sehr häufig vorkommt.« Jones blieb instinktiv hinter einem schützenden Stuhl stehen, wie um die Wucht seiner Informationen abzumildern. »Es ist die Nummer einer Wohnung in McLean. Die Anrufe sind zu jeder Tages- und Nachtzeit getätigt worden, manchmal sogar unmittelbar nacheinander. Am letzten Tag waren es mehrere.«

»Eine Frau.« Madsen kraulte den Hund immer noch am Kopf.

Jones beugte sich vor. »Eine Hostess, Sir.«

Madsen blickte auf. »Eine Prostituierte.«

Jones räusperte sich. »Sozusagen.«

»Sie lässt sich für Sex bezahlen?«

»Ja.«

»Eine Prostituierte. Eine Hure.«

Jones stellte seine Aktentasche auf den Stuhl und nahm ein einzelnes Blatt in einer Plastikfolie heraus, das er Madsen hinhielt. »Und das haben wir auch gefunden.«

Madsen schnippte und kommandierte Exeter mit einem Fingerzeig zurück zu seinem Kissen, bevor er nach vorn trat, um das Dokument in Empfang zu nehmen. »Wo?« Er senkte das Papier.

»In seiner Aktentasche.«

»Wer weiß sonst noch davon?«

»Schwer zu sagen. Die Aktentasche war in seinem Büro, als wir rein sind, um ... nachzusehen. Das Büro war noch versiegelt, also weiß vielleicht niemand davon, aber sicher kann ich es nicht sagen.«

»Finden Sie es raus.«

Jones nickte und nahm den Brief wieder an sich. Über ihnen surrte die Klimaanlage. »Entschuldigen Sie, wenn ich das sage, General, aber Sie wirken nicht besonders überrascht.«

Madsen grinste. »Am männlichen Charakter kann mich nicht mehr viel überraschen, Rivers. Ich habe mein ganzes Leben lang Männer beurteilen müssen. Das hat mich leider zum Zyniker gemacht. Nur die wenigsten Männer sind das, was sie scheinen. Ich habe Ihnen schon bei unserer ersten Lagebesprechung gesagt, dass ich mehr hinter der Sache vermute. Ich bin mir sicher, dass der Präsident auch aus diesem Grund darauf gedrungen hat, die Angelegenheit mit Fingerspitzengefühl zu behandeln.« Er drehte sich um und ging wieder zu seinem Platz am Schreibtisch zurück. »Was werden Sie jetzt tun?«

Jones überlegte kurz. »Ich will mit dieser Frau reden, Terri Lane, um herauszufinden, was sie über die Sache weiß und wann sie Mr. Branick zuletzt gesehen oder gesprochen hat.«

Madsen fuhr sich gedankenversunken mit der Hand über die Lippen.

»Würden Sie anders vorgehen?«

Madsen zuckte die Achseln und machte eine vage Geste. »Es ist Ihre Untersuchung, Rivers.«

Jones wirkte beunruhigt. »Ich respektiere Ihre Meinung.«

Madsen holte kurz Luft. »Wenn diese Frau befragt wird, Rivers, dann wird das Ganze durchsickern. Das wissen wir beide. Je mehr Steine man in einen Weiher wirft, umso mehr Wellen erzeugt man. Und je mehr Wellen, umso wahrscheinlicher ist es, dass was am Ufer ankommt. Und wer weiß, was diese Frau für Geschichten herumtratscht, wenn man ihr Gelegenheit dazu gibt.«

»Sir?«

»Angesichts ihres Berufs und der Tatsache, dass sie in McLean wohnt, muss ich davon ausgehen, dass sie regelmäßige und gut zahlende Kunden hat. Glauben Sie, die Journalisten würden es bei Joe Branick bewenden lassen? Die würden doch sofort Blut lecken und einen Skandal wittern.«

»Meinen Sie nicht, dass sie schweigen würde?«

Madsen zeigte sich belustigt. »Weiß Gott, welche Aufnahmen diese Frau von ihren Kunden gemacht hat, um sich zu schützen, Rivers. Wenn es so ist, wie ich befürchte, wird sie bei Oprah Winfrey und in jeder anderen Talkshow des Landes auftreten. Stellen Sie sich doch vor, was passiert, wenn so was an die Presse gelangt. Joe Branicks Familie würde auseinanderbrechen.« Madsen schaute nach rechts, als sähe er dort Robert Peak im Oval Office stehen. »Rivers, es ist doch klar, dass der Präsident einen Freund schützen will, der einen Fehler gemacht hat. Leider werden das jedoch nicht alle so sehen. Nach Watergate und Ken Starr möchte jeder einmal die Chance haben, einen Präsidenten zu Fall zu bringen.«

Jones räusperte sich. »Darüber habe ich schon nachgedacht, und vielleicht habe ich eine Lösung.«

Madsen blickte zu ihm auf.

»Diese Informationen ändern nichts daran, dass sich Mr. Branick erschossen hat.«

»Das ist richtig.«

»Der Mann hat sich umgebracht. Wir haben die Ermittlungen an uns gezogen, um das mit Sicherheit bestätigen zu können. Das ist jetzt passiert. Das Ganze ist keine Frage mehr, die die nationale Sicherheit oder das öffentliche Interesse berühren könnte.«

Madsen nickte. »So weit kann ich Ihnen folgen. Worauf wollen Sie hinaus?«

»Wir könnten eine Presseerklärung herausgeben. Das Justizministerium hat festgestellt, dass es sich bei der Tat zweifelsfrei um Selbstmord handelt. Dann könnten wir den Fall zum Abschluss der Untersuchung an die Park Police in West Virginia zurückreichen.«

»Die Presse wird wissen wollen, was für Beweise Ihnen vorliegen.«

»Die Autopsie.« Jones lächelte. Anscheinend sah er endlich Licht am Ende des dunklen Tunnels. »Gestern sind die Ergebnisse gekommen.« Er zog den Bericht aus der Aktentasche und reichte ihn Madsen. »Die ballistische Überprüfung hat eine Übereinstimmung festgestellt. Die Schmauchspuren passen zu einer selbst zugefügten Verletzung. Er hat sich erschossen.«

Madsen hob den Blick. »Was ist mit der chemischen Analyse?«

»Unwesentlich«, antwortete Jones. »Sie hat nichts mit der Frage zu tun, ob er sich umgebracht hat oder nicht. Wir geben eine kurze Erklärung heraus: Die Autopsie bestätigt, dass sich Joe Branick das Leben genommen hat. Den Abschluss der Ermittlungen überlassen wir dann den örtlichen Behörden. Da sie nichts anderes finden werden, ist die Sache damit erledigt.«

Madsen schüttelte zweifelnd den Kopf. »Trotzdem wird die Presse wissen wollen, warum er das getan hat.«

»Das überlassen wir seiner Familie. Wenn sie seinen Ruf unbedingt beschmutzen wollen mit der Enthüllung, dass seine Ehe nur noch ein Scherbenhaufen und dass er Alkoholiker war, dann sollen sie.«

Madsen nickte. »Klingt nach einer praktikablen Lösung. Aber wie wollen Sie die Familie davon in Kenntnis setzen?«

Jones zog eine Grimasse wie bei einer plötzlichen Schmerzattacke. »Das könnte tatsächlich schwierig werden. Mr. Branicks Schwester liegt mir schon dauernd in den Ohren, wann endlich die Autopsieergebnisse vorliegen. Sie kommt morgen nach Washington, um Mr. Branicks Büro auszuräumen, und erwartet, dass ich sie auf den neuesten Stand bringe.«

»Wann sind Sie mit ihr verabredet?«

»Mittags. Eigentlich wollte ich es ihr morgen sagen. Aber ich könnte das Treffen auch ab…«

»Nein.« Madsen besann sich kurz. »Gehen Sie ruhig zu der Verabredung mit ihr.« Er gab dem stellvertretenden Bundesstaatsanwalt den Autopsiebericht zurück. »Und teilen Sie ihr mit, dass sich die Situation verändert hat.«

## 50

Aileen Blair starrte ihn mit offenem Mund an. Die Asche ihrer brennenden Zigarette schien gefährlich kurz davor, auf ihren Schoß zu fallen. »Aber wenn dieses Kind gestorben ist, wer …«

»Wer bin dann ich?« Sloane stand auf, die Hände in den Hosentaschen vergraben. »Im Augenblick habe ich keine Ahnung.« Die Worte, die er seit dem Öffnen des Umschlags nur gedacht hatte, klangen fremd und beängstigend.

In mancher Hinsicht hatte er sich sein ganzes Leben lang »anders« gefühlt. Das Aufwachsen in verschiedenen Pflegefamilien, von denen einige besser gewesen waren als andere, hatte ihn von den Gleichaltrigen seiner Umgebung entfremdet. Er hatte keine Eltern, die im Elternbeirat saßen und Hausaufgabenbetreuung machten. Auch wenn er in der Schule noch so gute Leistungen zeigte, es haftete immer ein Makel an ihm. Er war schließlich ein Pflegekind, und das war gleichbedeutend mit ›Problemkind‹. Er war ein Kind ohne Eltern und Verwandte, an denen andere Eltern seine Achtbarkeit, seinen Charakter und seine Werte hätten abschätzen können. Nichts über seine Vorgeschichte und Herkunft zu wissen verunsicherte andere viel mehr, als es ihn je verunsichert hatte. Er war wie ein streunender Hund auf dem Gehsteig, der einen freundlichen Eindruck machte und sich gut benahm, bei dem aber immer der Verdacht und die Furcht blieben, dass ihn irgendetwas Dunkles aus seiner Vergangenheit dazu bringen könnte, über arglose Passanten herzufallen. So wurde er in der Schule zwar nicht gemieden oder gar ignoriert, aber diejenigen, die sich die Zeit nahmen, ihn näher kennenzulernen, hielten diese Beziehung in den sicheren Grenzen der Schulmauern. Sloane machte ihnen keine Vorwürfe und war ihnen auch nicht böse. Es gab immer Gründe, weshalb er bei öffentlichen Veranstaltungen nicht dabei sein konnte, weshalb er nicht zu Geburtstagspartys eingeladen wurde, weshalb die Mädchen mit anderen Jungen zum Schultanz gingen. So kam es, dass er sich nach innen wandte mit dem entschlossenen Ehrgeiz, seinen Platz im Leben zu finden und Erfolg zu haben. Die erste Gelegenheit dazu hatten ihm die Marines geboten, doch nach einiger Zeit hatte er erkannt, dass es eine falsche Realität war, eine eher zufällig entstandene Kameradschaft, die auf der Gemeinsamkeit beruhte, dass sie alle nirgendwo anders hinkonnten. Er verließ die Marines wieder, weil er nicht wahrhaben wollte, dass das das Beste sein würde, was er je würde erreichen können. Jetzt fragte er sich, ob er noch etwas Besseres finden würde.

»Und anscheinend lässt sich auch nichts darüber rausfinden«, fügte er hinzu. »Jede schriftliche Spur endet, bevor sie überhaupt angefangen hat.«

Die Asche gab nach und bröselte auf ihren Schoß. Sie stand auf, um sie abzustreifen, und drückte die Zigarette aus. Nach einem flüchtigen Blick auf die Uhr machte sie eine wegwerfende Handbewegung. »Egal, wie früh es noch ist, ich brauche jetzt was zu trinken, das hält doch kein Mensch aus. Wollen Sie auch einen Drink, Mr. Sloane? Wenn ich meinen Bruder richtig einschätze, dann hat er hier irgendwo bestimmt einen guten Scotch.«

Sie fand ihn in einem Schränkchen unter dem Queueständer und schenkte beiden ein Glas mit Eis ein. »Ich habe keine Antworten für Sie, David, aber ich kann Ihnen etwas über meinen Bruder Joe verraten. Er hat immer das Richtige getan. Wenn er diese Papiere gefälscht hat, wie Sie vermuten, dann war es das Richtige in der gegebenen Situation.«

»Ich möchte Ihnen eine Frage stellen, Aileen. Haben Sie je die Möglichkeit in Betracht gezogen, dass Ihr Bruder …«

»Sich nicht umgebracht hat?« Sie reichte ihm sein Glas. »Mein Bruder hat sich nicht umgebracht, David. Darauf würde ich meinen Kopf verwetten.« Bei jedem Punkt der nun folgenden Aufzählung hob sie einen Finger. »Erstens war mein Bruder Katholik. Ich weiß, für die meisten Leute klingt das nach religiösem Quatsch, aber nicht für unsere Familie. Selbstmord ist nicht akzeptabel. Zweitens hat mein Bruder seine Frau und Kinder nicht nur geliebt, sondern regelrecht vergöttert. So was hätte er ihnen nie angetan. Er hätte sie nie auf diese Weise verlassen. Drittens meine Mutter. Sie ist eine irische Katholikin, David. Das reicht, damit sie sich ganz allein verantwortlich fühlt für den Erfolg und das Scheitern ihrer Kinder. Das wusste Joe ganz genau. Und er war ihr Liebling. Das sage ich ohne Bitterkeit. Sie hatten eine besonders enge Beziehung. So etwas hätte er auch ihr nie angetan, hätte nicht gewollt, dass sie den Rest ihres Lebens diese Bürde mit sich herumschleppt.« Sie fixierte Sloane mit ihren stahlblauen Augen. »Gott weiß, dass mir mein Glaube und meine Schwägerin wichtig sind, aber vor allem kann ich nicht zulassen, dass sich meine Mutter Vorwürfe wegen Joes Tod macht. Verstehen Sie?«

Er nickte. »Ja, das verstehe ich.«

»Aber das war noch nicht alles, was Sie mir erzählen wollten, David. Sonst wären Sie nicht hier. Sie wussten ja schon, dass diese Dokumente gefälscht sind. Dafür haben Sie mich nicht gebraucht. Es muss noch mehr geben. Sie haben gesagt, Sie kennen meinen Bruder eigentlich nicht. Und uneigentlich?«

»Ich bin Ihrem Bruder schon einmal begegnet, Aileen, ohne zu wissen, wo und wann. Doch was damals passiert ist, verfolgt mich bis auf den heutigen Tag.«

In den nächsten fünfundvierzig Minuten schilderte Sloane die Einzelheiten seines Alptraums und erzählte davon, dass er ihren Bruder zusammen mit einem riesigen Afroamerikaner in dem Zimmer gesehen hatte. An ihrem Scotch nippend hörte Aileen geduldig zu und stellte nur ab und zu eine gezielte Frage. Als Sloane zum Ende kam, waren das Glas leer und der Aschenbecher voll.

»Ich weiß nicht, wo das alles hinführen wird, aber ich möchte gern mehr über Ihren Bruder erfahren«, schloss er. »Vielleicht bekomme ich so einen Hinweis auf diesen anderen Mann. Das wäre zumindest mal ein Anfang.«

»Ich würde Ihnen gern helfen, David, bin aber selbst nicht sehr weit gekommen. Im Moment ist das wie eine Mauer des Schweigens, die sich nicht überwinden lässt. Zum Teil hat das sicher etwas mit Joes Karriere zu tun.«

»Mit seiner Karriere?«

Einen Augenblick saß sie schweigend da. Anscheinend überlegte sie, wie viel sie ihm erzählen sollte. »Sie werden darüber nichts in irgendwelchen Zeitungen oder in seinem Lebenslauf finden, David, aber mein Bruder hat für die CIA gearbeitet.«

In Gedanken ging Sloane noch einmal die Fakten aus den Zeitungsausschnitten durch, die er gelesen hatte. Branick hatte in England, Deutschland und Mexiko gearbeitet. Irgendwie war ihm das bedeutsam vorgekommen, ohne dass er den Grund erkannt hätte. Jetzt fiel es ihm wie Schuppen von den Augen. In all diesen Ländern hatte Robert Peak als CIA-Abteilungsleiter fungiert.

»Er hat für Robert Peak gearbeitet. Sie waren Freunde.«

Sie nickte. »Soviel ich weiß, wurde Joe auf die Gehaltsliste eines Unternehmens gesetzt, um seinen Aufenthalt in dem jeweiligen Land zu legalisieren. Natürlich hätten wir davon eigentlich nichts wissen dürfen, aber in unserer Familie lassen sich Geheimnisse nur schwer hüten. Wir waren froh, als er ausgestiegen und wieder nach Boston zurückgekehrt ist. Und keiner von uns hat es gern gesehen, dass er wieder nach Washington ging.«

»Sie haben nicht zufällig irgendwelche Aufzeichnungen oder Hinweise, aus denen sich entnehmen lässt, für welche Unternehmen er tätig war?«

Aileen blickte sich im Zimmer um und schüttelte den Kopf. »Ein paar Namen könnten wir bestimmt ausgraben, aber Aufzeichnungen sind mir nie zu Gesicht gekommen. Ich kann mir auch nicht vorstellen, dass Joe sie hier aufbewahrt hätte. Wenn überhaupt, dann sind sie am ehesten …« Sie unterbrach sich, um ihn intensiv zu mustern. »Sie könnten es machen.«

»Was machen?«

»Sie sind ein wenig jung, aber das würde bestimmt niemandem auffallen. Jon hatte schon immer ein jugendliches Aussehen.«

Sloane war inzwischen völlig verwirrt. »Entschuldigen Sie – aber wer ist Jon?«

»Mein Mann. Das war mein erster Gedanke, als Sie aus dem Auto gestiegen sind. Wie groß sind Sie, David? Eins sechsundachtzig? Eins achtundachtzig?«

»Eins achtundachtzig.«

»Und ungefähr fünfundachtzig Kilo schwer?«

»Ungefähr. Warum?«

Sie lächelte. »Sie sehen Jon zum Verwechseln ähnlich, zumindest als er noch jünger und sein Haar noch dunkel war. Gleiche Größe, gleicher Körperbau, gleiche Gesichtsfarbe.«

»Ich kann Ihnen nicht ganz folgen, Aileen.«

»Ich soll morgen Joes Büro ausräumen. Das geht aber nicht, weil etwas dazwischengekommen ist. Ein Problem mit der Überführung von Joes Leiche, und das hat natürlich Vorrang. Ich wollte schon anrufen und den Termin verschieben.«

»Und jetzt meinen Sie, ich soll da hinfahren?«

»Ich kann anrufen und sagen, dass Jon an meiner Stelle kommt.«

»Ich weiß nicht, Aileen.«

»Dann hätten Sie einen Fuß in der Tür und könnten sich mal in Joes Büro umsehen, seine persönlichen Papiere, Karteikarten, Kontakte unter die Lupe nehmen.«

Sloane schüttelte den Kopf. »Ich kann mich ja nicht mal ausweisen.«

»Darauf wollte ich ja hinaus mit der Ähnlichkeit. Sie können Jons Führerschein nehmen. Er gehört zu den Fahrern, die nie einen Strafzettel kriegen; sein Führerschein wird immer per Post verlängert. Ich glaube, er war so um die vierzig, als sein Foto zum letzten Mal erneuert wurde. Sie könnten wirklich sein Bruder sein. Und für alle Fälle kann ich Ihnen auch noch ein paar Visitenkarten von ihm mitgeben.«

»Und das reicht?«

»Sonst brauchen Sie nichts. Ich habe denen in den letzten Tagen die Hölle heiß gemacht. Der stellvertretende Bundesstaatsanwalt, der die Ermittlungen leitet, macht sich immer fast in die Hose, wenn ich ihn anrufe. Ich sage ihm einfach, dass man Sie nicht mit dem üblichen Washingtoner Bürokratiekram belästigen soll, dass die das schon vorher erledigen sollen. Ich war schon mal in Joes Büro. Es liegt im Old Executive Office Building gleich gegenüber vom Weißen Haus. Natürlich müssen Sie am Sicherheitsdienst vorbei, aber wir lassen Sie einfach auf eine VIP-Liste setzen, dann gibt es keine Probleme. Die schauen sowieso in erster Linie nach Waffen.«

»Und was ist, wenn eine Sekretärin oder sonst jemand …«

»Jon kennt? Jon ist ein Stubenhocker. Er kommt nur selten aus Boston raus.« Sie lächelte. »Was kann da schon schiefgehen?«

## 51

Clay Baldwin saß auf einem Hocker, sein Gewicht auf das rechte Bein gestützt, während er den Artikel auf der ersten Seite der örtlichen Wochenzeitschrift *Spirit of Jefferson* las. So spät am Nachmittag bekam er Ischiasbeschwerden vom langen Sitzen untertags, aber das war es nicht, was ihn im Augenblick mit dem Gedanken spielen ließ, alles einfach hinzuschmeißen. Vor drei Monaten hatte er seinen Schwager gebeten, ihn vor der »Ach-Schatz-könntest-du-noch«-Liste zu retten, die sich Baldwins Frau für seinen Ruhestand aufgehoben hatte. J. Rayburn Franklin hatte ihn als Teilzeitkraft eingestellt, um die Telefonanrufe entgegenzunehmen und die Pförtnerloge zu besetzen, und dadurch war er aus dem Haus gekommen. Aber nach der Nachricht von Bert Coopermans Tod dachte Baldwin immer öfter daran, wieder mehr Zeit in den eigenen vier Wänden mit seiner Frau und seinen Enkeln zu verbringen.

Am Morgen hatte Coopermans Beerdigung stattgefunden. Im Revier herrschte gedrückte Stimmung, und das würde wohl auch eine Weile so bleiben. Es war ein Hilfsfonds eingerichtet worden, um Geld für das Aufziehen und die zukünftige Ausbildung des Kindes zusammenzubringen. Aber das war nur ein schlechter Vaterersatz. Baldwin hob die Zeitung und betrachtete das Bild von Coopermans ramponiertem Streifenwagen, der an einem Kran hing. Unwillkürlich fiel ihm ein, dass Coop immer sein Bild in der Zeitung sehen wollte.

»Verdammt«, fluchte Baldwin.

Hinter ihm öffnete sich die Glastür, aber Baldwin machte sich nicht die Mühe, sich umzudrehen. Er hatte gesehen, wie Tom Molias smaragdgrüner 69er Chevy auf den Parkplatz fuhr. »Tafel«, knurrte er.

Molia blieb mitten im Schritt stehen und kämpfte gegen den Drang an, das Ding von der Wand zu reißen und in kleine Stücke zu zerschlagen. Zum ersten Mal seit zwanzig Jahren hasste er seinen Beruf. Er hasste das Gefühl, dass er den Kürzeren gezogen hatte und dass jemand Coop umgebracht hatte, ohne mit Vergeltung rechnen zu müssen. Seine Ermittlungen zu Coopermans Mord hatten in eine Sackgasse geführt. Ho konnte mit der Leiche nichts anfangen. Es gab keine Möglichkeit, den Inhalt des Telefongesprächs herauszufinden, das Cooperman nach Molias fester Überzeugung zufällig mitgehört und das ihn dazu bewegt hatte, hinaus zu Evitt's Run zu fahren. Und der Fall Branick war ihm entzogen worden.

Eine Sackgasse nach der anderen.

Als Molia den Magneten bei seinem Namen von der Abwesend- in die Anwesend-Spalte versetzte, klingelte das Telefon. Baldwin nahm ab.

»Den Fall behandeln wir nicht mehr; den hat das Justizministerium übernommen«, sagte Baldwin. »Das kann ich Ihnen nicht sagen. Da müssen Sie mit dem Polizeichef persönlich sprechen.«

Molia blickte kurz auf die Tafel und verrutschte schnell den Magneten unter dem obersten Namen. Baldwin blickte über die Schulter. »Er ist gerade nicht da. Sie können ihm eine Nachricht hinterlassen, er wird Sie dann zurückrufen.« Baldwin notierte die Nachricht und eine Telefonnummer auf einem Schreibblock und legte auf. Als er vom Hocker gleiten wollte, ließ er sich mit einer Grimasse wieder zurückfallen und drückte die Hand auf den unteren Teil des Rückens.

»Kreuzschmerzen, Clay?«

»Hä?« Baldwin wandte sich um und stellte überrascht fest, dass Molia noch hinter ihm stand. »Nur ein bisschen steif. Meine Frau hat mich gestern Bäume beschneiden lassen.«

»Gartenarbeit kann ganz schön gemein sein.« Molia deutete auf den Notizzettel in Baldwins Hand. »Das kann ich doch für dich abgeben. Wo muss es hin?«

»Zu Ray.« Wieder blickte Baldwin auf die Tafel. »Hab ihn gar nicht weggehen sehen.«

»Ist wahrscheinlich rausgeschlichen, als du gerade ein Gespräch entgegengenommen hast. Zum Glück hast du die Tafel.«

Baldwin schaute ihn an. »Genau, dafür ist sie ja da.«

Molia streckte die Hand aus. »Ich leg's ihm hin.«

Baldwin zögerte, aber jeder Argwohn gegen Molias Motive verblasste angesichts der zunehmenden Schmerzen im Lendenwirbelbereich. Er reichte dem Detective den Notizzettel. »Leg ihn einfach auf seinen Stuhl.«

»Mach ich.«

Sloane legte das Telefon weg, streifte die Schuhe ab und ließ sich auf das Motelbett sinken. In der vergangenen Woche hatte er nur wenig geschlafen, und allmählich ließen ihn Körper und Geist im Stich. Die Polizei von Charles Town wollte ihm keine Informationen über die Ermittlungen im Fall Joe Branick geben, doch aus einem Zeitungsbericht hatte er erfahren, dass die Beamten aus Charles Town ursprünglich die Zuständigkeit übernommen hatten und das Justizministerium erst danach den Stöpsel gezogen hatte. Es hatte wohl wenig Sinn, atemlos auf einen Rückruf des Polizeichefs zu warten. Wenn er sich überhaupt die Mühe machte, dann bestimmt nur, um ihn ans Justizministerium zu verweisen, so wie der

Leichenbeschauer von Jefferson County, ein gewisser Peter Ho, es getan hatte, als Sloane angerufen hatte, um etwas über die Autopsie herauszufinden, die Aileen Blair gefordert hatte.

Er schnappte sich das Handy und wählte Aileens Nummer. Sie bestätigte seine morgige Verabredung in Joe Branicks Büro.

»Am Eingangschalter liegt ein Passierschein für Sie bereit«, berichtete sie. »Sie werden von einer gewissen Beth Saroyan empfangen – so eine Schnepfe aus dem Justizministerium. Man hat mir zugesichert, dass die Sie durch den Sicherheitskram schleust und direkt in Joes Büro bringt. Ich muss morgen nach Boston. Wenn die Ihnen irgendwelche Scherereien machen, rufen Sie mich einfach auf dem Handy an.« Sie gab Sloane die Nummer. Dann legte sie auf.

Als er gerade eindöste, riss ihn das Läuten des Telefons hoch. Er rechnete erneut mit Aileen, aber es war die Stimme eines Mannes.

»Mr. Blair?«

»Ja?«

»Hier spricht Detective Tom Molia von der Polizei in Charles Town. Ich habe gehört, Sie haben wegen der Ermittlungen im Fall Joe Branick angerufen?«

## 52

*Bluemont, Virginia*

Der J&B Pawnshop befand sich kurz vor Bluemont, Virginia, am Highway 734 in einem stockwerklosen Flachbau, der zwischen einer Eisdiele und einem Geschäft für Miniaturpuppen eingequetscht war. Es war das fünfte

Leihhaus, das Sloane angerufen hatte. In den örtlichen Gelben Seiten war es unter der Rubrik »Schusswaffen« mit einer fünf mal fünf Zentimeter großen Anzeige eingetragen, deren Buchstaben rot über einer schwarzen Pistole prangten:

Barzahlung für gebrauchte Schusswaffen
Kauf, Verkauf, Tausch

Sloane hatte sich auf die Worte »Barzahlung« und »Tausch« konzentriert. Nach der Verabschiedung der Brady Bill, in der deutliche Reglementierungen und Vorstrafenprüfungen festgeschrieben worden waren, dauerte der Erwerb einer Handfeuerwaffe normalerweise mindestens einen Monat. So lange konnte Sloane nicht warten. Sein Trick mit den Flughäfen würde seine Verfolger nicht ewig täuschen. Und wenn sie von der CIA waren, wie er inzwischen vermutete, verfügten sie über ausgeklügelte technische Ausrüstung, um ihn aufzuspüren. Auf Dauer würde da auch eine Waffe nichts ausrichten, aber fürs Erste konnte sie nicht schaden. Mit seinem Virginia-Singsang beschrieb der J&B-Ladeninhaber Sloane den Weg. Sie plauderten darüber, welche Art von Waffe Sloane suchte, und Sloane hielt ihn so lange am Telefon, bis er erfuhr, dass der Mann ein eingetragenes Mitglied der National Rifle Association und ein Vietnamveteran war – ein Marine. Als ihm Sloane erzählte, dass auch er als Marine gedient und in Grenada verwundet worden war, schien eine unausgesprochene Verbindung zwischen ihnen hergestellt. Und genau diese Verbindung wollte sich Sloane zunutze machen.

Er wartete bis kurz vor Geschäftsschluss, um möglichst auf keine anderen Kunden in dem Laden zu treffen. Als er durch die Tür ging, klimperten Glocken, die an Schnüren herunterhingen. Eine halbe Stunde später klingelten die Glocken erneut, und der Ladeninhaber sperrte hinter Sloane ab. Er ging ohne seine Rolex und sein Feuerzeug. In einer braunen Tüte trug er einen nicht registrierten Colt Defender Kaliber .45 – eine Adaption des in Vietnam verwendeten Colt Commander –, drei Magazine, zwei Schachteln Hohlspitzpatronen mit Messingummantelung der Marke Remington Golden Saber, und einen Beltster-Halfter, den ihm der Mann unaufgefordert dazugelegt hatte.

Im Auto lud Sloane die Magazine auf und schob eines in den Griff aus Stahl und Gummi. Er spürte das Gewicht und die Balance der Waffe. Sie lag gut in der Hand. Die Ruger, die er im Krankenhausaufzug an sich genommen hatte, war die erste Waffe gewesen, die er berührt hatte, seit er sich bei seinem Abschied von den Marines geschworen hatte, nie wieder eine anzufassen.

Er vertauschte seinen geflochtenen Ledergürtel gegen den Halfter, der unten mit einem besonders dicken Stück Leder versehen war, um ihn eng an der Hüfte anliegen zu lassen. Dann fuhr er zu einem Fastfoodlokal mit einem Münztelefon am Parkplatz. Er ließ wechseln und warf eine Handvoll Kleingeld in den Schlitz. Nach dem dritten Läuten ging Tina an ihr Handy.

»Ich bin's. Bitte keine Namen.«

»Geht's dir gut?«

»Alles klar. Und bei euch, alles in Ordnung?«

»Uns geht's gut. Hör mal, du musst vorsichtig sein.«

»Das bin ich.«

»Das meine ich nicht. Dr. Knight hat mich angerufen. Sie sagt, jemand vom FBI sei bei ihr im Büro aufgekreuzt und wollte mit dir sprechen. Sie hat abgelehnt. Dann am Wochenende ist jemand in ihr Büro eingebrochen.

Sie konnte sich überhaupt nicht vorstellen, wonach die Leute hätten suchen können. Bis ihr aufgefallen ist, dass was gefehlt hat.«

»Was hat gefehlt?«

»Ihr Block, auf dem sie sich Notizen gemacht hat, als ich ihr deinen Alptraum beschrieben habe. Sie sagt, sie habe beim Sicherheitsdienst des Krankenhauses nachgefragt und erfahren, dass ein Mann am Empfang war, um ein Federal-Express-Paket abzugeben. Es war derselbe Mann, der im Krankenhaus erschienen ist und behauptet hat, FBI-Beamter zu sein.«

»Woher will sie das so genau wissen?«

»Weil sie ihn beschrieben haben, und sie meint, so jemanden vergisst man nicht so leicht.«

»Hat sie gesagt, wie er aussieht?«

»Ja. Ein Afroamerikaner. Sehr groß und massig.«

## 53

Mit einem halben Pastrami-Sandwich zwischen den Zähnen schlüpfte Tom Molia in sein Sakko und blickte auf die Uhr: 10.00 Uhr. Jon Blair war pünktlich. Molia eilte durch den Korridor zum Eingang und sah J. Rayburn Franklin in der entgegengesetzten Richtung um die Ecke biegen. In seinen Augen lag das »Genau-dich-suche-ich«-Funkeln. Molia ließ das Sandwich in seine Sakkotasche gleiten und steuerte eilig auf die Toilette zu.

»Bild dir bloß nicht ein, dass du damit durchkommst«, dröhnte Franklins Stimme.

Molia blieb abrupt stehen und zog die Hand von der Tür zurück. Immer das Gleiche. So knapp davor … Er wandte sich Franklin zu. »Womit, Chief?«

»Damit, dass du einfach aufs Klo schleichst, um mir auszuweichen. Im Moment würde ich dir nämlich sogar bis in die Kabine folgen.«

Molia legte eine Hand an den Magen. »So was würde ich nie machen, Chief. Mir ist bloß schlecht.«

»Hörst du deinen Anrufbeantworter nicht ab?« Franklins Atem roch säuerlich nach Morgenkaffee.

»Wolltest du mit mir reden? Tut mir leid, ich war noch nicht an meinem Schreibtisch. Du weißt ja, ich und mein Magen. Ich war ...« Er deutete mit dem Daumen zur Toilettentür. »Hab mir wohl irgendwelche Bazillen von den Kindern geholt.« Er hustete, und Franklin trat einen Schritt zurück. »Aber es könnte auch die italienische Wurst von gestern Abend sein, die wieder rauswill. Die zweite hätte ich wirklich nicht mehr verdrücken sollen. Aber komm mir trotzdem nicht zu nah. Das ist nämlich auch nicht so schön.«

Molia schob die Toilettentür auf, doch Franklin streckte den Arm quer über den Spalt. »Dann würde ich vorschlagen, du streichst die Pastrami vom Speiseplan. Wo ist die Nachricht?«

Molia starrte ihn verständnislos an. »Nachricht? Was für eine Nachricht?«

»Stell dich nicht blöd, Mole. Die Nachricht, die dir Clay gestern gegeben hat.«

Molia fuhr sich mit der Hand übers Kinn, als hätte er vergessen, sich zu rasieren. »Clay hat mir gestern eine Nachricht gegeben?«

Franklin lächelte. »Der Typ, der wegen des Falls Branick angerufen hat. Na, klingelt es jetzt?«

»Ach, die Nachricht.«

»Genau, die Nachricht. Clay sagt, du wolltest sie mir persönlich bringen. Da frage ich mich natürlich, wieso.«

»Baldy hatte es wieder mal mit dem Ischias …«

»Und da hast du den guten Samariter gespielt, weil Clay ein alter Kumpel von dir ist.«

»Genau.« Molia trat auf die Tür zu, doch Franklin versperrte ihm wieder mit dem Arm den Weg. Sie standen so nah beieinander, dass Molia die Staubkörnchen auf Franklins Brille sehen konnte. »Rayburn, du legst dich hier mit Naturgesetzen an.«

»Ich würde gern wissen, womit sich mein dienstältester Detective in letzter Zeit beschäftigt hat.«

»Ich hab gearbeitet – und ich war ziemlich oft auf dem Klo.«

»Woran hast du gearbeitet?«

»Na ja, an verschiedenen Fällen, Ray. Ich habe mehr geackert …«

»Als ein rammelndes Karnickel, ich weiß. Was für Fälle?«

»Was für Fälle? Lass mich überlegen. Zum Beispiel dieser Einbrecher. Hab ein paar gute Hinweise, denen bin ich nachgegangen.«

»Was für ein Einbrecher?«

»Dieser Einbrecher eben. Der Typ, der immer in Häuser einbricht.«

Franklin lächelte. »Ich weiß, was ein Einbrecher ist. Ich möchte aber wissen, wer der Mann ist.«

»Na ja, das versuche ich ja gerade rauszufinden.«

Franklin starrte ihn über den Brillenrand hinweg an. »Dann kann ich also bald einen Bericht erwarten?«

Molia wiederholte eines von Franklins beliebten Mantras: »Bevor die Erinnerung verblasst und zum Mythos wird.«

Franklin ließ den Arm sinken. Sie starrten sich an, keiner glaubte dem anderen ein Wort, doch beide wollten es nicht auf eine Auseinandersetzung ankommen lassen. Franklin streckte die Hand aus. »Die Nachricht?«

Molia zog den zerknüllten Notizzettel aus der Tasche, der inzwischen mit Senf aus dem Pastrami-Sandwich beschmiert war. »Ich hab's gestern verschwitzt – ständig Anrufe und die vielen unaufgeklärten Fälle, du weißt schon.«

Franklin fasste den Notizzettel ganz am Rand an und betrachtete voller Ekel den Senf. Wieder musterte er Molia scharf. »Ich möchte mir gern ein paar von diesen Fällen ansehen, an denen du gerade arbeitest.«

Molia schaute auf die Uhr. »Kein Problem. Wie wär's mit heute Nachmittag?«

»Wie wär's mit jetzt gleich?«

»Jetzt geht's nicht, Ray.« Molia deutete zur Toilettentür.

»Ich warte hier auf dich.«

»Kann aber eine Weile dauern, Ray. Du kennst mich doch. Manchmal lese ich den ganzen Sportteil.«

»Egal.«

Wieder sah Molia auf die Uhr. Er war erledigt. »Also gut, komm mit, ich hab die Akten auf dem Schreibtisch.« Er wandte sich um und machte einen Schritt in Richtung Büro. Als er Franklins Schuhe nicht auf dem Linoleum hörte, blickte er über die Schulter.

Franklin stand unbewegt im Korridor. »Hast du nicht was vergessen?«

»Was vergessen?«

Franklin deutete mit dem Daumen auf die Toilettentür.

»Ach so. Du hast mich ganz aus dem Konzept gebracht, Ray.« Franklin verfolgte ihn mit Argusaugen, als Molia wieder zurückging und die Klotür aufschob. »Die Akten liegen auf meinem Schreibtisch. Dauert nur eine Minute.«

Sloane saß auf einem festgeschraubten blauen Plastikstuhl in der Eingangshalle des Polizeireviers von Charles Town und blätterte in einer zwei Monate alten *Newsweek.* Nervös blickte er immer wieder auf die Uhr an der Wand. Detective Molia war ohne Zögern auf Sloanes Bitte um eine Verabredung eingegangen. Aber leider war die Pünktlichkeit des Detectives weniger ausgeprägt als sein Interesse, und Sloane lief die Zeit davon. Die Fahrt nach Washington dauerte eineinhalb Stunden, und allmählich wurde es knapp. Schließlich stand er auf, um zu gehen. Da öffnete sich rechts von ihm eine Metalltür, und ein athletischer, leicht übergewichtiger Mann stürmte herein, der in den Taschen eines zerknitterten Sakkos herumwühlte. Sein Hemd war aufgeknöpft, und der Krawattenknoten war halb gelöst. Er streckte die Hand aus und murmelte durch ein Sandwich, das zwischen den Zähnen klemmte, eine unverständliche Begrüßung. Als Sloane den Arm ausstreckte, zog der Mann die Hand zurück und nahm das Sandwich aus dem Mund.

»Entschuldigung – mein Mittagessen. Sind Sie Jon Blair?«

»Ja, und Sie …«

Molia wollte Sloane die Hand schütteln und hielt inne, um sich das Sandwich in die Jackentasche zu stopfen. Schließlich gab er Sloane doch noch die Hand und bugsierte ihn gleichzeitig zur Tür.

»Tut mir leid, dass Sie warten mussten. Mir ist was dazwischengekommen.«

Sie traten hinaus ins grelle Sonnenlicht.

»Detective, ich fürchte, wir müssen unser Gespräch

verschieben. Ich habe eine andere Verabredung. Ich habe keine Zeit mehr zum Kaffeetrinken.«

Molia ließ die Hand auf Sloanes Rücken und führte ihn über den Parkplatz. »Schade, Jon. Aber wissen Sie was, wo haben Sie denn Ihre Verabredung?«

»In Washington.«

»Ich bringe Sie hin.«

»Nach Washington? Ist das nicht ein bisschen weit für Sie?«

Der Detective wollte nichts davon hören. »Das ist doch das Mindeste. Wäre mir echt peinlich, wenn Sie wegen mir zu spät kommen.« Er nahm die Hand nicht von Sloanes Rücken.

»Das ist wirklich sehr freundlich von Ihnen …«

»Kein Problem. Ich muss dort sowieso noch ein paar Sachen erledigen. Da schlage ich zwei Fliegen mit einer Klappe. Erstens kommen Sie dann garantiert nicht zu spät, und zweitens kann ich überall parken – der Beruf hat auch seine Vorteile. Haben Sie schon mal in Washington einen Parkplatz gesucht, Jon? Da wird man alt dabei. Und unterwegs können wir uns unterhalten.«

Sie kamen zu einem nicht gekennzeichneten smaragdgrünen Chevrolet. Tom Molia zog die Beifahrertür auf, und Sloane beugte sich vor, um einzusteigen, doch der Detective hielt ihn an der Schulter fest, als ein ofenheißer Luftstrom aus dem Wageninneren herausschoss.

»Um diese Jahreszeit muss man erst ein bisschen lüften, Jon. Sonst verbrennt man sich den Allerwertesten. Woher kommen Sie?«

»Aus Boston.«

»Da ist es auch heiß, hab ich in den Nachrichten gesehen. An der ganzen Ostküste kann man auf dem Gehsteig Spiegeleier braten.«

»Ja, stimmt.« Sloane hatte das Gefühl, einen Test nicht bestanden zu haben. »Ist wahrscheinlich nur, weil ich es eilig habe.«

»Wir haben Zeit.« Der Detective klaubte alte Zeitungen und Essensverpackungen vom Boden und warf sie auf den Rücksitz. »Entschuldigen Sie bitte die Unordnung.« Er holte das halb verspeiste Pastrami-Sandwich aus der Tasche, klemmte es sich wieder zwischen die Zähne und kramte erneut in den Taschen herum.

Sloane deutete auf die Autoschlüssel. »Sie haben sie in der Hand.«

Molia nahm das Sandwich aus dem Mund. »Meine Frau sagt immer, dass mich das Zeug noch mal umbringt, aber mein Cholesterinspiegel ist heute noch genauso niedrig wie mit zwanzig.« Er zuckte die Achseln. »Kaum zu glauben.« Er hielt Sloane die Schlüssel hin wie ein Junge der gerade beim Baseball einen ungültigen Ball gefangen hat. »Okay, dann fahren wir mal los, damit Sie mir nicht zu spät kommen.«

Die Fahrt nach Washington war malerisch, aber heiß. Der Detective schätzte die Außentemperatur auf »schlappe fünfunddreißig bis achtunddreißig Grad«, und auch sein Tempo war ziemlich flott. Der alte Chevy hatte natürlich keine Klimaanlage. Mit den heruntergelassenen Scheiben war es, als säße man in der Druckwelle eines Flugzeugmotors.

»Es ist nicht die Hitze, die einen fertigmacht, sondern die Feuchtigkeit!«, brüllte Molia in den tosenden Fahrtwind. »Können Sie mir diesen Spruch erklären, Jon?«

Sloane zuckte lächelnd die Achseln.

»Hab ich auch erst begriffen, als ich an die Westküste gezogen bin. Mit der Hitze komme ich klar, aber wenn ich nass bin, als wäre ich gerade unter einen Gartensprenger geraten, fühle ich mich alt. Das zieht mich runter. Andererseits, wäre ich ohne den Sommer wahrscheinlich zehn Kilo schwerer. Meine Frau hört mir schon gar nicht mehr zu. Sie sagt, ich kauf mir nur deswegen keinen neuen Wagen mit Klimaanlage, damit ich an West Virginia herumnörgeln kann.« Er lächelte. »Und damit hat sie auch Recht.«

»Wo kommen Sie denn her, Detective?«

»Aus Oakland, Kalifornien.« Stolz schwang in seiner Stimme mit. »Und nennen Sie mich einfach Mole. Das machen alle.«

»Okay.«

Er warf einen Seitenblick auf Sloane. »Maulwurf – toller Name für einen Detective, hmm?«

Sloane hatte noch gar nicht darüber nachgedacht. »Ja, stimmt.«

»Vielleicht ist das so was Vorherbestimmtes, so wie Wetteransager, die Storm oder Cloud heißen. Keine Ahnung, jedenfalls waren schon mein Vater und mein Großvater Polizisten. Wird schon irgendwie was dran sein.«

»Und was hat sie nach West Virginia gebracht?«

»Was, wenn nicht eine Frau? Hätte nie gedacht, dass ich Kalifornien verlassen könnte. Aber ich hab mich in ein Mädel aus West Virginia verknallt, und für sie war es Teil der Vereinbarung, dass wir hier wohnen.« Er zuckte die Achseln. »Was hätte ich machen sollen? Ich war verliebt. Ich bin weit weg von zu Hause, und manchmal krieg ich Heimweh, aber das hier ist dafür ein schöner, sicherer Ort, um Kinder großzuziehen. In meinem Viertel schlafen die Leute hinter Fliegentüren. Trotzdem, tief in mir drinnen bin ich immer noch Oaklander ... Waren Sie schon mal dort?«

»In Oakland? Nein. Aber in San Francisco.«

»Unterschied wie Tag und Nacht. San Francisco ist Wein und Käse, Oakland ist Bier und Bratwurst. Das bleibt an einem haften wie der Dreck unter den Fingernägeln. Ist genauso ein Stück von mir wie der alte Chevy hier.« Er strich mit der Hand über die Armatur, als würde er einem feinen Rennpferd das Fell streicheln. »Mein Dad hat ihn gebraucht gekauft und ihn mir zum sechzehnten Geburtstag geschenkt, weil er fand, dass es ein zuverlässiges Auto ist. Stimmt auch. Hat mich nie im Stich gelassen. Wir sind zusammen nach Virginia gefahren und, als mein Vater krank war, wieder zurück nach Kalifornien. Ich bring es einfach nicht übers Herz, mich von ihm zu trennen.«

»Sie sind das alles gefahren? Warum sind Sie denn nicht geflogen?«

Molia schüttelte den Kopf. »Ich hab diese Höhenangst – ich mag's einfach nicht hoch. Bei der Vorstellung, zehntausend Meter in der Luft zu sein, krieg ich Zustände. Ein einziges Mal bin ich in ein Flugzeug gestiegen, um meine Ängste zu besiegen und den ganzen Quatsch. Bin zu dem Ergebnis gekommen, dass das Besiegen der eigenen Ängste überschätzt wird. Nicht mal bis zu meinem Platz hab ich es geschafft.«

»Sie sind noch nie geflogen?«

»Nein, und ich kann mir auch keinen Grund vorstellen, warum ich es je machen sollte.« Er klopfte auf das Armaturenbrett. »Mein Chevy bringt mich überallhin. Bei der letzten Fahrt hab ich schon gedacht, jetzt ist der Motor hinüber, aber ich haue immer wieder Benzin und Öl rein, und er läuft weiter.« Er schaute auf den Kilometerzähler. »525 499 Kilometer und ein paar Zerquetschte.«

Der Detective wechselte das Thema, so wie er die Fahrspur wechselte: ständig. Er hatte zwei Kinder, einen Jungen und ein Mädchen, war bei der Army gewesen wie sein Vater und wurde nach der Entlassung Polizeibeamter. »Waren Sie beim Militär, Jon?«

Sloane entschied sich für bekanntes Terrain. »Bei den Marines.«

»Und was machen Sie jetzt?«

Sloane blieb bei der eingeschlagenen Taktik. »Ich bin Anwalt.«

»Meine Schwester ist auch Anwältin.«

»Wie lange sind Sie schon Cop?« Sloane wollte in weniger heikle Fahrwasser.

»Zehn Jahre Streife, acht Jahre als Detective. Für mich der perfekte Job, außer in Fällen wie diesem.«

Sloane hatte auf eine Eröffnung gewartet, eine Lücke in dem Dauergerede, aus der er schließen konnte, dass der Detective über die Ermittlungen zu Joe Branick sprechen wollte. Natürlich wollte er das. Molia fuhr Sloane ja nicht nach Washington, um Gesellschaft zu haben. Er war auf Informationen aus. Sloane hakte nach, aber nicht zu überstürzt. »Ach? Warum das?«

Molia wischte sich mit dem Finger eine Schweißperle von der Schläfe. »Seit sich das Justizministerium eingeschaltet hat, sind wir aus dem Rennen.«

»Das hab ich auch gehört, Detective. Aber warum hat sich das Justizministerium eigentlich eingeschaltet?«

Molia blickte ihn von der Seite an. »Wissen Sie das nicht?«

»Sie haben irgendetwas von Zuständigkeiten gesagt.«

Molia nickte. »Die Revierkämpfe zwischen den Vollzugsbehörden können schlimmer sein als bei Wildhunden, die ihre Bäume markieren, wenn Sie verstehen, was ich meine. Die Leiche Ihres Schwagers wurde in einem

Nationalpark gefunden, also ist die Bundespolizei zuständig.«

»Aber irgendwo hab ich gelesen, dass die Polizei von Charles Town die Zuständigkeit übernommen hat.«

»Ja, am Anfang.«

»Und wie hat sich das ergeben?«

»Weil der Anruf von einem unserer Streifenpolizisten kam. Nach den Vorschriften muss ein Toter zum Leichenbeschauer der betreffenden Gemeinde gebracht werden und wird erst freigegeben, wenn die entsprechenden Anträge gestellt worden sind.«

»Das wusste ich nicht. Und wie hat der Streifenpolizist vor allen anderen davon erfahren?«

»Wir sind nicht sicher«, antwortete Molia.

»Sie wissen es nicht?«

Molia blickte zu ihm hinüber, eine Hand auf dem Lenkrad, einen Ellbogen aus dem Fenster gestreckt. »Der Polizist ist tot, Jon.«

Sloane schnürte es die Kehle zu. »Tot?«

»Anscheinend ist sein Wagen auf dem Weg zur Unglücksstelle über die Böschung gerast. Er ist wahrscheinlich nie angekommen, also wissen wir es nicht.«

Sloane bemerkte die Wörter »anscheinend« und »wahrscheinlich«. »Das tut mir leid.« Der Verlust eines weiteren Menschenlebens bedrückte ihn. Dann fiel ihm etwas ein. »Ich dachte, solche Anrufe werden aufgezeichnet.«

»Seinen Anruf haben wir auch, aber es gibt keine Aufzeichnungen von einem Anruf, bei dem ein Toter gemeldet wurde, wenn Sie das meinen. Der einzige Anruf kam von Coop – von Officer Bert Cooperman.«

»Und wie haben Sie dann davon gehört?«

Molia schüttelte nur den Kopf. »Die Einsatzleitung hat mich zu Hause angerufen. Als ich hinkam, wollte sich die Park Police für zuständig erklären. Die waren nicht gerade erbaut darüber, als ich ihnen widersprochen habe. Aber ich hab mich durchgesetzt und den Toten zu unserem Leichenbeschauer bringen lassen.«

»Warum haben Sie sich da so reingehängt?«

Molia ließ sich eine Weile Zeit mit seiner Antwort und nickte nur stumm vor sich hin. »Wahrscheinlich bin ich einfach jemand, der es ganz genau nimmt, Jon.«

»Und was ist mit der Autopsie?«

»Dazu ist es nicht gekommen. Das Justiz…«

»Soviel ich weiß, hat seine Schwester den Coroner ausdrücklich um eine Autopsie gebeten.«

Molia schaute ihn an. »Seine Schwester?«

Sloane beeilte sich, seinen Fehler zu korrigieren. »Joes Schwester. Meine Frau. Sie hat um eine Autopsie gebeten.«

Molia nickte. »Das Justizministerium hat eine Unterlassungsanordnung herausgegeben. Die wollten die Autopsie selbst durchführen. Ich bin überrascht, dass sie Ihnen das nicht gesagt haben, Jon.«

»Wahrscheinlich haben sie es meiner Frau gesagt. Ich war mit anderen Angelegenheiten beschäftigt.«

»Wie zum Beispiel das Ausräumen seines Büros?«

»Genau. Sie arbeiten also nicht mehr an dem Fall?«

»Das hat man mir zumindest gesagt.«

»Aber Sie haben noch eine offene Akte?«

Molia lächelte wie ein Junge, der mit der Hand in einer Plätzchendose erwischt worden ist. »Ich erzähle Ihnen jetzt mal was über Strafverfolgung, Jon. Solche Sachen haben irgendwie die Angewohnheit, dass sie einem wieder aufstoßen wie ein schlechtes Mittagessen, wenn Sie verstehen, was ich meine. Und in meinen zwanzig Jahren bei der Polizei war schon das eine oder andere schlechte Mittagessen dabei. Das Ganze wird folgendermaßen laufen: Das Justizministerium schaltet sich ein, weil Ihr Schwager ein Prominenter ist, aber wenn das öffentliche Interesse erst mal abgeflaut ist, werden die vom Bund keine Lust mehr haben, sich mit einem Selbstmord rumzuschlagen. Das heißt, das Ganze wird wieder auf meinem Schreibtisch landen, damit ich den Fall abschließe. Also bleibt die Akte erst mal offen.«

»Klingt nicht gerade ermutigend.« Sloane nahm dem Detective seine Erklärung genauso wenig ab wie die Bereitschaft, ihn über eine Stunde weit nach Washington zu chauffieren. Auch das unbeholfene, träge Kennenlerngeplauder durchschaute er. Diese bodenständige Taktik hatte er schon bei den fähigsten Anwälten erlebt: Sie überschlugen sich vor Harmlosigkeit, um sich bei den Geschworenen beliebt zu machen und den Zeugen alle Informationen aus der Nase zu ziehen, die sie brauchten. Die örtliche Zeitung hatte einen anonymen Insider mit der Aussage zitiert, dass die Polizei von Charles Town verärgert war über das Vorgehen des Justizministeriums im Fall Branick. Sloane hatte inzwischen eine ziemlich genaue Vorstellung davon, wer dieser anonyme Insider war.

»Was wollten Sie denn von mir erfahren, Jon?«

»Meine Familie ist ein wenig frustriert, Detective. Wir bekommen kaum Antworten.«

Molia schaltete das Funkgerät ab. Bis dahin hatte Sloane nicht einmal gewusst, dass es an war.

»Was für Fragen haben Sie denn gestellt, Jon?«

»Mein Schwager war nicht der Typ, der Selbstmord begeht, Detective. Aus diesem Grund hat meine Frau den Leichenbeschauer gebeten, eine Autopsie vorzunehmen, und er hat es ihr versprochen. Und jetzt erfahren wir, dass es nicht dazu gekommen ist. Und vom Justizministerium haben wir praktisch noch gar nichts gehört.«

Molia nickte. Ein nachdenkliches Lächeln legte sein Gesicht in Falten. »Das Gefühl kenne ich.«

## 54

*Old Executive Office Building, Washington, D.C.*

Das Old Executive Office Building war ein weißer Granitbau mit Schieferdach und freistehenden Säulen. Es sah aus wie etwas aus dem antiken Rom, aber im Grunde hatte Sloane diesen Eindruck von all den gedrungenen Zementbauten und Monumenten in Washington. Als sie vor dem Gebäude parkten, fragte Tom Molia, ob er Sloane hineinbegleiten dürfte. Sloane war nicht unbedingt überrascht. Er wusste, dass der Detective die Akte nicht offen gelassen hatte, um einem schlechten Mittagessen wiederzubegegnen. Er hatte sie offen gelassen, weil er nicht glaubte, dass Joe Branicks Tod ein Selbstmord war und dass der Streifenpolizist bei einem Unfall gestorben war.

Wahrscheinlich war Molia frustriert, weil auch er Fragen hatte und keine Antworten bekam. Wenn er sich mit einem Verwandten von Branick anfreunden konnte, war das für ihn wohl zumindest ein Anfang. Seinerseits sah Sloane keinen Grund, den Detective nicht mitzunehmen. Es konnte bestimmt nicht schaden, jemanden dabeizuhaben, und die Tatsache, dass Molia Polizist war und eine Waffe bei sich trug, war auch nicht unbedingt ein Nachteil, zumal Sloane nichts anderes übriggeblieben war, als seinen Colt im Handschuhfach seines Mietautos zu lassen. Noch immer hatte er Visionen von einem Telefontechniker, der mit der Waffe in der Hand auf ihn zukam. Sloane musste davon ausgehen, dass es noch andere Leute gab, die es auf ihn abgesehen hatten. Außerdem war ihm Tom Molia sympathisch. Der Detective war wie ein alter Schuh, der einem sofort passt.

Zusammen traten sie durch die Tür. Molia zupfte an seinem Hemd und fächelte sich die klimatisierte Luft zu. Wie von Aileen angekündigt, wurden sie an der Pforte von Wachleuten und Metalldetektoren begrüßt. Hoffentlich hatte sie nicht ihre Fähigkeit überschätzt, die Formalitäten auf ein Minimum zu reduzieren. Er beobachtete einen Mann im Anzug, der vor ihm durch die Kontrolle ging. Der Wachmann warf nur einen flüchtigen Blick auf den Ausweis des Mannes, bevor er den Metalldetektor passierte.

Tom Molia zeigte seine Marke und seine 9-mm-Sig-Sauer-Pistole, dann ging er um die Maschinen herum und wartete auf Sloane. Sloane stellte sich als Jon Blair vor, als wäre damit alles klar. Anscheinend war es das aber nicht. Und der Wachmann, der gut und gern auch als Kasinoaufseher in Las Vegas hätte durchgehen können, verstand keinen Spaß. Er verlangte einen Ausweis mit Bild von Sloane und schob ihm ein Klemmbrett mit einem Formular für Besucher zum Unterzeichnen zu.

Sloane öffnete seine Brieftasche und klappte den Führschein heraus, ohne ihn aus der Plastikhülle zu nehmen – ein alter Trick, mit dem er sich als Minderjähriger immer Bier verschafft hatte. Er schrieb Jon Blairs Namen auf das Besucherblatt. »Sie müssten einen Passierschein für mich haben. Das ist mit dem stellvertretenden Bundesstaatsanwalt Rivers Jones abgesprochen.«

Der Wachmann nahm die Brieftasche und sah den Führerschein, dann Sloane an. »Würden Sie ihn bitte aus der Hülle nehmen?« Er gab ihm die Brieftasche zurück.

Sloane bemühte sich, Ruhe zu bewahren, fühlte sich aber, als stünde er auf glühenden Kohlen. »Selbstverständlich.«

Er zog den Führerschein heraus und hielt ihn über den Schalter, ohne zu lächeln, um dem auf seinem Foto ebenfalls ernsten Jon Blair möglichst ähnlich zu sehen.

Der Wachmann nahm das Dokument und betrachtete es eingehend. Dann ruhten seine Augen auf Sloanes Gesicht. Schließlich sagte er: »Würden Sie bitte einen Moment zur Seite treten?«

Sloane widerstand dem Drang zu fragen, ob es ein Problem gebe, und konzentrierte sich ganz darauf, so zu tun, als wäre alles völlig in Ordnung. Er tat wie ihm geheißen, während der Wachmann eine Nummer wählte und etwas für Sloane Unverständliches in den Hörer sprach. Sloane blickte hinüber zu Detective Molia. Falls den das Ganze interessierte, so ließ er sich nichts davon anmerken. Stattdessen bedachte er praktisch jeden Eintretenden mit einem Lächeln und einem Kommentar, bei dem es meistens darum ging, um wie viel kühler es doch hier im Haus war.

Zwei Minuten später sah Sloane eine junge Frau mit mehreren flachen Pappschachteln unter dem Arm auf sie zueilen. Sie stellte die Schachteln ab und streckte eifrig wie eine Ferienlagerbetreuerin die Hand aus. »Mr. Blair? Ich bin Beth Saroyan.«

In diesem Moment reichte der Wachmann Sloane Jon Blairs Führerschein und ein Namensschild in Plastik mit einer Klammer an der Rückseite. »Das wäre dann alles, Mr. Blair.«

Beth Saroyan schüttelte Sloane die Hand und wandte sich dann Tom Molia zu, der zu ihnen getreten war. Sie entschuldigte sich, dass sie ihm nicht ebenfalls einen Passierschein hatte zurücklegen lassen.

Molia ging mit einem Lächeln darüber hinweg. »Das macht überhaupt nichts. Ich bin nur ein Freund von Jon.«

Sie nahmen einen Aufzug, und die junge Frau führte sie durch einen Korridor zu einer blattgoldbedeckten Tür, vor der ein Uniformierter postiert war. Es sah aus wie der Eingang zu einem Mausoleum. Ohne Aufforderung sperrte der Wachmann auf und löste gelbes Polizeiband vom Türstock. Sloane hatte den Eindruck, dass das Ganze eigens für ihn inszeniert worden war. Beim Betreten des Büros wurde dieser Eindruck noch stärker. Es war ordentlicher als sein eigenes Büro nach Tinas Aufräumaktion. Die Bücher in den Regalen standen sauber aufgereiht neben Familienfotos und Andenken. Auf dem Teppichboden war nicht der kleinste Fussel zu sehen. Er beobachtete, wie Tom Molia zum Papierkorb ging und beiläufig einen Blick hineinwarf. Er war genauso leer wie der Recyclingeimer neben dem Schreibtisch. Der Detective hatte die Lage anscheinend genauso schnell erfasst. Sloane arbeitete schon viel zu lange als Jurist, um zu glauben, dass jemand, der sein Büro angeblich in großer Eile verlassen hatte, vorher noch schnell aufgeräumt hatte. Irgendjemand hatte eine keimfreie Zone daraus gemacht.

Wieder eine Sackgasse.

Eine halbe Stunde später schob Sloane den Deckel auf die letzte Pappschachtel mit Joe Branicks persönlichen Habseligkeiten, die er Aileen versprochen hatte. Nichts davon würde ihm helfen, die Unternehmen ausfindig zu machen, für die Branick gearbeitet hatte, und den dunkelhäutigen Mann aus seiner Erinnerung zu identifizieren. In diesem Augenblick betrat ein Mann mit steifem Gang und schmalen Gesichtszügen das Büro und streckte ihm die Hand entgegen, als wären sie alte Freunde.

»Mr. Blair? Ich bin der stellvertretende Bundesstaatsanwalt Rivers Jones.«

Sloane bemerkte, wie Detective Molia bei der Erwähnung des Namens zusammenzuckte. Dann ging er hinaus und fing ein Gespräch mit dem Wachmann im Korridor an.

Mit seinem kurzen, exakt gescheitelten Haar, dessen gedämpfter Grauton irgendwie künstlich wirkte, sah Jones aus wie ein vollendeter Bürokrat – oder ein Computerfreak.

»Es ist mir ein Vergnügen«, sagte Sloane.

»Ich muss mich dafür entschuldigen, dass es zwischen Ihrer Frau und mir zu Missverständnissen gekommen ist. Ich hatte gehofft, sie heute persönlich kennenzulernen und vielleicht den schlechten Eindruck, den sie am Telefon von mir hatte, zu korrigieren.«

»Kein Problem. Ich richte es ihr aus.«

Jones wandte sich der jungen Frau zu. »Ms. Saroyan hat sich um Sie gekümmert?«

»Ja, vielen Dank. Und eigentlich ...« Sloane ließ den Blick durchs Büro gleiten. »Eigentlich bin ich auch schon fertig.«

»Gut.« Jones sah an ihm vorbei zu Tom Molia. »Ich glaube, wir kennen uns noch nicht.« Jones streckte die Hand aus.

Molia reagierte nicht.

Jones tippte ihm auf die Schulter.

Molia drehte sich um.

»Ich glaube, wir kennen uns noch nicht«, wiederholte Jones.

»O, wie geht's?« Molia schüttelte Jones flüchtig die

Hand und wollte sein Gespräch mit dem Wachmann fortsetzen, aber Jones berührte ihn erneut an der Schulter.

»Mir geht's gut. Ich bin der stellvertretende Staatsanwalt Rivers Jones. Ihren Namen habe ich nicht verstanden.«

Der Detective tat, als wäre er verlegen. »Wo hab ich heute bloß meine Manieren?« Sein Blick ging kurz in Sloanes Richtung, bevor er wieder zu Jones sah. »Jim«, murmelte er undeutlich.«

»Pardon?« Jones beugte sich vor.

»Jim. Jim Plunkett.«

Der Detective hatte sich dem Bundesstaatsanwalt soeben mit dem Namen des früheren Quarterback der Oakland Raiders vorgestellt.

»Freut mich, Sie kennenzulernen, Mr. Plunkett«, sagte Jones. »Waren Sie ein Freund von …«

»Von mir.« Sloane trat vor und fixierte den Detective. »Mr. Plunkett ist ein Freund von mir, Mr. Jones. Sagen Sie, wer hat eigentlich die Entscheidung getroffen, Joes Büro zu versiegeln?«

Jones nickte. »Sie haben doch das Band an der Tür gesehen.«

»Ja, das habe ich. Und wann ist das passiert?«

»Die Entscheidung kam vom Stabschef des Weißen Hauses.«

»Vom Stabschef? Wie kommt er zu dieser Entscheidung?«

»Aufgrund der Umstände. Der Anruf der Park Police wurde vom Geheimdienst des Weißen Hauses entgegengenommen. Die Polizisten in West Virginia hatten Mr. Branicks Ausweis fürs Weiße Haus gefunden. Daraufhin haben die diensttuenden Beamten hier den Stabschef zu Hause verständigt. Er hat sie angewiesen, das Büro unverzüglich zu versiegeln. Ich habe seiner Entscheidung zugestimmt.«

»Weshalb?«, fragte Sloane.

Jones wirkte verblüfft und gab seine Antwort in leicht herablassendem Ton. »Um sicherzustellen, dass keine sensiblen Informationen manipuliert oder beseitigt werden. So was ist gängige Praxis, wenn ein Mensch sich das … das heißt, in so einer Situation.«

Sloane blickte sich um. »Es war also niemand hier, seit Mr. Branick das Büro verlassen hat?«

»Niemand. Warum fragen Sie? Vermissen Sie irgendetwas Bestimmtes?«

Sloane schüttelte den Kopf. »Nein, nein. Alles scheint in bester Ordnung.«

»Gut, dann möchte ich …«

»War es ebenfalls der Stabschef, der angeordnet hat, dass das Justizministerium die Ermittlungen an sich zieht?«, unterbrach ihn Sloane.

Die Frage veranlasste Molia, sich ein wenig vorzubeugen.

Jones wirkte ein wenig verunsichert. »Ich bin nicht sicher, wie es zu dieser Entscheidung gekommen ist.«

»Aber Sie leiten doch die Ermittlungen?«

»Selbstverständlich. Das Justizministerium …«

»Und Sie wissen nicht, wer die ursprüngliche Entscheidung getroffen hat?«

Jones stockte. »Nein … so ist das nicht. Es ist … ich glaube, es war eine gemeinsame Entscheidung des Justizministers und des Weißen Hauses. Ich wollte ohnehin beim Mittagessen noch einige Dinge mit Ihrer Frau besprechen«, fügte er hastig hinzu. »Hätten Sie Zeit?«

Sloane blickte zu Molia. »Tut mir leid, davon hat Aileen nichts gesagt.«

»Kein Problem.« Molia trat zurück ins Büro. Plötzlich schien sein Interesse erwacht. »Mittagessen klingt gut. Bin sowieso schon am Verhungern.

Jones lächelte nervös. »Entschuldigen Sie vielmals, Mr. Plunkett. Aber ich wollte eigentlich mit Mr. Blair … allein sprechen.«

»Ich habe keine Geheimnisse vor Mr. Plunkett«, erklärte Sloane.

Jones schüttelte den Kopf. »Das ist nicht persönlich gemeint …«

»Macht nichts, Jon«, unterbrach ihn Molia. »Ich will nicht das fünfte Rad sein. Kommst du allein nach Hause?«

»Sie können einen von unseren Wagen nehmen«, versicherte Jones Sloane hastig. »Das macht gar keine Umstände. Ms. Saroyan wird die Schachteln beschriften und Ihnen zusenden lassen.«

Beth Saroyan trat mit Papier und Stift heran. Sloane hatte keine Ahnung, wohin er die Sachen schicken lassen sollte. »Die Adresse werde ich Ihnen später sagen.«

Jones wirkte überrascht.

»Ein Teil davon wird eingelagert.«

Die Frau reichte ihm eine Visitenkarte.

»Gut, dann wäre so weit alles klar.« Jones legte Sloane die Hand auf die Schulter und führte ihn hinaus in den Korridor. Dann blieb er stehen und wandte sich dem Detective zu. »Irgendwie kommen Sie mir bekannt vor, Mr. Plunkett. Sind Sie sicher, dass wir uns noch nicht begegnet sind?«

Molia zuckte die Achseln. »Im Rotary Club vielleicht? Da komme ich mit vielen Leuten zusammen. Und beim Bowling. Gehen Sie bowlen?«

Jones lächelte. »Nein, leider nicht. Vielleicht erinnern Sie mich einfach an jemanden.«

»Passiert mir oft mit meinem Gesicht«, antwortete Molia.

Jones redete, während er mit Sloane auf den Aufzug wartete. »Ich muss mich dafür entschuldigen, dass Ihr Freund nicht mitkommen konnte. Eigentlich wäre es kein Problem gewesen, aber es hat eine kleine Änderung gegeben.«

»Eine Änderung?«

Der Aufzug kam. Jones winkte Sloane hinein und drückte auf den Knopf zur Eingangshalle. »Ich denke, Sie werden gleich sehen, wie sehr uns allen an einer lückenlosen Aufklärung der Umstände von Mr. Branicks Tod gelegen ist, Jon.« Er hielt inne wie vor der Pointe eines Witzes.

Die Türen schlossen sich.

»Der Präsident hat darum gebeten, persönlich mit Ihnen zu sprechen.«

## 55

Tom Molia zog sich hinter einen panzergroßen Geländewagen zurück. Dort holte er ein Handy hervor, das nach modernen Maßstäben schon eine Reliquie war, und bediente mit dem Daumen das Tastenfeld.

Schon beim zweiten Klingeln meldete sich Marty Banto an seinem Anschluss. »Mole? Wo bist du? Franklin reißt mir hier den Arsch auf, weil er dich nirgends findet. Er sagt, du bist vor ein paar Stunden aufs Klo und nicht mehr zurückgekommen. Er hat gemeint, du bist vielleicht über der Schüssel zusammengebrochen. Wir wollten schon Strohhalme ziehen, wer das arme Schwein ist, der da reinmuss, um nach dir zu schauen.«

»Ist doch schön, wenn man so geliebt wird. Hast du eine Ahnung, was Rayburn von mir will?«

»Er will wissen, wo du dich rumtreibst, verdammte Scheiße.«

Wenn J. Rayburn Franklin wissen wollte, wo sich Molia aufhielt, fragte er Marty Banto. Molia und Banto deckten sich gegenseitig. Das war Franklin klar. Er wollte ihnen nur zu verstehen geben, dass er sie im Auge behielt.

»Also nichts Besonderes?«

»Zumindest nichts, was er hat verlauten lassen. Ich verschwinde jetzt sowieso, damit er mich nicht ständig wegen dir belämmert.«

»Wann gehst du?«

»Jetzt.« Banto klang unerbittlich. »Jetzt gleich, Mole. Vorher hatte ich es vielleicht noch nicht so besonders eilig, aber das hat sich schlagartig geändert, weil mir der Ton deiner Frage überhaupt nicht gefällt, verdammt.«

»Nur eine Frage, Banto.«

»Quatsch. Diese Frage kenne ich. Ich soll dir einen Gefallen tun. Hör zu, Mole, der einzige Mensch, der mich noch mehr drangsaliert als Franklin ist Jeannie. Ich muss nach Hause und Zeit mit den Kindern verbringen, bevor der Sommer ganz vorbei ist. Sie war überhaupt nicht begeistert, dass wir das Wochenende durchgearbeitet haben.«

»Schieb's auf mich.«

»Ich schieb's immer auf dich.«

»Kein Wunder, dass sie mich so mag.«

»Im Augenblick mag sie dich viel lieber als mich, das schwör ich dir.«

»Du kennst doch das Spiel, Banto. Wenn du zehn Minuten daheim bist, will dein Sohn weg, um bei einem Freund Videospiele zu spielen, und deine Tochter hängt sich ans Telefon.« Er wechselte die Fahrspur. »Außerdem ist es nichts Aufwändiges.«

»Ich hab's gewusst.«

Molia glaubte das Klatschen einer Hand auf dem Schreibtisch zu hören.

»Ich kenn dich in- und auswendig wie ein schlechtes Buch. Wofür hältst du mich eigentlich? Für deine Privatsekretärin?«

»Ich brauche nur mal kurz eine Personenüberprüfung.«

Banto griff nach einem Stift. Er konnte sich wehren, aber Molia würde ihn letztlich doch rumkriegen. Das schaffte er schließlich immer. Es ging schneller, wenn er ihm einfach gleich den Gefallen tat. »Schieß los.« Er klang resigniert.

»Ich bin dir was schuldig.«

»Was? Da gewinne ich eher in der Lotterie, als dass du dich mal revanchierst.«

»Der Name ist Jon Blair, ohne ›h‹ in Jon.« Sicherheitshalber buchstabierte Molia noch einmal.

»Der Typ, der hier gestern angerufen hat.«

»Genau.«

»Was ist mit dem?«

»Hab gerade den Vormittag mit ihm verbracht.«

»Mit dem Typen, der bei uns am Empfang gewartet hat?«

»Ich wusste schon immer, dass du spitze im logischen Denken bist, Marty.«

»Stimmt. Wie wär's, wenn du dir seine Identität selbst logisch erdenkst?«

»Entschuldigung, war nicht so gemeint. Okay, hör zu. Ich hab da so eine Ahnung. Der Typ sagt, er habe seinen Militärdienst bei den Marines geleistet. Schau mal in den

Militärdaten nach, ob du auf seinen Namen stößt. Außerdem sagt er, er arbeite als Anwalt in Boston. Überprüf das bei der Anwaltskammer von Massachusetts.«

»Landen nicht alle Straftäter irgendwann in der Verbrecherkartei?«

Molia lachte. »Vorsicht, meine Schwester ist auch Anwältin. Und frag mal beim Fahrzeugregister an, ob die nicht ein Bild von dem Typen haben. Außerdem ist mir am Parkplatz ein Aufkleber an seinem Auto aufgefallen. Ein Leihwagen, aber nicht von einer großen Firma. Überprüf bitte, ob er unter dem Namen Blair gemietet ist. Ich ruf dich in einer halben Stunde zurück.«

»Sonst noch irgendwelche Wünsche, Mole? Soll ich dir vielleicht ein Sandwich machen und dir beim Wasserlassen den Schwanz halten?«

»Ein Sandwich wäre nett«, bemerkte Molia. »Aber das mit dem Schwanz ist nur krank.«

## 56

In raschem Tempo überquerten sie in der drückenden Hitze die Pennsylvania Avenue. Sloane schwitzte, und sein Herz schlug wie das eines zum Tode Verurteilten auf seinem letzten Gang. In seinem Kopf herrschte völlige Leere. Er hatte das Gefühl, von einer starken Strömung mitgerissen zu werden, gegen die er nicht anschwimmen konnte. Es gab keine plausible Ausrede für ihn, um dem Unausweichlichen zu entkommen: einem Treffen mit Präsident Robert Peak.

Mit Vergleichen über rollende Dampfmaschinen setzte Rivers Jones seinen Monolog über das Justizministerium und dessen enorme Ressourcen fort, während sie die fünfzig Meter zwischen den beiden Gebäuden zurücklegten. Sloane hörte nur Bruchstücke von Jones' Worten, war im Geist aber mit einer anderen Unterhaltung beschäftigt: der mit Aileen Blair. Sie hatte gesagt, dass ihr Mann politische Amtsträger nicht möge und ein Stubenhocker sei. Hieß das, dass er nicht wegfuhr oder dass er nicht *gern* wegfuhr? Sie hatte gesagt, dass er nur selten aus Boston rauskomme. Das konnte heißen, dass er die Stadt so gut wie nie verließ oder nur in dringenden Fällen, wenn er musste. Viele Ehemänner machten Dinge nur gezwungenermaßen. Aileen Blair hatte auch erwähnt, dass sie schon einmal im Büro ihres Bruders gewesen war, doch vom Weißen Haus war dabei nicht die Rede gewesen. Sicher hatte Joe Branick seine Verwandten mit ins Weiße Haus genommen. Wer würde das nicht tun, wenn sich die Gelegenheit bot? Außerdem waren Branick und Peak seit dem College miteinander befreundet. Da musste Peak doch auch zu Familienfeiern der Branicks gefahren sein. Und es war durchaus möglich, dass er bei so einem Anlass Jon Blair begegnet war. Andererseits war Aileen Blair mit Abstand die Jüngste der Geschwister. Vielleicht hatte ihr ältester Bruder zum Zeitpunkt ihrer Heirat schon nicht mehr zu Hause gewohnt. Sloane tappte völlig im Dunkeln und wusste nur, dass er sich schnell was einfallen lassen musste.

Dank Jones gelangten sie problemlos durch das West Gate. Uniformierte Geheimagenten durchsuchten ihn nach Waffen, verlangten aber keine Ausweispapiere, da Jones offenbar alles vorausgeplant hatte. Er reichte Sloane einen Passierschein, den sich Sloane gehorsam ans Sakko heftete, während sie auf den Besuchereingang an der Nordseite des Westflügels zusteuerten. Alles wirkte irgendwie surreal. Der Westflügel. Er selbst auf dem Gelände des Weißen Hauses. Er folgte Jones vier Stufen hinauf, wo zwei Marines in starrer Haltung in einem Säulengang standen. Der linke Marine beugte sich ruckartig zur Seite und zog die Tür auf.

Jones geleitete Sloane durch einen getäfelten Gang, der mit einem Portrait Robert Peaks geschmückt war. Andere Fotos zeigten den Präsidenten bei Treffen mit führenden Politikern aus aller Welt. Dann gelangten sie in einen halboffiziell wirkenden Raum mit einer amerikanischen Flagge in jeder Ecke, einem dunkelbraunen Ledersofa in der Mitte und zwei passenden Sesseln. Sloane setzte sich auf das Sofa, während sich Jones bei einer Schar von Leuten anmeldete, die hinter einem Schalter arbeiteten. Dann nahm er neben Sloane Platz, um das einseitige Gespräch fortzusetzen.

In Sloanes Kopf herrschte immer noch Leere, und er hatte nicht mehr viel Zeit für einen rettenden Einfall. Eine Minute nachdem sich Jones gesetzt hatte, stand vor ihnen plötzlich eine Frau mittleren Alters in einem adretten blauen Kostüm und mit einer schwarzen Brosche, die aussah wie ein großer Käfer. »Mr. Jones, Mr. Blair. Der Präsident wird Sie jetzt empfangen.«

Sie führte sie durch eine weitere Tür in einen Korridor. Männer und Frauen liefen zwischen Büros hin und her, und die Geräusche von Telefonen und Stimmen drangen in den Gang. Die Frau bog nach rechts ab und blieb abrupt stehen. Sie klopfte dreimal entschieden an die Tür, bevor sie öffnete. Dann trat sie ein und hielt hinter sich die Tür auf.

Jones wandte sich Sloane zu und streckte die linke Hand aus. »Nach Ihnen.«

Am liebsten wäre Sloane davongelaufen. Kurz spielte er mit dem Gedanken, Übelkeit vorzutäuschen; die Chancen, sich über Jones' Schuhe zu erbrechen, standen momentan gar nicht so schlecht. Doch dann wappnete er sich für das Unvermeidliche und zwang sich einzutreten.

Präsident Robert Peak saß im Profil hinter einem riesigen Schreibtisch mit überladenen Verzierungen, das Telefon zwischen Schulter und Ohr geklemmt. Offensichtlich war er bemüht, das Gespräch zu beenden. Ihm gegenüber an der Wand befand sich die Bronzeskulptur eines Fischers und einer großen Regenbogenforelle mit offenem Maul und zur Seite verdrehtem Kopf. Trotz seiner Aufgewühltheit fand Sloane Zeit für den Gedanken, dass ihm der Raum kleiner schien als erwartet. Fast jeder Zentimeter des Holzbodens war von einem königsblauen Teppich mit dem Siegel des Präsidenten bedeckt. Der Sitzbereich vor Peaks Schreibtisch bestand aus zwei Sofas mit einem Marmortischchen dazwischen und einem Schaukelstuhl. Sloane spürte unwillkürlich das Gewicht der Geschichte, die in diesem Zimmer geschrieben worden war, und erinnerte sich an die grobkörnigen Schwarzweißfotos von John und Robert Kennedy, die während der Kubakrise mit ernsten Gesichtern zusammensaßen. Auch Sloane stand eine Krise bevor, aber er beschloss, es wenigstens auf einen Versuch ankommen zu lassen.

In ihrem Beruf lernten Anwälte, das Unvermeidliche zu akzeptieren. Es gab Momente in einem Prozess, da sie mit keinem Wort und keiner Handlung mehr Einfluss auf das Schicksal ihres Mandanten nehmen konnten. Sie konnten Recht haben und doch Unrecht bekommen. Die Beweise konnten für sie sprechen, und trotzdem konnten sich die Geschworenen gegen sie entscheiden. Dieser Gedanke war merkwürdig tröstlich für Sloane. Wenn Robert Peak Jon Blair kannte, dann hatte Sloane bereits verloren. Daran war nichts mehr zu ändern. Egal, ob er sich jetzt Sorgen machte oder nicht, das Ergebnis blieb das gleiche. Aber wenn sich Peak und Blair nie begegnet waren, hatte er noch eine Chance. Branick und Peak waren angeblich enge Freunde gewesen. Mit einem Verwandten seines Freundes würde der Präsident wahrscheinlich ungezwungen reden. Sloanes Schicksal hatte sich soeben auf dramatische Weise zum Guten oder zum Schlechten gewandt. Wenn er nach Informationen über Joe Branick suchte, dann war dies der beste Ort dafür.

In seinem Beruf hatte er auch viel über Realität und Wahrnehmung gelernt – zwei völlig unterschiedliche Dinge. Für einen Anwalt war es unmöglich, immer vorbereitet zu sein, auch wenn er noch so gut organisiert und kompetent war. Gute Anwälte akzeptierten dies und konzentrierten sich darauf, zumindest vorbereitet zu *scheinen.* Es gab Überlebenstechniken vor Gericht. Man sprach nur, wenn einem eine direkte Frage gestellt wurde; falls man die Antwort darauf nicht kannte, formulierte man die Frage um, bis sie zur eigenen Antwort passte; man drückte sich eher allgemein als spezifisch aus; man war dankbar für alle Informationen, die man ergattern konnte und hielt ansonsten den Mund; man erschien und verschwand – je weniger man redete, desto geringer war die Wahrscheinlichkeit eines Fehlers.

Peak beendete das Telefongespräch und schien einen Moment zu zögern, um sich zu orientieren. Dann stand er auf und trat um den Schreibtisch herum. Er hatte die Haltung eines Mannes mit chronischen Rücken- oder Knieschmerzen, ein ehemaliger Athlet, der den Preis für das Streben nach Ruhm bezahlte. Im Gegensatz zum Oval Office wirkte Peak größer als im Fernsehen. Er war ungefähr so hochgewachsen wie Sloane, hatte aber breitere Schultern und war deutlich kräftiger gebaut. Mit dem vollen grauen Haarschopf, ohne Jackett und mit umgeschlagenen Hemdsärmeln sah Peak aus wie der Vorstandsvorsitzende eines erfolgreichen Großunternehmens vor dem ersten Spatenstich bei einer feierlichen Grundsteinlegung. Er streckte Jones eine Hand entgegen. Jones wandte sich um: »Mr. President, darf ich vorstellen – Jon Blair.«

Parker Madsen legte das Telefon weg. Da es nicht sofort wieder läutete, nutzte er den stillen Moment für eine Verschnaufpause. Er hatte schon mehr Schlachten bestanden, als er sich erinnern konnte – in der Bruthitze der Urwälder von Vietnam und Südamerika und im sengend heißen Sand des Nahen Ostens war er über die körperlichen und geistigen Grenzen der Belastbarkeit hinausgegangen. Und wenn die Schlacht vorbei war, hatte er keinen Schlaf und keine Ruhe mehr gefunden. Aufgeputscht vom Adrenalin war er jede Mission immer wieder im Kopf durchgegangen, hatte sie bis in die kleinsten Bestandteile seziert, um herauszufinden, wie man effizienter hätte vorgehen und ein besseres Ergebnis hätte erreichen können. Es war wie ein Rausch für ihn, wenn alles nach Plan lief, nach seinem perfekt ausgedachten Plan, bei dem jeder Mann ohne Fragen und Zögern seinen Beitrag leistete, genau wie es ihm befohlen worden war. Das Lustgefühl dabei war stärker als beim Sex gewesen, obwohl sich nichts mit der Lust vergleichen ließ, die ihn während eines Gefechts durchflutet hatte. Trotz seines unaufhörlichen Aufstiegs hatte sich Madsen nie von seinen Männern getrennt, hatte sie nie allein in den Kampf ziehen lassen, hatte nie in einem Zelt gesessen und auf Computerbildschirme gestarrt, während seine

Leute auf dem Feld ihr Leben riskierten. Und noch immer war Madsen mit Leib und Seele Soldat.

Doch jetzt war er müde. Alberto Castañeda, der mexikanische Präsident, hatte sich nicht an den Plan gehalten. Der Scheißkerl war sogar ein gutes Stück davon abgewichen, wie es für Mexikaner typisch war. Das war auch der Grund, warum ein Land von solcher Größe und mit solchen Bodenschätzen, dem Henry Kissinger sogar einmal das größte Potential zur Beeinflussung der Weltpolitik bescheinigt hatte, für immer zu einer Randexistenz verdammt war. Die politisch Verantwortlichen waren einfach zu desorganisiert und unverantwortlich. Monatelang hatten sie Treffen an geheimen Orten geplant, damit nichts von den Verhandlungen durchsickerte – sie konnten es sich einfach nicht leisten, die OPEC und die Araber vor den Kopf zu stoßen, solange noch keine gangbare Alternative in Sicht war –, und was machte der mexikanische Präsident? Er berief eine Pressekonferenz in Mexico City ein und verkündete eine vorläufige Vereinbarung über eine Steigerung der Produktion und des Verkaufs von mexikanischem Erdöl an die USA. Natürlich verlangte die Presse jetzt Einzelheiten.

Nach dem ersten Schock über Castañedas Ausrutscher zog der Westflügel die Zugbrücke hoch und verschanzte sich. Madsen erteilte dem Pressesprecher des Weißen Hauses strikte Anweisung, keine Stellungnahme zu Castañedas Äußerung abzugeben. Zunächst mussten sie herausfinden, was genau Castañeda gesagt und was er nicht gesagt hatte. Versuche, ihn telefonisch zu erreichen, hatten zu keinem Erfolg geführt. Was immer Castañeda auch von sich gegeben hatte, Madsen fürchtete, dass es voreilig war. Der mexikanische Chefunterhändler Miguel Ibarón hatte durchblicken lassen, dass Mexiko bereit sei, auf das jüngste US-Angebot einzugehen, was zu der eiligen Einberufung des Südamerikagipfels geführt hatte, doch eine weitere Bestätigung hatte es nicht gegeben. Das Ganze war auch nicht so einfach. Den Mexikanern zu versprechen, ihnen bei der Steigerung ihrer Ölförderung zu helfen, und dies auch auf gewinnbringende Weise realisieren zu können, waren zwei völlig verschiedene Paar Stiefel. Es war schließlich nicht so wie im Nahen Osten, wo das Öl aus jedem in den Boden gebohrten Loch quoll. Madsen mahnte zur Vorsicht, aber Robert Peak, der sich vor allem darüber den Kopf zerbrach, dass ihm Castañeda die Schau gestohlen hatte, und der angesichts sinkender Umfragewerte dringend selbst einen glanzvollen Öffentlichkeitsauftritt brauchte, hatte Madsens Problem noch durch die Ankündigung einer abendlichen Rede an die Nation verschärft. Jetzt war die Gerüchteküche natürlich erst so richtig in Gang gekommen.

Madsen streckte den Hals, bis es knackte. Seine Beine sehnten sich nach Training, und sein Ohr war ganz rot und wund von den pausenlosen Telefongesprächen mit Politikern und Bürokraten. Das hasste er an Washington: die Notwendigkeit, alle Entscheidungen bis zum Gehtnichtmehr durchzukauen. Jeder verfolgte eigene Interessen. Jeder wollte sein politisches Schäfchen ins Trockene bringen. Kein Wunder, dass da nie etwas auf die Beine gestellt wurde. Es gab so viele Mittelsmänner und dazwischengeschaltete Stationen, dass man nicht einmal zum Kacken gehen konnte, ohne vorher beim Präsidenten eine Genehmigung zum Arschwischen einzuholen.

Das musste sich ändern. Madsen würde sich als ein Oberbefehlshaber erweisen, wie ihn Washington noch nie erlebt hatte. Er würde Entscheidungen fällen, die niemand in Zweifel zog. Entscheidungen ohne Wenn und Aber.

Während er auf den Entwurf der Präsidentenrede wartete, nahm Madsen eine der aktuellen Zeitungen auf dem Schreibtisch zur Hand. Er überflog die Schlagzeilen und Absätze, die seine Mitarbeiter unterstrichen hatten. Nach zwanzig Minuten kam er zum *Boston Globe,* der ganz unten im Stapel lag. Sofort fiel ihm die Überschrift über einem zweispaltigen Artikel auf:

FAMILIE BRANICK WILL
PRIVATDETEKTIV ENGAGIEREN

Er grinste. Wenn sie unbedingt meinten. Sollten sie doch ihr Geld zum Fenster rauswerfen. Vielleicht waren sie dann glücklicher. Ihre Nachforschungen würden zu nichts führen, aber wenigstens waren sie dann gezwungen, ihre Kritik am Justizministerium einzustellen. Auch die Einstellung zum Tod war eine Sache, die Zivilisten von Soldaten unterschied. Soldaten verstanden, dass der Tod immer eine Möglichkeit war. Menschen lebten, und Menschen starben. Manche starben im Dienst für ihr Vaterland, bei der Verteidigung der Prinzipien, auf die es gegründet war. Andere starben an Altersschwäche. Aber sterben musste jeder, wenn seine Zeit gekommen war. Soldaten akzeptierten den Tod als Teil des natürlichen Kreislaufs. Zivilisten konnten das nicht. Sie trauerten jahrelang um dahingegangene Gatten, Eltern und Kinder. Sie bauten ihren Vorfahren Schreine und erflehten ihren Rat und Beistand. Als seine Olivia gestorben war, hatte sich Madsen achtundvierzig Stunden gegeben, um seine Angelegenheiten zu ordnen und zur Tagesordnung überzugehen. Gebraucht hatte er nur sechsunddreißig.

Er las den Bericht unter der Überschrift. Die Pressekonferenz war in Boston abgehalten worden, also nicht im

Haus der Familie. Sonst enthielt der Artikel kaum etwas Substantielles. Madsen wollte das Blatt schon weglegen, da fiel sein Blick auf das Foto neben dem Text. Eine Frau stand vor einem Mikrofon, um sie herum vielleicht ein Dutzend Leute. Es sah aus wie eine Versammlung der bescheuerten Kennedys. Laut Bildunterschrift handelte es sich bei der Frau um Aileen Branick Blair, Rivers Jones' Nemesis. Ein breites Grinsen erschien auf Madsens Gesicht. Jones hatte ziemlich erleichtert geklungen, als er erfahren hatte, dass Aileen Blair nach Boston gefahren war und stattdessen ihren Mann nach Washington geschickt hatte, um Joe Branicks Büro auszuräumen. Madsen schaute auf die Uhr. Wahrscheinlich war Jon Blair gerade in diesem Moment bei Peak. Danach war die Sache erledigt. Die Familie wollte bestimmt nicht in dem Knochenhaufen herumwühlen, den Madsen für sie aufgehäuft hatte.

Wieder glitt sein Blick zu dem Foto. Joe Branicks Angehörige umringten Aileen Blair wie eine Gemeinde den Pfarrer. Der ganze irische Clan war gekommen, um seine Anteilnahme zu bekunden, angefangen bei dem Mann an ihrer Seite. Ihr Mann.

Jon Blair.

In Boston.

Peak betrachtete Sloane mit den traurigen blaugrauen Augen und dem gemessenen Lächeln, die während des Wahlkampfs Berühmtheit erlangt hatten und inzwischen von Washingtoner Satirikern für politische Karikaturen ausgeschlachtet wurden. Nichts in diesen Augen ließ darauf schließen, dass er verwirrt war, weil er sein Gegenüber nicht wiedererkannte.

»Hallo, Jon. Sehr erfreut. Es wäre mir lieber, wir hätten uns unter anderen Umständen kennengelernt.«

Sloane spürte wie ihm die Last von tausend Gorillas von den Schultern fiel. »Guten Tag, Mr. President.« Er schüttelte Peak die Hand. »Danke, dass Sie dieses Treffen möglich gemacht haben, obwohl Ihr Terminkalender bestimmt randvoll ist. Ich hoffe, dass ich Ihnen nicht zu viel Zeit wegnehme.«

»Nennen Sie mich einfach Robert, und bitte keine Entschuldigungen. Das Treffen war schließlich meine Idee. Schade, dass Aileen nicht kommen konnte. Ich habe sie schon länger nicht mehr gesehen.«

»Sie wird sicher enttäuscht sein«, erwiderte Sloane. Er sah Jones an. »Wir wussten ja nicht …«

»Ich verstehe. Ich wollte persönlich mit Ihnen sprechen.« Peaks Blick ging zu Jones. »Vielen Dank, Rivers.«

Der Bundesstaatsanwalt wandte sich Sloane zu und schüttelte ihm geschäftsmäßig die Hand. »Am West Gate wartet ein Wagen auf Sie. Jemand wird Sie hinausbegleiten.« Er reichte Sloane eine Visitenkarte. »Wenn Ihnen etwas auf dem Herzen liegt, können Sie mich jederzeit anrufen.«

Sloane steckte die Karte ein. »Sie waren wirklich sehr entgegenkommend, Mr. Jones. Ich bin sehr dankbar für die Gelegenheit, Sie kennengelernt zu haben, und für die große Mühe, die Sie sich gemacht haben. Ich werde meinen Verwandten bestimmt davon erzählen.«

Jones strahlte wie ein Junge, der vor der ganzen Klasse gelobt wird. Nachdem er Sloane noch einmal die Hand auf die Schulter gelegt hatte, verschwand er hinaus in den Korridor. Die Frau mit der Käferbrosche, die gewartet hatte, machte hinter sich die Tür zu.

Peak führte Sloane zu einem der beiden blaubeige gestreiften Sofas. Er selbst setzte sich in den Schaukelstuhl, nachdem er sich aus einem Krug auf dem Marmortisch ein Glas Wasser eingeschenkt hatte. »Ich muss wegen meiner Schilddrüsenprobleme acht Gläser am Tag trinken. Ich glaube, ich bin öfter auf der Toilette als am Telefon.« Er hielt Sloane den Krug hin.

Sloane nickte. »Ja bitte.«

Das Glas war ihm willkommen. Er konnte damit seine Hände beschäftigen, und notfalls würde es ihm dabei helfen, Zeit zu gewinnen.

»Wie geht es Barbara?«, fragte Peak wie auf ein geheimes Stichwort hin.

Sloane nahm vorsichtig einen Schluck. Aus den Zeitungsartikeln wusste er, dass Joe Branicks Frau Katherine hieß. Branick hatte zwei Töchter, aber es war unwahrscheinlich, dass sich Peak nur nach einer von ihnen erkundigen würde. Nachdem er diese Möglichkeiten ausgeschlossen hatte, folgerte Sloane, dass Peaks Frage Branicks Mutter galt. Trotzdem durfte er kein Risiko eingehen.

»Wie man es unter den Umständen erwarten kann. Sie nimmt das Ganze sehr schwer. Mit so etwas hat keiner von uns gerechnet.«

Plötzlich hob sich bebend Peaks Brust. Er zog ein Taschentuch heraus und tupfte sich damit die Augen, in die das Wasser gestiegen war. Die Gefühlsaufwallung war wie aus dem Nichts gekommen, völlig unerwartet für Sloane.

»Verzeihen Sie.« Peak brauchte einen Moment, um die Fassung wiederzugewinnen. »Bis auf Sherri sind Sie eigentlich der Erste, mit dem ich über die Sache reden kann, seit ich Katherine die Nachricht überbracht habe. Es hat mich einfach übermannt.«

»Verstehe.« Sloane hatte den plötzlichen Ausbruch zwar gesehen, konnte das tiefe Leid des Präsidenten aber nicht fühlen. Er prallte von Peak ab wie ein auf der Wasseroberfläche tanzender Kiesel.

»Joe und ich, wir kannten uns seit vierzig Jahren. Es kommt mir wie gestern vor, dass wir zusammen in Georgetown waren. Wir hatten so große Pläne.« Er lächelte über die Erinnerung und räusperte sich. »Wir haben darüber geredet, wissen Sie. Wir haben darüber geredet, dass wir einmal hier in diesem Büro sitzen würden. Bei unserem ersten Treffen hier haben wir auf unsere Pläne und erfüllten Hoffnungen angestoßen.« Peak atmete geräuschvoll aus. »Ich kann einfach nicht glauben, dass er nicht mehr ist. Jeden Morgen stehe ich auf und denke mir, dass es nur ein schlechter Traum war, dass es nicht stimmt. Dann sehe ich einen Bericht in der Zeitung, oder ich will ihm bei einer Sitzung eine Frage stellen, und er ist nicht da.« Er schüttelte den Kopf. »Dabei habe ich so auf ihn gebaut. Ich habe so auf seinen Rat gebaut.«

Sloane nickte stumm.

Peak fuhr fort. »Ich kenne Katherine schon fast so lange wie Joe. Wussten Sie, dass ich Trauzeuge bei ihrer Hochzeit war?«

»Ja«, sagte Sloane.

»Das Schlimmste war, wie ich mit dem kleinen Joe geredet, wie ich seinen Schmerz gesehen habe. Sie standen sich so nah. Um dieses Verhältnis habe ich sie beneidet. Natürlich, ich liebe meine Töchter auch, aber … Als Joe mich gebeten hat, Pate für den kleinen Joe zu sein, war ich unheimlich stolz.«

»Sie waren immer ein guter Freund für Joe, Mr. President. Und von seiner Seite war das genauso.«

Peak schüttelte den Kopf. »Bitte nennen Sie mich Robert. Und ich bin mir nicht so sicher. Wenn ich ein besserer Freund gewesen wäre, wäre das vielleicht nicht passiert.«

Die Tür öffnete sich. Die Frau mit der auffallenden Brosche brachte ein Tablett mit Sandwichs und Obst und stellte es auf den Marmortisch. »Rivers hat angedeutet, dass Sie eigentlich zum Mittagessen verabredet waren. Ich dachte, Sie haben vielleicht Hunger«, meinte Peak.

Sloane nickte. »Ich brauche nichts, aber trotzdem vielen Dank.«

Es entstand eine kurze Pause. Peak fuhr sich mit der Hand übers Kinn, dann beugte er sich entschlossen vor. »Ich möchte ganz offen mit Ihnen reden, Jon. Leider hat die Untersuchung einige unangenehme Informationen zutage gefördert.«

Sloane stellte sein Glas auf den Tisch, schlug die Beine übereinander und legte die Hände in den Schoß. »Unangenehme Informationen?«

Peak stand auf, um eine Mappe von seinem Schreibtisch zu nehmen. Er reichte sie Sloane und nahm wieder Platz. »Das wurde in Joes Aktentasche gefunden.«

Sloane zog einen handgeschriebenen Brief aus einer Plastikfolie. Darin stand, dass Joe Branick seine Frau und Familie liebte und nie die Absicht gehabt hatte, ihnen Schmerzen zuzufügen. Bisweilen wütend, bisweilen verwirrend schwafelnd zogen sich die Erklärungen hin – die Worte eines Mannes am Abgrund. Eine Frau war im Spiel. Sloane las den Brief zweimal sorgfältig und prägte sich Einzelheiten ein, falls er mit Aileen darüber sprechen musste. Dann legte er ihn wieder zurück in die Plastikfolie. Jetzt war der Moment gekommen, an dem er seiner Erschütterung Ausdruck verleihen musste.

Er folgte seinem Instinkt. »Ich weiß nicht, was ich sagen soll.«

Peak stieß sich von der Lehne des Schaukelstuhls ab. »Es tut mir leid, dass ich derjenige bin, der Ihnen das eröffnen muss, Jon. Unter anderem deswegen wollte ich auch, dass wir uns persönlich sprechen. Ich wollte nicht, dass es die Familie von jemand anderem erfährt. Ich habe Anweisung gegeben, Joes Büro zu versiegeln und den größten Teil seiner Papiere zu entfernen.«

»Das war Ihre Entscheidung?«

»Ich hatte schon so einen Verdacht.« Peak deutete auf den Brief.

Sloane blickte zu ihm auf. »Sie hatten einen Verdacht?«

»Ich habe von Joes Affäre gewusst, Jon.« Peak setzte sich wieder hin und stützte die Ellbogen auf die Knie. »Das ist schon länger so gegangen. Joe war immer diskret, aber ich müsste lügen, wenn ich behaupten würde, dass ich nichts davon gewusst hätte. Katherine war nicht sonderlich angetan von Washington und den öffentlichen Veranstaltungen, da erzähle ich Ihnen bestimmt nichts Neues. Meistens ist Joe allein hingegangen. Wir haben sogar einmal darüber gesprochen, aber er hat gemeint, das ginge mich nichts an, und das musste ich respektieren. Schließlich war er nicht mein Sohn, sondern mein Freund. Es stand mir nicht zu, ihn zu verurteilen.«

Sloane schaute Robert Peak weiterhin in die Augen, aber sie blieben unergründlich. Er konnte nichts von Peaks Gedanken spüren. So ernst ihr Gespräch auch war und so reichlich Peaks Tränen auch geflossen waren, der Mann strahlte für Sloane nichts von Qual und innerem Aufruhr aus. Peak wirkte auf ihn wie ein Nachrichtensprecher im Fernsehen: flach und emotionslos.

»Ich möchte ganz ehrlich sein. Am Anfang habe ich mir mehr Sorgen darum gemacht, dass das Ganze ein schlechtes Licht auf meine Regierung werfen könnte.«

Peak schüttelte den Kopf. »Das war sehr kurzsichtig von mir.«

Das alles war eine unverhoffte Wendung – wie ein Überraschungszeuge bei einem Prozess. Auch bei bester Vorbereitung konnte man auf solche Entwicklungen nicht gefasst sein. Entscheidend war nur, dass man möglichst viele Informationen bekam, ohne beunruhigt zu erscheinen. »Wer ist diese Frau?«, fragte Sloane.

»Sie lebt in McLean«, antwortete Peak. »Jeder wünscht sich manchmal Dinge, die er nicht haben kann. Ich möchte mir gar nicht vorstellen, wie schmerzhaft und verwirrend es für Joe gewesen sein muss, als er seinen Fehler erkannt hat. Von den Schuldgefühlen ganz zu schweigen.«

»Hat jemand mit ihr gesprochen?«

Mit ernster Miene schüttelte Peak den Kopf. »Bis jetzt noch nicht.« Er strich sich über den Hinterkopf. »Das ist eine heikle Angelegenheit, Jon. Wenn das Justizministerium an sie herantritt, dann nimmt sie sich wahrscheinlich einen Anwalt, und dann geht hier ein Riesenzirkus los. Inzwischen geht es mir gar nicht mehr um meine eigene Haut. Dafür bin ich einfach viel zu wütend. Aber ich will es wegen Ihrer Familie nicht, wegen Joes Familie. Ich will nicht, dass die Presse auf ihn einprügelt wie auf einen Sandsack, nicht nach dem, was Katherine und die Kinder durchgemacht haben. Ich möchte, dass sie sich an den Mann und Vater erinnern, den sie geliebt und geachtet haben.« Langsam, fast versonnen lehnte er sich zurück. »Die letzten zwei Tage musste ich viel an John F. Kennedy jr. denken, an diesen von tausend Kameras festgehaltenen Augenblick, als er die Hand unter die Flagge gelegt hat, um den Sarg seines Vaters zu berühren. Ich musste daran denken, was in den nächsten dreißig Jahren über ihn hereingebrochen ist. Hat es nicht gereicht, dass er seinen Vater verloren hat?« Wieder wischte sich Peak mit dem Taschentuch Tränen aus den Augenwinkeln.

Sloane schwirrte der Kopf vor lauter Fragen, aber er wusste, dass er schon an die Grenze gegangen war. Es war Zeit, die Sache hier zu beenden und sich auf stilvolle Weise zu verabschieden, bevor ihm noch ein Fehler unterlief. Das sagte ihm sein Instinkt. Und seine Erfahrung. Und trotzdem drängte er weiter, angetrieben von Aileen Blairs Stimme, die am Selbstmord ihres Bruders zweifelte.

*Mein Bruder hat sich nicht umgebracht, David. Darauf würde ich meinen Kopf verwetten.*

Sloane glaubte ihr. »Darf ich fragen, woher Sie das alles wissen? Wenn niemand mit dieser Frau geredet hat, woher stammen dann die Informationen?«

Peak schnäuzte sich in sein Taschentuch und wischte sich die Oberlippe ab. Dann nahm er einen Schluck Wasser. »Joe war am Abend vor seinem Tod hier. Wir haben ungefähr eine halbe Stunde lang in meiner Wohnung im Weißen Haus miteinander gesprochen. Mehr Zeit konnte ich nicht erübrigen. Ich musste zu einem Staatsdinner. Trotzdem hätte ich nie gedacht … Joe war einfach nicht der Typ …« Peak verstummte. Nachdem er seine Fassung wiedergewonnen hatte, fuhr er fort. »Ich wollte ihn beruhigen. Ich wollte, dass er einen Kaffee trinkt, um wieder einen klaren Kopf zu kriegen, und dass er im Weißen Haus übernachtet. Aber er hat abgelehnt.«

»Hat er gesagt, wo er vorher war?«

Peak blickte auf, als wäre die Frage irgendwie unangebracht. »Wo er vorher war?«

»Wir – die Familie – haben uns das gefragt. Soviel wir wissen, hat er sein Büro am Nachmittag gegen halb vier verlassen. Danach hat niemand mehr etwas von ihm gehört.«

Peak deutete mit dem Kopf auf die Mappe. Sloane öffnete sie. Drinnen befand sich eine Liste mit Telefonnummern.

»Joe hat mich aus einer Bar in Georgetown mit dem Handy angerufen. Ich habe eine Übersicht seiner Telefongespräche an dem Tag erstellen lassen.«

Sloane betrachtete die Liste näher. Er bemerkte eine Nummer, die immer wiederkam – wahrscheinlich die der Frau.

Peak räusperte sich erneut. »Anscheinend hat er sie auch in ihrer Wohnung besucht.« Er zeigte auf die Blätter. »Diese Aufzeichnungen wurden vom Justizministerium angefordert, Jon. Wenn die den Leuten von der Presse in die Hände fallen, werden sie nachhaken, und dann gibt es ein Schlachtfest.«

Sloane legte die Liste wieder zurück. Peak erwartete natürlich von ihm, dass er fragte, wie die Geheimhaltung der Telefonaufzeichnungen gewährleistet wurde, aber das interessierte Sloane nicht. »Wo ist er hin? Als Joe am Abend weggegangen ist, hat er da gesagt, wo er hinwollte?«

Peak hob die Hände. »Er hat gesagt, er fahre nach Hause. Das ist das, was am schwersten zu begreifen ist. Er wollte nach Hause, um alles in Ordnung zu bringen. Ich weiß nicht, wo er wirklich hin ist. Wahrscheinlich nach McLean. Wenn ich gewusst hätte, dass er eine Waffe hatte … Joe hat nie eine Waffe getragen; in all den Jahren, die ich ihn kannte, hat er nie eine Waffe getragen.« Peak fuhr sich über den Nacken und dehnte die Muskeln. »Es tut mir wirklich leid, dass ich Ihnen solche Nachrichten überbringen muss.«

»Ich bin sicher, dass das sehr schwer für Sie war. Ich weiß Ihre Aufrichtigkeit zu schätzen. Meine Familie genauso. Damit sind für uns viele Fragen geklärt.« Nur dass das nicht zutraf.

Die Stimme in Sloanes Kopf schrie inzwischen, dass er endlich abhauen sollte. »Und wie wird jetzt weiter verfahren?«

»Das Justizministerium wird heute am späten Nachmittag eine Pressekonferenz geben. Ich wollte noch die Zustimmung Ihrer Familie einholen.«

»Zustimmung?«

Peak holte ein weiteres Dokument vom Schreibtisch und reichte es Sloane. Es war eine vorbereitete Erklärung, nach außen hin völlig harmlos. Sie wollten die Autopsie genauso keimfrei machen wie Joes Büro. In wenigen Stunden würde aus dem Justizministerium verlautbaren, dass sich Joe Branick das Leben genommen hatte.

> »Die gerichtsmedizinische Untersuchung hat ergeben, dass die Schmauchspuren an der Hand und der Schläfe des Verstorbenen mit einer selbst zugefügten Schussverletzung übereinstimmen.«

»Damit ist die Sache geklärt«, ließ sich Peak vernehmen. »Der Rest ist ... nur überflüssig.« Er beugte sich vor. »Das Justizministerium wird feststellen, das es keine Spuren von Fremdeinwirkung gibt. In dem Bericht werden weder Alkohol noch andere für die Todesursache unerhebliche Dinge erwähnt. Die Autopsie wird sich auf die Fakten beschränken, das heißt auf die Übereinstimmung zwischen Schmauchspuren und der Waffe, die die Selbsttötung beweist. Nach dieser Pressekonferenz wird das Justizministerium die Ermittlungen in diesem Fall abschließen.«

Sloane legte die Erklärung zurück zu den anderen Unterlagen. Und das war es dann, sauber und ordentlich, genau wie Joe Branicks Büro. Es war genau die Art von Informationen, von denen die Angehörigen nicht wollen konnten, dass sie in der Öffentlichkeit breitgetreten wurden. Mit solchen Informationen brachte man sie dazu, sich leise davonzuschleichen. Das Justizministerium hatte sein Bestes getan, um ihnen auf den Weg zu helfen.

Tom Molia würde wieder mal ein schlechtes Mittagessen serviert bekommen.

Und selbst wenn alles, was Robert Peak gerade erzählt hatte, ein ausgefeiltes Lügengewebe war, um die Familie von eigenen Nachforschungen abzubringen, fiel Sloane nichts ein, um es zu widerlegen. Der Autopsiebericht würde sich auf die Todesursache beschränken, das Büro war leer geräumt worden, und Peak hatte angedeutet, dass die Telefonaufzeichnungen und der Abschiedsbrief vernichtet werden sollten. Die einzige Zeugin war eine Prostituierte, die wenig Glaubwürdigkeit besaß, aber dafür ein hochbrisantes Nuklearарsenal, mit dem sie einen Haufen Prominenter aus ihren komfortablen Häusern bomben konnte. Allerdings auch nur dann, wenn Sloane sie aufspürte. Im Augenblick kannte er nicht mal ihren Namen. Peak hatte ihn nicht erwähnt, und er konnte ihn nicht fragen, ohne Verdacht zu erwecken.

*Die Telefonliste!*

Sein Blick fiel auf die Mappe. Er hatte ihre Telefonnummer.

In diesem Moment öffnete sich die Tür. Peak wandte sich der Frau mit der Brosche zu.

»Entschuldigen Sie, Mr. President. Sie müssen zur Kabinettssitzung.«

Nach einem kurzen Blick auf die Uhr stand Peak auf und geleitete die Frau zurück zur Tür. »Bitte sagen Sie ihnen, dass ich schon auf dem Weg bin.«

Sloane öffnete die Mappe und nahm eilig das Blatt mit den Telefonverbindungen heraus. Konnte er sich die Nummer merken? Normalerweise ja, aber unter diesen Umständen traute er seinem Gedächtnis nicht, und das Risiko durfte er nicht eingehen. Ohne den Blick von Peak zu nehmen, faltete er das Blatt und ließ es beiläufig in seine Innentasche gleiten. Es fühlte sich an wie ein Amboss aus Blei.

Peak wandte sich wieder um. »Es tut mir leid, Jon.«

Möglichst unauffällig zog Sloane die Hand aus der Jacke und stand auf. »Ich verstehe. Sie waren ohnehin schon mehr als großzügig mit Ihrer Zeit.« Er reichte Peak die Mappe.

Die Ecke eines Blatts schaute heraus.

Peak machte die Mappe auf.

Sloane stockte das Herz. Er streckte die Hand aus. »Vielen Dank für alles, Mr. President.«

Peak rückte die Blätter zurecht und legte sie nach flüchtiger Betrachtung zurück auf den Schreibtisch. Er führte Sloane zur Tür und schüttelte ihm die Hand. »Ich habe fest vor, zu Joes Beerdigung zu kommen.«

»Es wird eine Ehre für unsere Familie sein.«

Die Stimme in seinem Kopf hatte inzwischen auf Daueralarm geschaltet. *Halt die Klappe und hau endlich ab hier. Bloß keine Fragen mehr.*

Aber das war seine Chance, vielleicht seine letzte. Die konnte er nicht einfach so vorübergehen lassen.

*Nein, raus! Höchste Zeit.*

»Das erinnert mich an etwas. Wir versuchen, einige Leute zu erreichen, Freunde und Kollegen von Joe. Wir haben seine Sachen durchgesehen, und, na ja, wir möchten mit so vielen Leuten wie möglich Kontakt aufnehmen.«

»Wie kann ich Ihnen helfen?«

»Wir suchen nach seinen Arbeitskollegen von früher. Zum Beispiel hat sich Katherine an einen dunkelhäutigen Bekannten von Joe erinnert, mit dem er vor Jahren zusammengearbeitet hat.«

In Peaks Augen flackerte kurz etwas auf, ein fast unmerklicher Riss in der Maske, die er während des gesamten Gesprächs getragen hatte. Er schien auf Zeit zu spielen. »Ein dunkelhäutiger Kollege, tut mir leid ...«

»Anscheinend schwer zu übersehen: massige Gestalt, sehr groß und muskulös. Katherine erinnert sich noch gut an ihn, aber nicht an seinen Namen. Sie glaubt, dass er schon vor längerer Zeit mit Joe zusammengearbeitet hat, dass er aber erst vor kurzem wieder Verbindung zu ihm aufgenommen hat.«

Peak fuhr sich mit der Hand über den Mund, aber für Sloane war nicht zu erkennen, ob diese Geste Interesse oder Sorge ausdrückte. »Wissen Sie weswegen er ihn kontaktiert hat?«

»Nein.« Er folgte seinem Instinkt. »Katherine hat nur gemeint, dass sie für Sie gearbeitet haben. Mir ist klar, dass wir bestimmte Dinge nicht wissen dürften, aber ...«

Peak nickte. »Schon gut ... ich glaube, ich weiß, wen Katherine meinen könnte. Das ist aber schon viele Jahre her ... dreißig Jahre.«

»Sie haben den Mann gekannt?«

»Wenn es der Mann ist, den sie meint. Er hieß Charles Jenkins.«

Bingo. Jetzt hatte Sloane einen Namen. »Charles Jenkins«, wiederholte er.

»Ja, aber ich fürchte, Katherine hat sich getäuscht, Jon.«

»Getäuscht?«

»Es kann nicht sein, dass die zwei vor kurzem miteinander in Verbindung waren.«

»Ach? Und warum?« Sloane spürte die herannahende Enttäuschung.

»Charles Jenkins hat zwar für mich gearbeitet. Das war Anfang der siebziger Jahre in Mexico City. Aber dann hat es schon bald Probleme mit ihm gegeben; er hat ein merkwürdiges Verhalten an den Tag gelegt.«

»Was für ein Verhalten?«

»Charles Jenkins war ein Vietnamveteran, Jon ... und dort sind viele Dinge passiert, auf die wir nicht unbedingt stolz sein können. Anscheinend haben ihn die Erlebnisse dort gefühlsmäßig tief beeindruckt. Er bekam Wahnvorstellungen und konnte nicht mehr richtig unterscheiden zwischen der Realität und den vergangenen Kriegsereignissen. Das Ganze wurde immer mehr zur Last für ihn.«

»Ich verstehe. Wissen Sie, was aus ihm geworden ist?«

»Er hat sich im gegenseitigen Einvernehmen vom Dienst verabschiedet.«

»Und wo ist er dann hin?«

»Ich weiß es nicht genau, aber vor einigen Jahren habe ich gehört, dass er gestorben ist. Joe müsste das eigentlich auch gewusst haben. Es wundert mich, dass er es Katherine nicht gesagt hat.«

»Trotzdem vielen Dank«, sagte Sloane.

Er wandte sich zum Gehen, als plötzlich die Tür aufgerissen wurde und ihn fast an der Schulter erwischte. Dahinter kam Parker Madsen, der Stabschef des Weißen Hauses, zum Vorschein.

# 57

Tom Molia versprach Maggie, pünktlich um sechs zum Abendessen daheim zu sein und kritzelte sich eine Notiz auf die Handfläche, um nicht zu vergessen, noch mehrere Flaschen Milch mitzubringen.

»Milch, okay …«

»Und einen Laib Brot.«

»Einen Laib Brot.« Er schrieb »Brot« auf die Hand. »Hab ich notiert. Okay dann …«

»Und vielleicht noch ein paar Kartoffeln.«

»Kartoffeln, in Ordnung.«

»Und ein neues Auto.«

»Neues …«

»Bis heute Abend.« Maggie legte als Erste auf wie immer, wenn sie merkte, dass er sie aus der Leitung haben wollte.

Molia unterbrach die Verbindung und drückte sofort die Wiederwahltaste mit Marty Bantos Nummer.

»Wird aber auch Zeit, verdammte Scheiße.«

»Elegante Ausdrucksweise, Banto. Bringst du die auch deinen Kindern bei?«

»Hey, hast du mich hier vielleicht eine halbe Stunde warten lassen, weil du dir im Fernsehen *Die Sopranos* reingezogen hast?«

»Jetzt mach dir nicht ins Hemd. In zwei Minuten kannst du abhauen.«

»Ich hab's nicht mehr eilig.«

Molia lachte. »Lass mich raten. Matthew übernachtet bei einem Freund, und Emily ist mit Jeannie zum Einkaufen gefahren.«

»Armleuchter«, schimpfte Banto. »Du hast mit Maggie

telefoniert. Matthew übernachtet bei euch, und Jeannie hat Maggie angerufen, ob sie mitfahren will.«

»Ich bin eben ein Genie, Banto. Ich wollte dich sowieso schon darauf ansprechen, dass Jeannie keinen BH trägt.«

»Vergiss es. Sie kaufen für Emily ein.«

»Emily? Die ist doch noch ein Kind.«

»Sie ist dreizehn, Mole.«

»Verdammt. Wie kann die Zeit nur so schnell vergehen, Banto?«

»Keine Ahnung. Ich bin doch ständig damit beschäftigt, dir den Arsch zu wischen, da kann ich mich nicht auch noch mit solchen Fragen rumschlagen.«

»Was macht Franklin?«

»Weckt Tote auf. Gerade ist Lazarus an meinem Schreibtisch vorbeispaziert.«

»Wie hat er ausgesehen?«

»Besser als du, wenn du nicht bald anrufst und ihm um den Bart gehst.«

»Er wird schon drüber wegkommen. Tief in seinem Innersten liebt er mich.«

»Na ja, wenigstens einer.«

»Maggie macht Schmorbraten. Komm doch zum Abendessen. Ich glaub, in der Glotze gibt's ein Spiel von den Baltimore Orioles. Und du kannst endlich mal mit deiner Familie zusammen sein.«

Banto lachte. »Du bist so ein Arschloch.«

»Wir essen pünktlich um sechs. Komm nicht zu spät. Du kennst ja Maggie. Die Hölle kennt keinen Zorn wie den meiner Frau mit einem zerkochten Schmorbraten. Also, was hast du für mich?«

»In den Militärdienstaufzeichnungen taucht einmal der Name John Blair auf.«

»Tatsächlich. Dann bin ich also doch kein Genie.«

»Bloß dass dieser John Blair seinen Namen mit ›h‹ geschrieben hat und im Ersten Weltkrieg gestorben ist.«

»Also wahrscheinlich nicht derselbe«, bemerkte Molia.

»Außer Franklin hat auch ihn von den Toten auferweckt, aber ich schätze nicht.«

»Hast du noch mehr?«

»Wie immer. In der Anwaltskammer von Massachusetts gibt es einen Eintrag für Blair, aber das ist Aileen Branick Blair mit ihrem Mann Jonathan ohne ›h‹.«

»Bingo.«

»Aber er hat keine Lizenz als praktizierender Anwalt.«

»Nein?«

»Nein. Also hab ich mir ein Foto vom Fahrzeugregister in Massachusetts kommen lassen. Ziemlich ähnlich, unheimlich ähnlich, nach dem bisschen, was ich heute Morgen hinter Baldys Quadratschädel von dem Typen sehen konnte. Trotzdem würde ich sagen, dass er es wahrscheinlich nicht ist. Und einen, der es fast ist, wird es wohl kaum geben.«

»Kaum.«

»Das wäre das eine. Das andere ist die Tatsache, dass der Mietvertrag im Handschuhfach des Wagens auf dem Parkplatz auf einen Mann namens David Sloane lautet.«

»Du hast den Wagen aufgebrochen?«

»Hey, ich hatte es eilig. Außerdem ist es eh nur ein Mietwagen. Was kann da schon passieren? Er verliert höchstens seine Kaution. Und wenn er in bar bezahlt hat, kann er sich das auch leisten.«

»Wer bezahlt denn in bar für einen Mietwagen?«

»Jemand, der seine Kreditkarten nicht benutzen will. Ab jetzt wird es nämlich richtig spannend, Mole. Der Typ hat einen 45er Colt und mehr Munition dabei als ein Bankräuber. Ich hab's nachgeprüft: Auf den Namen David Sloane ist keine Waffe zugelassen.«

»Irgendwelche Vorstrafen?«

»Nichts in Columbia und Kalifornien. Bundesweite Überprüfung wird ein bisschen dauern, aber mein Kumpel beim FBI hat mir versprochen …«

»Kalifornien? Warum hast du in Kalifornien nachgeschaut?«

»Im Zentralen Fahrzeugregister habe ich einen David Sloane gefunden, der in einem Kaff namens Pacifica wohnt. Irgendwo an der Küste in der Nähe von San Francisco. Einer von diesen süßen Kalifornienärschen, Mole.«

»Banto, ich nehme alle schlimmen Sachen zurück, die ich über dich gesagt habe.«

»Sind sowieso nicht halb so schlimm wie das, was ich über dich denke.«

»Wir sehen uns um sechs. Und binde den neuen BH ordentlich fest. Die Jungs von heute sind genauso wie wir damals.«

»Da mach ich mir keine Sorgen. Emily und ich haben eine Abmachung. Sie trifft sich nicht mit Jungs, solange sie nicht geheiratet hat.«

## 58

Mit einer gefalteten Zeitung unter dem Arm trat Parker Madsen ins Oval Office. »Mr. President, verzeihen Sie die Störung.« Obwohl er Peak angesprochen hatte, galt sein Augenmerk Sloane, der spürte, dass sich seine Situation dramatisch verschlechtert hatte.

»Schon gut, Parker. Ich bin ja schon auf dem Sprung.«

»Sir …«

»Wir sind fast zu Ende, Parker. Jon, das ist Parker Madsen, mein Stabschef.«

Als Sloane Madsen die Hand schüttelte, durchzuckte es ihn, als hätte er eine Gabel in eine Steckdose gehalten. Er unterdrückte den Drang, seine Hand zurückzuziehen. In seinem Kopf blitzte es, gefolgt von einem krachenden Donnerschlag. Sloane kämpfte gegen den freien Fall in die Dunkelheit wie ein Mann, der mit den Füßen voran einen Berghang hinunterrutscht und mit den Fersen bremsen will. Er konzentrierte sich auf Madsens Augen: dunkle, leblose Kreise ohne Pupille und Iris.

Peak öffnete die Tür.

Sloane löste sich aus Madsens Händedruck. Der freie Fall hörte auf.

Er zwang sich, den Blick von Madsen abzuwenden, und trat hinaus in den Korridor, wo die Frau mit der Brosche geduldig wartete.

»Sheila, lassen Sie Mr. Blair bitte zu einem Dienstwagen bringen.«

Wieder unterbrach ihn Madsen. »Mr. President …«

»Ich bin gleich so weit, Parker.«

Peak nahm Sloanes Hand. »Ich hätte wirklich gern unter anderen Umständen mit ihnen geredet, Jon.«

»Vielleicht ein anderes Mal.« Schwindel stieg in Sloane auf, sein Magen krampfte sich zusammen. Wie von einer unsichtbaren Kraft gezogen ging sein Blick wieder zu Madsen. Abermals blitzte grelles Licht auf, das diesmal nur Dunkelheit mit sich brachte. Mit einem matten Lächeln löste sich Sloane aus der Umklammerung und folgte der Frau durch den Gang. Er fühlte sich, als hätte man ihm ein Seil um die Taille geschlungen und könnte ihn jederzeit zurückzerren. Er kam am Roosevelt Room vorbei, der inzwischen fast voll war, und trat hinter der

Frau hinaus ins Freie. Sie steuerten auf das West Gate zu. Mit jedem Schritt spannte sich das Seil stärker, aber er zwang sich, das Tempo der Frau in ihren hochhackigen Schuhen möglichst beiläufig mitzuhalten. Am Tor bedankte er sich bei ihr. Dann, nach einem letzten Blick über die Schulter, war er draußen.

Niemand kam ihm nach.

Peak ging zurück ins Büro und schloss die Tür. Er trat an den Tisch mit dem Tablett und nahm sich ein Sandwich mit Hühnersalat.

Madsen näherte sich mit aufgeschlagener Zeitung. »Mr. President …«

Peak hob die Hand und ging um den Schreibtisch herum zu den Glastüren, die auf den Rose Garden hinausgingen. Dort aß er sein Sandwich und schien dabei den Ausblick auf den Garten zu genießen. Nachdem er geschluckt hatte, sprach er mit ruhiger Stimme.

»Können Sie mir vielleicht erklären, Parker, wie dieser Mann an den besten Sicherheitsvorkehrungen der Welt vorbeikommen und hier einfach so ins Oval Office des Präsidenten reinspazieren kann?« Peak wandte sich um. »Das war nicht Jon Blair. Wenigstens habe ich den starken Verdacht. Er ist ein wenig zu jung, um Aileens Mann zu sein, und außerdem ist es völlig unmöglich, dass er oder Aileen etwas über Charles Jenkins weiß. Ich würde also gern von Ihnen erfahren, General, wer das ist und wie zum Teufel er hier reingekommen ist.«

»Ich bin mir nicht sicher, Mr. President.«

»Dann finden Sie es raus. Ich will alles über ihn wissen. Seinen Namen, woher er Joe kennt, was er mit dem Ganzen zu tun hat und wieso er sich für Charles Jenkins interessiert. Ich will wissen, wo er sich aufhält, mit wem er sich unterhält und wie er zu Jon Blair geworden ist. Ich will seine Familiengeschichte wissen. Alles. Was er isst, wann er schläft und wann er zum Pinkeln geht. Habe ich mich klar und deutlich ausgedrückt, General?«

Madsen nickte. »Wird erledigt.«

»Wirklich? Ich verliere nämlich allmählich das Vertrauen in Ihre Fähigkeit, Dinge zu erledigen. Das Ganze hätte mit dem heutigen Tag wasserdicht abgeschlossen sein sollen. Das waren doch Ihre Worte, oder?«

»Wir kümmern uns um die Sache, Mr. President. Die Untersuchung steht kurz vor dem Ende. Und alle losen Enden werden abgeschnitten.«

»Wenn ich mir die Bemerkung erlauben darf, General, gerade ist ein ziemlich großes loses Ende aus meinem Büro rausspaziert. Sorgen Sie dafür, dass es abgeschnitten wird.« Nachdem er tief Luft geholt hatte, warf Peak den Rest seines Sandwichs in den Papierkorb und zog die Tür auf.

»Noch was, Parker.«

Madsen hatte sich bereits der Tür an der entgegengesetzten Seite genähert. »Sir?«

»Dieser Mann hat behauptet, dass Joe vor kurzem mit Charles Jenkins gesprochen hat. Ich habe ihm gerade versichert, dass Charles Jenkins tot ist. Wenn Sie mich hier schon wie einen Trottel aussehen lassen, dann möchte ich wenigstens nicht auch noch als Lügner dastehen.«

## 59

Sloane stieg aus der schwarzen Lincoln-Limousine und überquerte den Parkplatz vor dem Polizeirevier von Charles Town. Vom Asphalt stieg die Nachmittagshitze in geisterhaften Schwaden auf wie in der afrikanischen Savanne. Jeder Atemzug brannte wie Feuer in der Lunge. Er legte sich die Jacke über die Schulter, die Liste mit den Telefonnummern hatte er sicher verstaut. Die Migräne war ausgeblieben, aber er fühlte sich, als hätte sie ihn stundenlang im Griff gehabt. Seine Glieder waren ganz schwach, und ihm war übel. Die Begegnung mit Parker Madsen hatte ihm mehr zugesetzt als jede andere, die er bisher erlebt hatte. Noch immer spürte er ein Kribbeln im rechten Arm, und konnte das Bild dieser dunklen, leblosen Augen nicht abschütteln. Sie verfolgten ihn wie etwas Böses, Schreckliches.

Sloane überlegte, ob er hinein zu Tom Molia gehen und seine Karten auf den Tisch legen sollte. Bisher hatten sie beide gemauert, aber Sloane hatte ein gutes Gefühl, was den Detective anging. Tom Molia hatte die Anweisung erhalten, die Finger von dem Fall zu lassen. Die meisten Leute hätten sich über so eine Einladung gefreut. Warum auch nicht? Für den Detective war Joe Branick so wichtig wie ein Fahrrad in Tokio. Wenn man in einem Fall ermittelte, von dem man zurückgepfiffen worden war, konnte man sich wahrscheinlich ziemliche Scherereien einhandeln. Trotzdem hatte der Detective die Sache offenbar nicht aufgegeben. Und er setzte sich dabei sogar über Anweisungen hinweg – nur so war zu erklären, dass er Rivers Jones einen falschen Namen genannt hatte.

Und selbst wenn sich Sloane in all diesen Dingen täuschte … was hatte er schon zu verlieren?

Robert Peak hatte entweder gelogen, oder er wusste nicht, dass Charles Jenkins noch am Leben war. Falls nicht ein überdimensionaler Geist in Dr. Brenda Knights Büro eingedrungen und Sloanes Patientenakte gestohlen hatte. Sloane hatte keine Ahnung, auf wessen Seite dieser Jenkins stand. Möglicherweise war sogar *er* der Mörder von Joe Branick und hatte es jetzt auf Sloane abgesehen. Aber das konnte er sich nicht vorstellen. Im Grunde hatte Sloane sowieso keine Wahl. Er musste ihn finden oder sich von ihm finden lassen, und wenn es so weit war, hatte er bestimmt eine viel größere Überlebenschance, wenn er auf die Hilfe eines Detectives zählen konnte.

Er schaute sich auf dem Parkplatz um, aber der grüne Chevy war nicht zu sehen. Dann würde er sich zuerst ein neues Hotel suchen und Molia von dort aus anrufen. Er schloss die Tür des Leihwagens auf und beugte sich nach unten, um einzusteigen. Erschrocken fuhr er zurück und wäre beinahe gestürzt.

»Ich hab es Ihnen doch gesagt, Jon. Bei dieser Hitze müssen Sie das Auto erst mal ein bisschen lüften. Sonst verbrennen Sie sich den Hintern.«

Tom Molia hockte auf dem Beifahrersitz, den 45er Colt im Schoß. Graue Schweißringe zogen sich um den Kragen und die Ärmel seines Hemds, die er bis zu den Ellbogen hochgekrempelt hatte. Er sah aus, als wäre er angezogen in der Sauna gewesen.

»Was machen Sie denn hier?«

»Hab auf Sie gewartet.« Molia wirkte ein wenig kleinlaut. »Die kleine Überraschung hab ich mir extra ausgedacht, damit Sie nicht davonfahren, ohne dass wir vorher Kaffee getrunken haben. Ich glaube, ich habe in den letzten zwanzig Minuten zwei Kilo verloren. Beim nächsten Mal überleg ich mir das besser vorher. Haben Sie auf Reisen immer eine Kanone und einen Haufen Munition dabei, Jon?« Molias Blick war unmissverständlich: Zeit, das Versteckspiel zu beenden. »Ohne Waffenschein ist so was verboten, und ich glaube nicht, dass Sie mir einen zeigen können. Außerdem ist es illegal, im Staat Massachusetts ohne Lizenz als Anwalt zu praktizieren, was allerdings kein Problem für Sie sein sollte, da Sie ja ohnehin in Kalifornien leben.« Er hielt ein Foto von Jon Blairs Führerschein hoch. »Nicht schlecht. Verdammt ähnlich sogar, aber für Ähnlichkeit gibt's keine Punkte.«

»Was wollen Sie?«

»Erst mal will ich aus diesem verdammten Ofen raus, sonst krieg ich noch einen Koller. Kommen Sie. Ich schmelze schon.«

## 60

*Lanham, Maryland*

Der Taxifahrer setzte ihn vor einem reich verzierten schmiedeeisernen Tor ab. Charles Jenkins zog einen Zettel aus der Tasche und gab den Nummerncode auf dem Tastenfeld ein. Er hörte das Jaulen des Motors, als sich die Flügel scheppernd auseinanderschoben und hinter einer Steinmauer verschwanden. Die Auffahrt führte an einem Garten mit Apfelbäumen vorbei, die er kleiner in Erinnerung hatte. Überreife Braeburn-Äpfel lagen auf dem prächtigen grünen Rasen, der zu einem mediterranen Haus mit rostfarbenen Dachschindeln führte. Die Mauern waren mit dunkelblauen und lavendelfarbenen Bougainvilleas bedeckt, an die er sich ebenfalls nicht erinnern konnte. Die Zweige einer Trauerweide flatterten im Wind wie die geflochtenen Zöpfe eines Mädchens. Tatsächlich wehte inzwischen eine starke Brise, und Jenkins roch schon das kommende Gewitter, das aber bestimmt nicht so schlimm werden würde wie auf Camano Island, wo sich der Himmel ganz schwarz zu verfärben pflegte und der Regen stets als dichter Dunstschleier herunterkam. An der Ostküste zogen die Gewitter anders durch, schnell und heftig. Oben war der Himmel noch ganz klar, doch am Horizont breitete sich schon Dunkelheit aus, die rasch näher kam.

Das Handy in seiner Tasche läutete.

»Wo bist du?«, fragte er.

»Hänge noch immer im Stau fest«, antwortete Alex. »Vielleicht noch fünfundzwanzig Minuten, bis ich bei dir bin. Das Gewitter macht es bestimmt nicht leichter.«

»Ich seh es auch schon.«

»Bist du problemlos durchs Tor gekommen?«

»Bin gerade auf dem Weg zur Haustür. Sieht immer noch aus wie eine spanische Festung.« Er folgte einem Backsteinweg zu einer Eingangstür aus unbearbeitetem Holz, die mit Messingringen und großen, quadratischen Schraubenköpfen verziert war. Auch hier gab er wieder einen Zahlencode ein. »Reichlich Sicherheitsvorkehrungen für einen Universitätsprofessor.«

»Du hast doch meinen Vater gekannt. Er war immer gern vorbereitet und hat nie schlecht verdient.«

»Willst du hier einziehen?«, fragte er. In der Ferne grummelte leise der Donner.

»Mit meinem Gehalt? Ich könnte mir nicht mal die Grundsteuern leisten.«

»Schön zu hören, dass sich an der Bezahlung der Staatsdiener nichts geändert hat.«

»Außerdem ist es zu groß für mich. Da würde ich mich ja verlaufen.«

»Was willst du damit machen? Es verkaufen?«

»Hast du Interesse?«

Er machte die Tür auf und trat in einen Vorraum mit gewölbter Decke und breiten Holzbalken über einem Boden aus spanischen Fliesen. Eine Treppe führte hinauf ins Obergeschoss. Das Einzige, was anders war, war der muffige Geruch. Er hatte sich immer gern an den wunderbaren Duft gekochter Gewürze erinnert. »In Anbetracht der Lage könnte ich es mir vorstellen. Machst du mir einen Sonderpreis?«

»Eine Million Dollar in bar.«

»Ziemlich billig für die Hütte.«

»Nicht im jetzigen Zustand. Könnte heute Abend ein bisschen rustikal werden. Nach Dads Tod habe ich die Energieversorgung abschalten lassen. Im Augenblick gibt es weder Strom noch Heizung.«

»Da komme ich mir doch gleich wie zu Hause vor.«

Über eine kleine Treppe ging es in ein mit Teppichboden ausgelegtes Wohnzimmer hinunter. Jenkins stellte die Aktentasche, die die Mappe enthielt, bei den Stufen ab. An der Nordwand befand sich ein Steinkamin, der bis zur Decke reichte. »Irgendwas Neues über unseren Freund?«

»Nein, aber ich habe Neuigkeiten über diese Tätowierung; da werden sich dir die Nackenhaare aufstellen.«

Irgendwo draußen hörte Jenkins das Bellen eines Hundes. Es machte ihn traurig.

»Der Tote in Detective Gordons Leichenschauhaus in San Francisco ist ein gewisser Andrew Feck. Nach den Militärdienstunterlagen war er früher Army Ranger. Bekannt dafür, dass er sich Trophäen von toten Vietcong geholt hat, aber davon steht natürlich nichts in seiner offiziellen Akte.«

Jenkins ging zur Glasschiebetür, schloss auf und trat hinaus auf eine Terrasse mit schmiedeeisernem Geländer. Dahinter ging es eine ziemlich tiefe, mit Büschen bewachsene Schlucht hinunter. Über und unter ihm befanden sich weitere Terrassen. »Lass mich raten. Nach offizieller Darstellung war er der reinste Chorknabe, den es zufällig als GI in den Dschungel verschlagen hat.«

»Genau.«

»Und was hat er in Wirklichkeit getrieben?«

»Meistens Geheimoperationen in Kambodscha und Laos.«

»Spezialkommando?«

»Eher nicht.«

»Keine ehrenhafte Entlassung«, vermutete Jenkins.

»Wohl kaum, aber was Genaues weiß ich nicht. Seine Akte endet einfach. Ich habe einen einflussreichen Freund beim Pentagon darauf angesetzt, der Zugang zu Geheimdokumenten hat. Er hat mich von einem Münztelefon aus zurückgerufen und wollte wissen, in was für einer Scheiße ich da herumstochere. War nicht gerade froh, dass ich ihn reingezogen habe.«

»Klingt vielversprechend. Hat er auch was rausgefunden?«

»Er meint, die Tätowierung passt zur Beschreibung einer Einheit aus Vietnam, die damals als Talon Force bekannt war. Aber er hat gleich hinzugefügt, dass ich dazu keine offizielle Bestätigung kriegen werde – auch von ihm nicht.«

Jenkins brauchte keine Bestätigung, um zu wissen, dass es solche Gruppierungen gab. Diese Einheiten waren so dunkel und geheim, dass sie keine Ausweise bei sich trugen, nicht einmal Hundemarken. Von ihren Uniformen waren alle Namen, Streifen und sogar Herstelleretiketten entfernt. Sie hatten weder Zigaretten noch Kaugummi dabei, aßen nur Nahrungsmittel des Landes, in dem sie operierten und verschleierten sogar ihren Körpergeruch, um nicht als amerikanische Soldaten identifiziert werden zu können. Sie bewegten sich anonym und starben anonym. Wenn es sie jenseits der Grenze erwischte, und ihre Kameraden die Leiche nicht zurückschleppen konnten, verlangte auch das Militär keine Rückgabe. Jenkins hatte mit eigenen Augen gesehen, wie diese Einheiten vorgingen. Vor dreißig Jahren war er an einem Morgen in ein Dorf gekommen, das mitsamt den Einwohnern völlig niedergebrannt worden war. Die Männer waren entweder an Ort und Stelle mit Kopfschüssen hingerichtet worden oder hatten einen Vorsprung bekommen wie aufgeschrecktes Wild, das zu fliehen versucht. Ihre Leichen waren um das Dorf herum verstreut, was darauf schließen ließ, dass es ihren Mördern Spaß gemacht hatte, sie noch ein wenig laufen zu lassen, bevor sie sie niedermähten. Die Frauen und Mädchen waren in die Büsche gezerrt und vergewaltigt worden, bevor man ihnen die Kehle durchschnitt. Sogar die Hunde und Schweine waren abgeknallt worden.

Das waren keine normalen Menschen. Manche hätten sie vielleicht als Tiere bezeichnet, aber Jenkins hätte ein Tier nie mit so einem Vergleich verunglimpft. Tiere töteten nicht aus Spaß. Das war eine rein menschliche Schwäche. Diese Leute hatten kein Gewissen und keine Moral – keinen Kommandanten, der für sie zwischen Gut und Böse unterschied. Und das Unheimlichste daran war, dass sie alle hervorragend ausgebildet waren.

»Es gibt keine Talon Force«, meinte Alex. »Es hat sie nie gegeben und wird sie auch nie geben.«

»So wie die FLM«, antwortete er.

## 61

Mit dem weißen Namensschriftzug auf der kastanienbraunen Markise und auf zwei zur Straße hinausgehenden Fenstern sah Merle's Diner ganz nach einem herkömmlichen Dorflokal aus. Drinnen saß ein halbes Dutzend Gäste auf Hockern an einer Theke, die hufeisenförmig um einen abgedeckten Grill verlief. Zwei Frauen jenseits der vierzig in Kostümen, die die gleiche Farbe hatten wie die Markise, kümmerten sich um sie, als wären sie Verwandte in der eigenen Küche. Weitere fünf oder sechs Gäste saßen Kaffee trinkend und unbekümmert plaudernd an Fenstertischen. Das änderte sich schlagartig, als Tom Molia eintrat. Alle sprangen auf, um ihn zu begrüßen, als wäre er der Bürgermeister persönlich.

»Stammgast?« Sloane nahm an einem Tisch weit hinten Platz.

Molia grinste. »Hab ich nicht gesagt, dass es hier schön kühl ist?« Er zupfte an seinem Hemd, als er auf seinen Stuhl glitt. »Das ist doch was anderes.«

Eine der beiden Frauen vom Grill, deren dichte, dunkle Locken mit zwei Klammern aus dem Gesicht gehalten wurden, die jeden Moment aufzuspringen drohten, trat hinter Molia und drückte ihm die Schulter. »Was kann ich dir bringen, Schatz?«

»Nur einen Tee, Liebling.« Er stellte sie Sloane vor. »Das ist Merle.«

»Hi, Süßer. Wo hast du den denn aufgegabelt, Mole? Der ist ja viel hübscher als Banto.«

»Hey, ich bin auch hübscher als Banto«, protestierte Molia.

Merle lehnte sich auf Molias Schulter, ohne die Augen

von Sloane zu nehmen. »Kann sein, aber du bist schon vergeben. Er trägt keinen Ehering.«

»Nicht schlecht«, fand Molia. »Ist mir gar nicht aufgefallen.«

Merle schubste ihn spielerisch und richtete ihre Frage an Sloane. »Also, was darf ich dir bringen?«

»Ich nehme auch einen Tee«, antwortete Sloane.

Merle stellte ihnen zwei Porzellanbecher auf den Tisch, dann brachte sie von der Theke einen Kessel mit heißem Wasser, um sie aufzufüllen, und zwei Beutel Earl Grey.

Molia ließ seinen in dem Becher hängen, bis das Wasser darin fast schwarz war. »Ich glaube, die mag Sie. Das ist auch bei mir das Problem, David. Ich mag Sie. Ich weiß bloß nicht, wer Sie sind, und so was macht mich immer nervös.«

»Ich bin Jim Plunkett.«

Molia lächelte. »Danke für die Hilfe in Washington.«

»Ist er nicht schon ein bisschen aus der Mode?«

»Mann, ich bin auch schon ein bisschen aus der Mode. Am Sonntag war ich oft im Coliseum und hab Jim Plunkett beim Spielen zugeschaut. Er war der Stolz der Mannschaft.« Molia zuckte die Achseln. »Ich such mir immer einen Sportler aus. Der erste, der mir einfällt. Ich hatte ja keine Ahnung, dass Sie aus Kalifornien sind. Sonst hätte ich vielleicht einen anderen genommen.«

Auch Sloane lächelte. Er musste an Joe Branick und an seine Pappfigur von Larry Bird denken. Obwohl er den Mann nie kennengelernt hatte, ahnte Sloane, dass auch Joe Branick Detective Tom Molia sympathisch gefunden hätte. »Sie stehen also auf Sport, Tom?«

»Meine Frau sagt immer, wenn ein Ball dabei ist, dann schaue ich zu oder spiele mit, Basketball mehr als Football, aber vor allem Baseball – das ist meine Leidenschaft.

Plunkett war einfach der erste, der mir eingefallen ist, und wenn man nach dem Namen gefragt wird, darf man nicht zögern.«

»Was halten Sie von Larry Bird?«

Der Detective nippte an seinem Tee. »Bird? Der war okay. Langsamer weißer Typ. Ich bin auch ein langsamer weißer Typ. Aber so einer wie Tracy McGrady ist mir lieber. Da hab ich was zum Träumen.« Er lehnte sich zurück. »Also, jetzt erzählen Sie mir mal, warum sich ein Anwalt aus San Francisco für einen Selbstmord in West Virginia interessiert. Sind Sie ein Freund der Familie?«

»Das kann man so sagen.«

»Privatermittler?«

»Nein. Aber erzählen Sie mir mal, warum ein Detective aus Charles Town sich so für einen Fall interessiert, der ihm entzogen worden ist. Habt ihr hier draußen in West Virginia keine anderen Verbrechen aufzuklären?«

»Sie klingen schon wie mein Chef.« Molia stellte den Becher auf den Tisch. »Noch so was, was ich nie verstehen werde: dass man zum Abkühlen was Heißes trinken soll.« Er zuckte die Achseln. »Okay, David, ich mache den Anfang, um Ihnen meinen guten Willen zu beweisen. Ich wäre bereit gewesen zu akzeptieren, dass sich Joe Branick eine Kugel in den Kopf gejagt hat, obwohl ich dabei von Anfang so ein komisches Gefühl im Bauch gehabt habe, und ich kann Ihnen sagen, mein Magen ist aus Gusseisen. Wenn mich da was kneift, dann ist was nicht in Ordnung.«

»Ich verstehe.«

»Ich hätte es mir leicht machen und die Sache auf sich beruhen lassen können. Dann wäre ich jetzt zu Hause und würde zusammen mit meinen Kindern ausspannen und den Sommer genießen. Aber als ich zu der Unglücksstelle raus bin, wollte die Park Police die Zuständigkeit übernehmen, und es ist nichts zu sehen von dem jungen Streifenpolizisten, der mit seinem letzten Funkspruch durchgegeben hat, dass er zu einem Toten im Nationalpark unterwegs ist.« Molia legte eine bedeutungsvolle Pause ein.

»Sie meinen, dass es kein Unfall war? Dass ihn jemand umgebracht hat.«

»Sagen wir einfach, dass mir das Ganze nicht gefallen hat, und zwar schon bevor ich zurück ins Revier gekommen bin und einen Anruf von einem aufgeblasenen Arsch namens Rivers Jones bekommen habe, der mit Wörtern wie ›Untersuchung‹ um sich wirft, obwohl es sich angeblich eindeutig um Selbstmord handelt. Also, ich bin vielleicht nicht der Hellste, David, aber plötzlich geht mir ein Licht auf. Sie haben ja vielleicht schon mitgekriegt, dass ich der geborene Diplomat bin – ungefähr wie ein Elefant im Porzellanladen. Also habe ich Jones einfach direkt gefragt, warum er einen klaren Selbstmord untersuchen muss. Da wird er plötzlich stinkig und wendet sich an meinen Vorgesetzten. Mein Chef dreht mich durch die Mangel, und die Ermittlungen sind abgeschlossen, bevor sie angefangen haben. Und das alles wegen eines Selbstmords.« Er setzte sich ein wenig zurück und zog die Augenbrauen hoch. »Ich bin da ganz komisch, wahrscheinlich vererbt, weil mein Alter genauso war. Bis auf meine Frau – und die hat es sich wahrlich verdient – mag ich keine Leute, die mir sagen, was ich machen und wie ich es machen soll. Trotzdem hätte ich die Sache vielleicht auf sich beruhen lassen.«

»Bis der Polizist aus dem Fluss gefischt wurde.«

Molia nickte. »Bis der Polizist aus dem Fluss gefischt wurde. Sie haben es aussehen lassen wie einen Unfall.

Wirklich gekonnt gemacht.« Seine Worte klangen, als hätte er Kieferschmerzen beim Sprechen. »Er hatte eine Frau und einen kleinen Sohn. Das ganze Leben noch vor sich. Das hat ihm jemand einfach weggenommen. Damit kann ich nicht leben, verstehen Sie?«

Sloane dachte an Melda. »Ja, Tom, das verstehe ich.«

## 62

Parker Madsen kritzelte eine Anmerkung an den Rand des Dokuments und überlegte, wie sich der Satz las. Seine Gesichtsmuskeln warfen tiefe Schatten über die Kiefer, und seine Augen waren schwarze Nadelpunkte der Konzentration. Er hatte seine Sekretärin angewiesen, keine Gespräche durchzustellen und alle Verabredungen abzusagen, und sich dann in sein Büro zurückgezogen, um den Termin um 18.00 Uhr einhalten zu können. Um diese Zeit wollte Robert Peak gegen Parker Madsens eindringlichen Rat vor die Fernsehkameras treten und der gesamten Nation seinen Plan verkünden, die Abhängigkeit der USA von Öllieferungen aus dem Nahen Osten drastisch zu verringern. Der inoffizielle Ausdruck dafür, »nichtreligiöses Öl«, war allerdings nirgends in der Rede zu finden, um die Gefühle der Muslime nicht zu verletzen. Der Entwurf der Ansprache, den ein Team von Redenschreibern des Präsidenten in aller Eile aufgesetzt hatte, war mutig und selbstbewusst. Heute Abend würde Robert Peak den Arabern in aller Höflichkeit mitteilen, dass sie samt ihrem Öl zur Hölle fahren konnten. Die amerikanische Öffentlichkeit sollte erfahren, dass die US-Politik im Nahen Osten von jetzt an nicht mehr unter dem Einfluss von Drohungen stehen würde, die sich um

Verstaatlichungen oder Preiserhöhungen drehten. Amerika wollte nicht mehr in die Knie gehen vor Militärregimes, die mit einer Hand Entwicklungshilfe kassierten und mit der anderen den USA den Dolch in den Rücken stießen. Amerika hatte es satt, sich dem Diktat milliardenschwerer Scheichs und Könige zu unterwerfen. Amerikanische Familien brauchten ihre Söhne nicht mehr zum Sterben in die Wüste zu schicken. Ab jetzt wurden die Steuergelder zur Verbesserung der inneren Sicherheit ausgegeben.

Der Kongress würde es nicht wagen, Robert Peak die Zustimmung zu dieser neuen Politik zu verweigern.

Das war alles gut und schön. Und im Grunde wäre Madsen liebend gern bei den Ersten gewesen, die den Arabern sagten, dass sie in ihrem eigenen Öl ersaufen konnten. Aber die Sache hatte einen Haken: Die Vereinbarung zwischen Peak und den Mexikanern war noch nicht unter Dach und Fach. Zwar drang Castañeda auf die Unterzeichnung, wollte so bald wie möglich einen Gipfel in Washington – aber gerade das bereitete Madsen ernsthaft Sorgen, dass alles so überstürzt passierte.

Während er die Rede durchsah, erhielt Madsen immer weitere Berichte über den Mann, der unter falschem Namen ins Weiße Haus gekommen war. Es war keine Überraschung für ihn, dass es sich um David Sloane handelte. Der Dienstwagen hatte Sloane vor dem Polizeirevier in Charles Town abgesetzt, und Sloane war mit einem anderen Mann weitergefahren. Beide saßen jetzt in einem Lokal und waren anscheinend in ein angeregtes Gespräch vertieft.

Sloane war eine Anomalie. Die Gründe für seine Verstrickung in die Sache waren genauso ein Rätsel wie seine Herkunft. Er war wie aus dem Nichts aufgetaucht.

Keine Frau, keine Kinder, keine Verwandten. Madsen fragte sich, ob Sloane vielleicht ein Gespenst war. Einem Mann ohne Bindungen war schwer beizukommen. Das war das Problem gewesen. Ohne Familie hatte Sloane keinen leicht zugänglichen Schwachpunkt, nichts, was er um keinen Preis opfern wollte.

Doch das hatte sich geändert.

Madsens Leute hatten Sloanes Achillesferse gefunden. Jeder Mann hatte eine.

Exeter blickte auf, kurz bevor es an der Tür klopfte. Madsen machte sich nicht die Mühe, den Rotstift in seiner Hand wegzulegen. Er wusste, wer das war. »Herein.«

Rivers Jones schleppte sich ins Zimmer, als wäre eine Eisenkugel an sein Fußgelenk gekettet. »Entschuldigen Sie die Störung …«

»Ich habe keine Zeit für Entschuldigungen, Mr. Jones.«

»Ich glaube, ich habe was Interessantes für Sie.«

Jones' Hugo-Boss-Aussehen wirkte ziemlich angekratzt. Sein Hemdkragen stand offen, die Krawatte fehlte. Sein Gesicht war schlaff wie in die Sonne gestellter Teig. Er fixierte Madsen mit blutunterlaufenen Augen, und ein Hauch von Alkoholgeruch umwehte ihn. Stress drückte manchen Leuten auf die Glieder wie nasse Kleidung und raubte ihnen jede Kraft. Madsen gehörte nicht zu diesen Leuten. Er genoss den Stress und labte sich daran, als würde er pures Adrenalin schlürfen. So etwas konnte man nicht lernen. Es lag in den Genen. Er hatte schon harte Männer erlebt, die bei einem Auspuffknall zusammenzuckten und Deckung suchten, während andere, nicht besser ausgebildet, auch mitten in einem heftigen Schusswechsel ein breites Grinsen auf dem Gesicht trugen.

»Ich weiß, wer ins Büro gekommen ist und wie wir sie finden können«, erklärte Jones.

Madsen legte den Stift weg und lehnte sich in seinem Stuhl zurück.

Jones holte Luft, um sich zu sammeln wie ein Verurteilter, der den Gouverneur in einem letzten Gespräch um Gnade bittet. »Ich habe mit dem Wachmann im Old Executive Office Building geredet. Er sagt, der Mann habe sich als Jon Blair eingetragen. Er hatte einen Führerschein dabei. Das heißt, die Familie hat davon gewusst.«

»Ich dachte, Sie kennen seine Identität.« Madsens Geduld schwand zusehends.

»Nicht die Identität dieses Mannes. Die von dem anderen. Die Wachleute sagen, er hatte eine Dienstmarke. Es handelt sich um einen Detective aus Charles Town. Bin mit ihm aneinandergeraten, als ich den Fall an mich gezogen habe. Ziemlich arroganter Bursche. Ich weiß nicht, wer dieser Jon Blair ist, aber offensichtlich arbeitet er mit dem Detective zusammen. Ich rufe seine Vorgesetzten an und zitiere ihn morgen hierher, um der Sache auf den Grund zu gehen.«

Madsen schwieg.

»Und noch etwas. Der Pathologe, der die Autopsie an Joe Branick vorgenommen hat, hat angerufen. Er meint, dass an der Leiche herumgepfuscht worden ist.« Jones steckte sich einen Finger in den Mund und legte ihn an den Gaumen. Seine Worte klangen undeutlich. »Ein Loch oben im Gaumen. Wie um eine Gewebeentnahme zu verheimlichen. Das muss der County Coroner gewesen sein. Den hab ich auch kaltgestellt.«

»Anscheinend nicht.«

Jones räusperte sich. »Ich habe ihn bereits angerufen, General. Ich werde ihm die Lizenz entziehen. Und morgen rufe ich persönlich die Vorgesetzten von Detective Tom Molia an, um rauszufinden, was da läuft. Und wenn er tatsächlich noch an dem Fall arbeitet, wird es sein letzter Fall sein. Dann kassiere ich seine Dienstmarke.«

Madsen stand auf. Er hatte keine Zeit und Geduld mehr. »Danke, Mr. Jones. Aber Sie brauchen sich nicht mehr mit dieser Angelegenheit zu befassen.«

»General, ich versichere Ihnen, dass ich ...«

»Sie haben einen Fehler gemacht, Mr. Jones. Ich dulde keine Fehler und keine Ausreden. Das habe ich Ihnen auch von Anfang an gesagt. In meinem Beruf gibt es keinen Spielraum für Irrtümer. Sie sind von dem Fall abgezogen. Wenn Sie auch nur noch einen weiteren Anruf machen, arbeiten Sie nie wieder an einem Fall.«

Jones mobilisierte seine letzten Reserven. »Das ist meine Untersuchung. Ich habe sie angefangen, und ich würde sie auch gern abschließen.«

»So wird es aber nicht sein. Wenn ich herausfinde, dass Sie noch irgendwelche Schritte in dieser Sache unternehmen, sind Sie Ihren Job los.«

»General, es fällt mir schwer, das zu sagen, aber ich arbeite nicht für Sie. Ich arbeite fürs Justizministerium. Wenn es sein muss, gehe ich zu meinen Vorgesetzten, und die würden sich bestimmt sehr dafür interessieren, dass das Weiße Haus die Ergebnisse einer Autopsie falsch dargestellt und wichtige Beweise zurückgehalten hat. Ich denke also, dass wir kooperieren sollten, sonst sind wir vielleicht *beide* unseren Job los.«

Madsen besaß genügend Menschenkenntnis, um zu sehen, dass Jones nicht aus Mut, sondern aus Verzweiflung so vorgeprescht war. Trotzdem musste er dem Mann ein Kompliment machen. Vielleicht hatte er doch ein Rückgrat. Gut für ihn, denn das brauchte er jetzt auch.

»Ich rufe morgen den Detective an und hole ihn her«, stammelte Jones, während Madsen schwieg. »Und auf diese Weise werde ich auch die Identität …«

Madsen zog die obere Schublade seines Schreibtischs auf, nahm einen Umschlag heraus und öffnete ihn.

»… seines Begleiters herausfinden. Und wenn ich ihn unter Strafandrohung vorladen muss …«

Madsen drehte den Umschlag um, und Fotografien flatterten heraus. Bestürzt verstummte Jones und betrachtete mit offenem Mund die über den Schreibtisch verstreuten Bilder. Sie zeigten ihn nackt in verschiedenen Unterwerfungsposen mit Terri Lane, die in schwarzes Leder gekleidet war und eine Reitpeitsche schwang.

## 63

*Sunset District, San Francisco*

Tina drückte mit der Handfläche das durchsichtige Packband auf die Schachtel, um die beiden Klappen zu verschließen. Sie wollte gerade den Klebestreifen an den gezackten Zähnen abreißen, da kam der Rest von der Spule. Ende der Rolle.

Sie griff nach einem schwarzen Filzstift und schrieb ordentlich »Jakes Zimmer« auf den Karton. Dann stapelte sie die Schachtel mit den beiden anderen neben seiner Tür. Das Zimmer sah so leer aus und gleichzeitig noch so voll. Hoffentlich hatte der Vermieter nichts gegen die Tapete. Als sie sie in einem Laden entdeckt hatte, hatte sie nicht widerstehen können: eine Reproduktion des Spaceshuttlecockpits. Wo die Fenster aufs Weltall hinausgingen, hatte sie die Wände schwarz angemalt und Plastiksterne angebracht, die im Dunkeln funkelten. Jake war sprachlos gewesen, als er es zum ersten Mal sah. Dann grinste er übers ganze Gesicht und rief: »Echt Spitze!«

Sie hatte seine Stofftiere verpackt und fast den ganzen Schrank leer geräumt. Die Legoflieger, die sie zusammen gebaut hatten, hingen noch an Nylonschnüren an den vier Armen der altmodischen Deckenlampe. Wenn der Ventilator eingeschaltet wurde, flogen sie. Wie sollte sie die Dinger nur verpacken, ohne dass sie zu Bruch gingen? An den anderen Wänden klebten Poster von seinen Lieblingssportlern. Barry Bonds natürlich, aber auch die, die sie für ihn ausgesucht hatte: Joe Montana, weil er einfach umwerfend war, und Muhammad Ali, weil sie Jake davon erzählen konnte, wie Ali seine Träume verwirklicht hatte.

Sie schob sich Strähnen aus dem Gesicht und nahm sich einen Moment Zeit, um ihr Haar nach hinten zu binden. Wenn ihr Jake nicht ständig zwischen den Beinen herumlief und mit ihr spielen wollte, schaffte sie einfach viel mehr. Deswegen hatte sie ihn zu ihrer Mutter geschickt. Es gab wirklich viel zu erledigen. Zehn Jahre hatten sie und Jake in dem Dreizimmerapartment im Obergeschoss des umgebauten viktorianischen Gebäudes gewohnt, und in dieser Zeit hatten sie so viele Dinge zusammengesammelt wie eine fünfköpfige Familie. Sie musste sich ziemlich beeilen, wenn sie für den Umzugswagen am Freitag bereit sein wollte.

Sie saß auf Jakes Bett und spürte die Erschütterung, als die Straßenbahn am Haus vorbeidonnerte. Davids Anruf hatte sie überrascht. Immerhin war es ein sicheres Zeichen, dass er an sie dachte und dass sie vielleicht eine gemeinsame Zukunft vor sich hatten. Die Tränen stiegen ihr in die Augen bei dem Gedanken daran, wie er sie gebeten hatte, in Seattle auf ihn zu warten. Er wollte nachkommen, wenn er zu sich gefunden hatte. Wenn sie ihm nur irgendwie hätte helfen oder ihn wenigstens hätte trösten können. Aber er war noch nie der Typ gewesen, der Trost suchte.

Er hatte keine Familie. Diese Vorstellung setzte sie noch immer in Erstaunen. Umso bewundernswerter war es, wie viel er im Leben erreicht hatte. Er hatte ein unglaubliches Arbeitsethos und Engagement entwickelt, doch genau das machte ihn auch zu einer tragischen Gestalt. Er hatte niemanden sonst. Er hatte nichts anderes. Nur seine Arbeit. In seinem Beruf das Beste zu geben war seine einzige Art von Selbstverwirklichung, die einzige Möglichkeit, seinem Leben einen Sinn zu geben.

Sie stand auf und trat ans Fenster, um hinauszublicken. Unten vor dem Haus parkte der Streifenwagen, den Detective Gordon zu ihrer Bewachung abgestellt hatte. Es war wie ein Notlicht, das über Nacht brannte.

»Genug.« Sie musste sich wieder an die Arbeit machen. »Klebeband.«

Sie stieg die enge Treppe hinunter zu der winzigen Küche im hinteren Teil der Wohnung. Die Küche in ihrer neuen Wohnung war doppelt so groß und mit Granitfliesen gekachelt statt mit diesen kleinen Mosaikfliesen, die so schwer sauberzumachen waren. Sie nahm neues Klebeband aus der Tüte mit Verpackungsmaterial, die sie beim Umzugsservice U-Haul mitgenommen hatte. Dann öffnete sie den Kühlschrank, um sich ein Cola herauszunehmen. Da dämmerte es ihr. Sie drehte den Kopf nach rechts und blickte über die Kühlschranktür. Das Schloss an der Tür zur hinteren Veranda stand senkrecht – es war nicht verschlossen. Als alleinerziehende Mutter mit einem kleinen Kind hatte sie ein Gespür für solche Dinge entwickelt. Sie ließ die Tür nicht unverriegelt. Nie.

Die Holzdielen im Flur knarrten. Sie fühlte den Adrenalinstoß, unterdrückte aber die aufsteigende Panik. Sie beugte sich vor und griff in den Kühlschrank. Dann kam der Mann mit schnellen Schritten um die Ecke. Genauso rasch sprang Tina auf und schleuderte die Coladose so hart und gerade, wie sie es beim Baseball mit Jake geübt hatte. Der Mann konnte nicht mehr reagieren und bekam die Büchse voll ins Gesicht. Das brachte ihn ins Stocken, und dieser Augenblick reichte Tina, um durch die Hintertür zu verschwinden. Mehrere Stufen auf einmal nehmend raste sie die Verandatreppe hinunter, bog um die Ecke und lief durch die kleine Gasse zwischen der Hausverschalung und dem Zaun zum Nachbargrundstück.

»Hilfe!« Als sie die Straße erreichte, trommelte sie an das Fahrerfenster des Streifenwagens. »Hilfe!«

Der Officer bewegte sich nicht.

Sie riss die Autotür auf. »Hilfe!« Dann zuckte sie zusammen. Der Polizist rutschte nach links und stürzte durch die Tür auf die Straße. Sein Gesicht und die Schulter seiner Uniform waren blutverschmiert.

Taumelnd fuhr sie zurück, ohne hinter sich das Auto mit der offenen Tür und den Mann mit dem Tuch zu bemerken. Er hielt es ihr fest auf Mund und Nase, während er sie auf den Rücksitz zerrte.

## 64

»Erzählen Sie mir was über den Streifenpolizisten«, sagte Sloane. Der Gedanke, dass noch ein Unschuldiger hatte sterben müssen, erfüllte ihn mit Trauer. Irgendwie fühlte er sich dafür verantwortlich.

»Coop?« Molia atmete tief durch und fixierte einen

Punkt auf dem Tisch. Während er sprach, spielte er mit einer Zuckertüte. »Er war ein guter Junge. Hätte vielleicht mal etwas Abwechslung gebraucht, aber wirklich ein anständiger Kerl. Er war ziemlich verstümmelt – bei so einem Aufprall wohl kaum anders zu erwarten.« Molia blickte zu Sloane auf.

»Aber Sie glauben nicht an einen Unfall, oder?«

»Nein. Allerdings kann ich Ihnen nicht verraten, warum. Ich kann nur so viel sagen, dass die Beweise im Hinblick auf Ihren Schwa… auf Joe Branick genauso unklar sind wie bei Coop.« Er nahm die Tasse in die Hand und legte den anderen Arm über die Lehne. »Und jetzt erzählen Sie mir mal, warum sich ein Anwalt aus San Francisco so für einen Mord in West Virginia interessiert.«

»Das ist eine lange Geschichte, Tom.«

Molia blickte nach hinten zum Tresen. »Merle? Bitte zwei Stück von deinem Apfelkuchen. Meinen mit Eis.« Dann wandte er sich wieder Sloane zu. »Wir haben Zeit, David, aber nehmen Sie bitte trotzdem die Kurzfassung. Ich kann mich nicht so lange konzentrieren.«

In der nächsten halben Stunde bemühte sich Sloane bei einem Stück Kuchen und einer zweiten Tasse Tee, die Vorgeschichte in möglichst vernünftigen Worten zu erklären.

Der Detective hätte fast seinen Tee ausgespuckt, als er hörte, dass Sloane gerade bei Robert Peak zu Besuch gewesen war. »Maria und Josef«, rief er und bekreuzigte sich.

Sloane nahm die Liste mit den Telefonnummern aus der Jacke und reichte sie über den Tisch. »Die Nummer, die immer wieder auftaucht, ist ihre, wenn die Geschichte stimmt.«

Molia betrachtete das Blatt. »Was meinen Sie? Glauben Sie, Branick hat sie gevögelt?«

Sloane stützte sich auf die Lehne. »Möglich ist alles, Tom, aber eigentlich glaube ich es nicht.«

»Und warum nicht?«

»Seine Schwester hat so was gesagt, dass ihr Bruder immer das Richtige getan hat. Ich hab ihn nicht gekannt, aber nach allem, was ich gehört habe, war er nicht der Typ, der seiner Familie so was antut.«

»Nach Dr. Freud sind wir alle dieser Typ, David.« Molia drückte einen Finger auf den Teller, um die letzten Kuchenkrümel aufzusammeln. »Aber wenn Sie Recht haben, dann dient das nur dazu, dass die Familie nicht weiter an der Sache dranbleibt.«

»Kommt mir auch so vor. Aileen Blair hat ihren Bruder als aufrichtigen Menschen bezeichnet. Seine Integrität hat ihn auch dazu bewogen, die CIA zu verlassen und zurück nach Boston zu ziehen. Er hatte die Nase voll von der Politik. Sie war ihm zu schmutzig.«

»Na ja, so neu ist diese Erkenntnis auch wieder nicht.« Molia fuhr sich mit der Hand über die Unterlippe. »Und Sie meinen, dass Madsen dahintersteckt? Dass er das Ganze inszeniert hat?«

»Mit Sicherheit kann ich gar nichts sagen, Detective. Aber er war von Anfang an beteiligt, und bei seiner Vorgeschichte hat er garantiert den Zugang zu den geeigneten Leuten und Ressourcen für so was. Und …« Sloane sah Madsens Augen vor sich, dunkel und bedrohlich wie Gewitterwolken.

»Und was?«

»Das ist wie bei Ihrem Magen. Ich hab auch so ein inneres Gespür, und das sagt mir, dass Madsen irgendwie in die ganze Sache verwickelt ist.«

Molia blies die Backen auf und stieß die Luft aus. »Da brauchen wir aber noch einiges mehr, wenn wir das

Weiße Haus stürmen und den Stabschef beschuldigen wollen, dass er Militäroperationen gegen Zivilisten durchführt.«

»Deswegen halte ich es für so wichtig, dass wir diesen Charles Jenkins auftreiben.«

»Glauben Sie, der steht auf Ihrer Seite?«

»Ich war mir nicht sicher, aber inzwischen glaube ich es tatsächlich. Und wir müssen ihn möglichst schnell finden. Wir haben wahrscheinlich nicht mehr viel Zeit.«

»Wieso?«

»Robert Peak hat behauptet, dass Charles Jenkins tot ist. Ich weiß, dass das nicht stimmt, aber möglicherweise ist er jetzt wirklich nicht mehr lange am Leben.«

Molia nahm das Blatt mit den Telefonnummern und schnappte sich sein Handy. »Hab ich schon erwähnt, dass diese Sachen wiederkommen wie ein schlechtes Mittagessen? Wirklich schlimm, wenn man immer Recht hat.« Er klappte das Telefon auf. »Wünschen Sie mir Glück. Jetzt wird gleich jemand stinksauer auf mich sein.«

## 65

Jenkins stand auf der Terrasse vor Robert Harts Haus und schaute den Gewitterwolken zu, die sich als schwarze Flecken über den blutroten Himmel schoben.

»Hast du schon die Nachmittagszeitung gelesen?« Alex kämpfte sich noch immer durch den Verkehr, und ihre Stimme wurde wegen des Sturms immer wieder von statischem Prasseln unterbrochen. »Große Neuigkeiten aus dem Weißen Haus. Alberto Castañeda soll am Nachmittag bei einer Pressekonferenz in Mexico City eine Erklärung abgegeben und die Sache mit den Verhandlungen brühwarm ausgeplaudert haben. Anscheinend will Peak heute Abend eine Rede an die Nation halten.«

Jenkins ließ sich die Nachricht durch den Kopf gehen. Offensichtlich war Castañeda Peak auf die Zehen getreten. Andernfalls hätten sie eine gemeinsame Erklärung abgegeben und sich vor laufender Kamera die Hände geschüttelt. Das hieß, dass die Information wohl ohne Zustimmung des Weißen Hauses an die Öffentlichkeit gelangt war. Und das war sicher kein Versehen gewesen. Castañeda konnte sich keine Fehler leisten, wenn er für Mexiko eine Vereinbarung erreichen wollte, die dem Land eine Verbesserung seiner misslichen Lage versprach. Das bedeutete, dass er oder jemand anderer die Sache inszeniert hatte. Und damit hatte er Peak keine andere Wahl gelassen, als sich im nationalen Fernsehen bedingungslos zu dieser Vereinbarung zu bekennen. Wenn Peak halbherzig und unentschlossen wirkte, war das Wasser auf die Mühlen jener, die ihn als zaudernden Präsidenten kritisierten, der vor harten Entscheidungen zurückschreckte. Die Araber würden ihre Chance wittern, die Abmachung zu verhindern, und Peak dabei ganz schlecht aussehen lassen. Davon würde sich seine Präsidentschaft nicht mehr erholen. Wenn Jenkins richtiglag – und er hatte keinen Grund, daran zu zweifeln –, würde Castañeda als Nächstes einen Gipfel vorschlagen, und Peak würde diesen Vorschlag annehmen – so wie ein Mann, der an einer Klippe hing, ein rettendes Seil annahm.

War es ein Zufall, dass Joe in dieser Woche gestorben war, nachdem er sich mit derselben Sache beschäftigt und die Suche nach einem Mann aufgenommen hatte, der seit dreißig Jahren für tot gehalten wurde?

»Wie lange brauchst du noch?«, fragte er.

»Zwanzig Minuten, vielleicht eine halbe Stunde.«

Er konnte sie kaum verstehen. »Die Verbindung bricht zusammen.«

»Ich sehe schon die Lichter von dem Unfall vorn, aber das Wetter macht es nicht einfacher.«

Die ersten Tropfen fielen groß und platschend auf die Betonterrasse. »Wenn wir hierbleiben wollen, brauchen wir Kerzen und Streichhölzer.«

»Kerzen findest du im Esszimmerschrank. Und die Streichhölzer hatte mein Vater immer am Kamin.«

Die Tropfen prallten von der Terrasse und vom Dach. Jenkins schlüpfte ins Haus und ging zum Steinkamin. In einer Spalte fand er ein Streichholzheftchen. Das Haus wurde von einer Windbö erfasst, und das Scheppern der Fenster hätte fast das Geräusch übertönt: das Knarzen von Hartholzbohlen. Blitzartig ließ sich Jenkins fallen, bevor der Schuss aus einer Schrotflinte das deckenhohe Fenster zertrümmerte und ein Kristallregen niederging.

»Charlie?«

Er rollte sich über den Boden und hörte, wie die ausgeworfene Hülse aufprallte, gefolgt vom *Klack-Klack* der nächsten Patrone, die in den Lauf der Pumpgun gedrückt wurde. Im Vorbeirollen schnappte er sich einen Schürhaken, und das Gestell fiel mit einem lauten Knall um, als er schon zur Tür unterwegs war. Der zweite Schuss hämmerte in den steingemauerten Kamin, dass ihm die Splitter und der Staub ins Gesicht spritzten. Er hatte gerade eine Flugreise hinter sich und war daher unbewaffnet, eine Zielscheibe in einer Schießbude.

Alex' Stimme drang kreischend aus dem Telefon. »Charlie? Charlie!«

Stolpernd rappelte er sich hoch und rannte durch den abgedunkelten Gang und durch Räume, deren Türen er hektisch hinter sich zuschlug – gefangen wie eine Maus in der Falle. Er brüllte ins Telefon. »Hatte dein Vater irgendwo Waffen? Waffen! Hatte er Waffen?«

Die Verbindung war abgebrochen.

Er hastete weiter, auf der Suche nach einem Fluchtweg, doch das Haus war mit Gittern vor den Fenstern verbarrikadiert wie eine Festung. Zusammengekauert schob er sich in ein prächtiges Schlafzimmer und drückte sich an die Wand, in der Hoffnung, den Mann zu überraschen, wenn er die Tür eintrat. Schritte kamen durch den Gang und blieben stehen. *Scheiße, schlechte Idee.* Jenkins hechtete von der Tür weg, und Sekundenbruchteile später folgte eine ohrenbetäubende Explosion, die ein großes Stück aus der Wand und dem Türrahmen riss und weißen Staub auf ihn herabrieseln ließ. *Dritter Schuss.*

Die Schrotflinte stieß die Hülse aus lud nach. Die Wand vor ihm zerbarst. *Vierter Schuss.*

Er suchte sich eine andere Fluchtroute. Die Waffe war ganz klar eine Pumpgun, wahrscheinlich eine Spas-12 oder eine Mossberg 500, beide beim US-Militär sehr beliebt. Das Problem war nur, dass die Mossberg über fünf Schüsse verfügte, während die Spas sieben Patronen im Röhrenmagazin und eine im Lauf hatte. Insgesamt also acht. Wenn der Mann unterwegs nicht nachgeladen hatte – was Jenkins für ziemlich unwahrscheinlich hielt –, dann hatte er entweder nur noch einen Schuss oder eine noch halbvolle Waffe. Jenkins rollte sich unter einen Billardtisch und auf der anderen Seite wieder hervor. Hastig tastete er in den Löchern nach einer Kugel. Im Zimmer war es stockdunkel, denn über dem einzigen Fenster hing eine geschlossene Jalousie. Krachend flog die Tür auf. Er warf die Kugel und traf sein Ziel. Die Schrotflinte zuckte nach oben, und das Geschoss durchschlug die Decke. *Fünfter Schuss.* Jenkins überlegte kurz, ob er sich auf den Mann stürzen sollte, doch dann hörte er den Repetiervorgang, und er ließ es bleiben. Die Waffe war noch geladen. Sein Angreifer hatte sich wegen der zusätzlichen Patronen für die schwerere Spas entschieden. Sein Glück.

Er schnellte aus dem Raum, rollte durch ein plüschiges Bad und von dort gleich weiter in einen großen, hohen Salon mit Balken an der Decke und einem Holztresen. In einer Spiegelwand unter einer altmodischen, an Ketten hängenden Tiffanylampe war das Glitzern von Gläsern und Spirituosenflaschen zu sehen. Der einzige andere Ausgang aus dem Zimmer führte durch eine Glasschiebetür auf die Terrasse im ersten Stock. Er wusste bereits, dass es von dort nur noch nach unten ging.

*Sackgasse.*

## 66

Sie hielten kurz vor einem Supermarkt an, damit der Detective Milch, Brot und Kartoffeln besorgen konnte. Dazu kaufte er noch eine Tüte Cashewnüsse, die jetzt im Auto zwischen ihnen lag. Molia beugte sich vor und spähte durch die Windschutzscheibe auf bedrohliche Wolken, die von starken Luftströmungen über den dunkler werdenden Himmel geschoben wurden, als hätte jemand am Videorecorder die Fastforwardtaste gedrückt.

»Das wird ganz schön krachen.« Der Detective erklärte Sloane das Besondere eines Gewitters an der Ostküste. »Das war unvermeidlich nach der dauernden Hitze und Feuchtigkeit letzte Woche, so ähnlich wie wenn man Wasser in einem Topf kocht und den Deckel drauflässt. Der Druck wird immer stärker, und dann knallt es. Irgendwann muss der Dampf abgelassen werden, fragt sich nur, wann und wie viel. Das da sieht ziemlich heftig aus. Nicht wie in Kalifornien – da gibt's Schauer im Vergleich zu dem, was hier manchmal abgeht.« Er lehnte sich zurück. »Aber ich halte lieber die Klappe. Sie bekommen jetzt sowieso gleich eine Demonstration aus erster Hand. Und wie heißt es so schön: Ein Bild sagt mehr als tausend Worte.«

In wenigen Minuten wurde die Abenddämmerung zur Nacht, unterstrichen von zuckenden Blitzen, die die holzkohlengraue Wolkenschicht in dunkelrotes Licht in der Farbe eines verheilenden blauen Auges tauchten.

Molia zählte laut. »Eintausendeins, eintausendzwei …«

Krachender Donner zerriss die Luft. Mit merklichem Stolz blickte er zu Sloane hinüber; das Gewitter war angekommen, und es enttäuschte seine Erwartungen nicht. Der Regen stürzte herunter wie durchsichtige Plastikfolie. Molia schaltete die Scheinwerfer und die Scheibenwischer an. Das Blatt auf der Fahrerseite bewegte sich nicht.

»Das ist diese verfluchte Hitze.« Schnell kurbelte er das Fenster herunter. »Da schmilzt der Gummi direkt ans Glas.« Er griff hinaus und riss einmal kurz an dem Scheibenwischer. Das Blatt brach ab. »Verdammt. Jetzt haben wir ein Problem.« Wie auf ein Stichwort raste erneut ein Blitz über den Himmel, gefolgt von ohrenbetäubendem Donner. »Wir müssen warten, bis es vorbei ist. Ich weiß ein Lokal in der Nähe – die Atmosphäre ist zwar nicht so toll, aber die haben die beste Gumbosuppe, die Sie je essen werden.«

Sloane war immer noch voll von dem Kuchen. »Und was ist mit dem Schmorbraten?«

»Kleiner Appetithappen.«

Einige Minuten später bogen sie vom Highway auf eine Landstraße, die durch dichtes Gestrüpp und einen Baumbestand aus Eschen, Ulmen und Birken führte, bis sie in eine kleine Lichtung mündete. An einem Ende des Grundstücks, das mehr aus Dreck als aus Kies bestand und Randsteine aus Baumstämmen hatte, erhob sich eine baufällige alte Hütte. Der Wind, der inzwischen zu Sturmstärke angeschwollen war, ließ das handgemalte Schild über der Eingangstür gegen die Mauer knallen wie einen unbefestigten Fensterladen. In roten, zu einem stumpfen Rosa verblassten Buchstaben stand darauf: »Herring Company Café & Bait Shop.«

Vor dem Café ragten zwei wunderschöne Zapfsäulen aus den fünfziger Jahren auf.

Sloane deutete auf einen Zettel in einem Fenster, den er erspähen konnte, wenn der einsame Scheibenwischer gerade nach links oder rechts gezuckt war. »Geschlossen. Für immer, wie es aussieht.«

Molia wirkte perplex. »Les und Earl haben schon seit zehn Jahren gedroht, dass sie zusperren, aber ich hätte nie geglaubt, dass sie Ernst machen.« Er wandte sich zu Sloane. »Zwei Brüder. Haben miteinander gestritten, als hätten sie im Sezessionskrieg gegeneinander gekämpft. Manche behaupten, dass es wirklich so war. Les hat das Café geführt und Earl die Tankstelle. Der Laden ist fünfzig Jahre lang super gelaufen; jeder Jäger und Fischer aus der Gegend ist hier vor und nach seiner Tagesarbeit eingekehrt.«

»Die Zeiten sind anscheinend vorbei.«

Molia schüttelte den Kopf. »Wirklich schade. Die Gumbosuppe war wirklich zum Sterben gut.«

Plötzlich hörten sie von hinten ein Dröhnen. Es war

kein Donner oder ein anderes auf natürliche Weise entstandenes Geräusch, sondern das künstliche Röhren und Aufheulen eines Automotors bei hoher Drehzahl. Sloane fuhr herum und sah einen ramponierten weißen Pick-up, der mit schlingerndem Heck über den Schlamm und Kies schoss und einen Moment lang fast zur Seite zu kippen schien, bevor er wieder direkt auf sie zuraste. Aus dem Beifahrerfenster ragte der Lauf einer großkalibrigen Waffe.

»Die kommen nicht wegen der Gumbosuppe, glaube ich.« Molia zog seine Sig und warf den Colt in Sloanes Schoß.

Sie rollten durch die Türen hinaus, und Sekundenbruchteile darauf prasselte das Sperrfeuer gegen die Metallkarosserie wie Hagel auf ein Blechdach.

## 67

Jenkins sprang über die Theke und durchsuchte die Regale verzweifelt nach irgendetwas, was er als Waffe verwenden konnte. Der Schürhaken nützte ihm nicht viel, außer im Nahkampf, und dazu würde es nur kommen, wenn er noch drei Schüsse überlebte. Nicht mal ein Messer fand er. Er hörte, wie sich langsam die Tür zum Zimmer öffnete. Der Mann machte sich keine Sorgen mehr, dass Jenkins bewaffnet sein könnte, aber die Dunkelheit zwang ihn zur Vorsicht. Bestimmt suchte er den Raum ab, um Möglichkeiten für einen Hinterhalt ausschließen zu können, und dann wusste er, dass es nur zwei Verstecke gab: Draußen auf der Terrasse oder hinter der Theke.

Zeit, Jenkins musste Zeit gewinnen. Er inspizierte die

Schnapsflaschen unter der Theke – zum größten Teil feiner Scotch, den Robert Hart gern getrunken hatte, wenn er eine Pfeife rauchte. Plötzlich hatte er eine Idee. Er nahm ein Cocktailglas und warf es über die Bar. Er hörte, wie es zerschmetterte, und kurz darauf den sechsten Schuss.

Kostbare Sekunden.

Er schnappte sich eine Flasche zweiunddreißig Jahre alten Springbank aus einem Fach, schraubte sie auf und tränkte ein Barhandtuch mit dem Whiskey.

Repetiervorgang. Die Hülse fiel auf den Boden. *Klack-Klack.* Die Schrotflinte war wieder geladen.

Er stopfte ein Ende des Handtuchs in den Flaschenhals.

Ein Stück rechts von ihm riss der Schuss ein riesiges Loch in die Theke. Splitter aus billigem Furnier, Glasscherben und Alkohol regneten auf ihn herab wie Distelnadeln.

Sieben.

Jenkins rollte sich zusammen wie ein Embryo. Den achten Schuss würde er nicht überleben. Er schob sich hinter einen kleinen Kühlschrank und nahm die Streichhölzer aus der Tasche. Er brach eines ab und riss es über die Zündfläche. Es brannte nicht. Noch ein Versuch. Nichts.

Repetiervorgang. Letzte Patrone.

Noch ein Streichholz.

*Klack-Klack.* Geladen.

Jenkins scharrte mit dem Streichholz über die Zündfläche. Ein leises Zischen, dann eine Flamme. Das getränkte Handtuch brannte lichterloh. Er warf noch ein Glas – ein billiger Trick, auf den er wenig Hoffnungen setzte –, sprang auf und schleuderte den teuersten Molotowcocktail aller Zeiten.

# 68

Sloane lag mit dem Gesicht nach unten in einer Schlammpfütze, und der Regen hämmerte mit einer Kraft herunter, dass er fast aus dem Boden aufzusteigen schien. Unmittelbar neben ihm platzte ein Reifen des Chevy, und das Dröhnen in seinen Ohren überdeckte zusammen mit dem Brausen des Winds und dem Kugelhagel alle anderen Geräusche. Als die Angreifer das Feuer unterbrachen, stellte sich Sloane auf ein Knie, stützte die rechte Hand mit der linken und gab drei gezielte Schüsse ab, die von links nach rechts Löcher in die Windschutzscheibe des Pick-ups rissen. Von der anderen Seite des Chevy hörte er das Bellen von Molias Sig. Der Detective rollte sich über die Motorhaube und landete neben ihm im Schlammwasser. Er zog Sloane mit zur vorderen Stoßstange. Geduckt gingen sie hinter einem als Randstein dienenden Baumstamm in Deckung.

»Hat es Sie erwischt?«, brüllte Molia durch den Sturm.

»Wenn, dann spüre ich nichts davon.« Sloane spähte um den Wagen. Wieder schob sich der Gewehrlauf aus dem Fenster des Pick-ups. Er feuerte zweimal. Jetzt hatte er nur noch drei Schüsse. Die anderen beiden Magazine waren im Handschuhfach des Mietautos. »Die haben viel mehr Feuerkraft als wir.«

Molia deutete. »Wir müssen in den Wald. Da drinnen können wir warten, bis sie uns vors Visier kommen. Ungefähr dreihundert Meter weiter hinten läuft ein Bach von Norden nach Süden. Los. Ich komme nach.«

Sloane schüttelte den Kopf. Wenn er ging, hatte der Detective keine Deckung, um in den Wald zu gelangen. »Nicht ohne Sie.«

Erneut ragte der Lauf der Automatik aus dem Beifahrerfenster.

»Spielen Sie nicht den Helden. Ich kenne die Wälder hier, Sie nicht. Ich komme nach.« Molia schubste Sloane in die Richtung des Gestrüpps, dann drehte er sich um und feuerte zweimal auf die Windschutzscheibe des Pick-ups. Mehr Deckung konnte er Sloane nicht geben.

Sloane hörte die beiden Schüsse des Detectives, als er über einen umgefallenen Baum am Waldrand setzte. Er ließ sich fallen und zielte auf den Pick-up, der für eine Handfeuerwaffe lächerlich weit entfernt war. Trotzdem schoss er zweimal. Mit der letzten Kugel in seinem Colt kroch er weiter in die dichten Büsche. So schnell er konnte, schob er sich durch die Bäume und wehrte die Äste ab, die ihm ins Gesicht schlugen und an seinen Armen und Kleidern zerrten.

Wo war dieser verdammte Bach?

Ein Blitz zuckte und tauchte den Wald für einen Moment in das gespenstische Licht einer Horrorfilmkulisse. Direkt über ihm krachte der Donner. Die Bilder verschwammen. Der Regen, dachte er zuerst. Dann stach der Schmerz wie Dolche durch seine Stirn. Er sackte auf ein Knie und drückte die Hände an den Kopf, als hätte er Angst, dass er platzen könnte.

Nein.

Er rappelte sich hoch und wankte weiter. Pulsierende Bilder wogten in ihm hoch. Schwarze und weiße Flecken. Die Aura.

Migräne.

*Nein.*

Sehkraft und Gleichgewichtssinn ließen ihn im Stich. Blind stolperte er nach vorn, spürte, wie sein verstauchter Knöchel umknickte und sein Fuß den Sturz nicht mehr aufhalten konnte. Die nasse Laubdecke rutschte weg wie ein Teppich auf einem frisch versiegelten Boden. Sloane fiel hin und sauste kopfüber wie ein Fels einen Hang hinunter. Er prallte von Stümpfen, Stämmen und Steinen ab, bis er mit etwas Festem zusammenstieß, das sich nicht bewegte und ihn jäh zum Stillstand brachte. Wieder fuhr ein greller Blitzstrahl über den Himmel.

*Schreiende Männer. Erstickende Rauchschwaden. Flackernde Flammen, die farbige Schatten und grausiges Licht auf die Frau am Boden warfen.*

Sloane schüttelte die Vorstellung ab. Wütend schlug er um sich, um an der Oberfläche zu bleiben und nicht hinab in den Abgrund gerissen zu werden.

*Von draußen hörte er Frauen und Kinder, die wimmerten und kreischten vor Schmerz und Trauer, vor Verwirrung und Entsetzen.*

»Nein!«

Er stieß sich nach oben ab, hinauf zum Licht und zur Oberfläche. Er lag mit dem Rücken an einem Baum, aus den Zweigen strömte noch immer das Wasser herab. Ohne Orientierung presste er die Zähne aufeinander und rappelte sich hoch. Er musste den Bach finden. Er musste Tom Molia helfen. Mit einer Hand stützte er sich an dem Baumstamm ab. Noch immer sah er nur verschwommen, aber er konnte die Schneise erkennen, die er bei seinem Sturz in die Klamm hinterlassen hatte. Krallend und klammernd hielt er sich an allem fest, was sich nicht aus der Erde löste, um sich Schritt für Schritt nach oben zu kämpfen. Immer wieder rutschte er im Schlamm weg. Der Regen prasselte auf ihn nieder. In seinem Kopf hämmerte es. Sein Knöchel brannte.

Völlig außer Atem gelangte er oben an. Er wusste

nicht, wie viele Minuten vergangen waren, aber er hatte auch keine Zeit, um darüber nachzudenken. Zwischen Bäumen herumirrend tauchte er unter Zweigen durch, die ihn festhalten wollten.

Wo war dieser verdammte Bach?

Der Pick-up rammte den Chevy von hinten und schob die Vorderräder über den Baumstamm. Der dunkelhaarige Fahrer, der Bert Cooperman getötet hatte, riss seine Tür auf, die er als Deckung benutzte, und feuerte eine kurze Salve aus seiner vollautomatischen Uzi ab. Gleichzeitig ließ sich sein Partner, der bärtige Rotschopf, mit einer Benelli-Schrotflinte nach vorn gleiten. Sie hatten beobachtet, wie Sloane in den Wald geflohen war, aber der Detective war ihm nicht gefolgt. Sie hatten eindeutige Befehle. Den Detective töten, aber Sloane lebend gefangen nehmen.

Schnell trat er auf den Chevy zu und zielte durch ein zerborstenes Fenster. Mit geübtem Blick erfasste er das Wageninnere. Leer. Mit zwei Schritten war er an der vorderen Stoßstange, die Waffe im Anschlag. Auch dort war der Detective nicht.

»Sie sind im Wald!«, rief er seinem Partner zu.

Der Dunkelhaarige riss die Schlüssel aus dem Zündschloss des Chevy und schleuderte sie in die Büsche. Dann trat er ein wenig zurück und gab mehrere Schüsse auf das Funkgerät und das Autotelefon ab. Der Überfall war so plötzlich gekommen, dass der Detective keine Zeit gehabt hatte, Verstärkung anzufordern – das wussten sie, weil sie die Frequenz der Polizei von Charles Town überwacht hatten. Das hier war nur eine Vorsichtsmaßnahme für den Fall, dass der Detective zurückschleichen wollte, um doch noch seine Kollegen zu alarmieren. Sie teilten sich auf. Sein Partner machte einen Bogen im Uhrzeigersinn. Er selbst würde ihm in entgegengesetzter Richtung entgegengehen. Treffpunkt zwölf. Eine Militärtaktik, um zu verhindern, dass man aus Versehen den eigenen Partner erschoss.

Im Wald glitt der Dunkelhaarige von Baum zu Baum und spähte in die Schatten. Von den Blättern und Zweigen stürzte kaskadenförmig der Regen. Als würde man durch einen Wasserfall blicken. In seinen Ohren heulte der Wind. Äste knarrten und krachten. Geduckt arbeitete er sich durch hohes Gras und Unterholz und hielt immer wieder an, um nach Schatten Ausschau zu halten, die unnatürlich wirkten. In der Lendengegend spürte er das Kribbeln des Jagdfiebers und die Vorfreude aufs Töten. Über ihm zuckte ein Blitz. Die Wälder pulsierten in grellem Weiß, dann folgte das dröhnende Donnern. Gleichzeitig durchfuhr ein jäher Schmerz seine Brust. Er legte die Hand an den Solarplexus. Ein kurzer Blitzstrahl beleuchtete das Blut, das ihm durch die Finger troff. Ergeben hob er den Kopf. Der Donner grollte. Und der zweite Schuss traf ihn genau zwischen die Augen.

## 69

Der Mann riss die Waffe herum, um den Feuerball abzulenken, die Flasche zerbarst an der getäfelten Wand, und der entzündete Alkohol spritzte ihm über Gesicht und Kleider. Sein letzter Schuss zerschmetterte die Tiffanylampe, deren grüne Scherben auf Jenkins herabregneten.

Leerer Lauf, leeres Magazin.

Der gut ausgebildete Mann ließ sich fallen und wälzte

sich am Boden, um die Flammen zu löschen. Dann stützte er sich mit einer Pistole in der Hand auf ein Knie, doch Jenkins war schon über ihm. Er schwang den Schürhaken wie einen Baseballschläger und hämmerte ihm die Waffe aus der Faust, so dass sie über den Holzboden schlitterte. Dann holte er erneut zum Schlag aus. Blitzschnell griff der Mann nach oben und stoppte das Eisen mitten in der Luft – die dafür nötige Kraft und Schmerzunempfindlichkeit waren bemerkenswert. Den Schürhaken zwischen ihnen festhaltend stemmte sich der Mann auf die Beine, ein Riese, der sich vom Boden erhob, mit Schultern so breit wie Autostoßstangen. Ohne den Griff von der Stange zu lösen, stieß Jenkins dem Mann das Knie in den Bauch. Es war, als hätte er gegen eine Wand getreten. Plötzlich wuchtete der Mann den Kopf nach vorn und traf Jenkins so hart an der Stirn, dass es ihn nach hinten riss. Im Fallen nutzte er seinen Schwung und sein Gewicht, um den Mann, der den Schürhaken noch nicht losgelassen hatte, mit sich zu ziehen. Als er auf dem Boden landete, rammte er dem Mann einen Stiefel in den Bauch, dass er sich nach hinten überschlug. Dummerweise entglitt Jenkins dabei die Eisenstange.

Hastig kam Jenkins auf die Füße und hob den Arm, um den erwarteten Schlag abzublocken. Zu langsam. Der Schürhaken drosch ihm in die Rippen, und durch seinen Körper pulste ein elektrischer Schock, der ihn auf ein Knie zwang. Er hörte das Zischen in der Luft, als der Mann das Eisen nach oben schwang und es niedersausen ließ wie ein Holzfäller seine Axt. Ohne eine Chance zum Ausweichen sprang Jenkins nach vorn, um den Schlagarm zu unterlaufen, und bekam den Hieb voll auf den Rücken. Gleichzeitig rammte er dem Mann die Schultern in den Rumpf und drängte ihn nach hinten an die brennende Wandtäfelung. Mit beiden Armen entriss er ihm den Schürhaken. Der Mann stieß ihn zurück und zog ein Messer mit fünfzehn Zentimeter langer Klinge aus einer am Schenkel befestigten Scheide. Um sich stechend kam er näher. Jenkins wich langsam zurück, um nicht von der Klinge getroffen zu werden. Er konnte den rechten Arm nicht mehr heben, und der warme, bittere Geschmack von Blut füllte seinen Mund und seine Nase. Sein Atem ging schwer, und er spürte, dass seine Kräfte schwanden.

Der Mann wischte sich Blut ab, das aus einem Riss auf seiner Stirn floss, und ein hässlicher roter Streifen überzog sein Gesicht. »Deine Hunde«, sagte er, während sein Messer ununterbrochen schlitzte und zuckte, »sind bestimmt guter Dünger.«

Schmerz und Wut vermischten sich und brachen mit einem kehligen, primitiven Geheul aus Jenkins' Brusthöhle hervor. Als der Mann zustach, schnellte Jenkins vor und packte ihn am Handgelenk. Der Schlag des Schürhakens traf seinen Gegner hinten am Ellbogen, der entzweibrach wie ein Hühnerknochen. Der Mann schrie vor Schmerzen auf. Ohne das Handgelenk loszulassen, wirbelte Jenkins herum, und sein Cowboystiefel krachte gegen den Kiefer des Mannes. Wieder fuhr er herum, der linke Fuß folgte dem rechten, und jeder Tritt saß. So trieb er ihn nach hinten, bis er taumelnd auf unsicheren Beinen stand, eine Silhouette in dem gewitterdunklen Zimmer. Jenkins sammelte seine letzten Kräfte. Dann zuckte sein Fuß nach vorn wie ein Federbolzen, und er trieb dem Mann den Stiefelabsatz in die Brust. Die Wucht des Tritts stieß ihn nach hinten. Krachend zerbarst die Glastür, und er wurde über das Geländer geschleudert.

Jenkins sank auf die Knie. »Du auch«, flüsterte er.

# 70

Tom Molia beobachtete, wie der dunkelhaarige Mann zusammensackte und mit dem Gesicht nach vorn ins Unterholz stürzte.

»Das war für Coop.«

Er erhob sich aus dem Blätterhaufen und rannte zu dem Mann, um ihm die Waffe abzunehmen und sie sich in den Hosenbund zu stecken. Er schwor sich, nie wieder über die Feuchtigkeit zu schimpfen. Das Gewitter war ein Segen für ihn gewesen. Die Blitze gaben ihm die Beleuchtung, die er zum Sehen brauchte, und der Donner übertönte seine Schüsse, so dass seine Position nicht verraten wurde. Mit einem Gewehr konnte Molia einem Hirsch eine Fliege vom Geweih schießen, aber eine Handfeuerwaffe war nicht annähernd so genau. Er hatte mitten auf die Brust gezielt, doch schon geglaubt, den Mann verfehlt zu haben, als er sich kaum regte. Beim nächsten Blitzstrahl hatte er kurz gezählt und den zweiten Schuss mit dem Krachen des Donners abgegeben. Diesmal war nicht zu übersehen, dass er den Mann direkt zwischen die Augen getroffen hatte.

Es war Zeit, Sloane zu finden.

Schnell brach er zum Bach auf. Als er ankam, ließ er sich über die schlammige Böschung hinunter ins Wasser gleiten. Er spähte in den Wald, sah aber weder Sloane noch den Rotschopf. Der Regen schwappte in Kaskaden über den Hang, und der Bach schwoll immer mehr an. Molia watete mehrere hundert Meter mit der Strömung, dann kletterte er wieder hinauf und machte sich auf den Rückweg. Er hoffte, Sloane zu finden und in den Rücken seines rothaarigen Verfolgers zu kommen. Geduckt huschte er von Baum zu Baum, bis er seinen Ausgangspunkt erreicht hatte. Den Rest sagte ihm sein Magen.

Wenn der Mann nicht vor ihm war, dann hatte auch er kehrtgemacht.

Molia drehte sich um.

Der Rotschopf stand keine fünf Meter hinter ihm, die Schrotflinte schussbereit angelegt.

## 71

Jenkins' letzte durch die Wut mobilisierten Reserven hatten sich verflüchtigt, und er lag völlig erschlagen und erschöpft da. Mit dem Gesicht nach unten dämmerte er vor sich hin und kämpfte halluzinierend darum, nicht das Bewusstsein zu verlieren. Um ihn herum bildete das Feuer Nischen brütender Hitze und saugte den Sauerstoff aus dem Zimmer. Die Flammen krochen näher, leckten an seinem Gesicht und warteten nur auf seinen Tod, um ihn zu verschlingen.

Sein Verstand befahl Charles Jenkins, sich zu bewegen, aufzustehen, zu verschwinden. Aber sein Körper hörte nicht auf ihn. Sein Kopf wollte sich nicht erheben. Seine Beine schoben ihn nicht mehr, seine Finger zogen ihn nicht mehr zentimeterweise nach vorn.

Das war also das Ende. Der Tod.

Er hatte sich gefragt, wie es sein würde, hatte nie daran geglaubt, dass er ein hohes Alter erreichen und irgendwann friedlich zusammen mit seiner schönen Frau und seinen Enkeln auf einer Veranda sitzen würde. Das war kein Leben für ihn. Das hatten sie ihm genommen. Er würde nicht im Beisein seiner Liebsten die Augen schließen. Er würde sterben, so wie er gelebt hatte, allein, ohne dass ein Hahn nach ihm krähte, ohne dass sich jemand für ihn interessierte und ihn vermisste. Auch das hatten sie ihm genommen. Er würde verschwinden, ohne etwas auf der Welt hinterlassen zu haben – ein grausames Schicksal, nachdem er so lange stillgehalten hatte.

Er schloss die Augen und spürte den Lebenswillen aus sich heraussickern wie ablaufendes Wasser in einer Badewanne.

*Alex.*

Er wollte etwas Schönes als letzte Erinnerung.

*Alex.*

Ihr Name kitzelte seine Lippen, und er sah sie vor sich, wie sie auf Camano Island in der Tür der Verwalterhütte gestanden hatte, ihr Haar, das das makellose Gesicht umschmeichelte und sich anmutiger als jeder Seidenschal auf Hals und Schultern legte. Er sah ihre herrlichen blauen Augen – die schottischen Augen ihres Vaters, die wie Diamanten funkelten. So etwas Schönes hatte Gott kein zweites Mal erschaffen.

Er hätte sie geliebt. Jeden Moment seines noch verbleibenden Lebens hätte er sie geliebt. So viele Jahre hatte er damit verschwendet, über die Vergangenheit nachzugrübeln, ohne sich um die Zukunft zu kümmern. Er hatte auf seinen Stolz und seine Prinzipien gebaut und seiner Moral die Treue gehalten. Doch letztlich hatte er sich damit nur selbst bestraft.

Er hatte verloren.

Das Zimmer brannte mit den Farben einer fernen Sonne: Rot, Orange und aufblitzendes Gelb. Die Flammen kamen näher und umzüngelten ihn geduldig wartend. Wieder dämmerte er weg, tiefer hinab in die Dunkelheit. Dann sah er sie: Engel, die herunterkamen, die ihn aufhoben und ihn wegtrugen – in den Himmel, wie er hoffte.

## 72

»Waffe wegwerfen, Detective.«

Molia ließ die Sig auf den Boden fallen und hob die Hände auf Höhe der Schultern. Die Automatik hatte er am Rücken im Hosenbund stecken, aber das half ihm im Augenblick recht wenig, da er in den Lauf einer Waffe starrte, die ihn in Stücke reißen konnte, bevor er auch nur die Hand ausgestreckt hatte. Immerhin war es eine letzte Hoffnung. Doch auch damit war es schnell vorbei.

»Jacke ausziehen und fallen lassen.«

Molia gehorchte.

»Langsam umdrehen. Auf den Boden damit.«

Der Detective griff nach hinten und ließ die Automatik in den Schlamm und das Laub neben der Jacke fallen. Innerlich bereitete er sich darauf vor, gleich von einer Schrotladung in den Rücken getroffen zu werden.

»Umdrehen.«

Warum ihn der Rotschopf nicht einfach abknallte, obwohl die Gelegenheit günstig war, wusste Molia nicht, aber das war ihm auch egal. Jede Sekunde war eine neue Chance, am Leben zu bleiben. Und Tom Molia *wollte* am Leben bleiben.

»Wer sind Sie?«

»Spielt das eine Rolle?«

Sie brüllten sich durch den Wind und Regen an wie Matrosen auf einem sturmumtosten Schiff.

»Ich muss doch Ihren Namen wissen, wenn ich Sie festnehme.«

Der Rotschopf wirkte amüsiert. »Wenn es so weit ist, stelle ich mich vor.« Das Wasser lief ihm aus Bart und Haaren, die verklebt waren wie das Fell eines streunenden Hundes. Vorsichtig blickte er sich um. »Wo ist denn Ihr Freund, Detective?«

Sloane. Deswegen hatte ihn der Mann nicht einfach in den Rücken geschossen. Sie wollten Sloane oder vielmehr die Unterlagen, von denen Sloane erzählt hatte.

»Der alarmiert gerade die Kavallerie. Hier wird bald ein Haufen Leute rumlaufen, und ich glaube nicht, dass die eine Schwäche für Polizistenmörder haben. An Ihrer Stelle würde ich lieber abhauen.«

»Danke für den Tipp. Werd mich dran halten.«

»Aber nicht in Begleitung.«

Es war eine dumme Bemerkung, doch in diesem Moment fand Molia eine perverse Befriedigung darin. Gleichzeitig dachte er fieberhaft über seine begrenzten Möglichkeiten nach. Konnte er in den Bach springen? Die Schrotkörner würden ihn wie eine Tontaube durchsieben, bevor er die Wasseroberfläche berührte.

Der Mann zuckte die Achseln. »Im Krieg gibt es immer Verluste, Detective.«

»Ach? Und ich dachte immer, für Kriegserklärungen ist der Kongress zuständig. Da muss ich wohl meine Verfassungskenntnisse auffrischen. Für wen kämpfen Sie, Soldat?«

»Das könnte ich Ihnen schon verraten, Detective, aber dann müsste ich Sie leider umbringen.«

»Das sind doch hohle Sprüche aus einem schlechten Film. Sagen Sie, wollen Sie mir nicht helfen, meinen Seelenfrieden zu finden, bevor ich mich ins Grab lege? Seid ihr die Arschlöcher, die Cooperman ermordet haben?«

Wenn er sich fallen ließ und zur Seite rollte, konnte er vielleicht die Waffe in die Finger kriegen, aber dann musste er auch einen gezielten Schuss anbringen, und das war ziemlich unwahrscheinlich. Wenn er schon sterben musste, dann lieber im Stehen und nicht auf dem Boden liegend und sich windend wie eine Schlange, während ihm der Rotschopf sein komplettes Magazin in den Leib pumpte.

»Wenn Sie den Streifenpolizisten meinen, ja.«

»Dann sind wir jetzt wenigstens quitt.« Er schob alle Gedanken an Maggie und die Kinder beiseite. Er hatte keine Lust zum Sterben. Er würde es nicht zulassen. *Dreh dich zur Seite. Biete ihm kein frontales Ziel.* Es spielte keine Rolle. Aus dieser Entfernung waren Schüsse aus einer Schrotflinte auf jeden Fall tödlich.

»Solche Erbsenzählereien interessieren mich nicht, Detective. Für mich ist das nichts Persönliches. Ich bin nicht stolz darauf, einen Gesetzeshüter zu töten. Im Allgemeinen habe ich großen Respekt vor Polizisten. Sie haben einen schweren Job.«

»Ich kann Ihnen gar nicht sagen, wie mir das das Herz erwärmt.«

»Der Streifenbeamte war eine unerwartete Komplikation. Wir hatten keine andere Wahl.«

»Ich werde es seiner Frau und seinem Kind ausrichten, wenn ich sie sehe.«

»Ich fürchte, dazu wird es nicht kommen.« Er hob die Benelli.

Der Wald wurde dünner, und er stieß auf einen ausgetretenen Pfad, der ihn an den Rand einer kleinen Lichtung führte. Sie lag wie ein Freilichttheater zwischen den Bäumen und Büschen. Ob sie gerodet oder auf natürliche Weise entstanden war, wusste Sloane nicht. Doch sie war der Grund, weshalb Sloane die zwei Gestalten entdeckte, obwohl er noch immer wie durch einen Nebel sah und der Regen von den Blättern rauschte. Das Problem war die Entfernung. Selbst unter vollkommenen Bedingungen wäre es unwahrscheinlich gewesen, dass er sein Ziel treffen konnte. Bei seiner durch die Migräne und den Regen bedingten verschwommenen Sicht wäre es ein absoluter Glückstreffer. Und er hatte nur noch diesen einen Schuss. Er drückte sich mit dem Rücken an einen Baumstamm. In seinem Kopf überschlugen sich die Gedanken, aber er kam auf keine klare Lösung. Dann schaute er wieder hin.

Wenigstens würde er mit einem Schuss die Aufmerksamkeit der beiden auf sich lenken. Vielleicht gab das dem Detective die Zeit, die er brauchte. Er holte tief Atem und griff nach dem Colt in seinem Hosenbund.

Er war nicht da.

## 73

Der Schmerz war überall. Seine Knochen schienen sich in Brei verwandelt zu haben. Seine Muskeln verkrampften sich. Sein Kopf fühlte sich an, als würde er gleich explodieren. Wenn ihm der Kiefer nicht so weh getan hätte, hätte er gelächelt. Charles Jenkins war sich sicher, dass Tote keinen Schmerz empfanden, und was er im Augenblick fühlte, war die reinste Höllenqual.

Das dünne Laken, das ihn bedeckte, drückte auf seine Knochen wie eine Bleiplatte. Mund und Zunge prickelten, als wären sie mit Haaren überzogen, und in der Luft knisterte es merkwürdig elektrisch wie bei Wollsocken, die aus einem Wäschetrockner gezogen wurden. Jedes Blinzeln löste einen stechenden Schmerz hinter den Augen aus. Seine letzte Erinnerungen waren der Boden in Robert Harts Haus und der nebelhafte Eindruck des

Schwebens, als er von Engeln durch einen dunklen Tunnel in helles Licht getragen wurde – an einen Ort, den er für das Jenseits gehalten hatte.

Er hob den Kopf, und die Bilder schwankten wellenförmig: ein Schreibtisch und ein Stuhl, ein Fernsehschrank, geblümte Tapete. Wenn er im Himmel war, dann war das hier eine bittere Enttäuschung.

Er sank auf das Kissen zurück und dämmerte wieder weg, unfähig, sich wach zu halten. Er wollte nur schlafen, die Zeit verging in vagen, unscharfen Einheiten.

»Wie fühlst du dich?«

Die Stimme hallte an sein Ohr, verschwand und kam als hohles Rauschen zurück.

»Charlie?«

Er drehte den Kopf. Sie stand in der Tür. Alex. Vielleicht war er doch im Himmel.

Sie trat ans Bett. »Wie fühlst du dich?«

»Wie …« Er zuckte vor Schmerz zusammen.

Sie half ihm bei Aufsetzen und stopfte ihm ein Kissen hinter den Rücken. Dann hielt sie ihm Tabletten und ein Glas Wasser hin.

»Nein.« Er blinzelte ins Licht der Schreibtischlampe.

»Das ist Motrin. Tut mir leid, aber Bier konnte ich nicht finden. Du musst Wasser trinken.«

Er lächelte und bedauerte es sofort. »Bring mich nicht zum Lachen. Das tut furchtbar weh.« Er klang wie der Schurke aus einem Zeichentrickfilm.

Sie setzte sich auf die Bettkante, schüttelte zwei Pillen aus der Packung und hielt ihm das Glas an den Mund. Es fühlte sich an, als müsste er Golfbälle schlucken. Zufällig sah er sich in einem Spiegel über dem Schreibtisch und erschauerte. Hässliche dunkelrote Ringe verliefen um seine Augen und verliehen ihm das Aussehen eines

Waschbären. Der Rücken seiner Nase war platt wie bei einem Boxer, und die Spitze stand schräg ab.

»Gibt's auch irgendwas an mir, was mir nicht weh tun müsste?«

»Also, da hätten wir geprellte und gebrochene Rippen, Verdacht auf Schlüsselbeinbruch, gebrochenes Nasenbein, viele weitere Prellungen, ein paar Risse und Schnitte. Die Haut an deinen Unterarmen und am Kopf war gespickt mit Glasscherben. Ach, und wahrscheinlich auch noch eine Gehirnerschütterung. Deswegen versuchen wir dich wach zu halten.« Sie beugte sich nah an sein Ohr. »Und trotzdem bist du das Beste, was ich je gesehen habe.«

Er spürte die Wärme ihrer Hand auf der seinen, real und durchdringend. »Du solltest dich öfter mit Männern treffen«, empfahl er.

Mit einem Lächeln setzte sie sich wieder auf. »Jetzt erzähl mal. Ich lass dich im Haus meines Vaters wohnen, und du fackelst es beinah ab.«

Auch er lächelte. »Dann sind wir quitt. Rechnest du's auf den Verkaufspreis an?«

Damit kamen sie zur letzten Frage. Alex war stark, aber es war unwahrscheinlich, dass sie das Haus ihres Vaters so schnell erreicht und seinen hundertzehn Kilo schweren, leblosen Körper allein eine Treppe hinauf- und zur Tür hinausgeschleppt hatte. »Wie hast du mich da rausgeholt?«

Sie wandte sich zur Tür um. Dort stand ein Mann mit adretter Frisur und blauem Nadelstreifenanzug, der sie beobachtete.

# 74

Im Donner wäre das Geräusch des knackenden Zweigs fast untergegangen.

Der Rotschopf blickte auf und fuhr instinktiv herum. Der Schatten löste sich aus der Dunkelheit wie ein Raubtier, das sein argloses Opfer anfällt. Er traf ihn genau unterm Arm, so dass er zurückprallte und der Lauf der Benelli nach oben gerissen wurde. Die Schrotladung ging in die Bäume. Der Rotschopf überschlug sich und landete in geduckter Haltung wie ein Fänger beim Schlagmal. Der Lauf der Waffe zeigte wieder auf Tom Molia.

Der Detective beobachtete, wie die Benelli sich langsam senkte, als würden dem Mann die Kräfte schwinden. Dann stürzte der Rotschopf auf die Knie, verdrehte die Augen, bis nur noch das Weiße zu sehen war, und fiel mit dem Gesicht nach vorn ins Laub.

Molia hielt sich auf einem Knie und umklammerte die Sig mit beiden Händen, bereit für den nächsten Schuss. Doch der war nicht mehr nötig. Er erhob sich und stieß die Benelli mit dem Fuß beiseite. Dann packte er den Mann am Handgelenk, obwohl auch das überflüssig war.

Molia steckte die Sig in den Halfter und ging zu Sloane hinüber, der auf der Erde lag. Nachdem er den Rotschopf gerammt hatte, war Sloane von seinem Schwung über die Böschung und aus Molias Schussbahn getragen worden. Was er getan hatte, war entweder unglaublich mutig oder einfach nur dumm. Wie auch immer, Molia wusste, dass er nur dank dieser Tat noch am Leben war, und da wollte er bestimmt nicht an der Ausführung herummäkeln.

»Alles in Ordnung?« Er half Sloane auf die Beine.

»Ja. Ich seh Sie nicht richtig. Ganz verschwommen. Ein Migräneanfall.«

»Haben Sie deswegen nicht geschossen?«

»Hab den Colt irgendwo verloren. Bin auf den Flintenlauf zugerannt – oder das, was ich dafür gehalten habe.«

»Ich bin froh, dass Sie mir das erst jetzt sagen.«

»Tun Sie mir einen Gefallen und krempeln mal seinen Ärmel hoch.«

Molia bückte sich und zog den Jackenärmel des Mannes nach oben.

»Ein Adler?«, fragte Sloane.

»Ja«, antwortete Tom Molia, »ein Adler.«

Nach dem Gewitter war der Himmel überzogen von einem Farbenteppich zwischen Rosa und Mitternachtsblau. Die Luft roch wie ein kühler Fluss. Vögel, Frösche und Insekten erwachten, und ihre Stimmen vermischten sich mit dem Knistern von Funkgeräten und den Rufen einer Horde Polizisten, die vorsichtig zwischen Schlammpfützen herumstiegen, als wären es Landminen. Sloane beobachtete die beiden Krankenwagen, die den Schauplatz ohne Sirene und Blaulicht verließen. Sie hatten es nicht eilig. Die Passagiere waren tot. Von den beiden Männern war keine Antwort mehr zu erwarten – ebenso wenig wie von dem falschen Hausmeister.

Das Schmerzmittel hatte die Migräne abgeschwächt. Er sah wieder klar.

»Das sollten Sie röntgen lassen.« Der Sanitäter, der sich um ihn kümmerte, hatte Sloanes Knöchel verbunden und half ihm beim Anziehen des Stiefels.

Sloane fädelte den Schnürsenkel durch die letzten Löcher und band ihn zu. Dann hinkte er hinüber zu der Gruppe von Zivilstreifenwagen, wo Molia stand. Der Detective musste gerade eine Tirade von einem schmächtigen Mann mit Nickelbrille, schütterem Haar und der Stimme eines Jahrmarktschreiers über sich ergehen lassen.

»Das war die reinste Wunderkur, Mole. Vor einer Stunde erzählt mir Banto, du liegst auf dem Sterbebett, und jetzt läufst du im Wald rum und weichst Kugeln aus.«

»Das kann ich dir alles erklären, Rayburn.« Molia klang müde und desinteressiert.

»Genau das wirst du auch, und zwar schriftlich. Ich will es auf Papier. Bis ins kleinste Detail. Und am besten gestern. Ich will wissen, was da los ist, Mole. Gumbo? Ist das so ein neues Schnupfenmittel, von dem ich noch nichts gehört habe?«

Sloane trat vor. »Vielleicht kann ich es erklären.«

Der Mann blickte zu ihm auf, ein Auge zusammengekniffen, als hielte es ein Monokel. »Wer sind denn Sie?«

»Earvin Johnson.« Sloane streckte ihm die Hand hin, doch der Mann ignorierte ihn.

Molia übernahm die Vorstellung »J. Rayburn Franklin, der Polizeichef von Charles Town.«

»Ich fürchte, ich bin an der ganzen Sache schuld, Chief Franklin.«

Franklin zog die Augenbraue hoch. »Sie?«

»Ich bin ein Freund von Tom aus Kalifornien. Ich habe ihn überredet, dass wir diese tolle Gumbosuppe essen, mit der er schon seit Jahren angibt. Als wir hergekommen sind, war die Bude geschlossen. Dann sind wir in diesem Gewitter stecken geblieben und wollten warten, bis es sich verzogen hat. Plötzlich sind da diese zwei Typen aufgekreuzt, wahrscheinlich wollten sie das Restaurant ausrauben. Sind aus dem Auto raus und haben wild um sich geballert. Wenn Tom nicht so schnell reagiert und mich in den Wald dirigiert hätte, dann wäre ich jetzt wahrscheinlich tot. Ich verdanke ihm mein Leben. Er ist ein Held. Sind alle Leute in West Virginia so verrückt?«

Franklin starrte ihn an, als hätte Sloane chinesisch gesprochen. Schließlich schüttelte er angewidert den Kopf. »Ihr wartet hier beide.« Er trabte hinüber zu den Leuten von der Spurensicherung, die sich gerade mit dem Chevy und dem Pick-up beschäftigten.

»Nicht schlecht«, meinte Molia. »Schätze, er hätte es fast geglaubt. Aber das mit dem Helden war zu dick aufgetragen. Am Publikum vorbeigeredet. Für Franklin habe ich so große Ähnlichkeit mit einem Helden wie Schwarzenegger mit einem Gouverneur.«

»Tut mir leid mit Ihrem Wagen.«

Molia schaute hinüber zu dem von Kugeln durchsiebten Chevy. »Ach scheiß drauf. Vielleicht sollte ich mir wirklich mal eine Karre mit Klimaanlage anschaffen.« Er wandte sich wieder Sloane zu. »Earvin Johnson?«

Sloane zuckte die Achseln. »Franklin sieht nicht aus wie ein Basketballfan.«

»Ist er auch nicht, aber Magic Johnson ist zwei Meter drei groß und schwarz. Ich glaube nicht, dass Sie jemand für seinen Zwillingsbruder halten könnte. Vielleicht hätten Sie es mit John Stockton probieren sollen.«

»Stockton? Langsamer weißer Typ. Ich bin selbst ein langsamer weißer Typ. Und ich träume auch gern.«

Molia grinste. »Vielleicht. Aber was gerade passiert ist, haben wir beide nicht geträumt. Anscheinend haben Sie heute was gesagt oder getan, was bei irgendwem die Alarmsirenen ausgelöst hat. Mich hätten die sofort umgebracht, aber zuerst wollten sie wissen, wo Sie sind. Also waren sie vor allem auf die Mappe aus, die Ihnen Joe Branick geschickt hat. Haben Sie eine Ahnung, warum die auf einmal so nervös geworden sind?«

»Bis jetzt noch nicht.«

Ein anderer Polizist trat näher. Molia stellte Marty Banto vor.

Banto schaute auf die Uhr. »Mit dir möchte ich jetzt nicht tauschen. Maggie wird bestimmt nicht sonderlich froh sein mit ihrem Schmorbraten.«

»Wenn ich ihr erzähle, dass ich den Chevy loswerden muss, fällt sie mir bestimmt um den Hals.«

Banto zog einen Notizzettel aus der Hemdtasche. »Ich hab für dich nachgesehen, wem die Telefonnummer gehört. Einer Frau namens Terri Lane, wohnt in McLean, Virginia.«

»McLean?«, fragte Molia.

»Anscheinend verdient sie ihr Geld nicht damit, dass sie ihren Freiern in einer Seitenstraße für fünfzig Dollar einen bläst. Aber du brauchst gar nicht rausfahren zu ihr.«

»Tot?«

»Verschwunden, und zwar ziemlich eilig. Die Kollegen in McLean haben für mich nachgesehen. Als sie rein sind, stand ein halbvolles Glas Wein auf dem Tisch, Lichter und Stereoanlage waren an, und auf dem Boden lag ein Badetuch. Ein Nachbar hat ausgesagt, dass Ms. Lane mit einem Koffer in ihren Mercedes gestiegen und abgedüst ist. Bis jetzt hat sie ihre Kreditkarten nicht benutzt, und das wird wahrscheinlich auch eine Zeitlang so bleiben. Wahrscheinlich hat sie bei ihrer Tätigkeit weder Visa noch Mastercard angenommen. Die kann sich ewig verstecken.«

»Wir sind im falschen Geschäft.«

»Vielleicht, aber ich kann mir auch nicht vorstellen, dass jemand für Sex mit uns bezahlen würde. Bei dem anderen Namen, den ich überprüfen sollte – Charles Jenkins –, hatte ich kein Glück. Nirgends die geringste Spur von ihm. Bist du sicher, dass der Typ existiert?«

Molia blickte Sloane an.

»Er existiert.« Sloane war jetzt sicherer als zuvor, dass Jenkins für die CIA gearbeitet hatte oder es noch immer tat.

»Danke trotzdem für den Versuch.«

Banto nickte. »Hat dich Ho erwischt?«

»Peter? Nein, warum?«

»Hat angerufen, weil er dich sucht. Ich hab ihm gesagt, er soll deine Handynummer probieren. Ich hatte ja keine Ahnung, dass dich jemand für Zielübungen benutzt. Er hat erzählt, dass ihn dieser stellvertretende Bundesstaatsanwalt noch mal angerufen hat. Anscheinend hat er sich ziemlich aufgeregt wegen einer nicht genehmigten Autopsie. Verdammt, was habt ihr denn da wieder angestellt, Mole … Mole?«

Aus Gewohnheit war Tom Molia auf seinen Chevy zugesteuert. Dann blieb er abrupt stehen und wandte sich wieder zu Banto um, die Hand ausgestreckt wie ein Bettler. »Du musst mir dein Auto leihen.«

## 75

Das Motrin hatte die Schmerzen so weit betäubt, dass er aufrecht im Bett sitzen konnte, ohne dass es ihm schier die Glieder zerriss. Der Nebel in seinem Kopf, der so schwer war wie der, der sich immer auf seine Farm in Camano gelegt hatte, lichtete sich langsam, und die Bilder im Zimmer erreichten ihn allmählich in Echtzeit und nicht mehr verzögert wie in einem japanischen B-Movie.

Alex saß auf einem Stuhl neben dem Bett. Der große, hagere Mann, der vorher in der Tür gestanden hatte, lief jetzt am Bettende auf und ab. CIA-Direktor William Brewer trug ein makellos gestärktes Hemd mit Tabkragen und Manschettenknöpfen und eine marineblaue Krawatte. Um sein rechtes Handgelenk hing eine Goldkette. Sein Salz-und-Pfeffer-Haar passte zur Farbe der Nadelstreifen seines Anzugs, dessen Jacke im Moment über einer Stuhllehne hing. Trotz des deutlichen Bartschattens deutete der starke Aftershavegeruch darauf hin, dass er sich vor kurzem rasiert hatte, vielleicht nach einer nachmittäglichen Trainingseinheit. Er hatte den Körperbau eines Mannes, der regelmäßig Squash oder Racquetball spielte. Und er hatte den Gesichtsausdruck eines Mannes, der gerade viel Geld für ein enttäuschendes Essen ausgegeben hatte.

»Ich habe einen Anruf vom mexikanischen Geheimdienst bekommen. Der Mann wollte wissen, warum wir uns für eine Organisation interessieren, die seit dreißig Jahren nicht mehr existiert.« Brewer stapfte durchs Zimmer. »Ich hatte keine Ahnung, wovon er redet, aber das habe ich ihm natürlich nicht auf die Nase gebunden. Er sagt, der CIA-Abteilungsleiter in Mexico City habe ihn um Informationen über eine rechtsradikale Gruppierung namens Mexikanische Befreiungsfront gebeten und vor allem über einen Mann, der sich ›der Prophet‹ nennt. Diese Anfrage kam offensichtlich von Joe Branick.« Brewer blieb stehen und fixierte Jenkins mit seinem besten bürokratischen Starren. »Möchten Sie mir vielleicht erklären, was da eigentlich los ist, Agent Jenkins?«

Trotz der Schmerzen konnte Jenkins ein Lächeln nicht unterdrücken. »Mr. Brewer, das ist das erste Mal seit dreißig Jahren, dass mich jemand mit ›Agent‹ anredet.«

Brewer nickte. »Ich weiß. Ich habe Ihre Akte gelesen. Angeblich sind Sie ein totaler Spinner.« Sein Blick ging zu Alex. »Aber Agent Hart behauptet, dass das nicht stimmt. Außerdem meint sie, dass wir durch Sie am ehesten herausfinden, was da eigentlich gespielt wird. Und ich glaube ihr in beiden Punkten.« Brewer schaute auf die Uhr. »Das Problem ist nur, falls irgendwas läuft, muss ich es schnell wissen. Denn in ungefähr zehn Minuten hält der Präsident seine Rede an die Nation und wird dabei verkünden, dass unser Land seine Öl- und Erdgasimporte aus Mexiko beträchtlich erhöhen will. Damit werden wir uns im Nahen Osten nicht viele Freunde machen.« Brewer drehte den Stuhl herum, über dessen Lehne er sein Jackett gelegt hatte, und setzte sich rittlings darauf. »Agent Hart hat mich über Joe Branicks Theorie informiert, dass diese Mexikanische Befreiungsfront möglicherweise wiederbelebt wurde. Jetzt würde ich gern hören, was Sie dazu zu sagen haben.«

»Das ist keine Theorie.«

»Der Direktor des mexikanischen Geheimdienstes ist anderer Meinung. Nach seinen Angaben haben seine Leute keine Anzeichen dafür gefunden, dass diese Organisation noch existiert. Und er hat auch keinen Hehl aus seiner Belustigung darüber gemacht, dass wir uns mit einer Gruppe befassen, die es seit dreißig Jahren nicht mehr gibt. Er hat gemeint, dass sie genug zu tun haben mit aktuellen Terroristen und deshalb keine Gespenster zu jagen pflegen.«

»1973 haben sie sie gejagt«, antwortete Jenkins. »Und wir auch.«

*»El Profeta?«*

»Genau.«

Brewer deutete mit dem Kinn zu dem runden Tisch

hinter ihm, auf dem eine aufgeschlagene Mappe lag. »Ich habe Ihre Akte über ihn gelesen. Während Sie hier vor sich hin gedämmert haben, haben wir uns ein umfangreiches Dossier über diese Organisation und diesen Mann vorgenommen. Und alle Anzeichen deuten darauf hin, dass *el Profeta* entweder nie existiert hat oder tot ist. Seit drei Jahrzehnten hat man nichts mehr von ihm gehört.«

»Dann sind die Anzeichen eben falsch.«

Brewer atmete tief durch, ohne den Blick von ihm zu nehmen. Er war nicht überzeugt, wollte Jenkins' Meinung aber auch nicht einfach als Unsinn abtun. »Na schön, dann erklären Sie mir bitte, warum.«

»Der mexikanische Ölmarkt ist sakrosankt. Castañeda wird keine Vereinbarung eingehen, die den amerikanischen Ölgesellschaften die Möglichkeit gibt, wieder ins Land zu gelangen.«

Brewer hielt die Nachmittagsausgabe der *Washington Post* hoch, damit Jenkins die Schlagzeile erkennen konnte. Laut der Meldung stand ein mexikanisch-amerikanischer Gipfel in Washington unmittelbar bevor.

»Sie irren sich. Die Vereinbarung ist schon unter Dach und Fach. Der Präsident wird einen Gipfel ankündigen, der am Freitagvormittag mit einer Zeremonie auf dem South Lawn eröffnet wird.«

Jenkins schüttelte den Kopf. »Das ist nicht der Punkt. Er hat sich zu einem Gipfel bereit erklärt. Aber eine Ölvereinbarung wird es nicht geben.«

»Die Verhandlungen sind praktisch abgeschlossen, Agent Jenkins. Der Gipfel ist nur Show.«

»Es wird garantiert eine Show – aber nicht die, die alle erwarten.«

»Was meinen Sie damit?«

»Er hat den Gipfel inszeniert.«

»Castañeda?«

»Ja.«

»Sie meinen, er ist *el Profeta?*«

»Nein, dafür ist er zu jung. Aber ich meine, dass er im Auftrag von *el Profeta* handelt.«

»Und *el Profeta* hat die Vereinbarung und den Gipfel arrangiert?«

»*El Profeta* hat die Vereinbarung inszeniert, weil er Robert Peak kennt. Er weiß, was Peak der amerikanischen Öffentlichkeit versprochen hat und wie er dieses Versprechen halten möchte. Das hat er als Köder benutzt, um Peak in die Verhandlungen zu locken.«

»Und wozu das Ganze?«

»Um an ihn ranzukommen. Mit dem geplanten Gipfel in Mexiko wäre es ihm fast gelungen, aber Branicks Tod hat alles über den Haufen geworfen. Also musste er sich was anderes einfallen lassen. Er ist findig. Außerdem ist er hartnäckig und geduldig. Und warum auch nicht? Schließlich wartet er schon seit dreißig Jahren auf diese Gelegenheit. Also weist er Castañeda an, die Verhandlungen öffentlich zu machen, um Peak in Zugzwang zu bringen. Er kann sich darauf verlassen, dass das klappt, weil er weiß, dass Peak ein arroganter Scheißer ist, dem es nur auf seine Karriere ankommt. Aus diesem Grund muss in aller Eile ein Gipfel einberufen werden.«

Brewer schüttelte den Kopf. »Ich soll Ihnen abnehmen, dass einer der berüchtigtsten Terroristen der mexikanischen Geschichte, ein Mann, der seit dreißig Jahren als tot gilt, nicht nur am Leben ist, sondern auch der geheime Drahtzieher vertraulicher bilateraler Verhandlungen?«

»Na und?« Jenkins zuckte die Achseln. »Sie wissen doch, dass ich ein Spinner bin.«

Alex stand auf, um zu vermitteln. »Charlie, der Direktor will doch nur zum Ausdruck bringen, dass ihm die statistische Wahrscheinlichkeit so einer Sache ziemlich gering erscheint.«

»Die statistische Wahrscheinlichkeit ist mir scheißegal.« Jenkins wandte den Blick wieder Brewer zu. »Ich weiß nur, dass für diesen Mann keine statistischen Wahrscheinlichkeiten gelten. Ich habe ihn beobachtet. Ich habe mich in ihn hineinversetzt, um herauszufinden, wer er ist. Revolutionär, religiöser Eiferer, Genie – von allem etwas vermutlich. Ich habe die Erfahrung gemacht, dass so etwas wie Schicksal und Bestimmung manchmal wichtiger ist als Mathematik und Naturwissenschaft. Der menschliche Geist lässt sich nicht berechnen. Wozu Menschen bereit sind und was sie für dieses Ziel auf sich nehmen, wenn sie die entsprechenden Beweggründe haben, entzieht sich mitunter dem normalen Verständnis.«

Brewer stand auf. »Mag sein. Aber ich kann mich nur mit realen Phänomenen befassen.«

»Es wäre ein Irrtum zu glauben, dass er nicht real ist.«

Brewer rieb sich über die Stirn. »Dann erklären Sie mir mal was. Nach dem, was ich – auch in Ihrer Akte – gelesen habe, verstößt dieser Gipfel gegen alles, woran dieser Mann je geglaubt hat. Warum lässt er sich dann darauf ein?«

»Weil es, wie gesagt, keine Vereinbarung geben wird, und das weiß er. Sein Motiv hat nichts mit Politik und Öl zu tun. Es ist viel ursprünglicher.« Jenkins schaute Alex an. »Es ist das Motiv eines Mannes, dem alles genommen wurde, was er je geliebt hat. Der nicht bereit und fähig ist zu vergessen.«

»Und was soll das für ein Motiv sein?«, fragte Brewer.

Alex antwortete für Jenkins. »Rache.«

## 76

Tom Molia brachte den Jeep schlitternd vor einer kleinen Treppe zum Stillstand, die zu einer Metalltür an der Rückseite eines Backsteinbaus führte. Er ließ den Schlüssel in der Zündung stecken und hechtete aus dem Auto. Mit dem Finger deutete er auf einen blauen Chevrolet Blazer, der in einer Ecke des Parkplatzes im Schatten eines Baums abgestellt war.

»Das ist Hos Wagen.«

»Gut.« Eilig stieg auch Sloane aus und lief um das Auto.

»Nein, nicht gut. Es ist schon nach fünf. Um die Zeit arbeitet er nicht mehr.« Molia zog am Türgriff. Verschlossen. »Scheiße. Außerdem sperrt er nie ab.«

Er sprang über das Treppengeländer und sprintete um das Gebäude herum. Sloane folgte ihm hinkend. An der Vorderseite zog der Detective zwei Glastüren auf, raste die Treppe hinauf und durch die Vorhalle zu einer Tür mit Rauchglasfenster. Ein Schild zeigte, dass diese zum Büro von Peter Ho führte, dem Gerichtsmediziner von Jefferson County.

»Bleiben Sie hinter mir.«

Molia zog die Sig und öffnete die Tür zu einem leeren Wartebereich, den er durchquerte, bevor er zu einer weiteren Tür gelangte, hinter der übelkeiterregender Formaldehydgeruch hing. Der Gestank wurde stärker, als sie durch einen abgedunkelten Gang in einen Raum mit Tischen gelangten, die überdimensionalen Backblechen ähnelten. Helles Licht fiel auf einen dunkelgrünen Leichensack auf einem Tisch. Sloane hörte das Summen eines Motors, vielleicht die Klimaanlage. Ansonsten herrschte in dem Zimmer schreiende Stille.

Molia hob die Hand, damit Sloane stehen blieb. Er verschwand durch eine Tür, die wahrscheinlich zu einem Büro führte. Kopfschüttelnd kam er wieder heraus und deutete zum hinteren Teil des Raums. Sie kamen an einem Stahlschrank mit vielen großen Schubladen vorbei und bezogen an entgegengesetzten Seiten einer Tür Stellung. Sloane packte den Griff und musste an Meldas leblosen Körper denken, während er auf Molias Nicken wartete. Dann riss er die Tür auf. Die Waffe im Anschlag wirbelte Molia herum.

Ein Bad. Leer.

Einen Moment lang standen sie zögernd da. Molia spähte durch den Raum und strich sich mit der Hand über die kurzgeschorenen Haare. Dann blieb sein Blick an dem grünen Leichensack auf dem Metalltisch hängen. Sloane wusste sofort, was er dachte. Wenn der Gerichtsmediziner nach Hause gegangen war, hätte er dann einfach eine Leiche liegen lassen? Wie hypnotisch angezogen steuerten sie auf den Leichensack zu. Plötzlich nahm Sloane aus dem Augenwinkel einen Schatten wahr, der über den Boden kroch wie verschüttete Tinte. Eine Tür des Stahlschranks hatte sich geöffnet, und der Metallschub schoss heraus wie die Zunge eines riesigen Tiers. Erschrocken fuhren sie zurück, als sich eine schreiende Gestalt aufsetzte.

Das Laken glitt zur Seite, und das Schreien ging in Lachen über.

»Du Scheißkerl, endlich hab ich dich drangekriegt! Sonst war immer …« Der Mann in der Metallschublade wurde kreidebleich.

Molia hatte sich zusammengekauert und zielte mit seiner Pistole direkt auf die Stirn des Mannes.

»Tom?«

Molia senkte die Sig und zerrte den Mann am Hemdkragen aus der Schublade. Seine Beine zitterten.

»Gottverdammt, Peter, ich hätte dich fast umgebracht. Was hast du dir bloß dabei gedacht?«

Peter Ho schaute ihn aus verschreckten Augen an. »Das war doch nur ein Witz, Tom.«

Molia wandte sich ab und zog Kreise wie ein eingesperrtes Raubtier im Zoo, während er die Worte ausspuckte und sich dabei immer wieder bekreuzigte. »Herrgott noch mal, Peter! Jesus, Maria und Josef! Der Teufel soll dich holen! Scheiße!«

Ho sah Sloane an, aber Sloane war sprachlos, so sehr saß ihm der Schreck noch in den Gliedern.

Wie ein Boxer am Ende einer Runde ließ sich Molia auf einen Hocker mit Rollen fallen, körperlich und psychisch völlig erledigt. »Tut mir leid, Peter. Scheiße. Tut mir leid.«

»Was ist denn los, Tom?«

Molia ließ den Hocker zurückgleiten und stand auf. »Ich brauch was zu trinken. Hast du noch irgendwo diese Flasche Stoli?«

Ho holte drei sterilisierte Reagenzgläser aus einem Schränkchen und eine Flasche Wodka aus einer Schublade des Leichenkühlschranks. Nachdem er eingeschenkt hatte, tranken sie die Gläser in einem Zug leer. Ho füllte zweimal nach, während ihm Molia von den beiden Männern im Wald und von Sloanes Theorie erzählte, dass Parker Madsen hinter der ganzen Sache steckte.

»Banto sagt, du hast angerufen – irgendwas, dass Rivers von deiner Autopsie weiß. Ich hab schon halb damit gerechnet, dich hier auf einem deiner Tische zu finden.«

Ho wirkte ziemlich geknickt. »Ja, er hat angerufen.«

»Und was genau hat er gesagt?«

Ho schüttelte den Kopf. »Er hat getobt wie ein Irrer, Tom, von wegen dass er mir die Lizenz entzieht und wie ich dazu komme, mich nicht an seine Unterlassungsanordnung zu halten.«

»Hat er erzählt, wie er es rausgefunden hat?«

»Anscheinend hat der Leichenbeschauer vom Justizministerium meine Gewebeentnahme entdeckt. Ich hab es abgestritten, aber dieser kleine Stinker ist mir mit seinem Gelaber auf den Keks gegangen. Ich hab ihm gesagt, dass er mich am Arsch lecken kann. Soll er mir doch die Lizenz nehmen. Dann mache ich meine Praxis eben wieder auf, da verdiene ich sowieso viel mehr.«

»Schon gut, Peter, schon gut.« Molia versuchte, ihn zu beschwichtigen.

»Mein Gott, Tom, meinst du wirklich, dass die mich umlegen würden?«

Nach den Ereignissen im Wald war Sloane klar, dass die Antwort auf diese Frage ein eindeutiges Ja war.

»Niemand bringt dich um, Peter. Aber vielleicht nimmst du dir erst mal ein paar Tage frei – fahr einfach irgendwo hin. Nimm deine Familie mit und mach was, was dir Spaß macht.«

»Das hab ich mir sowieso schon überlegt, nachdem mich auch noch die Schwester angerufen hat.«

»Was für eine Schwester?«

»Joe Branicks Schwester.«

»Aileen Blair?«, warf Sloane ein.

Ho wandte sich ihm zu. »Ja, das ist ihr Name.«

»Was wollte sie?«, fragte Sloane.

»Sie wollte die Ergebnisse meiner Autopsie wissen. Vielleicht war ich immer noch sauer von dem Gespräch mit diesem Arschloch vom Justizministerium, auf jeden Fall sind mir ein paar Dinge rausgerutscht, die ich wohl besser für mich behalten hätte, Tom. Ich hab ihr gesagt, dass sie die Richtigkeit einer staatlichen Autopsie grundsätzlich anzweifeln sollte und dass der Tod ihres Bruders nach meinen Erkenntnissen kein Selbstmord war. Als ich mich nach dem Gespräch wieder etwas beruhigt hatte, bin ich draufgekommen, dass das vielleicht nicht so schlau war.«

»Na ja, jetzt ist es schon passiert«, bemerkte Molia.

»Die bringen mich um.«

»Niemand bringt dich um, Peter. Hast du dir schon überlegt, wo du hinfahren willst?«

»Die Kinder quengeln schon seit letztem Sommer, dass ich mit ihnen mal nach Disney World fahre.«

»Ein öffentlicher Ort – gut.«

Ho wirkte auf einmal verängstigt. »Vielleicht ruf ich besser mal zu Hause an.«

Molia legte ihm eine Hand auf die Schulter. »Alles in Ordnung, Peter. Ich hab schon einen Streifenwagen hingeschickt.«

»Dann macht sich Liza sicher schon in die Hose vor Angst. Ich muss nach Hause. Sie ist bestimmt schon völlig am Ende.«

Sie halfen ihm, die Leiche auf dem Tisch zurück in den Kühlschrank zu schieben. Ho trat in sein Büro und kam mit einer hellblauen Windjacke wieder heraus. Sloane und Molia folgten ihm zur Hintertür und die zwei Treppen hinunter.

»Warum bist du überhaupt so spät noch hier?«, erkundigte sich Molia. »Du arbeitest doch sonst nie nach fünf.«

»Am Ende des Monats muss ich bei der Gemeinde die schriftlichen Berichte abgeben. Ich schieb es immer raus bis zur letzten Minute, und dann muss ich drei Nächte durchschuften, um es noch zu schaffen. Bei dem ganzen Scheiß, der hier in letzter Zeit gelaufen ist, bin ich irgendwie in Rückstand geraten. Deswegen hatte ich die Musik nicht an und hab dein Auto gehört. Durchs Fenster hab ich gesehen, wie du auf den Hintereingang zusteuerst. Hab mir gedacht, der will mich bestimmt wieder erschrecken.« Ho erreichte das Erdgeschoss. »Ich hab dir ja gesagt, in Zukunft lass ich Betty absperren.«

»Das erzählst du doch schon seit Jahren. Hätte nie geglaubt, dass sie es wirklich macht.«

Sie traten hinaus auf den Parkplatz. Ho drehte sich um, um einen Riegel vorzulegen. »Ich auch nicht. Aber eins sag ich dir. Seit ich in dem Kasten war, hab ich mir überlegt, dass ich mich lieber einäschern lasse.«

»Die Gelegenheit dazu hättest du fast gehabt.«

»Aber ich hab dich wirklich erschreckt, oder?«

»Ja, Peter. Mehr als du dir vorstellen kannst.«

»Ist nie schön, wenn man was zurückbekommt.«

Molia lächelte. »Da muss ich mir was Neues für dich ausdenken.«

Ho machte sich auf den Weg zu seinem Blazer. Molia ließ sich hinter das Steuer von Bantos Jeep gleiten. Als Sloane die Beifahrertür aufmachte, fiel ihm plötzlich etwas ein. Er drehte sich um und beobachtete, wie Ho die Tür seines Autos entriegelte. »Ich hab ihr nichts davon erzählt.«

Molia beugte sich nach rechts. »Was ist los?«

Sloane bückte sich ins Auto. »Ich habe Aileen Blair nicht erzählt, dass Ho eine Autopsie vorgenommen hat.«

»Was?«

»Joe Branicks Schwester – ich habe ihr nichts von Hos Autopsie erzählt. Sie dachte, dass er nichts unternommen hätte. Dass das Justizministerium eingegriffen hätte. Sie hatte keinen Grund, Ho nach den Ergebnissen zu fragen.«

Molia hatte bereits den Gurt gelöst und sich aus dem Auto gewuchtet. Er rief Hos Namen, aber der Gerichtsmediziner war schon in den Blazer gestiegen und hatte die Tür zugeknallt.

»Ho!«

## 77

Noch einmal las Brewer die Zeitungsartikel, die in Charles Jenkins' Gedächtnis geschwärt hatten wie ein bösartiger Tumor, den man vielleicht behandeln, aber nie völlig heilen konnte. Die Zeitungen waren vom Alter vergilbt und knisterten beim Anfassen. Vor allem zwei Artikel waren es, an deren Inhalt sich Jenkins noch genau erinnerte.

MASSAKER IN MEXIKO

OAXACA, Mexiko – Nach Berichten offizieller mexikanischer Stellen sollen bei einem Blutbad in einer abgelegenen Bergsiedlung im Dschungel von Oaxaca mindesten 48 Männer, Frauen und Kinder vergewaltigt, verstümmelt und getötet worden sein.

Die mexikanische Zeitung *La Jornada* sieht die Ursache für diesen Überfall, der bereits als das schlimmste Massaker in der von Krisen und gewalttätigen Auseinandersetzungen geprägten Geschichte des Landes beschrieben wird, in den eskalierenden Gefechten zwischen besitzlosen Ureinwohnern, die für bessere Lebensbedingungen kämpfen, und paramilitärischen Kräften der Regierung.

Mexikanische Militärführer bestreiten jede Beteiligung an dem Überfall kategorisch. Nach ihren Angaben gab es keine koordinierten Operationen zur Niederschlagung von Aufständen im Süden Mexikos, wo revolutionäre Gruppen angeblich das schwierige Berggelände und den dichten Dschungel nutzen, um sich dem Zugriff staatlicher und paramilitärischer Kräfte zu entziehen.
Wie verlautet, gab es keine Überlebenden.

Brewer übersprang den Rest des Artikels und blätterte um zu einem genauso vergilbten Ausschnitt, der zwei Wochen nach dem ersten Bericht datiert war.

MEXIKANISCHES MASSAKER VIELLEICHT DOCH NICHT WERK DES MILITÄRS

OAXACA, Mexiko – Nach inoffiziellen Erklärungen der mexikanischen Behörden gibt es Beweise dafür, dass der Überfall auf ein Dschungeldorf im südmexikanischen Staat Oaxaca nicht wie allgemein vermutet auf das Konto paramilitärischer Einheiten geht, sondern von einer Untergrundorganisation namens Frente de Liberación Mexicano (FLM, Mexikanische Befreiungsfront) verübt wurde.

Die als besonders gewalttätig geltende FLM und ihr Anführer *el Profeta* (der Prophet) haben in jüngerer Zeit die Verantwortung für eine Reihe von Angriffen auf staatliche Truppen und Regierungsbeamte in südmexikanischen Staaten übernommen. Dem militärischen Nachrichtendienst und dem Geheimdienst des Landes ist es bisher nicht gelungen, die Gewalt einzudämmen und die Anführer der Organisation zu identifizieren.

Von einem ranghohen Regierungsbeamten war zu hören, dass der Überfall von bewaffneten Mitgliedern der FLM verübt wurde, die mit schwarzgrauen Uniformen bekleidet waren, wie sie normalerweise von einer paramilitärischen Truppe namens Los Halcones (Die Falken) getragen werden. Das Motiv der FLM ist noch unklar, aber wahrscheinlich sollten die Mittelschicht und die 9 Millionen Ureinwohner zum bewaffneten Aufstand gegen die mexikanische Regierung angestachelt werden.

Sollten sich diese Berichte als richtig erweisen, könnte der Schuss nach hinten losgegangen sein. Nach offiziellen Verlautbarungen sieht sich die Regierung bestärkt in ihrem Vorsatz, die Jagd nach verbrecherischen Elementen in unwegsamem Gelände zu forcieren, und Dorfbewohner, die früher treu zu der Gruppe standen, haben bereits mehrere mutmaßliche FLM-Anführer ausgeliefert.

»Eine gängige Taktik«, bemerkte Jenkins. »Wenn man jemanden nicht finden kann, versucht man, einen Keil zwischen ihn und seine nächsten Verbündeten zu treiben. Die Israelis haben es so gemacht, und wir haben es in Afghanistan praktiziert.«

Brewer nahm die Lesebrille ab und hielt sie in der Hand. Bestürzung lag in seinem Gesicht. »Peak hat das getan?«

Jenkins nickte. »Peak hat den Befehl gegeben. Der Überfall wurde von einer Gruppe namens Talon Force durchgeführt.«

»Unsere Leute?«

»Unsere Leute.«

Brewer rieb sich übers Kinn. »Mein Gott, warum nur?«

»Der amerikanischen Bevölkerung war nicht nach einem weiteren Krieg zumute, Mr. Brewer, und Robert Peak wollte auf keinen Fall zulassen, dass der Kommunismus im Hinterhof der USA eine Filiale aufmacht – nicht zu einem Zeitpunkt, da sich die amerikanische Regierung Hoffnungen auf mexikanisches Öl gemacht hat. Peak hatte schon immer politische Ambitionen. Sein Vater hat dafür gesorgt, dass er das große Ziel immer im Auge behielt. Diesem Streben durfte sich nichts in den Weg stellen, und schon gar nicht ein Bauernrevolutionär, der einen Aufstand in den Bergen anzettelt. Peak musste die Stabilität des Landes sicherstellen, für den Fall, dass die Araber auf Konfrontationskurs gegangen wären.«

»Aber ein ganzes Dorf? Warum Frauen und Kinder?«

»Man begeht ein Verbrechen, das so entsetzlich ist, dass das ganze Land und die Welt schockiert sind; dann schiebt man es der Gruppe in die Schuhe, die man demontieren möchte, damit sie von den Leuten, die sie beschützt haben, im Stich gelassen wird. Bis zu einem gewissen Grad hat es auch funktioniert. Das Problem war aber, dass anscheinend nur einige wenige Auserwählte die Identität von *el Profeta* kannten. In dieser Hinsicht war er ziemlich schlau.«

»Und jetzt hat *el Profeta* vor, Robert Peak wegen dieses Massakers zu töten?«

»Ja.«

»Aber wie? Wie soll er nah genug an den Präsidenten rankommen?«

»Wie gesagt, wir haben ihn eingeladen.«

Brewer verzog das Gesicht. »Der Gipfel.«

»Glauben Sie, dass er in den letzten dreißig Jahren in einer Höhle gehaust hat, Mr. Brewer? Alex hat gesagt, dass die Verhandlungen streng geheim waren. Wenn er

Castañeda dazu bringen kann, bei einer Pressekonferenz über vertrauliche Gespräche zu plaudern, dann muss *el Profeta* ein hochrangiges Mitglied des mexikanischen Militärs oder der Regierung sein. Auf jeden Fall wird er der mexikanischen Delegation angehören. Er wird an der Zeremonie teilnehmen. Seit dreißig Jahren wartet er auf diese Gelegenheit. Die lässt er sich bestimmt nicht entgehen.«

»Aber ihm muss doch klar sein, dass auch für die Delegierten strengste Sicherheitsvorschriften gelten. Wie will er da eine Waffe reinschmuggeln?«

Jenkins schüttelte den Kopf. »Keine Ahnung. Aus diesem Grund war Joe wahrscheinlich nicht daran interessiert, wie er es machen will, sondern wer er ist.«

»Das ergibt doch alles keinen Sinn. Wenn Joe die Identität dieses Mannes herausfinden wollte, um Robert Peak damit das Leben zu retten, warum sollte ihn Peak dann töten lassen?«

»Weil Peak das nicht wusste. Die Stärke von Leuten wie Robert Peak ist gleichzeitig auch ihre größte Schwäche. Sie interessieren sich nur für sich selbst. Als Peak erfahren hat, dass Branick die Akte hat und Nachforschungen anstellt, dachte er, Joe will ihn wegen der Sache mit dem Dorf ans Messer liefern. Peak konnte sich keinen anderen Grund vorstellen, so was aufzubewahren, außer um es gegen ihn zu verwenden. Vermutlich hat ihn Peak deshalb auch immer wieder aufgefordert, für ihn zu arbeiten. Nicht aus Freundschaft, sondern weil er Angst hatte vor dem, was Branick wusste.«

»Seine Freunde nah um sich haben, seine Feinde noch näher«, ergänzte Brewer.

»Genau. Was Peak nicht begriffen hat, weil es seiner Denkweise so völlig fremd ist, ist, dass ihn Joe Branick nie verraten und sein Schweigegelübde nie gebrochen hätte. Joe hat an seinen Eid geglaubt und immer das Richtige getan.«

»Aber warum hat er dann nach so vielen Jahren diese Akte ausgegraben?«

»Diese Frage habe ich mir auch gestellt.«

»Und die Antwort?«

»Joe hat sie mir in der Akte hinterlassen. Bringen Sie mich zu Robert Peak, dann erzähle ich es Ihnen beiden.«

## 78

Die Wucht der Explosion erschütterte den Asphalt wie ein Erdbeben und riss Sloane von den Füßen. Verdrehte Metallteile und Glasscherben regneten vom Himmel, und Flammen umzüngelten den Blazer wie die Tentakel eines riesigen Kraken. Rauchschwaden, die nach Gummi stanken und eine enorme Hitze ausstrahlten, waberten durch die Luft.

Sloane setzte sich auf und sah, wie Tom Molia mit seiner Jacke über dem Kopf auf die Überreste des Autos zuwankte. Er rappelte sich auf, um ihn aufzuhalten, aber Molia stieß ihn weg und verschwand tief gebückt in dem schwarzen Dunst. Kurz darauf zerrte er Peter Ho heraus. Sloane rannte hin, um Ho am Arm zu packen, und zusammen schleppten sie sein totes Gewicht über den Parkplatz. Heftig hustend und schwarze Schmiere spuckend sanken sie auf den Boden. Das Feuer und der Rauch hatten Hos Gesicht geschwärzt, nur an einzelnen Stellen, wo die Haut weggerissen worden war, waren rosa Flecken. Er war schweißgebadet. Die Sprengkraft hatte ihn buchstäblich aus einem seiner braunen Schuhe gehauen.

Molia drückte den leblosen Körper seines Freundes an sich, wiegte ihn in stummem Schmerz. Seine Arme zitterten, und seine Brust wurde von lautlosem Schluchzen zerrissen. Das Gefühl der Verantwortung legte sich um Sloane wie ein stählerner Mantel. In seinem Kopf blitzte ein Licht, und er stürzte in einen Abgrund der Finsternis. Diesmal landete er in den Armen einer Frau. Leise summend wiegte sie ihn und streichelte ihm mit ihren tröstenden, beruhigenden Händen das Haar. Er spürte die Wärme ihrer Brust und etwas, was er noch nie gefühlt hatte, was ihm sein ganzes Leben gefehlt und wonach er sich immer gesehnt hatte: Liebe. Reine, bedingungslose Liebe.

Er kannte diese Frau.

»Ich weiß nicht, wer diese Leute sind.« Molia blickte zu ihm auf. »Und ich weiß auch nicht, wie ich sie finden soll, aber ich werde sie finden. Und wenn ich sie habe, hänge ich sie an den Eiern auf.«

Zusammen mit drei uniformierten Polizeibeamten stand Sloane auf Tom Molias Eingangsveranda. Es waren junge Männer, denen nicht wohl in ihrer Haut war, wie ferne Verwandte, die bei einem Familienbegräbnis nicht wissen, was sie sagen sollen. Ihre Streifenwagen standen mit brennenden Scheinwerfern und laufendem Motor auf der Straße. Die wirbelnden Lichter und schrillenden Sirenen, die die Nachbarn aus ihren Häusern gelockt hatten, waren inzwischen zur Ruhe gekommen.

Molia kniete sich hin, um seine Tochter zu umarmen. Sie hatte eine blaue Jacke mit den aufgestickten Worten »Disney World« auf dem Rücken an und hielt einen rosa Koffer in der Hand. Der Detective zog sie an sich, atmete den Duft ihres Haars ein und küsste sie auf die Wange.

Dann wandte er sich seinem Sohn T.J. zu, der unbedingt die schwarzsilberne Oakland-Raiders-Jacke seines Vaters tragen musste, obwohl sie ihm bis unter die Knie reichte. Auch er hatte einen kleinen Koffer, aus dessen halb offen stehendem Reißverschluss der Arm einer Spielzeugfigur ragte. Dem Jungen liefen die Tränen über die Wangen. Beide Kinder hatten ihre Eltern noch nie so aufgeregt erlebt.

Molia versuchte, seinen Sohn zu beruhigen. »Hör schön auf deine Mom. Ich komme so bald zu euch, wie ich kann.«

»Warum kannst du nicht gleich mitkommen, Daddy? Ich will, dass du mitkommst.«

»Natürlich komme ich. Nur ein bisschen später.«

»Ich will, dass du sofort mitkommst«, beharrte der Junge.

Molia drückte ihn an die Brust. »Ich muss arbeiten. Ich muss doch dafür sorgen, dass ihr zwei aufs College gehen könnt, oder?«

»Ich will nicht aufs College. College ist blöd.«

»Sag das nicht. Du willst bestimmt aufs College. Auf dem College gibt es hübsche Mädchen.«

»Ich hasse Mädchen.«

»Deine Mom hab ich auch dort kennengelernt.«

T.J. strich sich über die Nase. Als hübsches Mädchen hatte er seine Mutter wohl noch nie betrachtet.

»Gib Grandma einen Kuss von mir.«

Der Junge machte ein Gesicht, als hätte er in eine Zitrone gebissen. Er blickte zu seiner Mutter auf, die mit verschränkten Armen und einem zerknüllten Taschentuch in der Hand zuschaute. Dann beugte er sich vor, um seinem Vater etwas ins Ohr zu flüstern. »Sie riecht aus dem Mund.«

Molia flüsterte zurück. »Dann küss sie auf die Wange. Und spiel nicht mit Grandpas Modelleisenbahn. Du weißt ja, dass er da ganz schön böse werden kann.«

Noch einmal drückte er beide Kinder fest an sich, dann stand er auf und sah seine Frau an. Maggie rieb sich die Unterarme, als müsste sie sich wärmen. »Ich ruf dich an.«

Sie nickte und wandte sich mit den Kindern an der Hand zur Treppe.

»Hey«, sagte Molia leise.

Maggie übergab die beiden Kinder Banto, der ihr auf halbem Weg entgegengekommen war.

»Können wir die Sirene anschalten, Marty?«, fragte T.J.

»Wär ja kein Polizeiauto, wenn man die Sirene nicht anschalten kann.« Banto führte die zwei zu den Streifenwagen.

Maggie rannte die Treppe hinauf und umarmte ihren Mann, als wäre er gerade aus dem Krieg heimgekehrt. »Lass mich die zwei Kinder ja nicht allein großziehen, Tom Molia. Mach das bloß nicht. Wehe, wenn du das machst.«

»Natürlich nicht«, flüsterte er.

»Wenn du mir stirbst, dann bring ich dich um, das schwör ich dir.«

Er löste seinen Griff, und auf seinen Wangen mischten sich seine Tränen mit ihren. »Dann sterbe ich lieber nicht. Wer liebt dich, Babe?«

Sie schloss die Augen, als hätte sie plötzlich Schmerzen. »Und wer liebt *dich,* Babe?«

Er legte ihr den Arm um die Schulter und führte sie zurück zur Treppe. Die Polizisten folgten in respektvollem Abstand. Nur Sloane blieb auf der Veranda zurück.

Banto half Maggie auf den Rücksitz, dann schüttelte er seinem Partner die Hand.

»Willst du wirklich keine Hilfe?«

»Ich vertrau dir meine Familie an, Marty. Sorg dafür, dass ihnen nichts passiert.«

»Bestimmt nicht. Du bist zwar eine Nervensäge, aber mit Franklin werde ich allein nicht fertig.« Damit ließ sich Banto ins Auto gleiten und schloss die Tür.

Vom Gehsteig aus beobachtete der Detective die Streifenwagen auf der Straße, deren Abfahrt von zwei kurzen Heulsignalen der Sirenen unterstrichen wurde, um seinen Sohn zufriedenzustellen. Schließlich bog die Prozession ab und war verschwunden.

Tom Molia verharrte einen Moment, wie um sich zu sammeln. Dann machte er kehrt und nahm die Treppe im Sprung. Er zog die Fliegentür auf. Sloane folgte ihm ins Haus und sah, wie Molia den Riegel vor einem Schrank zurückschob. Zuerst holte er eine kugelsichere Weste heraus, die er aufs Sofa warf, dann eine Sammlung von Faustfeuerwaffen und Gewehren. Das Ganze hatte Ähnlichkeit mit der Inventur in einem kleinen Waffengeschäft.

»Als Erstes knöpfen wir uns diesen Rivers Jones vor.« Während er die Waffen ausbreitete, schilderte er, wie sie vorgehen mussten, um ausreichend Beweise gegen Parker Madsen in die Hand zu bekommen. Drei Tote mit ein und derselben Tätowierung hätten gereicht, um die Bundespolizei einzuschalten, aber Molia hielt nicht viel von dieser Idee.

»Das wäre wie ein schriller Pfiff in einem überfüllten Saal«, meinte er. »Wir würden alle auf uns aufmerksam machen, mehr aber auch nicht. Damit würden wir nur Madsen und seinen Kumpanen die Chance geben, entsprechende Vorsichtsmaßnahmen zu treffen.«

Und was das bedeutete, war Sloane klar: das Ende der Ermittlungen und das Ende seiner Suche nach der eigenen Identität. Aber ihm war auch klar, dass der Plan des Detectives nicht aus Vernunft, sondern aus Zorn geboren worden war. Er konnte nicht funktionieren. Madsen war zu gut abgesichert. Wahrscheinlich war Rivers Jones nur eine Schachfigur, ein Bauernopfer für den Fall, dass es brenzlig wurde. Die Kooperation des Justizministeriums war wichtig gewesen, damit Joe Branicks Tod offiziell zum Selbstmord erklärt werden konnte. Das war Jones' Aufgabe gewesen. Sloane wusste, dass es nur ein Mittel gab, um an Peak oder Madsen heranzukommen: die Akte. Hinter dieser Akte waren sie schließlich her. Das war sein Trumpf. Der einzige Ansatz, um die Sache irgendwie zu beenden. Das Töten musste endlich aufhören.

Während Molia seinen Plan erklärte und seinen Waffenbestand sichtete, hörten sie im Hintergrund ein eigentlich vertrautes Geräusch, das in diesem Augenblick so unerwartet war, dass sie es beide erst nach einer Weile erkannten. Das Telefon an Sloanes Gürtel klingelte. Er nahm es und klappte es auf. Auf dem beleuchteten Display erschien nicht, wie erwartet, Tinas Nummer. Stattdessen stand dort »unbekannt«.

»Hallo?«

»Mr. Sloane.«

Eine Männerstimme, irgendwie vertraut, die Sloane aber nicht gleich zuordnen konnte. »Wer spricht da?«

Molia trat heran, und Sloane drückte die Freisprechtaste am Handy.

»Das spielt keine Rolle, Mr. Sloane. Sie haben sich als ernstzunehmender Gegner erwiesen. Die zwei Männer, die Sie beseitigt haben, waren fähige, hochqualifizierte

Soldaten. Das Gleiche gilt für den Mann in San Francisco. Mein Kompliment.«

Sloane schaute Molia an und formte mit den Lippen das Wort »Madsen«. »Egal, was sie waren, jetzt sind sie auf jeden Fall tot, General.«

Der Anrufer erhob keinen Einwand gegen die Anrede. »Ja, das ist mir bekannt.« Es war tatsächlich Madsen.

»Was wollen Sie?«

»Ich möchte Ihnen einen Vorschlag unterbreiten, Mr. Sloane. Eine Art *Vergleich*, um ein Wort zu benutzen, mit dem Sie sicher etwas anfangen können.«

»Ich höre.«

»Ein Treffen, nur zwischen uns beiden.«

»Warum sollte ich mich auf so etwas einlassen?«, fragte Sloane, obwohl er sich genau das Gleiche vorgestellt hatte.

»Weil Sie eine gewisse Akte haben, die ich unbedingt haben will.«

»Ich habe gefragt, warum *ich* mich mit Ihnen treffen soll, General, nicht warum Sie sich mit mir treffen möchten. Was Sie wollen, ist mir klar.«

»Gut. Präzises und vernünftiges Denken, wie nicht anders zu erwarten von einem gefeierten Anwalt.« Madsen hielt inne. »Für erfolgreiche Verhandlungen brauchen beide Seiten ein Druckmittel – etwas, was für die andere Seite von Interesse ist. Habe ich Recht? Ist es das, worauf Sie hinauswollen?«

»Ich versichere Ihnen, Mr. Madsen, Sie können nichts haben, was für mich von Interesse sein könnte.«

»Sie enttäuschen mich, Mr. Sloane. Ich muss zugeben, dass ich mich schon darauf gefreut habe, Sie kennenzulernen – oder sollte ich sagen, Sie wiederzusehen? Einfach so in den Westflügel des Weißen Hauses reinzuspazieren, das war wirklich eine brillante Leistung. Wahrscheinlich hat es das vorher noch nie gegeben, und auf jeden Fall lässt solch ein Vorgehen auf ein hohes Maß an Intelligenz, Kompetenz und Selbstbeherrschung schließen. Aber wenn Sie meinen, ich gebe hier einfach irgendwelche Erklärungen ab, die ich nicht untermauern kann, dann kann ich nur sagen, dass ich Sie vielleicht überschätzt habe – oder dass *Sie* meine Entschlossenheit unterschätzen.«

»Ich unterschätze Sie keineswegs, Mr. Madsen.«

»Entschuldigen Sie, wenn ich da anderer Meinung bin.«

»David?«

Die unerwartete Stimme ließ Molia zurückfahren. Sloane schloss die Augen. Sein Kopf sank auf die Brust.

»Tina«, flüsterte er.

»Wie Sie sehen, Mr. Sloane, bin ich kein Mann, der hohle Phrasen drischt.«

»Madsen, Sie Scheißkerl. Sie gottverdammter …«

»Freut mich zu hören, dass sie Ihnen so wichtig ist, wie ich es vermutet hatte.«

»Madsen, hören Sie zu …«

Madsens Stimme wurde plötzlich hart. »Sie sind nicht in einer Position, in der Sie Drohungen ausstoßen oder Forderungen stellen könnten, Mr. Sloane. Außerdem ist es völlig überflüssig, persönlich zu werden. Betrachten Sie es einfach als geschäftliche Transaktion. Sie haben eine Akte, die ich will. Bringen Sie sie mir, und ich übergebe Ihnen die Frau. Klar und einfach.«

»Wo?«

»Diese Information erhalten Sie zu gegebener Zeit. Doch Sie müssen allein kommen, Mr. Sloane. Bringen Sie den Detective nicht mit. Auch sonst keine Polizei. Wenn Sie zuhören, Detective Molia – und davon gehe ich aus –, dann denken Sie daran: Falls ich Sie in einem Umkreis von zehn Kilometern auch nur rieche, töte ich die Frau. Mr. Sloane, ich rufe Sie wieder an. Jeder Versuch, Verbindung mit mir aufzunehmen oder meine Nummer aufzuspüren, ist völlig vergeblich, das versichere ich Ihnen. Außerdem werden Ihre Anrufe überwacht. Wenn Sie unterwegs jemanden anrufen, werde ich davon erfahren. Verstanden?«

»Verstanden.«

»Dann schlage ich vor, dass Sie sich auf den Weg machen. Sie haben zwei Minuten, dann erhalten Sie telefonisch neue Anweisungen von mir. Hundertzwanzig Sekunden. Wenn Sie nicht kommen, und zwar allein, dann stirbt die Frau.«

»Madsen ...«

»Die Zeit läuft. Genau zwei Minuten ... ab jetzt.«

Sloane schrie: »Madsen!«

## 79

Tom Molia lief vor der Haustür auf und ab, den Schlüssel von Bantos Jeep fest im Griff. »Auf keinen Fall. Ich kann Sie nicht allein gehen lassen, David.«

Sloane blickte auf die Uhr. Er hatte noch eine Minute und fünfundvierzig Sekunden. »Sie haben ihn doch gehört. Er bringt sie um.«

»Er bringt sie sowieso um, und Sie auch noch. Madsen ist ein ausgebildeter Killer, David. Gegen den haben Sie keine Chance, außerdem haben Sie keine Garantie, dass er allein kommt.«

»Er kommt allein. Sein Ego würde die Vorstellung nicht ertragen, dass er fremde Hilfe braucht, um die Sache zu erledigen. Ich bin zu einer Herausforderung für ihn geworden. Und dieser Herausforderung will er sich jetzt stellen.«

»Und genau deswegen können Sie nicht allein gehen – mal abgesehen von dem Machoschwachsinn.«

Wieder ging Sloanes Blick zur Uhr. Weniger als eineinhalb Minuten. »Hier geht es nicht um Machoschwachsinn.«

»Sondern?«

»Das verstehen Sie nicht, Tom, und ich habe keine Zeit, es Ihnen zu erklären. Aber ich kann sie nicht einfach sterben lassen. Ich kann nicht wieder tatenlos zuschauen, wie eine geliebte Frau stirbt. Das ist mir schon zwei Mal passiert. Wenn das die einzige Möglichkeit ist, ihr Leben zu retten, dann muss ich es probieren. Ich muss einfach.«

»Wir können …«

»Wir haben keine Zeit«, knurrte Sloane. »Wir haben keine Zeit, um Pläne zu schmieden. Wir haben keine Zeit, um Verstärkung zu holen. Geben Sie mir den Schlüssel.«

»Ich folge Ihnen aus sicherer …«

Er streckte die Hand aus. »Geben Sie mir den Autoschlüssel.«

»Ich verstecke mich im Kofferraum.«

»Jeeps haben keinen Kofferraum.«

»Dann eben auf der Rückbank, verdammt.«

»Glauben Sie, dass er daran nicht gedacht hat? Meinen Sie nicht, dass wir genau in diesem Moment von irgendwoher beobachtet werden?« Sloane schaute auf die Uhr. Weniger als eine Minute. »Mir läuft die Zeit davon.«

»Die Sache geht nicht nur Sie was an, David. Sie haben Cooperman und Peter Ho ermordet. Das ist nicht nur Ihr Kampf.«

»Dann geben Sie mir die Chance, es für uns beide zu erledigen. Wenn Sie das nicht machen, wird Tina sterben, und wir haben beide verloren. Sie müssen an Ihre Familie denken. Sie haben zwei kleine Kinder, die ihren Vater brauchen, und eine Frau, die ihren Mann braucht. Ich habe nichts auf der ganzen Welt außer Tina. Sie ist alles für mich. Wenn er sie tötet, dann ist es mir egal, ob ich lebe oder sterbe.«

Molia schüttelte den Kopf. »Tut mir leid, David. Ich kann nicht zulassen, dass Sie Selbstmord begehen.«

Der Detective wandte sich um und steuerte auf die Tür zu. Sloane packte die Lampe auf dem Beistelltisch und holte damit aus wie mit einem Knüppel. Er traf Molia auf den Hinterkopf, und der Detective stürzte zu Boden. Er ließ sich auf ein Knie sinken und legte Molia den Finger an den Hals. Ein gleichmäßiger Puls.

»Und ich wäre ein schlechter Freund, wenn ich deine Frau zur Witwe und deine Kinder zu Waisen machen würde.« Er nahm Molia den Jeep-Schlüssel aus der Hand, sammelte eilig zusammen, was er brauchte, und schob die Fliegentür auf. In diesem Moment klingelte das Handy.

## 80

Vierzig Minuten später saß Tom Molia auf dem Sofa in seinem Wohnzimmer und drückte sich einen Eisbeutel an den Hinterkopf. Um ihn herum standen mehrere Leute, aber er konzentrierte sich auf den riesigen Afroamerikaner, der aussah, als hätte er gerade zwölf Runden mit einem gut aufgelegten George Foreman getanzt und verloren. Neben ihm stand eine hochgewachsene, attraktive Frau.

»Woher kennen Sie meinen Namen, Detective?«, fragte Charles Jenkins.

»Sloane hat gesagt, dass er nach Ihnen sucht. Er hat erzählt, dass Sie früher mit Joe Branick zusammengearbeitet haben und vielleicht der Einzige sind, der uns erklären kann, was hier eigentlich los ist.«

Jenkins wandte sich an die Frau. »Er erinnert sich an mich.«

»Er hat Sie im Traum gesehen«, sagte Molia. »Und fragen Sie mich jetzt bloß nicht nach mehr. Bei dem Wummern in meinem Schädel wundert es mich, dass mir überhaupt noch Ihr Name eingefallen ist.«

Als Molia auf dem Boden zu sich kam, war der Jeep-Schlüssel weg, Maggies Lieblingslampe war zertrümmert, und er hatte Kopfschmerzen, an denen vier Tylenol seither nicht einmal gekratzt hatten. Er gab eine Fahndung nach Marty Bantos Jeep heraus mit der strikten Anweisung, nur seine Position durchzugeben und ansonsten nichts zu unternehmen. Dann blieb ihm nur noch eine Option: Er wählte die Nummer der CIA in Langley, stellte sich vor und behauptete, Informationen über den Tod von Joe Branick zu haben. Damit kam er zur ersten Instanz durch. Dort erwähnte er den Namen Charles Jenkins. Ab da schrillten die Alarmglocken, die ihn in der Hierarchie immer weiter nach oben beförderten, bis er schließlich den CIA-Direktor William Brewer persönlich am Apparat hatte. Eine halbe Stunde, nachdem Molia aufgelegt hatte, erlebten seine Nachbarn die zweite Aufregung des Abends, als in der kleinen Sackgasse ein Helikopter landete und ihm die zwei Leute entstiegen, die jetzt in Molias Wohnzimmer standen.

Jenkins berichtete Molia von dem dreißig Jahre zurückliegenden Massaker in einem Bergdorf in Oaxaca.

»Und Sie haben ihn gerettet?«, fragte Molia.

»Nein, ich nicht, Detective. An diesem Tag hat ihn das Schicksal gerettet.«

»Alles schön und gut, Mr. Jenkins, aber jetzt sind *wir* das Schicksal. Wenn wir Sloane nicht finden, ist er tot. Madsen wird ihn umbringen.«

Das Telefon läutete. Tom Molia riss es von der Gabel und sprach in den Hörer. Nach einem kurzen Moment reichte er ihn an Jenkins weiter.

Angespannt hörte Jenkins zu. Nachdem er aufgelegt hatte, informierte er Alex Hart, dass es Brewers Leuten nicht gelungen war, Parker Madsen aufzuspüren.

Wieder klingelte es. Diesmal war der Anruf für Tom Molia. »Ganz sicher? Nein. Keiner unternimmt was.« Der Detective legte auf. »Wir haben nicht viel Zeit.«

»Was ist los?«, fragte Jenkins.

»Der Jeep ist gesichtet worden. Ich weiß, wohin er fährt.« Molia schnappte sich seine Sig. »Anscheinend hat Mr. Madsen einen Hang zum Theatralischen. Er möchte, dass sich der Kreis schließt.«

»Dass sich der Kreis schließt?«

»Und zwar dort, wo wir Joe Branicks Leiche gefunden haben.«

»Wie weit ist das weg?«

»Zu weit, fürchte ich«, stellte Molia fest.

## 81

*Black Bear National Park, West Virginia*

Sloane blickte hinauf zur Mondsichel hinter dem Kondensstreifen eines Flugzeugs. Sterne durchbohrten den Nachthimmel wie Nadellöcher in der Leinwandkulisse eines Marionettentheaters, boten aber kaum Licht zum Sehen. Das gedämpfte Rauschen eines Flusses vermischte sich mit der Sinfonie der Insekten, und die Luft war schwer von der Feuchtigkeit des Tages. Dichtes Gestrüpp und hohe, schlanke Bäume, die wie Soldaten in Habtachtstellung auf die kommenden Ereignisse warteten, umgaben die Lichtung. Aus den Zeitungsartikeln wusste Sloane, dass hier im Black Bear National Park Joe Branicks Leiche gefunden worden war. Aber Parker Madsen hatte sich diesen Treffpunkt bestimmt nicht aus sentimentalen Gründen ausgesucht. Nein, die Wahl des Generals hatte den gleichen Grund wie bei Branicks Ermordung: Der Ort war abgelegen, dunkel und waldreich. Zum einen hatte Madsen auf diese Weise das Überraschungsmoment auf seiner Seite, und zum anderen zerstreute sich der Hall eines Schusses in alle Richtungen. Niemand, der ihn zufällig hörte, konnte erkennen, wo genau er abgefeuert worden war.

Madsens zweiter Anruf kam, als Sloane die Verandatreppe von Molias Haus hinunterstürmte, genau zwei Minuten nach dem ersten. Der General beschrieb ihm den Weg zu einer Tankstelle, wo sich ein Mann aus dem Schatten schälte, wie beiläufig die Beifahrertür öffnete und das Wageninnere durchsuchte, um sich zu vergewissern, dass Sloane allein war und die Akte bei sich hatte. Die Tatsache, dass der Mann die Akte nicht einfach an sich nahm, bestätigte Sloanes Vermutung. Es war zu einer persönlichen Auseinandersetzung geworden. Wahrscheinlich hatte Sloane den General in Verlegenheit gebracht, und deshalb wollte er die Sache jetzt selbst erledigen, wollte das Ganze zu Ende führen und sich diesen Sieg mit niemandem teilen. Bei ihrer kurzen Begegnung im Oval Office hatte Sloane eine Menge über Madsens Charakter erfahren. Zwar hatte der kleine, pitbullartige Mann eine Mauer allmächtiger Arroganz um sich herum errichtet, die Sloane daran gehindert hatte, hinter die hohle Dunkelheit seiner punktförmigen Augen zu blicken. Trotzdem hatte Sloane sofort erkannt, was Madsen für ein Typ war. Männer wie Parker Madsen hielten ein Scheitern für ausgeschlossen. Für ihr aufgeblasenes Ego war es schlicht undenkbar, dass eine Auseinandersetzung anders enden könnte, als von ihnen erwartet. Ihre Überheblichkeit trug sie in hohe Machtpositionen, doch in vielen Fällen wurde sie ihnen auch zum Verhängnis. Sloane hatte ähnliche Männer beim Militär kennengelernt, und die amerikanische Nation hatte im Weißen Haus schon mehrmals eine öffentliche Zurschaustellung dieser Arroganz erlebt.

Darüber hinaus empfand Sloane nur eins: Angst. Bei dem Gedanken an die bevorstehende Konfrontation mit Parker Madsen bekam er weiche Knie, in seinem Magen rumorte es. Und das war keine schlichte Todesangst. Das Gefühl ging tiefer, es sagte ihm, dass Madsen das Ungeheuer war, das ihm nach dem Leben trachtete, und dass dies die Begegnung war, vor der er immer davongelaufen war und der er jetzt nicht mehr entrinnen konnte. Er und Madsen waren wie zwei Geraden, die sich aus großer Entfernung allmählich angenähert hatten und deren Schnittpunkt unmittelbar vorauslag, genau an dem Ort, an dem Joe Branick sein Leben ausgehaucht hatte.

Nach der ersten Überprüfung erhielt Sloane mehrmals Anweisungen, die wahrscheinlich sicherstellen sollten, dass er nicht verfolgt wurde. Schließlich landete er hier auf der Lichtung. Das war vor zwanzig Minuten gewesen. Jetzt ließ ihn Madsen warten, um sich einen psychologischen Vorteil zu verschaffen, während er Sloane aus der Dunkelheit beobachtete.

»Sie machen Ihrer Ausbildung Ehre.«

Sloane hatte kein Geräusch gehört, ehe die Nacht von der Stakkatostimme zerrissen wurde. Er drehte sich um und ließ den Blick angestrengt von links nach rechts durch die Dunkelheit gleiten. Er sah niemanden. Dann erspähten seine Augen allmählich den unscharfen Umriss vor den dunklen Baumstämmen und Büschen. Parker Madsen löste sich aus dem Unterholz wie ein bengalischer Tiger aus dichtem Dschungel. Am Rand der Lichtung, in einem Abstand von vielleicht fünf Metern blieb er stehen. Er trug einen Tarnanzug, der dreißig Zentimeter über dem Boden zu schweben schien – wahrscheinlich steckten die Hosenbeine in schwarzen Springerstiefeln. Sein Gesicht war hell und dunkel gestreift mit Schminke.

In Sloanes Kopf zuckte ein Blitz, gefolgt von einer heftigen Detonation. Er hörte schwere Stiefel, die ins Zimmer stürmten, spürte die Erschütterungen am ganzen Leib. Er stemmte sich gegen die heranbrandende Finsternis, denn Tinas Leben hing davon ab, dass er in der Gegenwart blieb.

»Sie waren bei den Marines, nicht wahr?«

Sloane öffnete die Augen. Es war ihm gelungen, nicht in das schwarze Loch zu stürzen, doch im Gegensatz zu früher, spürte er nun das dringende Verlangen, sich dorthin zu flüchten. »Warum stellen Sie mir Fragen, deren Antwort Sie schon kennen, General?« Er war sicher, dass Madsen viel mehr über ihn wusste als die Militäreinheit, bei der er gedient hatte. »Ich bin nicht hierhergekommen, um mich über meine Vergangenheit zu unterhalten. Wo ist sie?«

Madsen trat einige Schritte vor und hielt ungefähr drei Meter vor Sloane an. In der Dunkelheit konnte Sloane nicht viel erkennen, doch er hatte den Eindruck, dass sich der General keine Sorgen darum machte, ob Sloane eine Waffe bei sich hatte oder nicht. Offensichtlich gehörte das alles zu dem Spiel, auf das Madsen erpicht war – wie ein Revolverheld auf den staubigen Straßen einer Stadt im Wilden Westen, der nur darauf wartet, dass sein Gegner sich zuerst bewegte. »Sie haben sich mit siebzehn ohne elterliche Genehmigung gemeldet, aber trotzdem keine falsche Altersangabe gemacht.«

»Die Fernsehwerbung hat mich begeistert. Sie wissen schon: ›Die Wenigen, die Stolzen.‹ Lassen wir den Quatsch, General. Wo ist sie? Wir haben eine Vereinbarung.«

»Sie haben den Werber der Marines um den Finger gewickelt. Als Ihr Alter festgestellt wurde, hatten Sie bei der Eignungsprüfung des Marine Corps bereits das beste Ergebnis des Jahres erzielt, was angesichts Ihres IQ nicht weiter verwunderlich ist. Ihre vorgesetzten Offiziere haben Sie zum Zugführer der ersten Marine-Division, zweites Bataillon, Echo Company ernannt. Sie haben sich als zielsicherer Schütze ausgezeichnet, in Grenada gekämpft und den Silver Star für Ihre Tapferkeit erhalten. Warum Sie aber dann von einer kubanischen Kugel in die Schulter getroffen wurden, ist mir ein Rätsel.«

Sloane war klar, dass der Grund, den er für das Ablegen seiner Schutzweste angegeben hatte, einen Militär wie Madsen stutzig machen musste – ebenso wie der Grund, den der Militärpsychologe gefunden hatte. »Ich war jung und dumm.« Noch immer musste er darum kämpfen, in der Gegenwart zu bleiben. Er fühlte sich, als hätte ihn jemand mit einem Seil gefesselt, an dem ein Stein hing, und diesen dann in ein Loch geworfen. Irgendetwas zog an ihm, drängte ihn, hinabzusteigen an den Ort, wo er Joe Branick und Charles Jenkins gefunden hatte und auch die Frau, die seine Mutter war, wie er inzwischen wusste. Doch im Gegensatz zu früher war dieser Drang nicht von der Aura der Gefahr umgeben, sondern entsprang einem nackten Selbsterhaltungstrieb.

»Sie sind viel zu bescheiden, Mr. Sloane. Aber ich bin immer neugierig, wenn ein Soldat seine militärische Ausbildung außer Acht lässt, vor allem in diesem Fall. Sie haben mitten in einem Gefecht die Schutzweste ausgezogen. Was hat Sie dazu veranlasst?«

»Ich vermute, dass Sie auch hier die Antwort bereits kennen, General.« Sloane stützte sich mit den Beinen ab. Er hatte das Gefühl, andernfalls nach hinten und in die Tiefe gezerrt zu werden. Er durfte sich nicht gehen lassen. Er musste Tina retten. Er konnte sie nicht einfach sterben lassen.

»Ich weiß, was Sie dem Militärarzt erzählt haben, der Sie untersucht hat, und auch seine Schlussfolgerungen sind mir bekannt: dass so eine Tat auf selbstmörderische Tendenzen schließen lässt, auf jemanden, der nach etwas sucht und frustriert ist, weil er es nicht finden konnte. So hat er es doch ausgedrückt.«

»Das wissen Sie besser als ich, General.«

»Und trotzdem haben Sie sich dem Zugriff der besten Soldaten dieses Landes entzogen; dass es die besten sind, weiß ich, denn ich habe sie selbst ausgebildet.« Madsen klang beinah beeindruckt. »Warum macht ein Mann ohne richtigen Lebenswillen so etwas? Wofür kämpfen Sie so erbittert, Soldat?«

»Ich bin kein Soldat, General, und ich habe auch nicht den Wunsch, wieder einer zu werden. Außerdem bin ich nicht hier, um ein philosophisches Gespräch über menschliche Eigenarten zu führen.«

»Dann beantworten Sie mir eine einfachere Frage: Woher kannten Sie Joe Branick? Ich muss zugeben, dass ich keine mögliche Verbindung zwischen ihm und Ihnen aufdecken konnte, die erklären würde, dass er Ihnen eine Akte schickt, von der Sie gar nichts wissen konnten.«

»Die Frage hätten Sie ihm stellen sollen, bevor Sie ihn umgebracht haben.«

»Diese Frage habe ich ihm natürlich gestellt, aber er war genauso widerspenstig wie Sie.« Madsen seufzte. »Egal. Ich denke, wir werden dieser Sache sowieso gleich auf den Grund gehen. Haben Sie die Akte?«

»Wo ist sie?«

»Wenn ich mit dem Inhalt zufrieden bin …«

»Nein. Ich zeige Ihnen die Akte, wenn Sie mir Tina zeigen. Dann reden wir über die Einzelheiten des Austauschs. Ich traue Ihnen genauso wenig wie Sie mir.«

Madsen lächelte. »Ein ausgekochter Verhandlungsführer. Na schön.«

Madsen trat zurück, und die Schatten verschluckten ihn. Als er wieder auftauchte, hielt er Tina mit dem ausgestreckten Arm an der Schulter. Ihr Mund war mit Band zugeklebt, die Hände vorn gefesselt, das Haar zerzaust. In der Dunkelheit war zwar nicht viel zu erkennen, doch sie schien Platzwunden und Prellungen im Gesicht zu haben. Bei ihrem Anblick gaben Sloanes Beine nach. Er konnte der Schwerkraft und der Last, die ihn in die Tiefe zogen, nicht mehr widerstehen und stürzte. Er landete auf dem Grund eines Lochs und war auf einmal eingekeilt zwischen Bett und Wand, unfähig, sich zu bewegen. Seine Mutter saß auf dem Boden, und jetzt schmerzte es ihn noch mehr, mit anzusehen, wie sie geschlagen und getreten wurde. Der Mann stand über ihr und brüllte die Worte, die Sloane bis zu diesem Augenblick nicht hatte hören wollen.

»*¿Dónde está el niño? ¿Dónde está el niño?* – Wo ist der Junge?«

Sie waren seinetwegen gekommen. Draußen schlachteten sie alle ab – und das nur seinetwegen.

Die Worte hallten in seinen Ohren wider und rührten etwas in ihm an, etwas an einem Ort so trostlos und finster wie das Loch, in das er gestürzt war. Unter dem Bett liegend starrte er zu dem Gesicht hinauf, auf dem sich helle und dunkle Streifen abzeichneten – nichtssagende Züge verborgen vom Schatten der Nacht und verschmierter Tarnschminke. Nur die Augen ließen sich nicht verbergen: weiß schimmernde, von rotem Höllenfeuer umrandete Perlen und in der Mitte ein schwarzer Abgrund des Nichts. Die Augen eines mordlustigen Raubtiers, das kein Erbarmen und keine Reue kennt. Sloane hatte sie in seinen Träumen und vor kurzem im Oval Office gesehen. Und jetzt hatte er sie vor sich. Unverwechselbar. Unvergesslich.

Parker Madsens Augen.

Er würde Tina töten.

Sloane schnellte zurück zur Oberfläche, heraufkatapultiert von der absoluten Notwendigkeit, dort zu sein. Er durchbrach jede Barriere, die ihm den Weg von der Vergangenheit in die Gegenwart verstellt hatte. Auf einmal konnte er frei von einer Welt in die andere gehen, konnte sich ohne Schmerzen erinnern und sehen. Madsen war der Mörder seiner Mutter.

»Sie haben sie umgebracht.«

Die Augen verengten sich zu Schlitzen.

»Sie sind damals in der Nacht gekommen. In die Berge, in das Dorf. Sie und Ihre Männer. Sie haben die Leute umgebracht. Sie haben sie alle umgebracht.«

Madsen musterte ihn stumm.

»Sie haben sie geschlagen und vergewaltigt. Sie haben ihr die Kehle durchgeschnitten. Ich habe es mit eigenen Augen gesehen. Ich habe die Dunkelheit gesehen. Sie waren es.«

»Wie kann …« Madsens Stimme war nur noch ein fassungsloses Flüstern, aus dem alles Draufgängerische gewichen war. Langsam reckte er den Kopf vor, unwiderstehlich angezogen, aber zugleich misstrauisch. In diesem Augenblick trafen Parker Madsens Vergangenheit und Gegenwart aufeinander, so wie es bei Sloane geschehen war, und er fand die Antwort auf seine brennenden Fragen: Weshalb Sloane keine lebenden Verwandten hatte, weshalb er wie aus dem Nichts aufgetaucht war, weshalb ihm Joe Branick eine Akte über Ereignisse zugesandt hatte, an denen er eigentlich nicht beteiligt gewesen sein konnte.

Nur, dass er doch an ihnen beteiligt gewesen war.

Er war dort gewesen.

Madsen lachte, aber es klang nervös, zögernd und humorlos. »Sie sind der Junge. Er hat Sie gerettet. Joe Branick hat Sie gerettet.«

»Joe Branick hat mich vielleicht aus diesem Dorf weggebracht, aber er hat mich nicht gerettet vor dem, was ich an diesem Morgen erlebt habe. Ich habe Sie gesehen. Ich habe gesehen, wie Sie sie verprügelt und vergewaltigt haben. Ich habe gesehen, wie Sie sie an den Haaren gepackt und ihr die Kehle durchgeschnitten haben. Ich habe gesehen, wie Sie meine Mutter ermordet haben.«

Er erinnerte sich jetzt klar und deutlich daran, als wäre ein Schleier gelüftet worden. Er erinnerte sich, wie er in der Stille des frühen Morgens unter dem Bett gelegen hatte, wie das Tageslicht ins Zimmer fiel und den Schrecken mit sich brachte. Er hatte sich gesagt, dass es nicht real, dass es nur ein Traum war, der verfliegen würde, wenn er die Augen aufmachte. Er erinnerte sich, wie die Männer ins Zimmer stürmten, und spürte noch einmal den Schrecken von damals. Er erinnerte sich, dass er den Atem angehalten hatte, um keinen Laut von sich zu geben, bis es nicht mehr ging und die Luft mit einem Wimmern aus seiner Lunge entwichen war. Er erinnerte sich an die einströmende Luft und das plötzliche Nachlassen des Drucks auf seiner Brust, als die Decke, die ihn verborgen hatte, weggezogen wurde. Stumm vor Bestürzung starrten Charles Jenkins und Joe Branick auf ihn herab.

Die Pistole erschien in Madsens Hand wie ein Kaninchen aus dem Hut eines Zauberers. Der ausgebildete Soldat wandte sich wieder der vor ihm liegenden Aufgabe zu und schob die unerwartete Wendung der Ereignisse beiseite. »Die Akte, Mr. Sloane.«

Sloane zog den Reißverschluss der Jacke aus Tom Molias Schrank auf, die unförmig und zu groß an ihm hing, und nahm den Umschlag heraus, den er hineingestopft hatte. »Lassen Sie sie frei.«

Tina stand kopfschüttelnd da und ächzte etwas durch das Klebeband, die Augen weit aufgerissen vor Angst.

»Werfen Sie sie auf den Boden.«

Sloane ließ die Akte fallen.

»Wer sagt, dass man im Leben nie eine zweite Chance bekommt?« Madsens Lächeln verschwand, und er drückte auf den Abzug.

## 82

Es war ein Schrei der absoluten Verzweiflung und Qual, der verlorenen Hoffnung und zerstörten Zukunft. Er brach mit solcher Kraft aus Tina hervor, dass das Klebeband von ihrer Wange gerissen wurde und hin- und herflatterte wie ein loses Pflaster.

»Nein!«

Ihr Schrei vereinigte sich mit der Detonation der Waffe zu einem anhaltenden Echo der Gewalt, das die Stille durchzuckte wie das Donnern einer Metalltrommel. Sie sah, wie Sloane nach hinten fiel. Ihre Beine gaben nach, als wäre sie aus großer Höhe herabgestürzt, und sie sackte leblos und schlaff zu Boden, hysterisch schluchzend, unfähig zur geringsten Bewegung.

Dann spürte sie, wie Madsen sie an den Haaren packte und sie brutal nach oben auf die Knie riss, während er gleichzeitig das Kampfmesser aus der Scheide zog.

Sloane lag auf dem Boden, von seiner Brust strahlte ein pochender Schmerz aus. Der Rumpftreffer hatte ein qualvolles Stechen in ihm hinterlassen. In seinen Ohren dröhnte es. Blut überspülte seine Geschmacksknospen. Ein brennendes Feuer verzehrte ihn von innen und sog alles Leben aus seinen Gliedern. Er spürte den kühlen Tau und die scharfen Kanten der Steine und Kiesel am Hinterkopf. Eine Dunkelheit, wie er sie noch nie gesehen hatte, umhüllte ihn. Wären das Brausen in seinen Ohren und der Gallegeschmack in seinem Mund nicht gewesen, hätte er gedacht, dass ihm Madsens Schuss den Kopf weggerissen hätte.

Flatternd öffneten und schlossen sich seine Augen, und er kämpfte gegen den Wunsch an, sich in die Bewusstlosigkeit gleiten zu lassen. Er drehte den Kopf und schaute. Schluchzend und vor Elend zuckend lag die Frau auf dem Boden. Ihr Henker streckte die Hand aus und packte sie an den Haaren, um sie in eine hockende Position zu zerren. Zugleich riss er sein Messer vom Gürtel.

»Dein Traum war kein Traum. Das war real.«

*Tina.*

*Kein Traum.*

*Real.*

*Madsen.*

In diesem Augenblick fielen alle Überbleibsel der sorgsam gepflegten Politikermaske von Madsen ab, und dahinter kam der wahre Mensch zum Vorschein, der Mann, der im Verlauf seiner über dreißigjährigen militärischen Karriere zum gewissenlosen Killer geworden war, entflohen aus dem Gefängnis, in das er eingesperrt gewesen war. Sein Gesicht erstarrte zu einer brutalen Fratze perverser Lust an absoluter und uneingeschränkter Macht. Deswegen hatte sich General Parker Madsen nie von den Schlachtfeldern abgewandt. Deswegen hatte er die von ihm ausgebildeten Leute nie verlassen. Deswegen hatte er der Talon Force nie den Rücken gekehrt. Das hatte nichts mit Loyalität zu seinen Soldaten, mit Pflicht- und Ehrgefühl zu tun. Es ging ihm um die egoistische Erfüllung seiner eigenen, niedrigen Begierden. Nichts war mit der Ekstase des Krieges zu vergleichen, mit dem Rausch des Tötens, mit dem Gefühl der Macht, wenn man anderen das Leben nahm oder es ihnen schenkte. Nichts kam für ihn so sehr an die Vorstellung göttlicher Unangreifbarkeit heran. Es war berauschend. Seine Sucht. Seine Schwäche.

Mit der rechten Hand packte er die Frau an den Haaren und zog sie in eine kniende Stellung. Dann griff er mit der Linken zur Hüfte und nahm das Messer aus der Scheide. Heute Nacht brachte er den Auftrag zu Ende, den er an jenem Morgen vor dreißig Jahren begonnen hatte. Wieder einmal zeigte sich, dass sich die Geschichte wiederholte. Und am Schluss würde Parker Madsen wie immer als Sieger dastehen.

Die Frau wehrte sich nicht mehr, entweder hatte sie der Schock gelähmt, oder sie hatte sich mit ihrem Schicksal abgefunden. Madsen hob die Klinge.

Dann hörte er ein Geräusch, das kein Soldat, der in Vietnam gekämpft hatte, je vergaß, ein Geräusch, das Rettung in der Stunde äußerster Not versprach, fern noch, aber rasch näher kommend: das dumpfe Wummern eines mit voller Geschwindigkeit fliegenden Helikopters. Madsen blickte hinauf zum Nachthimmel, und im Nu hatten seine geübten Augen die dahineilenden weißen Lichter zwischen den reglosen Sternen ausgemacht.

»Zu spät!« Fast hätte er seinen Trotz hinausgeschrien. »Ihr kommt zu spät.«

## 83

Tom Molia konzentrierte sich auf die Armaturentafel und versuchte, nicht zum Fenster hinauszuschauen und nicht daran zu denken, wie hoch sie sich über dem Boden befanden. Ein eisiges Gefühl war ihm bis in die Knochen gekrochen wie an dem Tag, als ihm die Stimme seiner Mutter am Telefon mitgeteilt hatte, dass sein Vater gestorben war. Schweißtropfen rannen ihm über die Schläfen und die Oberarme. Um sich abzulenken, redete er ununterbrochen, auch wenn er wusste, dass der Moment nicht mehr fern war, da er durchs Fenster blicken musste, um dem Piloten die Stelle zu zeigen, wo sie Joe Branicks Leiche gefunden hatten. Hoffentlich würde er nicht in Ohnmacht fallen.

Charles Jenkins hatte sich neben Alex Hart auf den

Rücksitz gequetscht. Der Hüne schien starke Schmerzen zu haben. Brewer hatte ihm zugesagt, weitere Leute zu schicken, doch niemand würde vor ihm und Molia dort ankommen.

»Wie lange noch?« Molia musste in das Mikro seines Headsets brüllen, um das Surren der Rotorenblätter und das Dröhnen des Motors zu übertönen. Es fiel ihm schwer, nicht die Beherrschung zu verlieren. Als ihm Jenkins eröffnet hatte, dass sie mit dem Hubschrauber fliegen mussten, wäre er fast zusammengebrochen.

Der Pilot sah auf die Anzeige. »Etwa noch sechs Minuten.«

»Kann diese Hummel nicht schneller?«

»Vier Minuten vielleicht.«

»Machen Sie es.«

Molia wandte sich wieder Jenkins zu. »Aber ich verstehe nicht, warum sich die CIA so für einen kleinen Jungen interessiert hat. Wie viel Macht kann denn ein Junge haben? Mann, ich bring meinen Sohn nicht einmal dazu, dass er den Hund am Abend Gassi führt.«

Jenkins antwortete mit elektronisch verstärkter Stimme, die klang, als würde er bei offenen Fenstern Auto fahren. »Das war nicht nur irgendein Junge, Detective. Einige Leute in den Dörfern waren überzeugt, dass er viel mehr war.«

»Inwiefern?«

»Was Besonderes. Jemand, der die Armen und Ureinwohner Mexikos aus jahrhundertelanger Not und Verzweiflung befreien würde – ein Abgesandter Gottes.«

»Ein einzelner Junge?«

»Sie waren nicht dabei. Sie kennen die damaligen Umstände nicht. Im Gegensatz zu Ihnen habe ich es mit eigenen Augen gesehen. Sie haben ihn nicht im Kopf und in der Brust gespürt.«

Molia drehte sich in seinem Sitz um und schaute den massigen Mann an. Trotz seiner Größe hatte Jenkins etwas Weiches an sich, etwas Aufrichtiges und Freundliches. »Im Kopf und in der Brust? Und Sie haben daran geglaubt?«

»Ich weiß nicht, was ich letztlich geglaubt habe.« Jenkins legte die Hand aufs Herz, offenbar eine unbewusste Geste. »Es war, als würde man in einem warmen Bad sitzen, als würde das Wasser alle Sorgen fortspülen, bis man nur noch seine Worte hören wollte. Ob ich daran geglaubt habe? Ich weiß es nicht. Ich weiß nur, dass ich es gern glauben wollte nach dem, was ich in Vietnam erlebt hatte. Ich wollte den Frieden und den Trost spüren, den seine Stimme verströmt hat. Und da habe ich erkannt, dass nicht die Wahrheit zählt, sondern das, was die Leute für wahr halten und was sie für diesen Glauben zu tun bereit sind. Genau das hat er gesteuert. Egal, wie er es gemacht hat, es war eine unglaubliche Gabe. Unsere Sorge war nicht, wie er diese Gabe benutzen würde, sondern wie andere ihn benutzen würden.«

»Und deshalb hat Peak den Befehl erteilt, ihn zu töten?«

Jenkins nickte. »Wegen meiner Berichte. Ich habe ihn überzeugt, dass etwas an der Sache mit dem Jungen dran war und eine echte Gefahr bestand, dass ihn andere wie zum Beispiel *el Profeta* für ihre Zwecke missbrauchen könnten.«

»Und er hat sich gedacht, wenn Sie es glauben, dann glauben es auch die anderen. Das heißt, er hatte es mit einer potentiellen Revolution zu tun, die er um jeden Preis verhindern musste, weil es sonst mit seiner politischen Karriere vorbei gewesen wäre.«

Jenkins nickte. »Genau.«

»Und deswegen fühlen Sie sich verantwortlich dafür, was mit diesen Menschen passiert ist.«

»Ich habe in den letzten dreißig Jahren jeden Tag daran denken müssen.«

Der Pilot tippte Molia aufs Knie. Es war Zeit, zum Fenster hinauszuschauen und sich einem ganz anderen Grauen zu stellen. Er konnte nur für Sloane hoffen, dass er ihm gewachsen war.

## 84

Der Hall des Schusses durch die Schlucht machte es unmöglich zu erkennen, aus welcher Richtung er abgefeuert worden war, doch am Ziel konnte es keinen Zweifel geben. Parker Madsen hatte zum Himmel hinaufgestarrt, als die Kugel seine Brust unterhalb der Achsel des erhobenen linken Arms durchschlug. Plötzlich knickte er zur Seite, als wäre er in zwei Stücke gerissen worden, und taumelte zurück auf Beinen, die zu nichts anderem mehr gut waren, als seinen Körper mühsam aufrecht zu halten. Das Geschoss, eine Hohlspitzpatrone mit Messingummantelung der Marke Remington Golden Saber, drang fast schleichend in den Körper ein und zog eine Spur der Verwüstung hinter sich her. Sie ging durch die Rippen, zerriss Knorpel- und Muskelgewebe und bohrte sich durch beide Lungenflügel, bis sie schließlich auf der anderen Seite explosionsartig wieder austrat.

Madsens rechte Hand löste den Griff um das Haarbüschel, und Tina sank zu Boden. Seine linke Hand ließ das Messer fallen, um das warme Strömen seines Blutes zu fühlen, das seine Tarnkleidung durchtränkte. Auf seinem Gesicht malte sich ab, was sein Körper bereits wusste und was kein Mensch, und sei er noch so gut ausgebildet, bereitwillig akzeptieren konnte. Er war nicht nur einfach getroffen worden, er war tödlich verwundet. Er warf den Kopf zurück, um die Ursache seines Untergangs zu erspähen, fast als wäre er amüsiert über ein Missgeschick.

Sloane saß auf dem Boden, das linke Bein von sich gestreckt, das rechte abgewinkelt. Seine leicht zitternden Hände hielten den Colt umklammert, der immer noch auf sein Ziel angelegt war.

»Zu spät«, flüsterte Madsen erneut. Blut sickerte ihm aus dem Mundwinkel, als er nach seiner Pistole griff.

»Diesmal nicht«, sagte Sloane und drückte noch einmal ab.

## 85

Als er über den unebenen Boden zu ihr kroch, schrie jede Faser seines Körpers vor Schmerz. Tina saß zusammengesunken da, der Kopf hing zur Seite, die Schultern zuckten.

Die zweite Kugel hatte Parker Madsen voll in die Brust getroffen und ihn nach hinten gerissen wie ein Schlag mit einem Schmiedehammer. Er lag eineinhalb Meter hinter ihr, und die Sohlen seiner wuchtigen schwarzen Springerstiefel ragten aus dem Gras. Als Sloane die Hand nach Tina ausstreckte, wurden ihre Augen groß vor Verwunderung und Freude. Unbeholfen tastete sie nach seinem Gesicht und streichelte es mit gebundenen Händen, als könnte sie sich nur durch die Berührung vergewissern, dass er wirklich am Leben war, dass es keine Wahnvorstellung war.

Er hob das Messer auf und durchtrennte sacht die Fesseln um ihre Handgelenke. Dann zog er sie an sich und spürte ihre bebende Wärme.

Sie lebte. Sie war noch am Leben.

»Schon gut.« Seine beschwichtigenden Worte waren nicht nur für sie bestimmt. »Schon gut. Jetzt ist es vorbei. Es ist vorbei.«

Ungläubiges Staunen lag in ihrem Blick. »Aber wie kann das sein? Er hat dich doch niedergeschossen. Ich hab gesehen, wie er dich niedergeschossen hat.«

Mit verzerrtem Gesicht knöpfte Sloane das Hemd unter Tom Molias Jacke auf. Die kugelsichere Weste des Detectives hatte die Kugel abgefangen, doch der Aufschlag war brutal gewesen. Bei jedem Atemzug spürte er einen Druck, als würde der Brustkasten zusammengequetscht. Vielleicht fühlte es sich so an, wenn man von einem Lastwagen überrollt wurde.

Sloane war nicht in der Lage gewesen, Madsens äußere Schale zu durchdringen und den Mann dahinter zu erkennen. Aber das war auch nicht nötig gewesen. Er kannte Leute wie Parker Madsen. Madsen wäre nie auf die Idee gekommen, dass Sloane eine Schutzweste tragen könnte, weil er sich blind auf den psychiatrischen Bericht in Sloanes Akte verließ, der Sloane eine Selbstmordgefährdung und eine Neigung zu überstürzten Entscheidungen nachsagte. Doch es gab etwas, was der Psychiater nicht gewusst hatte und was nirgends in dem Bericht zu finden war. Etwas, was niemand außer Sloane und der Gefreite Ed Venditti je erfahren würde: der wahre Grund, weshalb Sloane an diesem Tag die Schutzweste ausgezogen hatte. Nicht, um sich schneller bewegen zu können. Und auch nicht aus einem verborgenen Todeswunsch heraus. Der zwanzigjährige Venditti, der verheiratet war und zwei Kinder hatte, hatte in der Hektik des bevorstehenden Kampfes die Jacke in dem Hubschrauber vergessen, der sie zum Gefecht geflogen hatte. Und als er seinen Fehler erkannte, hatte er Sloane mit dem gleichen angstvollen Blick angeschaut, den Sloane vor ein paar Stunden in Tom Molias Gesicht gesehen hatte. Es war die Furcht, die Liebsten nie wiederzusehen, die nagende Sorge, dass ihre Familie, die Kinder ohne sie auskommen mussten. Sloane hatte Venditti hinter eine Felsgruppe gezogen, seine Weste abgenommen und ihm befohlen, sie anzuziehen. Sloane musste nicht fürchten, bei seinem Tod nah Verwandte zurückzulassen. Wenn er an diesem Tag gestorben wäre, hätte sich niemandes Leben geändert. Sloane wusste, dass das Marine Corps Venditti wegen seiner Nachlässigkeit vor ein Kriegsgericht gestellt hätte – bei solchen Fehlern kannte das Militär keine Gnade. Da Sloane bereits zu dem Schluss gekommen war, dass das Töten nichts für ihn war, fiel es ihm nach seiner Verwundung nicht schwer, auf die Offiziersschule zu verzichten.

Er küsste Tina auf den Kopf und roch den süßen Duft ihres Haars, das sich weich an seine Wange schmiegte. »Es ist vorbei, Tina. Niemand wird dir mehr weh tun. Jetzt nicht und auch später nicht.«

»Und was ist mit dir, David?« Sie sprach flüsternd, den Kopf an seine Brust gedrückt. »Ist es auch für dich vorbei? Hast du herausgefunden, was du wissen wolltest?«

»Noch nicht ganz. Aber genug. Ich habe dich gefunden. Ich habe herausgefunden, dass ich dich liebe und dass ich ein erfülltes Leben führen kann, wenn ich mich ganz dieser Liebe widme.«

»Dann tu das doch.« Sie umarmte ihn. »Widme dich ihr.«

Sie blickten auf, als das Dröhnen des Hubschraubers

unüberhörbar wurde. Sloane hob schützend den Arm, da der Wind ins Gras fuhr wie ein heranziehender Sturm und Staub aufwirbelte. Der Helikopter landete auf der Lichtung. Neben dem Piloten saß, beleuchtet vom Schein der Armaturentafel, mit aschfahlem Gesicht Tom Molia.

## 86

Die beiden Männer standen schweigend da und blickten hinaus auf das Wasser, damit beschäftigt, nach der Begegnung mit ihrem schlimmsten Alptraum die Fassung wiederzugewinnen. Der Mond und die Sterne glitzerten auf der dunklen Oberfläche, als würde gleich darunter ein großer Fischschwarm vorüberhuschen. Der Gegensatz zwischen der Schönheit der Natur und der Hässlichkeit der Menschheit hätte nicht eindringlicher sein können. Im Lauf einer Woche war der Ort zweimal durch den gewaltsamen Tod eines Menschen entweiht worden.

»Er hätte Sie … er hätte dich umbringen können«, sagte Molia schließlich. Nach all dem gemeinsam Durchlebten schien ihm dann jetzt doch der Zeitpunkt gekommen, zum Du überzugehen. »Nicht unbedingt schlau für einen Typen mit deinem IQ.«

Sloane drückte ein Taschentuch an den Mund. Beim Aufprall der Kugel hatte er sich auf die Zunge gebissen, die immer noch blutete. »Ich wusste, dass er auf den Oberkörper schießt. Dazu ist er ausgebildet worden. Madsen konnte seine Ausbildung nicht hinter sich lassen.«

Grinsend wandte sich Molia zu ihm um. »Dafür fühlst du dich jetzt bestimmt so richtig wohl, oder?«

Lächelnd berührte Sloane die rote Beule auf seiner Brust, die bereits in alle Richtungen Fäden aussandte.

»Tut mit leid mit deiner Jacke.« Er fummelte an einem Loch im Stoff herum.

Molia zuckte die Achseln. »Die hab ich sowieso nie gemocht. Ein Geschenk von Maggies Mutter. Deswegen musste ich sie mindestens einmal im Jahr anziehen. Die hat mich immer so dick gemacht.«

Sloane lachte. Genau aus diesem Grund hatte er die Jacke ausgesucht. Sie war so unförmig, dass sie die Schutzweste verborgen hatte.

»Außerdem solltest du dir lieber wegen Maggie Sorgen machen. Die macht dir bestimmt die Hölle heiß. Das war nämlich ihre Lieblingslampe.«

»Ist das ungefähr so, wie wenn du nicht rechtzeitig zu ihrem Schmorbraten kommst?«

Molia legte Sloane die Hand auf die Schulter. »Mein Freund, das ist, als würde man eine kühle Sommerbrise mit einem Sturm vergleichen.«

Sie wandten sich um, als sie näher kommende Schritte hörten. Charles Jenkins war so, wie ihn Sloane in Erinnerung hatte: überlebensgroß. Allerdings hatte er gerade den Arm in einer Schlinge, und sein Gesicht war mit Prellungen und Platzwunden übersät.

»Ich warte drüben beim Jeep«, sagte Molia. »Diesmal lass ich dich nicht allein weg, denn in diese Affenschaukel bringen mich keine zehn Pferde mehr rein.«

»Aber du hast es getan, du hast dich deinen Ängsten gestellt«, erwiderte Sloane.

»Ja, das stimmt.« Molia blickte hinüber zum Hubschrauber. »Aber wie gesagt, diese Sache wird völlig überschätzt.«

Sloane schaute Charles Jenkins an. Zwei erwachsene Männer, die viel erlebt hatten und die von einem einzigen Ereignis für immer zusammengeschweißt worden waren. Ein Ereignis, an das sich Sloane nicht hatte erinnern wollen und das Jenkins nicht hatte vergessen können. Vielleicht war es damit jetzt für beide vorbei. Falls das Besiegen der eigenen Ängste nicht tatsächlich überschätzt wurde, wie Tom Molia behauptete.

»Hier haben sie ihn gefunden?«, fragte Sloane.

Jenkins nickte. »Ja, das hat der Detective erzählt.«

»Sie haben ihn gekannt?«

Wieder nickte Jenkins. »Ja, ich habe ihn gekannt.«

»Was war er für ein Mensch?«

Nachdenklich schaute Jenkins hinaus aufs Wasser. »Ein guter Mensch. Ein Familienmensch. Ehrenhaft. Ein Mann, der ohne zu Zögern für einen anderen sein Leben aufs Spiel gesetzt hätte, wenn er es für richtig gehalten hätte. Sie brauchen keine Schuldgefühle zu haben, David. Joe würde es nicht wollen. Bestimmt hatte *er* in den langen Jahren große Schuldgefühle ihretwegen. Mir ist es genauso gegangen. Aber er hatte wenigstens den Mumm, etwas dagegen zu unternehmen. Deswegen hat er die Akte aufgehoben. Ich habe mir lange den Kopf zerbrochen, warum er das getan hat. Aber jetzt verstehe ich es. Er konnte Sie nicht bei sich behalten. Das wäre viel zu gefährlich für Sie gewesen. Und aus dem gleichen Grund konnte er Sie auch nicht besuchen. Aber er wollte die Verbindung zu Ihnen nicht völlig aufgeben, um Ihnen eines Tages vielleicht erklären zu können, was passiert ist und wer Sie sind.«

Sloane spürte eine Träne auf der Wange. Er wusste jetzt, dass Joe Branick genau das getan hatte.

Jenkins reichte Sloane eine acht Zentimeter dicke Mappe. »Vorn finden Sie eine Nachricht. Joe wollte, dass Sie die bekommen. Da finden Sie hoffentlich ein paar Antworten auf Ihre Fragen.«

Sloane nahm die Mappe an sich. »Können Sie mir kurz erklären, was passiert ist?«

»Sind Sie sicher, dass Sie das jetzt hören wollen?«

Er blickte Charles Jenkins in die Augen. »Ich weiß nicht, ob ich dafür je bereit sein werde, Mr. Jenkins. Aber mir bleibt gar nichts anderes übrig, denn ich habe keine Ahnung, wer ich bin.«

Jenkins kannte dieses Gefühl. »Vielleicht finden wir es beide raus.« Dann begann er zu erzählen.

Völlig durchnässt von einem Regenguss und in seinem schweren Wollponcho schwitzend von der schwülen Feuchtigkeit, kam er in der Abenddämmerung an. Zusammen mit einer Gruppe, die sich von Westen aus genähert hatte, betrat er das Dorf und erblickte eine Menschenmenge, die er auf siebenhundert schätzte - viel mehr, als sie vermutet hatten. Er hielt nach Leuten Ausschau, die Waffen trugen, doch wenn es in der Menge Soldaten gab, konnte er sie nicht entdecken.

Das Dorf lag wirklich mitten im Nirgendwo. Der steile Pfad war in den ockerfarbenen Boden und die felsigen Gebirgsausläufer gegraben worden. Die nächste befahrbare Straße war drei Kilometer entfernt, und angesichts ihres verheerenden Zustands - fünfzehn Kilometer Schlaglöcher und Steine - hätte die Entfernung auch dreihundert Kilometer betragen können. Wahllos angeordnet tauchten Lehmhütten mit nur einem Raum und Strohdach im dichten, gnadenlosen Dschungel auf, der alles zu verschlingen drohte. Schweine, Hühner und ausgemergelte Hunde liefen zusammen mit barfüßigen Kindern durch die unbefestigten Straßen. Es gab weder Wasserrohre noch Kanalisation. Keine der Hütten hatte ein Waschbecken, ein Bad oder Strom. Keine Straßenlaternen. Keine Telefone. Auf einem aus dem Fels gehauenen Stück Land, das vielleicht einen halben Hektar groß war, wurden Bohnen, Chili und verschiedene Kürbissorten angebaut.

Wegen seiner Größe nahm Jenkins relativ weit hinten Platz und schlug die Beine unter. Worauf er eigentlich wartete, wusste er nicht. Nach zehn Minuten spürte er die abgeschnittene Blutzufuhr in den Knien, die ohnehin schon malträtiert waren, weil sie bei der rüttelnden Fahrt auf der mit Schlaglöchern übersäten Straße immer wieder gegen das Armaturenbrett gekracht waren. Schon bei dem Gedanken an die Heimfahrt spürte er seinen Hintern. Wie um ihn zu ärgern, setzte der Regen wieder ein und durchdrang jede Ritze und Naht seiner Kleider. Er zog sich die Kapuze tief ins Gesicht und sah die Welt nur noch durch einen schmalen Schlitz. Die Menge schien völlig unbeeindruckt. Knisternde Spannung lag in der Luft, als würden die Menschen auf ein wichtiges Sportereignis oder ein hochgelobtes Broadwaymusical warten.

Plötzlich sank Stille herab, und nur noch das ferne Jaulen eines Hundes war zu hören. Alle reckten die Hälse. Jenkins richtete den Oberkörper auf, um über die Köpfe zu blicken, konnte aber zunächst nicht erkennen, was die Aufmerksamkeit der Menge erregt hatte.

Dann sah er ihn.

Er wurde auf einen großen, flachen Stein gehoben und stand da, als würde er über ihnen schweben.

Ein Junge.

Nur ein Junge – barfuß, mit weichen, engelhaften Zügen und einem dunklen Haarschopf.

Jenkins sah, wie er die Augen schloss, die Arme ausstreckte und den Kopf zurückwarf, als wollte er das Wasser trinken, das von den Blättern tropfte. Sein langes, weißes Hemd wurde vom Wind erfasst und blähte sich wie ein Segel.

»*Levanten sus ojos y miren del lugar donde ustedes están* – hebt den Blick und schaut hinauf von dem Ort, wo ihr seid.«

Als würden sie seinem Befehl folgen, blickten die Leute himmelwärts.

»Mögen die Dörfer jubeln. Mögen die Menschen Mexikos singen vor Freude; mögen sie rufen von den Bergeshöhen. Der Herr wird ausziehen wie ein Riese; er wird den Eifer aufwecken wie ein Kriegsmann; er wird jauchzen und tönen; er wird seinen Feinden obliegen.«

Jenkins zog sich den Poncho vom Kopf. Die Leute um ihn herum hatten die Augen geschlossen und erstarrten zu stummen Statuen. Nur ihre Lippen bewegten sich stumm. *Sie beteten.* Es war unglaublich.

Die Worte strömten aus dem Mund des Jungen wie ein Gebirgsbach und schallten bis in die hintersten Reihen, wo Jenkins saß.

»Ich schweige wohl eine Zeitlang und bin still und halte an mich; nun aber will ich wie eine Gebärerin schreien; ich will sie verwüsten und alle verschlingen. Ich will Berge und Hügel verwüsten und all ihr Gras verdorren und will die Wasserströme zu Inseln machen und die Seen austrocknen. Aber die Blinden will ich auf dem Wege leiten, den sie nicht wissen; ich will sie führen auf den Steigen, die sie nicht kennen; ich will die Finsternis vor ihnen her zum Licht machen und das Höckerichte zur Ebene. Solches will ich ihnen alles tun und sie nicht verlassen.«

Die Worte waren irgendwie vertraut, aber woher? Als der Junge weitersprach, fiel es ihm ein. Was er in den Baptistenkirchen gehört und längst vergessen zu haben glaubte, hatte in Wirklichkeit nur in ihm geschlummert. Der Junge rezitierte die Bibel, auch wenn nichts davon klang, als hätte jemand anderer es verfasst. Überhaupt nicht. Er sprach die Worte, als würde er sie zum ersten Mal sagen, als wären sie ihm gerade eingefallen. Zehn Minuten vergingen. Zwanzig. Die Menschen bewegten sich kaum. Freudentränen liefen ihnen über die Wangen.

*Mein Gott,* dachte er.

Der Junge hielt inne und richtete den Blick mit solcher Kraft auf die Zuhörer, dass die vorn Sitzenden zurückzuweichen schienen. Seine Stimme wurde härter. Die Worte flossen nicht mehr, sie stachen auf die Menge ein wie scharfe Messer. »Wir sind Mexikaner. Dieses Land war die Heimat unserer Vorfahren, bevor andere einfielen und den rechtmäßigen Besitz Mexikos raubten. Wir sind die Nachkommen eines großen Geschlechts von Kriegern und ein stolzes Volk.«

Ein Murmeln des Aufruhrs ging durch die Menge.

»Wir sind Azteken, Tolteken, Zapoteken und Mixteken. Jahrtausendelang haben wir frei und selbständig gelebt. Wir errichteten große Zivilisationen. Wir waren von niemandem abhängig. Wir benötigten keine fremde Hilfe. Wir waren großzügig mit unseren Geschenken, doch ihre Gier kannte keine Grenzen. Wie wollten keinen Krieg, aber der Krieg kam zu uns. Hört mich an. Es kann kein wahres Mexiko geben, solange es kein freies Mexiko gibt.«

Es stimmte also. Jenkins hatte etwas anderes gehofft, doch es stimmte: Hier war das Zentrum der Unruhen.

»Es kann kein wahres Mexiko geben, solange wir uns auf jene verlassen, die nur danach streben, das mexikanische Volk in Knechtschaft zu halten, in Machtpositionen zu gelangen und in prächtigen Häusern zu wohnen. Jene, die danach streben, Mexiko zu zerstören und sein Volk zu versklaven, dürfen nicht mehr in unserer Mitte geduldet werden. Jene, die Mexiko vergewaltigen, die sein Land und seine Bodenschätze rauben, dürfen nie wieder zurückkehren. Nur wenn die Menschen Mexikos wirklich unabhängig sind, wird eine Nation erblühen. Nur dann werden wir wieder ein stolzes Geschlecht voller Ehre sein.«

Die Menschen um Jenkins herum waren plötzlich auf den Beinen und stürmten mit Rufen der Zustimmung auf den Stein zu. Jenkins verlor den Jungen aus den Augen, dann sah er, wie ihn die Menge in die Höhe hob und er zum Rhythmus von Trommeln auf ihren Schultern tanzte. Es war unwirklich wie eine Theaterproduktion auf dem Gelände eines Hollywoodstudios. Doch das hier waren keine Schauspieler, und es war kein Theaterstück. Es war real. Es passierte tatsächlich.

Plötzlich brach ein Donnerschlag von solcher Heftigkeit aus den schwarzen Wolken über dem Dschungel hervor, dass der Boden erzitterte, und dann öffnete der Himmel seine Schleusen. In großen

Sturzbächen fiel der Regen herab und schoss von den Blättern wie Wasser aus Hähnen. In Sekundenschnelle verschwanden die Menschen in die Hütten oder in den umliegenden Urwald, aus dem sie gekommen waren.

Charles Jenkins stand allein im Regen.

»Nach jedem Besuch habe ich Bericht erstattet«, schloss Jenkins. Er schüttelte den Kopf. »Es tut mir so leid. Ich hätte nie gedacht, dass es so endet.«

Sloane erkannte den Schmerz in Charles Jenkins' Augen, sah die Zeichen einer jahrelangen Existenz voller Gewissensqualen. Er und Jenkins waren einander gleich. Lange Zeit in ihrem Leben waren sie beide nicht sicher gewesen, wer sie waren und ob sie es herausfinden wollten. »Was an diesem Tag passiert ist, ist nicht Ihre Schuld«, sagte Sloane. Er fuhr sich mit der Hand übers Kinn, als er an Melda dachte, an den jungen Polizisten mit dem kleinen Sohn, an den Nachtportier bei Foster & Bane und an Peter Ho mit seiner Familie.

Er dachte an Joe Branick.

An die Frauen und Kinder in dem Dorf.

An seine Mutter.

Der Verlust und der Schmerz lagen so schwer auf ihm, dass er das Gefühl hatte zu ersticken.

»Ich habe sie überzeugt, dass die Bedrohung durch Sie real war«, bemerkte Jenkins.

»Nein.« Sloane schüttelte den Kopf. »*Ich* habe *Sie* überzeugt.« Er schaute ihn an. »Ich habe Sie überzeugt, weil man es mir beigebracht hatte, weil ich geglaubt habe, dafür geboren zu sein. Keiner von uns beiden konnte die Ereignisse steuern. Wir waren beide zu jung und vertrauensvoll. Was ich nicht verstehe, ist: Warum jetzt? Warum hat Joe Branick die Sache nach so vielen Jahren wieder ausgegraben? Er hatte die Akte doch die ganze Zeit. Warum hat er dreißig Jahre damit gewartet, Robert Peak an den Pranger zu stellen?«

»Er wollte Robert Peak gar nicht an den Pranger stellen, David. Im Gegenteil, er wollte ihm das Leben retten.«

»Das verstehe ich nicht.«

»Egal, was er von Robert Peak gehalten hat, nachdem er ihn konfrontiert und erfahren hatte, dass der Mann, mit dem er so lange zusammengearbeitet hatte, ein Mörder war – Joe war ein Patriot und wollte Schaden von seinem Land abwenden.«

»Und wozu hat er dann mich gebraucht?«

»Weil Sie der Einzige sind, der die Identität von *el Profeta* kennt.«

## 87

Das Solarium im zweiten Stock des Weißen Hauses hatte bereits als Klassenzimmer für den Unterricht von Präsidentenkindern gedient. Auch als Raum für Familientreffen an Feiertagen war es benutzt worden. Robert Peaks Kinder waren schon erwachsen, als er die Amtsgeschäfte aufnahm. Er und seine Frau hatten einen Teil des Budgets, das für die Gestaltung des Weißen Hauses nach dem Geschmack der jeweiligen Präsidentenfamilie vorgesehen war, dazu verwendet, das Solarium in eine Art Museum zu verwandeln, das thematisch um Robert Peak kreiste. An den mit dunklem Eichenholz getäfelten Wänden prangten Fotos eines Mannes mit seiner Familie. Ob bei der Arbeit oder in der Freizeit, Robert Peak stand immer im Zentrum des Geschehens – der Sohn eines verehrten Staatsmanns, der zum Präsidenten der Vereinigten Staaten aufgestiegen war. In Bleiglaskästen waren gebundene Bücher, Souvenirs, Andenken und Auszeichnungen ausgestellt, die er im Lauf seiner bedeutenden politischen Karriere gesammelt hatte. Alle Schaustücke waren in sanftes Licht getaucht. Die einzige andere Beleuchtung kam von einer antiken Tischlampe, als müsste der Raum bewusst dämmerig gehalten werden, um nur ja keine Geheimnisse zu enthüllen, die einen Makel auf Robert Peaks sorgsam gepflegtes Image werfen würden.

Sloane saß in dem gedämpften Licht, die Akte offen auf dem Schoß, und las die Berichte von Charles Jenkins, die Robert Peak dazu veranlasst hatten, die Talon Force zum Morden in die Berge zu schicken. Im Verlauf der sechs Monate, in denen Jenkins das Dorf besucht hatte, waren seine Beschreibungen der Versammlungen immer beschwörender geworden. Sie fingen mit blankem Zynismus an, gingen allmählich in vorsichtige Erwägungen über und endeten mit uneingeschränkter Überzeugung. Sloane sah sich noch einmal einen der Einträge an.

»Die von mir geschilderten Ereignisse sollten nicht einfach als belanglos abgetan werden. Die Atmosphäre dieser Versammlungen lässt sich nur als äußerst spannungsgeladen beschreiben – ähnlich wie bei Augenzeugenberichten über paranormale Geschehnisse. Dieser Junge rezitiert nicht bloß die Bibel; die Worte strömen aus ihm heraus wie Wasser aus einem Hahn, wie von ihm selbst geschrieben – oder für ihn. Und die Menschen, die sich zu seinen Ansprachen versammeln, hören ihm nicht bloß zu. Sie saugen seine Worte in sich auf und scheinen wie hypnotisiert durch seine Anwesenheit.«

Sloane musste daran denken, wie die Geschworenen förmlich nach seinen Worten lechzten.

»Die ›Predigten‹ des Jungen, wie sie von den Menschen aus der Gegend bezeichnet werden, werden immer beunruhigender. Zwar setzt er sich weiterhin für Ideale der mexikanischen Kultur ein, aber seine Botschaft nimmt auch deutliche Züge einer regierungsfeindlichen Rhetorik an. Er spricht sich für eine Rückkehr zu den traditionellen Grundsätzen aus, die die mexikanische Revolution getragen haben: mehr Freiheit für die Armen und Ureinwohner, Verteilung großer Landstriche an die Bauern, Verstaatlichung der mexikanischen Banken und Bodenschätze und eine staatliche Finanzierung des Wohnungsbaus und des Gesundheitswesens. Zunehmend kritisch äußert er sich über die derzeitige mexikanische Regierung und das Engagement der USA in Mexiko in der Vergangenheit. Er tritt zwar nicht offen für Gewalt ein, aber er hat seine Zuhörer schon des Öfteren zu lautstarken Reaktionen hingerissen.

Der Einfluss marxistischer Rebellen, die Mexiko zu einem neuen Vietnam machen wollen, darf nicht unterschätzt werden. Da die Versammlungen immer mehr Menschen anlocken, ist davon auszugehen, dass die Botschaft des Jungen vom Dschungel auf die Städte übergreifen und dort bei Studenten, Arbeitern und Gewerkschaften ein bereitwilliges und aufgeklärteres Publikum finden und für Unruhen sorgen wird. Sollte dies eintreffen, könnte die Botschaft des Jungen, deren aufrührerische Wirkung ich selbst bezeugen kann, nicht abzuschätzende Folgen auf die Stabilität der amtierenden Regierung haben.«

Die Tür zum Zimmer öffnete sich. Robert Peak trat ein, gekleidet in Jeans, Kaschmirpullover und Hausschuhe. Ohne Sloane zu beachten, ging er zu einem Glaswagen beim Fenster, zog den Stöpsel aus einer Kristallkaraffe und schenkte sich Brandy in ein bauchiges Glas.

»Was ich getan habe«, sagte er mit dem Rücken zu Sloane, »habe ich allein im Interesse unseres Landes getan. Unsere Streitkräfte waren weltweit in Alarmbereitschaft, und im Nahen Osten war die Lage äußerst explosiv. Für unsere Flotte im Indischen Ozean und im Persischen Golf bestand größte Gefahr.«

Peak wandte sich zu Sloane um. Sein zwangloses Benehmen und seine Arroganz konnten nicht verbergen, was sein Körper verriet. Das Strahlen seiner berühmten blauen Augen war stumpf und müde, und er hatte dunkle Tränensäcke. Seine Haut war schlaff und seine Wangen rot vom hohen Blutdruck.

Angesichts der Überheblichkeit des Mannes wallte in Sloane die tief vergrabene Bitterkeit und Wut auf, die er wie ein großes Geschwür in seinem Inneren spürte. Er legte die Akte beiseite und stand auf. Seine Stimme war nicht lauter als ein Flüstern. »Was Sie getan haben, war ein Massaker an Frauen und Kindern.«

Peak biss sich auf die Unterlippe, dann fuhr er fort. »Ich habe den Befehl erteilt, weil die Folgen andernfalls noch schlimmer gewesen wären.«

»Sie haben den Befehl erteilt, um Ihre politische Karriere zu retten.«

»Wenn eine Revolution ausgebrochen wäre, hätten unschuldige Frauen und Kinder sterben können.«

»Auch so sind unschuldige Frauen und Kinder ums Leben gekommen.«

»Manchmal müssen einige wenige zum Wohl des Landes und zum Wohl der vielen geopfert werden. Dieser Satz stammt nicht von mir, ich hab ihn nicht erfunden. Ich hatte die Aufgabe, jede Entwicklung zu verhindern, die uns den Zugang zum mexikanischen Öl erschweren würde. Ich habe nur meine Arbeit getan.«

Sloane erinnerte sich, dass er sich vor Emily Scotts Mutter mit ganz ähnlichen Worten gerechtfertigt hatte. Er schämte sich.

Peak zog sich hinter einen Lehnsessel zurück und klammerte sich daran fest, wie um Halt zu suchen. »Diese Dinge liegen dreißig Jahre zurück, Mr. Sloane. Ich kann nichts mehr daran ändern.«

»Nein, das kann ich nur bestätigen. Aber Sie hätten etwas daran ändern können, was diese Woche passiert ist.«

»Sie wissen nicht, was ich weiß, was ich damals wusste. Sie sitzen nicht in meinem Sessel. Sie haben überhaupt kein Recht, ein Urteil über mich zu sprechen.«

»Sie irren sich«, entgegnete Sloane. »Heute Abend sitze ich in Ihrem Sessel. Und ich erlaube mir, ein Urteil über Sie zu sprechen.«

Peak legte die gefalteten Hände an den Mund und neigte den Kopf wie im Gebet. »Diese Verhandlungen sind wichtiger als das, was zwischen uns vorgefallen ist. Wir haben die Chance, die Abhängigkeit unseres Landes vom arabischen Öl und alle damit verbundenen Probleme zu verringern, wenn nicht gar zu beenden. Es ist eine gute Vereinbarung.«

»Es gibt keine Vereinbarung, Mr. Peak. Ihre Vergangenheit hat Sie eingeholt, und diesmal können Sie nicht davonlaufen oder sich von Ihrem Vater herausboxen lassen. Sie können nicht einfach einen Befehl erteilen und den Hals aus der Schlinge ziehen. Castañeda hat Sie ausgetrickst. Sie haben sich festgelegt. Sie haben die OPEC vor den Kopf gestoßen, und wenn Sie den Ölgesellschaften jetzt nicht den Weg nach Mexiko bahnen können, sind Sie erledigt. Sie können nicht mehr zurück. Sie müssen zu diesem Gipfel, sonst verlieren Sie Ihr Amt. Aber das wäre vergleichsweise noch ein kleines Problem.«

Peak trank seinen Brandy leer. »Die Sicherheitsvorkehrungen werden so streng sein wie noch nie. Es besteht nicht die geringste Chance, dass dieser Mann auch nur in die Nähe des Weißen Hauses kommt.«

»Wenn Sie das wirklich glauben, warum sprechen wir dann überhaupt miteinander?«

Peaks Adamsapfel hüpfte wie ein Angelkorken. »Und Sie kennen diesen Mann – *el Profeta?*«

Sloane antwortete nicht.

»Sie wollen etwas dafür.«

»Eigentlich nicht viel, angesichts der Umstände. Sie haben mir mein Leben genommen. Jetzt nehme ich Ihnen Ihres. Manchmal müssen einige wenige zum Wohl des Landes und zum Wohl der vielen geopfert werden. Auch von mir stammt dieser Satz nicht, Mr. Peak. Sie kennen meine Bedingungen.«

Peak schüttelte den Kopf. »Darauf lasse ich mich nicht ein.«

Sloane drehte sich um und ging zur Tür. »Dann sind Sie morgen Mittag ein toter Mann.«

## 88

Um zehn Uhr vormittags lag der Rose Garden im warmen Schein der strahlenden Sonne. Geheimdienstbeamte bezogen ihre Positionen auf den Dächern nah gelegener

Gebäude und strömten mit Hunden, die auf die Suche nach Sprengstoff abgerichtet waren, auf das Gelände des Weißen Hauses. Arbeiter stellten Stühle auf und legten letzte Hand an die erhobene Bühne, auf der die Würdenträger stehen sollten. Jedes Auto in einem Umkreis von sechs Blocks wurde abgeschleppt; Kanalisationsdeckel wurden versiegelt. Die Ausweise der geschätzten zweihundertfünfzig Journalisten wurden mit größter Sorgfalt überprüft.

Auf der anderen Seite der Stadt trat Miguel Ibarón aus der Empfangshalle eines streng bewachten Hotels und hinkte über den Gehsteig auf ein wartendes Auto zu. Obwohl er nicht geschlafen hatte, fühlte er sich wach und ruhig. Als er sich in das Lederpolster zurücklehnte, spülten Erinnerungen eines ganzen Lebens über ihn hinweg. Er dachte an den Moment vor dreißig Jahren, als er das dichte Laub auseinanderschob und entdeckte, dass sie alle abgeschlachtet worden waren. Bei ihrem Blut hatte er geschworen, lange genug zu leben, um Rache zu üben an dem Mann, der das getan hatte.

Der Tag der Vergeltung war gekommen.

Heute würde Robert Peak sterben.

Er hatte Wort gehalten.

Ibarón spürte das Gewicht der Vergangenheit und schüttelte die Erinnerungen ab. Ein Blick auf die Uhr zeigte ihm, dass seit der Abfahrt vom Hotel eine halbe Stunde vergangen war. Genug Zeit, um pünktlich zu sein, trotz der zu erwartenden Sicherheitskontrollen vor dem Weißen Haus. Er sah zum Fenster hinaus, aber die Gegend kam ihm nicht vertraut vor. Er drückte den Knopf der Sprechanlage und redete die Glasscheibe an, die ihn vom Fahrer trennte.

»Warum dauert das so lange?«

Der Fahrer reagierte nicht.

Wieder betätigte Ibarón den Knopf. »Hallo, warum dauert das so lange?«

Keine Antwort.

Vorsichtig klopfte er mit dem Griff seines Stocks an die Scheibe.

Noch immer nahm ihn der Chauffeur nicht zur Kenntnis. Die Limousine wechselte auf einen anderen Highway.

Ibarón löste seinen Gurt und schlug mit größerer Wucht gegen das Glas. Trotzdem schenkte ihm der Mann am Steuer keine Beachtung. Er packte den Türgriff, doch die Türen waren verriegelt. Er drückte auf den Schalter zum Öffnen der Fenster. Die Scheiben bewegten sich nicht. Langsam wurde er nervös.

Was war da los?

Er knallte den Goldgriff ans Glas. Es gab nach, ohne zu brechen.

»Wo sind wir?«, rief er. »Antworten Sie! Ich werde bei den Feierlichkeiten erwartet. Man wird nach mir suchen.«

Die Sprechanlage klickte. »Sie werden nicht bei den Feierlichkeiten erwartet.« Die Stimme des Chauffeurs war ruhig und teilnahmslos. »Und man wird nicht nach Ihnen suchen.«

»Ich verlange, dass Sie mich zum Weißen Haus bringen.«

»In Ihrer Situation können Sie keine Forderungen stellen.«

Schmerz drückte auf seine Brust und schnürte ihm den Atem ab. Er löste die Krawatte und den obersten Hemdknopf. Wilde Gedanken schossen ihm durch den Kopf. Ruíz hatte sich Sorgen gemacht, weil sich die CIA nach der Mexikanischen Befreiungsfront erkundigt hatte. Jemand hatte nach ihm gesucht. Aber wer? Dieser Joe Branick? Weshalb? Und wer war das überhaupt? Woher konnte er gewusst haben, dass er *el Profeta* war?

Er bekam einen Hustenanfall, bis er krampfhaft keuchend nach Luft schnappte und Schleim in sein Taschentuch spuckte. Als er aufblickte, bemerkte er die Augen des Fahrers im Rückspiegel.

»Man wird nach der Limousine suchen.« Äußerlich gelassen wischte sich Ibarón den Mund ab. »Die Feierlichkeiten werden nicht ohne mich beginnen. Man wird Sie finden und Sie zur Rechenschaft ziehen.«

»Niemand wird nach Ihnen suchen, weil Sie die Teilnahme an den Feierlichkeiten aus gesundheitlichen Gründen abgesagt haben. Auch nach der Limousine wird man nicht suchen, weil Ihre Fahrt abbestellt wurde. Und mich wird man nicht finden, weil ich schon tot bin.«

Ibarón lehnte sich zurück, in seinem Kopf überschlugen sich die Gedanken. Schon tot? Der Mann musste verrückt sein, aber wenn er die Absicht hatte, Ibarón zu töten, hatte er sich verrechnet. Der Stock, den ihm Gott in die Hände gelegt hatte, um ihn in seiner lähmenden Krankheit zu stützen, war das Instrument, mit dem er durch die Sicherheitskontrollen gelangen würde. Die innere Röhre aus hochwertigem Stahl war so umgebaut, das daraus drei Patronen vom Kaliber .44 abgefeuert werden konnten; der Abzug war ein kleiner Hebel im Goldgriff.

Der Fahrer bog in einen Feldweg, und der Wagen rollte hüpfend und schaukelnd eine schmale Steigung hinauf. Jede Erschütterung fuhr Ibarón als schmerzhaftes Stechen in die Knochen. Plötzlich blieb das Auto stehen, und der Fahrer stellte den Motor ab. Ibarón beugte sich vor, um durchs Fenster zu schauen. »Wo sind wir? Warum haben Sie hier angehalten?«

Mit einem schnappenden Geräusch löste sich die Verriegelung. Der Fahrer machte die Tür auf und stieg aus. In Erwartung eines Angriffs umklammerte Ibarón seinen Stock, als sich die hintere Tür öffnete, doch der Mann blieb nicht beim Auto. Er ging auf einen Abhang zu und blieb mit den Händen in den Taschen stehen, als wollte er die Aussicht bewundern.

Was war das für ein Spiel?

Ibarón rang mit dem Gewicht der Tür. Schließlich hielt er sie mit dem Stock auf, um hinauszugelangen. Dann setzte er ihn vorsichtig auf, um sich auf dem unebenen Boden vorwärtszutasten. Zwei Meter hinter dem Fahrer blieb er stehen. »Wer sind Sie? Was soll das Ganze? Schauen Sie mich gefälligst an.«

Sloane wandte sich um. Das Gesicht war anders, als er es in Erinnerung hatte. Er war nicht mehr stark und gutaussehend mit kantigen Zügen und vollem schwarzem Haar. Es war schmal geworden, die Wangen eingefallen, das Kinn spitz, die Haare dünn und weiß – das Gesicht eines schwerkranken, vom Tod gezeichneten Mannes. Nur die Augen waren gleich geblieben: dunkelbraune Teiche voller Machtbewusstsein. Nur dank dieser Augen hatte er Ibarón auf den Fotos der mexikanischen Delegation erkannt.

Sloane hätte nicht behaupten können, dass er keine Rachegelüste gegen Robert Peak hegte. Aber Charles Jenkins hatte es ganz richtig gesehen. Joe Branick hatte gewusst, dass die Ermordung Robert Peaks keine Antwort war. Wenn Sloane einfach seinem Hass gefolgt wäre, dann wäre Joe Branicks Tod umsonst gewesen. So kam es, dass Sloane nur ganz bescheidene Forderungen an William Brewer stellte. Aileen Blair sollte nach Washington geflogen werden. Sloane selbst wollte mit Robert Peak sprechen und ihn wissen lassen, dass es ihm bei seiner Entscheidung nicht darum ging, dem Präsidenten das Leben zu retten, sondern einzig und allein um Joe Branick. Außerdem wollte er *el Profeta* allein treffen.

Als er aus Peaks Solarium trat, saß Aileen schon geduldig wartend vor der Tür. Nichts und niemand konnte Robert Peak vor Aileen Blairs Zorn bewahren.

»Erkennst du mich nicht?« Sloane sah Ibarón an. »Viele Jahre sind seit unserer letzten Begegnung vergangen. Damals war ich noch ein Junge.«

Sloane beobachtete, wie die Augen des alten Mannes die Jahre abschälten wie die Haut einer Zwiebel, und mit jeder abgetragenen Schicht veränderte sich sein Gesichtsausdruck. Ibarón durchlief die gleichen Stadien wie Charles Jenkins' Berichte vor dreißig Jahren: erst Verwirrung, dann Fassungslosigkeit und zuletzt Schock.

»Chuy«, flüsterte er. Grenzenloses Staunen lag in diesem einen Wort, und er trat näher, um ihn zu mustern. »Was ist das für ein Trick?«

Sloane schüttelte den Kopf. »Das ist kein Trick, Vater.«

»Du bist tot.«

Sloane nickte. »Ja. Der Junge, an den du dich erinnerst, ist an diesem Tag gestorben, Vater.«

Er schien zu überlegen, wie das alles zusammenpassen konnte. »Wie? Wie ist das passiert?«

»Du, Vater, du bist der Grund dafür, dass es passiert ist. Du hast mir die Dinge beigebracht, die ich sagen sollte. Du hast mir beigebracht, wie ich sie sagen sollte. Du hast mich Dinge predigen lassen, die nichts mit mir zu tun hatten. Du bist schuld, dass die Soldaten gekommen sind.«

»Nein.«

»Du hast mich für deine Zwecke missbraucht, und dieser Missbrauch hat meine Mutter und alle anderen im Dorf das Leben gekostet. Und auch mich, denn in den letzten dreißig Jahren war ich so gut wie tot.«

»Nein. Du hattest die Macht.«

»Ich war dein Sohn. Und du hättest mir ein Vater sein müssen. Du hättest mich schützen und für mich sorgen müssen. Stattdessen hast du mich benutzt. Du hast mich benutzt, um deinen Hass zu befriedigen und deine politischen Ziele durchzusetzen.«

»Gott hat dir eine Gabe geschenkt, eine mächtige Gabe.«

»Ja, das hat er.«

»Gott hat dich zu den Menschen geschickt.«

»*Du* hast mich zu den Menschen geschickt.«

»Weil du das Werkzeug warst, um die Menschen aus ihrer jahrhundertelangen Unterdrückung und Armut zu befreien. Du hättest das mexikanische Volk von seinem Elend, Schmerz und Leid erlösen sollen.«

»Stattdessen habe ich noch mehr Leid über es gebracht.«

Ibarón blieb unerbittlich. »Wie kannst du das zu mir sagen? Nach dem Verbrechen an deiner Mutter und den anderen im Dorf habe ich mich dreißig Jahre lang auf diesen Tag vorbereitet. Ich habe geschworen, ihren Tod zu rächen, auch deinen Tod. Keinen Tag, keine Minute meines Lebens bin ich zur Ruhe gekommen. Und jetzt ist der Tag gekommen. Bring mich zum Weißen Haus, und ich werde dir meine Treue zu ihr und all den anderen beweisen, die an diesem Tag gestorben sind. Bring mich zum Weißen Haus, damit ich es zu Ende führen kann.«

»Es ist schon zu Ende geführt. Nicht, wie du es dir vorgestellt hast, sondern auf andere Weise. Meinetwegen werden keine Menschen mehr sterben, Vater. Heute tue ich, wozu du und Robert Peak und Parker Madsen und alle anderen Beteiligten nicht bereit waren. Ich beende das Morden. Meinetwegen hat es angefangen. Meinetwegen wird es auch aufhören.« Sloane zog die Autoschlüssel aus der Tasche.

»Was machst du da?«

Sloane riss den Arm nach hinten und ließ ihn dann nach vorn schnellen, als hätte er mit einer Steinschleuder geschossen.

Entsetzt streckte Ibarón die Hand aus. »Nein!«

Die Autoschlüssel beschrieben einen hohen Bogen vor dem blauen Himmel und blinkten einen kurzen schwebenden Moment lang im Sonnenlicht, bevor sie nach unten fielen und im dichten Gestrüpp am Fuß der Böschung verschwanden.

Ibarón stand reglos da, als wäre soeben der letzte Funken Hoffnung in seinem Leben erloschen.

»Es tut mir leid, Vater. Ich hätte dich gern unter anderen Umständen wiedergesehen.«

Der alte Mann fuhr auf, und sein Körper straffte sich wie ein großes, aus dem Schlaf gerissenes Tier. Sein Rücken wurde gerade, und die Muskeln an Armen und Beinen, soeben noch lahm und ausgelaugt, schienen auf einmal voller Kraft. Er stieß Sloane die Stockspitze so heftig gegen die Brust, dass er einen Schritt zurücktaumelte.

»Nein, du irrst dich. Es wird sein, wie ich es mir vorgestellt habe. Du bist nicht mein Sohn. Ich weigere mich, es zu glauben.«

In diesem Augenblick wusste Sloane – woher, hätte er nicht sagen können –, dass der Stock das Todesinstrument war, mit dem Ibarón durch die Kontrollen gelangt wäre und Robert Peak getötet hätte. Trotzdem empfand er keine Furcht. Nicht dass er sich auf das Sterben gefreut hätte. Zum ersten Mal in seinem Leben lag eine Zukunft vor ihm, eine Zukunft mit Tina und Jake – etwas, für das es sich zu leben lohnte, Menschen, für die es sich zu leben lohnte. Doch das konnte er nicht, solange dieses Kapitel seines Lebens noch nicht abgeschlossen war. Und wenn das den Tod bedeutete, dann ließ sich daran eben nichts ändern. Er musste sicher sein, dass er anders war als Robert Peak und Parker Madsen, dass er kein Mensch war, der ohne Rücksicht auf die Folgen einfach seine Arbeit tat. Er musste beweisen, dass er nicht wie sein Vater war, erfüllt von Rachedurst, verbittert und voller Zorn auf die Welt, verzehrt vom Hass. Er war nicht hierhergekommen, um Robert Peak das Leben zu retten. Er war hierhergekommen, um zu sich selbst zu finden. Denn letztlich ging es für ihn nicht nur darum zu erfahren, wer er war, sondern auch, was für ein Mensch er war.

»Du kannst mich nicht töten, Vater. Der Junge von damals ist schon lange tot.«

Die Stockspitze erzitterte, und das Klopfen gegen Sloanes Brust wurde heftiger, als würde elektrischer Strom von zunehmender Stärke durch den Körper des alten Mannes fahren, bis Ibarón schließlich mit einem Schlag nach hinten gerissen wurde und das Gleichgewicht verlor. Die Kraft des Hasses und der Überzeugung verließ ihn, und er brach zusammen – ein gebrechlicher Greis, in dem das brennende Feuer erloschen war.

Sloane fragte sich unwillkürlich, wie viel er von diesem Mann geerbt hatte. Er hatte wissen wollen, was ihn als Menschen geprägt hatte, doch ihm wurde klar, dass seit den Ereignissen von damals viel Zeit vergangen war und dass er ohnehin nichts mehr daran ändern konnte. Er ließ sich nicht mehr von anderen bestimmen; was ihn heute ausmachte, waren seine eigenen Taten und Handlungen. Er selbst konnte seine Zukunft gestalten.

Im Vorbeigehen berührte er ihn an der Schulter, dann ließ er den alten Mann allein, der zum Himmel hinaufschaute und zusammenhangloses Zeug faselte. Als er an der Limousine vorbeikam und den Feldweg erreichte, erhob sich eine leichte Brise, die ihm die Richtung zu zeigen schien. Die Blätter raschelten an den Bäumen, die wie eine Ehrengarde dastanden, stumme Zeugen der Vergangenheit. Hinter sich hörte er das gedämpfte Rauschen des Flusses, das ihn wie das Branden der Wellen vor der Balkontür seiner Wohnung an das Verstreichen der Zeit erinnerte. Zielstrebig ging er weiter, ohne sich ein einziges Mal umzudrehen oder den Schritt zu verlangsamen. Nicht einmal, als ein Schuss aufpeitschte, hielt er inne – der vierte, dessen Hall sich in wenig mehr als einer Woche in alle Richtungen durch die Schlucht zerstreute.

# Epilog

*Seattle, Washington*

Sloane öffnete seine schwarze Aktenmappe und zog den Umschlag heraus, den er bei seinem eiligen Aufbruch zum Gericht in das vordere Fach gestopft hatte. Er betrachtete das Foto: Charles Jenkins kniete in einem Gemüsegarten, hinter ihm ragte der Mount Rainier auf. Neben ihm Alex Hart, die Arme um Jenkins' Hals geschlungen, den Kopf auf seiner Schulter. Zu ihren Füßen saß mit hängender Zunge Joe Branicks Hund Sam.

Nachdem er von Jenkins' Verlust erfahren hatte, hatte Sloane Aileen Blair um den Hund gebeten. Sie war froh, dass er ein neues Heim gefunden hatte. Für sich hatte Sloane um nichts gebeten, doch zwei Wochen später kam trotzdem ein großes Paket: die lebensgroße Pappfigur von Larry Bird, die ihr Bruder so geliebt hatte. Jetzt stand sie im Eingangsflur ihres Hauses und wachte über alle, die kamen und gingen. Tina hatte sich nicht beschwert.

Sloane hatte das Mietshaus verkauft, um seine Erinnerung an Melda auf angemessene Weise zu begraben. Er hätte dort nicht mehr leben können. Auch so wusste er, dass er sie immer vermissen würde.

In den Tagen nach dem Gipfel berichtete Aileen Blair Sloane häufig von ihren privaten Gesprächen mit Robert Peak. Letztlich beschloss die Familie, die Ermittlungen zu Joe Branicks Tod einschlafen zu lassen, getröstet von dem Wissen, dass er sich nicht das Leben genommen hatte. Aileen Blairs Zorn war zwar groß, und sie hätte Robert Peak gern in aller Öffentlichkeit zur Rechenschaft gezogen, aber sie respektierte die Haltung ihres Bruders, der das Ansehen des Landes nicht durch einen nationalen Skandal beschädigen wollte. Selbst im Tod hatte Joe Branick das Richtige getan.

Miguel Ibaróns Leiche wurde von den USA nach Mexiko überführt. Offiziell verlautete, dass der greise Politiker, der seinem Land in Würde und Ehren gedient hatte, an Komplikationen im Zusammenhang mit seinem Krebsleiden verstorben war. Es hieß, dass er in Mexiko ein Staatsbegräbnis erhalten würde.

Parker Madsen hatte weniger Glück. Seine Leiche wurde aus dem ausgebrannten Wrack seines Wagens geborgen. Die Autopsie ergab, dass der Stabschef in alkoholisiertem Zustand über eine steile Böschung gefahren und gegen einen Baum gekracht war. Auch sein Andenken litt Schaden. Einige Wochen nach Madsens Tod berichtete die *Washington Post* unter Berufung auf vertrauliche Quellen, dass Madsens Tod wahrscheinlich Selbstmord gewesen war. Er hatte sich das Leben genommen, als durchgesickert war, dass er eine streng geheime paramilitärische Einheit kommandiert hatte, der Gräueltaten an Zivilisten in Vietnam und möglicherweise auch in anderen Ländern zur Last gelegt wurden. Kurz nach diesem Bericht wurden die Schlagzeilen beherrscht von Robert Peaks überraschender Entscheidung, das Amt des Präsidenten aus nicht näher genannten familiären Gründen niederzulegen. Politische Beobachter hielten diesen Schritt angesichts der von ihm ausgehandelten Ölvereinbarungen zwischen den USA und Mexiko für eine reine Formsache. Peaks treue Anhänger aus der Öl- und Autoindustrie schäumten vor Wut, und man sprach von politischem Selbstmord.

Alberto Castañeda wurde in seiner Heimat als Held des mexikanischen Volks gefeiert. Man verglich sein kühnes Vorgehen bei der Durchsetzung des Vertrags mit den USA mit Lázaro Cárdenas Verstaatlichung der mexikanischen Ölindustrie vor sechzig Jahren. Mexikanische Zeitungen berichteten, Castañeda sei gestärkt zurückgekehrt, und sagten voraus, er werde mit dem neuen Reichtum seines Landes große Dinge zum Wohl seines Volkes vollbringen.

Tom Molia hatte die Vorzüge der elektronischen Post für sich entdeckt und sandte Sloane häufig E-Mails, die meistens einen Witz enthielten. Er arbeitete weiterhin als Detective, weil er – wie er Sloane anvertraute – gar nicht mehr wusste, was er mit sich anfangen sollte, wenn ihm J. Rayburn Franklin nicht die Hölle heiß machte. Er hatte Sloane auch ein Foto geschickt, das jetzt an Sloanes Kühlschranktür hing und den Detective neben einem grünen 69er Chevy zeigte. Auf der Rückseite stand: »Hat keine Klimaanlage«.

Sloane ließ das Bild von Charles Jenkins und Alex Hart in die Tasche seines blauen Jacketts gleiten, als der Gerichtsdiener um Ruhe bat. Richter Brian Wilbur betrat den Saal. Der kahle Mann mit kantigen Gesichtszügen und dem Körperbau eines Basketballprofis nahm seinen erhöhten Platz unter dem Siegel des Staates Washington ein, rückte einen Stapel Papiere zurecht und blickte auf Sloane hinab.

»Herr Anwalt, sind Sie bereit für Ihr Eröffnungsplädoyer?«

»Ich bin bereit, Herr Vorsitzender.«

Sloane schob den Stuhl zurück und stand auf. Dann klappte er die Mappe auf und zog die Blätter seines Plädoyers heraus. Er musste über sein Spielchen lächeln und steckte sie wieder zurück. Als er den Tisch verließ, streckte seine Mandantin den Arm aus, um ihm die Hand zu drücken. Er blieb kurz stehen, um ihr beruhigende Worte ins Ohr zu flüstern.

»*Volverá bien* – alles wird gut.«

Dann wandte er sich ab und trat vor die Geschworenen.

»Guten Morgen, meine Damen und Herren. Mein Name ist David Sloane. Ich vertrete die Klägerin.«

## Danksagung

Wie bei jedem Projekt gibt es viele Menschen, denen Anerkennung gebührt. Ihnen allen bin ich dankbar für die Zeit und das Talent, die sie eingebracht haben. Ihre Einsichten haben dazu beigetragen, *Das Gift der Macht* zu einem besseren Buch zu machen.

Sollte ich jemanden vergessen haben – ihr wisst, wer ihr seid und dass sich eure Arbeit in diesen Seiten widerspiegelt. Für alle Fehler übernehme allein ich die Verantwortung.

Besonderen Dank schulde ich: Jennifer McCord, meiner Beraterin bei Pacific Northwest Publishing, die mir geholfen hat, eine Heimat für mein Schreiben zu finden, und unermüdlich meine Karriere fördert; Sheriff Pat Moran aus Redwood City und dem früheren FBI-Agenten Joseph Hilldorfer für ihre Erklärungen zur Arbeitsweise der Polizei; dem Waffenexperten James Fick für seine Begeisterung und sein umfassendes Wissen über Schusswaffen; Dr. Robert Kapela für seine über dreißigjährige Erfahrung in der Pathologie und mit Autopsien, der mir interessante Anregungen gegeben hat, wie man Menschen auf kreative Weise umbringen kann; der klinischen Pharmakologin Bernadette Kramer für ihre Erklärungen zu Drogen und deren Wirkung auf den Körper, zu Krankenhäusern im Allgemeinen und zu psychiatrischen Abteilungen im Besonderen; meiner Schwester – ich hatte keine Ahnung, dass sie so schlau ist; und den zahlreichen Bibliothekskräften, die mir erklärten, wo ich Antworten auf meine Fragen finden konnte.

Dank auch an meine guten Freunde und früheren Kollegen bei Gordon & Rees in San Francisco, vor allem an Doug Harvey, der mich in zwölf gemeinsamen Jahren in die subtile und manchmal auch nicht so subtile juristische Praxis eingeführt hat; sowie an meine neuen Freunde und Kollegen bei Schiffrin, Olsen, Schlemlein and Hopkins in Seattle und an Theresa Goetz, deren Flexibilität dazu beigetragen hat, dass bei mir nicht die Lichter ausgingen, und die mich zum Schreiben meiner Romane und Sachbücher ermutigt haben – ein großes Dankeschön auch von meiner Frau und meinen Kindern.

An Sam Goldman, den wildesten Journalismuslehrer an der Westküste, der mir nicht nur das Schreiben, sondern auch die Liebe zum Schreiben beigebracht hat.

An meine Agenten Jane Rotrosen, Donald Cleary und alle anderen von der Jane Rotrosen Agency, und vor allem an Meg Ruley. Ihr seid noch besser als eure Werbung. Ich wiederhole mich gern: Ihr habt die drei besten Eigenschaften, die sich ein Autor wünschen kann: immer für einen da, immer interessiert, immer hilfreich. Meg, bei meinem nächsten Aufenthalt in New York bist du zum Essen eingeladen.

Mein Dank gilt auch den kompetenten Leuten bei der Time Warner Book Group. Im Einzelnen: Verleger Jamie Raab, der mich und mein Schreiben mit offenen Armen aufgenommen hat; Becka Oliver, die sich so beharrlich und erfolgreich dafür eingesetzt hat, dass *Das Gift der Macht* in vielen Ländern auf der ganzen Welt gelesen wird; der künstlerischen Leiterin Anne Twomey für den stilvollen und interessanten Bucheinband; den Lektoren Penina Sacks und Michael Carr, die mein Manuskript durchgesehen haben und mich klüger aussehen lassen, als ich bin; und der Werbefachfrau Tina Andreadis. Dank auch an meinen Redakteur Colin Fox, der sich gut um mich und *Das Gift der Macht* gekümmert hat. Wir müssen unbedingt bald auf ein Bier gehen.

Doch euch allen habe ich immer nur meine besten Seiten gezeigt. Die Selbstzweifel und das Lamentieren hat zum größten Teil meine Frau Christina abbekommen. Während der ganzen Zeit hat sie nie ihre Geduld und ihre Überzeugung verloren. Sie hat mehr an mich geglaubt als ich selbst. Nicht nur deswegen bin ich dein größter Fan.